LE DIABLE DANS LA VILLE BLANCHE

Né en 1954 à Brooklyn, Erik Larson est journaliste. Il a travaillé entre autres pour le *Wall Street Journal*, le *Time Magazine* et le *New Yorker*. Ses livres, traduits dans une dizaine de langues, s'inspirent tous d'histoires criminelles historiques. Après *Le Diable dans la Ville blanche*, prix Edgar en 2004 dans la catégorie « Fact Crime » et bientôt adapté au cinéma avec Leonardo DiCaprio, les droits d'adaptation cinématographique de *Dans le jardin de la bête*, son deuxième ouvrage paru en France et best-seller international, ont été achetés par Tom Hanks.

Paru dans Le Livre de Poche :

DANS LE JARDIN DE LA BÊTE

ERIK LARSON

Le Diable
dans la Ville blanche

TRADUIT DE L'ANGLAIS (ÉTATS-UNIS)
PAR HUBERT TÉZENAS

CHERCHE MIDI

Titre original :

THE DEVIL IN THE WHITE CITY
Publié par Vintage Books.

À Chris, Kirsten, Lauren et Erin
grâce auxquelles tout en vaut la peine

– et à Molly, dont la boulimie de chaussettes
nous a tous laissés pieds nus.

Exposition universelle de 1893, Chicago.

Maux imminents

(Note de l'auteur)

À Chicago sur la fin du XIXᵉ siècle, parmi la fumée des industries et le fracas des trains vécurent deux hommes, deux beaux hommes aux yeux bleus, l'un et l'autre exceptionnellement doués dans leur domaine d'élection. Chacun d'eux incarna un élément de la puissante dynamique qui propulsait alors les États-Unis vers le XXᵉ siècle. Le premier, architecte, construisit quelques-uns des plus importants édifices d'Amérique, dont le Flatiron Building à New York et la gare d'Union Station à Washington ; le second fut l'un des assassins les plus prolifiques de l'histoire et le précurseur d'un archétype américain, le tueur en série urbain. Même si ces deux hommes ne se rencontrèrent jamais, du moins officiellement, leur destin fut lié par un même événement magique, en grande partie disparu de la mémoire collective, mais auquel on attribua en son temps un pouvoir de transformation presque égal à celui de la guerre de Sécession.

Les pages qui suivent retracent l'histoire de ces deux hommes et de cet événement, mais je me dois d'insérer ici un avertissement : aussi étranges ou macabres certains des faits décrits puissent-ils paraître, il ne s'agit en aucun cas d'une œuvre de fiction. Tout ce qui figure entre guillemets provient soit d'une lettre, soit de mémoires, soit d'une autre forme de document écrit. L'action se déroule pour l'essentiel à Chicago, mais je prie par avance mes lecteurs de me pardonner mes rares échappées hors des frontières de l'Illinois, comme au moment où le tenace inspecteur Geyer descend enfin dans cette horrible cave. J'implore aussi leur indulgence pour les quelques chemins de traverse que les besoins de l'histoire m'ont contraint d'emprunter, notamment mes digressions sur l'acquisition de cadavres à des fins médicales et sur le bon usage du géranium « Prince noir » dans un paysage d'Olmsted.

Sous le sang, la fumée et le terreau, ce livre parle de l'évanescence de la vie et des raisons pour lesquelles certains hommes choisissent de vouer le bref délai qui leur est imparti à tenter l'impossible, d'autres à fabriquer de la souffrance. En fin de compte, il est ici question de l'inéluctable conflit entre le bien et le mal, la lumière et les ténèbres, la Ville blanche et la noire.

Erik LARSON, Seattle.

Ne vous contentez jamais de petits plans ; ils n'ont aucune magie pour échauffer le sang des hommes.

Daniel H. BURNHAM
Directeur des travaux
Exposition universelle colombienne, 1893

Je suis né avec le diable en moi. Je n'ai pas pu m'empêcher d'être un assassin, pas plus que le poète ne peut empêcher son inspiration de chanter.

Docteur H. H. HOLMES
Confession
1896

PROLOGUE

À bord de l'*Olympic*

1912

Les architectes *(de gauche à droite)* : Daniel Burnham,
George Post, M. B. Pickett, Henry Van Brunt, Francis Millet,
Maitland Armstrong, Col. Edmund Rice, Augustus
Saint-Gaudens, Henry Sargent Codman, George W. Maynard,
Charles McKim, Ernest Graham, Dion Geraldine.

À bord de l'*Olympic*

Le 14 avril 1912 allait devenir une date noire de l'histoire maritime, mais l'occupant de la suite 63-65 du pont supérieur C ne le savait naturellement pas encore. Il savait en revanche que son pied le faisait beaucoup souffrir, plus qu'il ne s'y attendait. À 65 ans, c'était devenu un gros homme. Il avait les cheveux gris et la moustache presque blanche, mais ses yeux restaient d'un bleu intense, accentué à cet instant par la proximité de l'océan. Son pied l'avait contraint dans un premier temps à ajourner ce voyage et le maintenait à présent cloîtré dans sa suite pendant que les autres passagers de première classe, dont son épouse, faisaient ce que lui-même aurait été ravi de faire, explorer les parties les plus exotiques du paquebot. L'homme adorait l'opulence de ce navire, tout comme il adorait les wagons de la Pullman Palace et les vastes cheminées, mais ces douleurs au pied lui gâtaient son plaisir. Il admettait que le dérèglement métabolique qui les causait était dû pour une bonne part à son refus de refréner sa vieille passion des vins fins, de la gastronomie et des cigares de luxe. La douleur lui rappelait chaque jour que son temps sur cette terre touchait à sa fin. « Le prolongement de la vie d'un homme ne m'intéresse pas du moment qu'il a fait et plutôt bien fait son travail », avait-il confié à un ami juste avant de s'embarquer.

Cet homme s'appelait Daniel Hudson Burnham, et son nom était désormais connu à travers le monde. Il était architecte et il avait plutôt bien fait son travail à Chicago, New York, Washington, San Francisco, Manille et dans beaucoup d'autres villes. Sa femme Margaret et lui voguaient en compagnie de leur fille et du mari de celle-ci vers l'Angleterre, en vue d'un tour d'Europe censé se poursuivre jusqu'au bout de l'été. Burnham avait choisi le RMS *Olympic* de la White Star pour sa nouveauté, son gigantisme et ses fastes. Lorsqu'il avait pris ses réservations, l'*Olympic* était même le plus grand paquebot de ligne du monde, mais, trois jours à peine avant son départ, un navire-jumeau – d'un tonnage très légèrement supérieur – lui avait ravi ce titre en levant l'ancre pour son voyage inaugural. Burnham savait que ce *sistership* transportait au même moment et sur le même océan, quoique en sens inverse, un de ses meilleurs amis, le peintre Francis Millet.

Alors que les derniers rayons du soleil s'insinuaient dans leur suite, Margaret et lui se mirent en route vers la salle à manger des première classe, un pont plus bas. Ils descendirent en ascenseur pour épargner à son pied le supplice du grand escalier – au grand dam de Burnham, que ravissait l'élégance de ses artistiques balustrades en fer forgé et de l'immense coupole de verre et de métal qui inondait les entrailles du navire de lumière naturelle. Son pied malade limitait de plus en plus sa mobilité. À peine une semaine plus tôt, il s'était retrouvé dans l'humiliante situation de devoir traverser

18

en fauteuil roulant la gare de Washington, une de ses œuvres.

Après avoir dîné en tête à tête dans le salon des première classe de l'*Olympic*, le couple se retira dans sa suite où, sans motif précis, les pensées de Burnham le ramenèrent à Frank Millet. Sur un coup de tête, il décida de lui envoyer un salut océanique via la puissante TSF Marconi de l'*Olympic*.

Burnham sonna un steward. Un homme d'âge moyen en uniforme blanc impeccable transporta son message trois ponts plus haut, jusqu'à la salle de TSF attenante à la passerelle des officiers. Il revint quelques minutes plus tard, le message toujours à la main, et annonça à Burnham que l'opérateur refusait de l'envoyer. Rendu irritable par la douleur, l'architecte lui ordonna de remonter à la salle de TSF pour obtenir des explications.

*

Millet n'était jamais loin de l'esprit de Burnham, tout comme l'événement qui les avait réunis : la grande foire mondiale de Chicago, en 1893. Millet avait été l'un des plus proches alliés de Burnham dans son long et âpre combat pour que celle-ci voie le jour. Officiellement baptisée Exposition universelle colombienne, elle avait eu pour vocation de célébrer le 400e anniversaire de la découverte de l'Amérique par Christophe Colomb, mais était devenue, sous la houlette de Burnham, son bâtisseur en chef, une création architecturale enchanteresse, connue dans le monde entier sous le nom de « Ville blanche ».

Même si l'Expo n'avait duré que six mois, 27,5 millions de visiteurs s'y étaient rendus, et ce dans un pays dont la population totale n'excédait pas 65 millions d'habitants. Le record d'affluence pour une journée avait dépassé les 700 000 entrées. Sa tenue même relevait pourtant du miracle. Pour construire la Ville blanche, Burnham avait affronté une légion d'obstacles dont n'importe lequel aurait pu – et dû – tuer le projet bien avant l'inauguration. Ensemble, ses confrères et lui avaient accouché d'une cité de rêve dont la grandeur et la beauté dépassaient de loin tout ce que chacun d'eux aurait pu imaginer individuellement. Les visiteurs y venaient parés de leurs plus beaux atours et de leur mine la plus solennelle, comme s'ils s'avançaient dans une cathédrale. Certains fondaient en larmes en découvrant ses beautés. D'autres y goûtèrent un amuse-gueule inconnu jusque-là, le Cracker Jack, et un nouveau type d'aliment pour petit déjeuner à base de céréales, le Shredded Wheat. Des villages entiers furent importés d'Égypte, d'Algérie, du Dahomey et autres contrées lointaines, avec leurs habitants. La rue du Caire employait à elle seule près de 200 Égyptiens et se composait de 25 bâtiments distincts, dont un théâtre de 1 500 places qui initia l'Amérique à une forme de spectacle aussi inédite que scandaleuse. Tout dans l'Expo était exotique et, surtout, démesuré. Le site couvrait plus de 2,5 kilomètres carrés, sur lesquels furent construits plus de 200 édifices. Un des halls d'exposition offrait à lui seul un volume intérieur suffisant pour contenir le Capitole, la grande pyramide de Gizeh, la cathédrale de Winchester, le Madison Square Garden et la cathédrale Saint-Paul – simultanément. Une autre de ses attractions, tout d'abord qualifiée de « monstruosité », devint, pour finir, l'emblème de la foire mondiale – une machine tellement énorme et terrifiante qu'elle fit sur-le-champ oublier la tour de Gustave Eiffel, qui avait tant blessé l'orgueil de l'Amérique. Jamais auparavant un tel nombre d'illustres personnages de l'histoire (Buffalo Bill, Theodore Dreiser, Susan B. Anthony, Jane Addams, Clarence Darrow, George Westinghouse, Thomas Edison, Henry Adams, l'archiduc François-Ferdinand, Nikola Tesla, Ignace Paderewski, Philip Armour, Marshall Field...) ne s'étaient trouvés en même temps au même endroit. Le journaliste et écrivain Richard Harding Davis vit dans cette exposition « le plus grand événement de l'histoire du pays depuis la guerre de Sécession ».

Que quelque chose de magique soit advenu à Chicago cet été-là ne faisait aucun doute, mais les ténèbres avaient également touché l'Expo. Plusieurs dizaines d'ouvriers furent tués ou blessés pendant la construction du rêve, laissant autant de familles dans la misère. Le feu en emporta 15 autres, et un meurtrier transforma la cérémonie de clôture, qui aurait dû être la plus grande célébration du siècle, en funérailles géantes. Le pire aussi avait eu lieu, même si les révélations de cet ordre-là n'émergèrent que peu à peu. Un assassin s'était promené parmi les splendides créations de Burnham. Des jeunes femmes attirées à Chicago par l'exposition et la promesse d'une vie indépendante s'étaient volatilisées après avoir été vues pour la dernière fois dans l'antre du tueur, un immeuble occupant toute la longueur d'un pâté de maisons – une sinistre parodie de tout ce que chérissaient les architectes. Ce ne fut qu'après l'exposition que Burnham et ses confrères apprirent l'existence de lettres angoissées de parents n'ayant plus aucune nouvelle de leur fille venue s'établir en ville. La presse émit l'hypothèse que plusieurs dizaines de personnes pouvaient avoir disparu derrière les murs de cet immeuble. Même les reporters les plus aguerris du Whitechapel Club de Chicago, ainsi baptisé en référence au terrain de chasse londonien de Jack l'Éventreur, furent surpris par ce que les policiers découvrirent en fin de compte à l'intérieur et par le fait que des agissements aussi macabres aient pu passer tout ce temps inaperçus. L'explication rationnelle consista alors à rejeter le blâme sur les forces du changement qui avaient secoué Chicago pendant toute cette période. Dans une telle tourmente, on pouvait concevoir que les méfaits d'un jeune et séduisant médecin n'attirent pas l'attention. Au fil du temps, toutefois, les hommes et les femmes les plus mesurés en vinrent eux-mêmes à considérer ce personnage de façon nettement moins rationnelle. Lui-même se décrivit comme le diable et alla jusqu'à affirmer que sa forme physique se modifiait. Il advint en outre tant de choses étranges à ceux qui l'avaient traîné en justice que ses affirmations finirent par paraître presque plausibles.

Pour les esprits enclins au surnaturel, la mort du président du jury constitua à elle seule une preuve suffisante de leur bien-fondé.

*

Burnham avait mal au pied. Le pont vibrait. Où que l'on soit à bord de l'*Olympic*, on sentait la puissance de ses 29 chaudières monter par les virures de la coque. C'était même la seule constante à indiquer – tant dans les cabines que dans les salles à manger ou au fumoir, et ce malgré les faramineux efforts consentis pour créer l'impression que ces pièces sortaient tout droit du château de Versailles ou d'un manoir anglais du XVIIe siècle – que l'on se trouvait à bord d'un paquebot lancé sur le bleu infini de l'océan.

Burnham et Millet faisaient partie des rares constructeurs de l'Expo encore en vie. Beaucoup d'autres les avaient quittés. Olmsted et Codman. McKim. Hunt. Atwood, dans un mystérieux incendie. Sans parler de cette terrible perte initiale, que Burnham peinait toujours à assimiler. Il ne resterait bientôt plus personne ; l'Exposition universelle cesserait alors d'exister à l'état de souvenir inscrit dans un cerveau vivant.

Des hommes clés, qui restait-il en dehors de Millet ? Seulement Louis Sullivan : aigri, parfumé à l'alcool, plein de rancœur contre Dieu savait quoi mais n'hésitant cependant pas à passer au bureau de Burnham pour quémander un prêt ou lui vendre une peinture, un dessin.

Du moins Frank Millet semblait-il encore plein de vigueur, de santé et de cette truculente bonne humeur qui avait tant animé leurs longues soirées pendant le chantier de l'Expo.

Le steward revint. L'expression de son regard avait changé. Il s'excusa auprès de Burnham. Il n'était toujours pas parvenu à envoyer son message, mais du moins pouvait-il maintenant lui en donner l'explication. Un accident s'était produit, impliquant le paquebot de Millet. D'ailleurs, ajouta-t-il, l'*Olympic* filait maintenant vers le nord à vitesse maximale pour venir en aide à son *sistership*, c'est-à-dire pour recueillir et soigner les passagers blessés. Il ne savait rien d'autre.

Burnham croisa les jambes en grimaçant et attendit de plus amples informations. Quand l'*Olympic* aurait rejoint les lieux de l'accident, il espérait retrouver Millet et entendre l'extravagant récit que celui-ci ferait sans aucun doute de sa traversée. Dans la paix de sa luxueuse suite, Burnham ouvrit son journal personnel.

Le souvenir de l'Expo lui revint ce soir-là avec un surcroît de clarté.

PREMIÈRE PARTIE

Musique pétrifiée

Chicago, 1890-1891

Chicago, vers 1889.

1

La Ville noire

Rien n'était plus facile que de disparaître.

Mille trains desservaient chaque jour Chicago. Beaucoup d'entre eux amenaient des jeunes femmes célibataires qui ne savaient pas ce qu'était une ville mais espéraient néanmoins élire domicile dans l'une des plus grandes et des plus dures qui soient. Comme l'écrivit la philosophe et féministe Jane Addams, fondatrice en 1889 du centre d'œuvres sociales Hull House, « jamais dans la civilisation un tel nombre de jeunes filles n'ont été soudainement privées de la protection d'un foyer, ni autorisées à marcher sans escorte dans les rues de la ville et à travailler sous des toits étrangers ». Ces femmes recherchaient un emploi de dactylographe, de sténographe, de couturière ou de tisseuse. Les hommes qui les embauchaient étaient pour la plupart des citoyens intègres, en quête d'efficacité et de profit. Mais pas toujours. Le 30 mars 1890, un dirigeant de la First National Bank fit ainsi paraître un avis dans la rubrique « Offres d'emploi » du *Chicago Tribune* pour alerter les sténographes postulantes de « notre conviction grandissante qu'aucun employeur entièrement honorable et en pleine possession de ses facultés ne passera jamais d'annonce destinée à recruter une sténographe blonde, jolie, seule en ville et prête à envoyer sa photographie. Toutes les annonces de cet ordre portent la marque patente de la vulgarité, et nous considérons qu'il n'est sûr pour aucune dame de répondre à des formulations aussi inconvenantes ».

Pour se rendre à leur travail, ces femmes empruntaient à pied des rues bordées de bars, de tripots et de maisons closes. Le vice prospérait à l'ombre de l'indulgence officielle. « Les foyers des honnêtes gens étaient alors (comme aujourd'hui) des lieux plutôt ternes », écrivit au soir de sa vie le scénariste Ben Hecht, cherchant à expliquer la persistance de cette caractéristique du vieux Chicago. « Il était plaisant, en un sens, de savoir que, au-delà de leurs fenêtres, le diable cabriolait encore dans une odeur de soufre. » Max Weber, lui, invoqua une analogie dont il n'imaginait pas toute la pertinence en comparant la ville à « un être humain à la peau écorchée ».

La mort frappait souvent, anonyme et précoce. Les rails sur lesquels circulaient les 1 000 trains de la ville étaient posés à même les chaussées. On pouvait, en descendant d'un trottoir, se faire écraser par le Chicago Limited. Chaque jour, deux personnes en moyenne mouraient en traversant une voie ferrée, atrocement mutilées. Des piétons ramassaient des têtes coupées. Ce n'était pas le seul danger. Il y avait aussi les tramways qui dégringolaient des ponts à bascule. Les chevaux qui s'emballaient et précipitaient leur voiture dans la foule. Les incendies qui prenaient chaque jour une dizaine de vies – « rôti » était l'adjectif favori des journalistes pour décrire l'état des victimes. Il y avait encore la diphtérie, le typhus, le choléra, la grippe. Et il y avait le meurtre. À l'époque de l'Exposition universelle, le nombre d'hommes et de femmes allant jusqu'à tuer un de leurs semblables connaissait une progression spectaculaire dans tout le pays, mais plus encore à Chicago, où la police ne possédait ni les compétences ni les effectifs dont elle aurait eu besoin pour faire face à un tel volume de crimes. Sur les six premiers mois de 1892, la ville connut près de 800 morts violentes – quatre par jour, pour la plupart liées à de banales affaires de vol, de querelle ou de jalousie sexuelle. Des hommes tiraient sur des femmes, des femmes tiraient sur des hommes, des enfants se tiraient dessus par mégarde. Mais tout cela pouvait s'expliquer. On n'avait encore rien vu de comparable à l'affaire de Whitechapel. Les cinq meurtres commis par Jack l'Éventreur en 1888 défiaient l'entendement et avaient fasciné les lecteurs de l'Amérique entière, persuadés qu'un tel phénomène ne pourrait jamais survenir chez eux.

Pourtant, les choses changeaient. Où que l'on regarde, la frontière entre le moral et l'immoral semblait se brouiller. Elizabeth Cady Stanton se prononça en faveur du divorce. Clarence Darrow défendit l'amour libre. Une jeune femme du nom de Borden[1] tua ses parents.

Et à Chicago, un jeune et beau médecin descendit d'un train, sa trousse de chirurgie à la main, et se retrouva

---

1. Lizzie Borden, accusée d'avoir assassiné à coups de hache son père et sa belle-mère en 1892 dans le Massachusetts, puis acquittée faute de preuves. Le débat sur l'identité du coupable s'est poursuivi jusqu'à nos jours. Ce fait divers eut à l'époque un impact retentissant. (Toutes les notes sont du traducteur.)

dans un monde de vociférations, de fumée et de vapeur, où dominait l'odeur des porcs et bœufs massacrés. Il le jugea à son goût.

Les lettres viendraient plus tard, adressées à cet étrange et lugubre « château » qui occupait l'angle de la 63ᵉ Rue et de Wallace Street par les Cigrand, les Williams, les Smythe et d'innombrables autres, pour s'enquérir de leur fille ou petite-fille.

Rien n'était plus facile que de disparaître, que de feindre l'ignorance, que de cacher parmi ces fumées et ce vacarme l'existence d'une effroyable zone d'ombre.

Ainsi était Chicago à la veille de la plus grande exposition de l'histoire.

2

« Les ennuis ne font que commencer »

Dans l'après-midi du lundi 24 février 1890, 2 000 personnes environ s'amassèrent sur le trottoir et la chaussée devant les bureaux du *Chicago Tribune* ; des rassemblements similaires se produisirent autour du siège des 28 autres quotidiens de la ville ainsi que dans un certain nombre d'hôtels, de bars, et d'agences de la Western Union et de la Postal Telegraph Company. La foule réunie devant le *Tribune* comprenait des cadres dirigeants, des employés de bureau, des représentants de commerce, des sténographes, des fonctionnaires de police et au moins un barbier. Des coursiers se tenaient prêts à bondir dès que la nouvelle tomberait. Il faisait froid. La fumée qui s'insinuait entre les bâtiments limitait la visibilité à quelques blocs d'immeubles. De temps à autre, les policiers repoussaient la foule pour permettre le passage de l'un des nombreux tramways jaune vif de la ville, surnommés *grip-cars* par allusion au système permettant à leur machiniste, après chaque arrêt, de raccrocher son véhicule à un câble en mouvement perpétuel qui défilait sous la chaussée. Des tombereaux surchargés de marchandises en gros passaient en grondant sur les pavés, tractés par d'immenses chevaux qui soufflaient de la vapeur dans l'air suiffeux.

L'attente était électrique, car il en allait de la fierté de Chicago. Aux quatre coins de la ville, les gens scrutaient l'expression des commerçants, des cochers de fiacre, des garçons de café et des grooms pour deviner si la nouvelle avait déjà été divulguée et si elle était bonne ou mauvaise. L'année avait commencé sous les meilleurs auspices. En dépassant pour la première fois le million d'habitants, Chicago était officiellement devenue la deuxième plus grande ville du pays après New York, même si certains natifs de Philadelphie, dépités de perdre leur place au classement, s'étaient empressés d'objecter que leurs concurrents avaient triché en annexant de vastes territoires périphériques juste avant le recensement décennal de 1890. Les Chicagoans n'avaient que faire de ces critiques. Leur ville était grande, point à la ligne. Une victoire aujourd'hui effacerait enfin sa réputation de trou perdu peuplé de tueurs de porcs cupides, si fréquente chez les gens de l'Est ; un échec signifierait en revanche une humiliation dont elle ne se remettrait pas de sitôt, étant donné l'ardeur avec laquelle ses émissaires avaient affirmé leur certitude de l'emporter. Ce furent d'ailleurs leurs fanfaronnades, et non la brise de sud-ouest qui y soufflait avec persistance, qui incitèrent le journaliste new-yorkais Charles Anderson Dana à surnommer Chicago la « Ville des vents ».

Dans leur agence du Rookery Building, Daniel Burnham, 43 ans, et son associé John Root, tout juste quadragénaire, étaient plus sensibles encore que les autres à cette électricité. Des conversations secrètes leur avaient permis de recevoir quelques assurances, et ils étaient allés jusqu'à effectuer des reconnaissances dans la grande banlieue de la ville. Burnham et Root étaient les architectes les plus en vue de Chicago : pionniers dans la construction d'immeubles élevés, ils avaient notamment signé le tout premier bâtiment du pays à recevoir l'appellation de « gratte-ciel », et il ne se passait pas une année ou presque sans qu'une de leurs créations batte le record mondial de hauteur. Depuis leur emménagement au dernier étage inondé de lumière naturelle du Rookery, un superbe immeuble dessiné par Root qui se dressait à l'angle de La Salle et Adams, ils bénéficiaient d'un panorama sur le lac et la ville que personne, en dehors des ouvriers du chantier, n'avait jamais contemplé avant eux. Ils savaient cependant que l'annonce du jour avait le potentiel pour éclipser leurs précédents succès.

La nouvelle devait arriver de Washington par télégraphe. Le *Tribune* l'apprendrait par un de ses journalistes. Les chefs de service, correcteurs et typographes s'empresseraient aussitôt de composer une édition spéciale et les chauffeurs d'envoyer des pelletées de charbon dans les chaudières à vapeur de l'imprimerie. Un employé serait chargé d'afficher les dépêches au fur et à mesure de leur arrivée sur la vitrine du journal, face à la rue pour que les piétons puissent les lire.

Peu après 16 heures – selon le fuseau horaire de Chicago défini en 1883 par les compagnies ferroviaires –, le *Tribune* reçut son premier câble.

*

Burnham lui-même ne savait plus au juste qui avait été le premier à lancer l'idée. Elle semblait avoir germé dans de nombreux esprits simultanément, avec pour intention initiale de commémorer le 400ᵉ anniversaire de la découverte du Nouveau Monde par Colomb en accueillant une foire mondiale. Au début, cette idée n'avait guère trouvé d'écho. Consumée par la formidable course à la richesse et à la puissance dans laquelle elle était engagée depuis la guerre de Sécession, l'Amérique semblait fort peu intéressée par la célébration de son lointain passé. En 1889, cependant, les Français avaient réalisé quelque chose d'ahurissant.

À Paris, sur le Champ-de-Mars, s'était tenue l'Exposition universelle, une foire tellement gigantesque, tellement somptueuse et tellement exotique que les visiteurs en ressortaient convaincus que rien ne pourrait jamais l'égaler. La vedette incontestée de cette manifestation avait été une tour en fer culminant à plus de 300 mètres, plus haute de loin que toute autre structure construite par l'homme à la surface de la terre. Non seulement cette tour avait assuré une gloire éternelle à son créateur, Alexandre Gustave Eiffel, mais elle avait aussi fourni la preuve patente que la France restait loin devant les États-Unis dans le domaine de la maîtrise du fer et de l'acier, et ce malgré le pont de Brooklyn, la Horseshoe Curve[1] d'Altoona et les diverses autres prouesses des ingénieurs américains.

Les États-Unis ne pouvaient s'en prendre qu'à eux-mêmes. À Paris, l'Amérique s'était contentée d'un très timide effort pour exhiber ses talents artistiques,

---

1. Courbe ferroviaire à environ 220 degrés (en forme de fer à cheval) aménagée au sommet des Allegheny Mountains.

industriels et scientifiques. « Nous serons classés parmi les nations qui ont négligé de soigner les apparences », avertit le correspondant du *Chicago Tribune* à Paris le 13 mai 1889. D'autres, ajoutait-il, avaient su faire preuve de dignité et de style, là où les exposants américains présentaient un mélange de pavillons et de kiosques dépourvu d'orientation artistique et de plan uniforme. « Il en résulte un triste fouillis de boutiques, de stands et de bazars souvent déplaisants par eux-mêmes et incongrus dans leur ensemble. » La France, par contraste, n'avait ménagé aucun effort pour éclabousser le monde entier de sa gloire. « Les autres nations ne sont pas des rivales, écrivit aussi le correspondant, elles sont des faire-valoir, et l'indigence de leurs collections ne fait que rehausser, comme prévu, la plénitude de la France, sa richesse et sa splendeur. »

Même la tour de Gustave Eiffel, dont certains Américains enclins à prendre leurs désirs pour des réalités avaient prédit qu'elle défigurerait l'harmonieux paysage urbain parisien par sa monstruosité architecturale, se révéla dotée d'une grâce inattendue avec sa base large et son corps fuselé. Une telle humiliation ne pouvait être tolérée. La fierté issue de la puissance croissante et de la nouvelle stature internationale de l'Amérique alimentait un nationalisme de plus en plus intense. La nation avait besoin d'une occasion de surclasser les Français, et surtout de « battre Eiffel ». L'idée d'accueillir une grande exposition pour célébrer la découverte du Nouveau Monde par Colomb devint soudain irrésistible.

Dans un premier temps, la plupart des Américains estimèrent qu'une manifestation destinée à honorer les racines les plus profondes de leur pays ne pouvait se tenir qu'à Washington, la capitale. Les éditorialistes de

Chicago eux-mêmes abondèrent au départ en ce sens. Toutefois, à mesure que l'idée prenait corps, d'autres villes en vinrent à envisager un tel événement comme un précieux trophée, surtout pour le prestige qu'il pourrait leur conférer – le prestige exerçant un puissant attrait en ce temps où seuls les liens du sang l'emportaient sur l'esprit de clocher. New York et Saint Louis demandèrent à organiser l'Expo. Washington revendiqua cet honneur en tant que centre du gouvernement, New York en tant que centre de tout le reste. Personne ne prêta vraiment attention aux arguments de Saint Louis, même si la candidature de cette ville suscita quelques haussements de sourcils.

Nulle part l'orgueil local ne constituait une force aussi puissante que dans la métropole de l'Illinois, dont les habitants parlaient de « l'esprit de Chicago » comme d'une réalité tangible et s'enorgueillissaient de la vitesse à laquelle ils avaient reconstruit leur ville après le Grand Incendie de 1871. Ils ne l'avaient pas seulement remise en état : ils en avaient fait la première cité de la nation en matière de commerce, d'industrie et d'architecture. En revanche, malgré sa belle prospérité, Chicago ne parvenait pas à se débarrasser de l'image qui lui collait à la peau de ville de deuxième zone, préférant de loin le porc écorché à Beethoven. New York restait la capitale nationale du raffinement culturel et social, ce que ses citoyens d'élite et ses organes de presse ne manquaient jamais une occasion de rappeler à Chicago. Une exposition de ce genre, si elle était bien faite – c'est-à-dire si elle éclipsait Paris –, pourrait éradiquer une fois pour toutes cette perception. Et pourquoi pas Chicago ? demandèrent donc les éditorialistes de la ville en voyant New York entrer dans la danse. Le *Tribune* avertit ses lecteurs que « les faucons, busards, vautours et autres bêtes malpropres de New York, rampantes, grimpantes ou volantes, sortent du nid pour prendre le contrôle de l'Expo ».

Le 29 juin 1889, le maire de Chicago, DeWitt C. Cregier, annonça la nomination d'un comité de citoyens constitué de 250 hommes parmi les plus influents de la ville. Ce comité se réunit et accoucha d'une résolution dont le paragraphe final disait : « Les hommes qui ont aidé à construire Chicago veulent la foire mondiale et, leur revendication étant aussi juste que fondée, ils ont bien l'intention de l'avoir. »

Le dernier mot revenait toutefois au Congrès, et l'heure du grand vote avait sonné.

*

Un commis du *Tribune* s'avança vers la vitrine et y placarda une première dépêche. Le tour initial donnait Chicago largement en tête, avec 115 voix contre 72 pour New York. Saint Louis venait derrière, puis Washington. Un membre du Congrès, opposé à l'idée même d'exposition, vota en faveur de Cumberland Gap par pur esprit de contradiction. Lorsque la foule amassée devant le *Tribune* vit que Chicago devançait New York de 43 voix, il y eut une explosion de hourras, de sifflets et d'applaudissements. Tout le monde savait pourtant qu'il en manquait 38 pour que la ville l'emporte à la majorité absolue.

D'autres tours de scrutin suivirent. La lumière déclinante du jour se brouilla. Les trottoirs s'emplissaient de gens sortis du travail. Des flots de dactylographes – ces femmes capables d'utiliser les dernières machines à écrire – s'échappaient du Rookery, du Montauk et des autres gratte-ciel de la ville, traditionnellement vêtues sous leur manteau d'un chemisier blanc et d'une longue jupe noire assortis aux touches de leur Remington. Les cochers juraient et flattaient leurs chevaux. Un allumeur de réverbères trottinait à la lisière de la foule, enflammant les becs de gaz perchés au sommet de leur potence en fonte. Il y avait soudain de la couleur partout : le jaune des tramways et le bleu en perpétuel mouvement des petits télégraphistes qui passaient ventre à terre, la sacoche pleine de joies et de chagrins ; le rouge des fanaux arrière qu'allumaient pour la nuit les cochers de fiacre ; le gros lion doré assis devant la chapellerie d'en face. Et dans les hauts immeubles, les lampes à gaz ou électriques qui fleurissaient dans le crépuscule comme des guirlandes de liseron.

Le commis du *Tribune* reparut derrière la vitrine du journal, cette fois pour afficher les résultats du 5e tour. « Une tristesse lourde et glaciale s'abattit sur la foule », selon un journaliste. New York avait gagné 15 voix, Chicago seulement 6. L'écart s'amenuisait. Le barbier présent sur le trottoir répéta à qui voulait l'entendre que les voix supplémentaires acquises par New York provenaient sans doute de membres du Congrès ayant jusque-là soutenu Saint Louis. Cette révélation poussa un militaire, le lieutenant Alexander Ross, à s'exclamer : « Messieurs, je suis prêt à affirmer ici que n'importe quel habitant de Saint Louis serait capable de voler une église ! » « Ou d'empoisonner le chien de sa femme ! », renchérit un autre spectateur, soulevant une vague d'approbation.

À Washington, la délégation new-yorkaise, qui incluait Chauncey Depew, président de la compagnie ferroviaire New York Central et orateur très applaudi ce jour-là, sentit le vent tourner et demanda un report de séance jusqu'au lendemain. À l'annonce de sa requête, la foule amassée devant le *Tribune* se mit à huer et siffler, interprétant à juste titre ce mouvement comme une manœuvre dilatoire dont le seul but était de conquérir des voix supplémentaires par un nouvel effort de lobbying.

La demande de Depew fut rejetée, mais le Congrès vota une brève suspension. La foule resta sur place.

À l'issue du 7e tour, Chicago n'était plus qu'à une voix de la majorité absolue : New York avait finalement reperdu du terrain. Le silence s'installa sur la rue. Des fiacres stoppèrent. La police ne faisait plus attention aux files toujours plus longues de tramways qui s'étiraient à gauche et à droite en un immense serpentin jaune. Les passagers descendaient et fixaient la vitrine du *Tribune*, suspendus à l'annonce suivante. Le grincement continu des câbles sous la chaussée soulignait discrètement la tension ambiante.

Bientôt, un autre homme se présenta derrière la vitrine du *Tribune*. Grand, maigre, jeune, il arborait une barbe noire et considéra la foule d'un œil inexpressif. Il tenait d'une main un pot de colle, de l'autre une brosse et une nouvelle dépêche. Sans se presser, il plaça sa feuille sur une table, hors de vue, mais tous les spectateurs devinèrent au mouvement de ses épaules ce qu'il était en train de faire. Il dévissa lentement le pot de colle. Sa mine était sombre, comme s'il avait les yeux baissés sur un cercueil. Il enduisit méthodiquement de colle le dos de la feuille. Il mit un temps infini à la lever vers la vitrine.

Sans changer d'expression, il placarda sa dépêche.

*

Burnham attendait. Il s'était choisi un bureau orienté au sud, tout comme Root, afin d'assouvir son besoin de lumière du jour – une soif universelle à Chicago où les brûleurs à gaz, qui demeuraient la principale source d'éclairage artificiel, peinaient à percer le crépuscule permanent qu'imposaient à la ville les fumées de charbon. Les ampoules électriques, souvent montées sur un appareillage mixte combinant le gaz et l'électricité, commençaient tout juste à éclairer les bâtiments les plus récents mais contribuaient en un sens à accroître le problème, le système exigeant la présence en sous-sol de dynamos alimentées par des chaudières à charbon. Plus bas, à mesure que le soir tombait, les becs de gaz qui s'allumaient dans les rues et derrière les fenêtres rendirent progressivement la brume jaunâtre. Burnham, lui, n'entendait que le sifflement des lampes à gaz de la pièce.

Le seul fait de le voir occuper un bureau surplombant aussi nettement la ville, signe de son extraordinaire prestige professionnel, aurait été une grande et belle surprise pour son défunt père.

Daniel Hudson Burnham était né à Henderson, État de New York, le 4 septembre 1846, dans une famille imprégnée des grands principes théosophiques swedenborgiens d'obéissance, de subordination et de service public. Il avait 9 ans quand, en 1855, la famille déménagea à Chicago, où son père créa une florissante entreprise de médicaments en gros. Burnham se révéla un élève médiocre : « Les archives de l'Old Central montrent souvent en ce qui le concerne des moyennes autour de 5,5 sur 10, écrivit un journaliste, avec un record qui semble-t-il ne dépassa jamais 8,1. » Il excellait en revanche en dessin et passait son temps à faire des croquis. À 18 ans, son père l'envoya étudier avec des tuteurs particuliers dans l'Est pour préparer les épreuves d'entrée de Harvard et de Yale. Le garçon se découvrit alors un sérieux problème de phobie des examens. « J'ai présenté Harvard avec deux étudiants moins bien préparés que moi, raconte-t-il. Tous deux ont été reçus haut la main pendant que je me faisais recaler après avoir traversé deux ou trois épreuves sans être capable d'écrire un mot. » Le même phénomène se reproduisit à Yale. Ces deux universités le rejetèrent. Il ne l'oublierait jamais.

À l'automne 1867, âgé de 21 ans, Burnham revint à Chicago. Il chercha un emploi dans un domaine où il estimait avoir des chances de réussir et se fit embaucher comme dessinateur par l'agence d'architectes Loring & Jenney. Il avait trouvé sa vocation, écrivait-il en 1868 à ses parents, en ajoutant qu'il voulait devenir « le plus grand architecte de la ville ou du pays ». L'année suivante, toutefois, il fila dans le Nevada avec des amis pour tenter sa chance comme chercheur d'or. Il échoua. Il tenta de se faire élire député du Nevada et échoua encore. Il revint à Chicago sans le sou, dans un wagon à bestiaux, et intégra le cabinet d'un autre architecte, L. G. Laurean. Octobre 1871 arriva sur ces entrefaites : une vache, une lanterne, du tumulte et du vent. Le Grand Incendie de Chicago détruisit près de 18 000 bâtiments et fit plus de 100 000 sans-abri. Cette catastrophe offrait aux architectes de la ville des perspectives de travail infinies, et pourtant Burnham démissionna. Il voulut vendre du verre à vitre et échoua. Il devint droguiste, démissionna encore. « Il y a, écrivit-il, une tendance familiale à se lasser de faire longtemps la même chose. »

Exaspéré et inquiet, son père le présenta en 1872 à l'architecte Peter Wight, qui fut séduit par les talents de dessinateur du jeune homme et l'engagea. Burnham avait 25 ans. Wight et son travail lui plurent ; il s'entendit tout particulièrement avec un autre dessinateur de Wight, le sudiste John Wellborn Root, de quatre ans son cadet. Né à Lumpkin, Géorgie, le 10 janvier 1850, Root avait été un petit prodige musical, chantant avant même de savoir parler. En pleine guerre de Sécession, pendant qu'Atlanta brûlait, son père l'avait envoyé à Liverpool à bord d'un forceur de blocus. Root réussit à se faire admettre à Oxford mais, avant même qu'il ait pu s'inscrire, la guerre prit fin et son père le somma de rentrer à New York, où il s'était établi entre-temps. Root étudia le génie civil à l'université de New York et fut ensuite embauché comme dessinateur par James Renwick, futur créateur de la cathédrale Saint-Patrick.

Burnham sympathisa sur-le-champ avec Root. Il admirait la pâleur de son teint et ses bras musculeux, sa position à la table à dessin. Ils devinrent amis, puis associés. Ils touchèrent leurs premiers honoraires d'architectes trois mois avant que la Grande Panique de 1873 ravage l'économie du pays. Mais cette fois, Burnham tint bon. Quelque chose dans son association avec Root le stimulait : elle lui permettait de combler certaines lacunes tout en développant les points forts de l'un et de l'autre. Les deux jeunes gens se démenèrent pour décrocher leurs propres commandes et travailler ensemble pour des agences plus prestigieuses.

Un jour de 1874, un homme fit son entrée dans leur bureau et, d'un coup de baguette magique, transforma le cours de leur vie. Il était vêtu de noir et offrait un aspect assez ordinaire, mais son histoire était marquée par le sang, la mort et le profit à une échelle colossale. Il aurait voulu parler à Root, mais celui-ci était absent. Aussi se présenta-t-il à Burnham : il s'appelait John B. Sherman.

Point n'était besoin d'en dire davantage. En tant que directeur des Union Stock Yards – les abattoirs de Chicago –, Sherman régnait alors sur un empire employant 25 000 hommes, femmes et enfants et massacrant chaque année 14 millions d'animaux. Directement ou indirectement, près d'un cinquième de la population de la ville dépendait des abattoirs pour sa survie économique.

Sherman apprécia tout de suite Burnham. Il fut séduit par sa force, l'intensité de son regard bleu, et l'assurance avec laquelle celui-ci menait la conversation. Il confia donc à l'agence la construction d'un hôtel particulier sur Prairie Avenue à hauteur de la 21e Rue, dans un quartier où résidaient déjà plusieurs autres barons de Chicago et où, de temps à autre, on pouvait voir déambuler ensemble Marshall Field, George Pullman et Philip Armour, un trio de titans vêtus de noir. Root lui dessina une demeure sur trois étages agrémentée de pignons et de toits à forte pente, en briques rouges, grès jaune et ardoises noires ; Burnham affina ses dessins et dirigea les travaux. Un jour qu'il se tenait à l'entrée de la maison, surveillant le chantier, un très jeune homme à l'expression un peu hautaine et au torse curieusement bombé – ce n'était pas de la vanité mais le résultat d'une déformation congénitale – l'approcha et se présenta. Son nom, Louis Sullivan, ne disait rien à Burnham. Pas encore. Les deux hommes discutèrent. Sullivan avait 18 ans, Burnham dix de plus. Burnham glissa au nouveau venu, en confidence, qu'il ne comptait pas se satisfaire de construire des maisons. « Mon idée, dit-il, est de créer une grosse agence, de monter de gros projets avec de gros clients et de mettre sur pied une grosse organisation, parce qu'il est impossible de monter de gros projets si l'organisation ne suit pas. »

La fille de John Sherman, Margaret, apparut elle aussi sur le chantier. Jeune, jolie et blonde, elle y revint souvent, sous prétexte que son amie Della Otis habitait juste en face. Margaret trouvait la maison très belle mais admirait encore plus son architecte, qui semblait parfaitement à l'aise parmi ces montagnes de grès et de poutres. Au bout d'un certain temps, Burnham capta le message. Il lui demanda si elle voulait bien l'épouser. Elle répondit oui, et leurs fiançailles se déroulèrent sans heurt jusqu'au jour où un scandale éclata : le frère aîné de Burnham avait falsifié des chèques, mettant en danger l'entreprise paternelle. Burnham alla aussitôt trouver le père de Margaret pour rompre ses fiançailles, au motif qu'elles ne pouvaient se poursuivre dans un tel climat. Sherman rétorqua qu'il appréciait son sens de l'honneur mais ne voulait pas entendre parler de rupture. « Il y a une brebis galeuse dans toutes les familles », conclut-il placidement.

Le même Sherman, bien que marié, s'enfuirait plus tard en Europe avec la fille d'un de ses amis.

Burnham et Margaret convolèrent en justes noces le 20 janvier 1876. Sherman leur fit cadeau d'une maison à l'angle de la 43ᵉ Rue et de la Michigan Avenue, à proximité du lac mais aussi et surtout des abattoirs. Il tenait à se les garder sous la main. Il estimait Burnham et avait approuvé le mariage de sa fille, mais il ne faisait pas totalement confiance au jeune architecte, qui buvait un peu trop à son goût.

Les doutes de Sherman sur le comportement de Burnham ne diminuaient en rien le respect que lui inspiraient ses compétences professionnelles. Il lui passa d'autres commandes. Gage ultime de sa confiance, il chargea même l'agence Burnham & Root de construire le nouveau portail d'entrée des abattoirs, censé refléter leur puissance croissante. Il en résulta le Stone Gate, un ensemble de trois arches en pierre calcaire rose surmonté d'une toiture en cuivre et orné, en surplomb de l'arche centrale, du buste sculpté – la patte de Root, sans l'ombre d'un doute – du taureau favori de John Sherman, qui s'appelait Sherman. Ce portail allait devenir un monument local et est toujours debout au début du XXIe siècle, bien que le dernier cochon en route pour l'éternité ait disparu depuis longtemps à l'autre bout de l'immense rampe de bois qu'on surnommait le pont des Soupirs.

Root aussi épousa une héritière des abattoirs, mais son expérience fut plus sombre. En dessinant une maison pour John Walker, le président des abattoirs, il fit la connaissance de sa fille, Mary. Pendant leurs fiançailles, elle tomba malade de la tuberculose. Sa santé déclina vite mais Root resta fidèle à son engagement, bien qu'il fût clair aux yeux de tous qu'il allait épouser une morte. La cérémonie eut lieu dans la maison créée par ses soins. Une amie, la poétesse Harriet Monroe, attendit avec les autres invités que la mariée se présente en haut de l'escalier. La sœur de Monroe, Dora, était son unique demoiselle d'honneur. « La longueur de l'attente nous épouvanta tous, écrivit Harriet Monroe, mais enfin la mariée apparut au bras de son père, tel un spectre blanc sur le palier, et, tirant lentement, ô combien péniblement sa lourde traîne en satin, descendit l'imposant escalier puis marcha jusqu'à la baie vitrée qu'égayaient toutes sortes de fleurs et de plantes. L'effet fut d'une tristesse prodigieuse. » L'épouse de Root, blême et émaciée, ne put que murmurer ses vœux. « Sa gaieté, écrivit encore Monroe, évoquait des joyaux sur un crâne. »

Mary Walker Root mourut au bout de six semaines. Deux ans plus tard, Root épouserait la demoiselle d'honneur, Dora Monroe, brisant très probablement au passage le cœur de sa poétesse de sœur. Que Harriet Monroe ait elle aussi aimé Root semble assez évident. Elle vivait à proximité du couple et lui rendait de fréquentes visites dans sa maison d'Astor Place. En 1896, elle publia une biographie de Root à faire rougir les anges. Plus tard, dans ses propres mémoires, *A Poet's Life*, elle décrivit l'union de Root et de sa sœur comme « si complètement heureuse que mes propres rêves de bonheur, stimulés par cet exemple, en vinrent à exiger une réalisation aussi parfaite et à ne rien accepter d'inférieur ». Hélas, Harriet ne trouva jamais l'équivalent et choisit donc de vouer sa vie à la poésie, fondant pour finir le magazine *Poetry*, qui lui permit d'aider Ezra Pound à acquérir une stature nationale.

Les affaires de Root et Burnham étaient florissantes. Les commandes affluaient en cascade, en grande partie parce que Root avait réussi à résoudre un casse-tête qui tourmentait tous les bâtisseurs de Chicago depuis la fondation de la ville. Il contribua ainsi à en faire le lieu de naissance des gratte-ciel, et ce malgré un terrain qui n'aurait pas pu être moins adapté à ce rôle.

Tout au long des années 1880, Chicago avait connu une croissance explosive, ce qui avait catapulté la valeur des terrains à des niveaux que nul n'aurait pu imaginer, surtout dans le « Loop », quartier central ainsi baptisé à cause des boucles que formaient les voies de tramway pour permettre le demi-tour des rames en bout de ligne. Face à la flambée des prix du foncier, les promoteurs recherchèrent des moyens d'améliorer leur retour sur investissement. Le ciel semblait leur tendre les bras.

L'obstacle le plus fondamental à la construction en hauteur était la limite de la capacité humaine à monter à pied les étages, surtout après les plantureux repas qu'ingurgitaient les messieurs du XIXe siècle, mais cet obstacle avait été levé par l'avènement de l'ascenseur et, fait tout aussi important, par l'invention par Elisha Graves Otis du frein parachute, un mécanisme de sûreté permettant d'empêcher les cabines de tomber en chute libre. D'autres barrières subsistaient néanmoins, la plus évidente étant la nature éminemment problématique du sol de Chicago, qui incita un ingénieur à décrire le défi que représentait l'aménagement de fondations dans cette ville comme « probablement d'une difficulté sans équivalent ailleurs dans le monde ». La couche de roche de fond se trouvait à 38 mètres sous terre, c'est-à-dire beaucoup trop loin pour que les terrassiers puissent l'atteindre de manière économiquement viable ou dans des conditions de sécurité suffisantes au vu des méthodes de construction disponibles dans les années 1880. Entre cette roche de fond et la surface, il y avait un mélange de sable et d'argile tellement imbibé d'eau que les ingénieurs l'avaient surnommé « gombo ». Ce mélange avait tendance à se tasser sous le poids des constructions, même modestes, et les architectes bordaient couramment leurs immeubles neufs d'un trottoir surélevé d'une dizaine de centimètres, dans l'espoir qu'une fois que l'immeuble aurait fini de s'affaisser, son bout de trottoir se retrouverait au niveau du reste.

Il n'existait que deux moyens connus de vaincre cet obstacle : construire bas et esquiver le problème, ou implanter des caissons jusqu'à la roche de fond. Cette seconde technique exigeait que les ouvriers forent des puits extrêmement profonds, en doublent les parois, puis y injectent une quantité d'air suffisante pour que la pression obtenue tienne l'eau à distance, un procédé connu pour provoquer des cas mortels de « maladie des caissons » et surtout utilisé par des constructeurs de ponts qui n'avaient aucun autre choix. L'exemple le plus connu était celui du pont de Brooklyn, de John Augustus Roebling, mais les caissons avaient déjà été utilisés aux États-Unis de 1869 à 1874 par James B. Eads, pour enjamber le Mississippi à Saint Louis. Or Eads avait constaté que les ouvriers commençaient à souffrir de symptômes liés à la pression dès 18 mètres sous terre, soit à peine la moitié de la profondeur à laquelle des caissons auraient dû être posés à Chicago. Sur les 352 hommes qui travaillèrent sur le célèbre caisson est du pont de Saint Louis, la maladie du même nom en tua 12, en laissa 2 infirmes à vie et en blessa 66 autres, soit un taux d'accidents supérieur à 20 %.

Mais les propriétaires immobiliers de Chicago voulaient faire du profit et, dans le centre, le profit était synonyme de hauteur. En 1881, un investisseur du Massachusetts, Peter Chardon Brooks III, fit appel à Burnham et à Root pour construire l'immeuble le plus haut jamais construit à Chicago, qu'il projetait d'appeler le Montauk. Il leur avait auparavant fourni leur première grosse commande en centre-ville, le Grannis Block, haut de sept étages. Un immeuble grâce auquel, selon Burnham, « notre originalité commença à se voir. (...) Ce fut un émerveillement. Tout le monde venait l'admirer, la ville en était fière ». Ils installèrent leurs bureaux au dernier étage de celui-ci (décision fatidique, mais personne ne le savait à l'époque). Brooks voulait que son nouvel immeuble soit une fois et demie plus élevé, « à condition, précisa-t-il, que la terre puisse le supporter ».

Les associés furent vite exaspérés par leur client. Aussi pingre que tatillon, Brooks semblait n'attacher aucune importance à l'apparence du bâtiment du moment qu'il était fonctionnel. Ses instructions devançaient de bien des années le célèbre précepte de Louis Sullivan, selon lequel la forme devait suivre la fonction. « L'immeuble doit être utile et non ornemental, écrivit par exemple Brooks. Sa beauté résidera dans son adaptation pleine et entière à son usage. » Rien ne devait saillir de sa façade, ni gargouilles ni frontons, car ces choses-là retenaient la poussière. Il voulait que toute la tuyauterie soit apparente. « Cette idée de couvrir les tuyaux est une erreur ; ils devraient rester partout visibles, joliment peints si nécessaire. » Sa pingrerie n'épargna pas les salles de bains de l'immeuble. Les dessins de Root prévoyaient des placards de rangement sous les lavabos. Brooks objecta que ce type de placard serait « un bon réceptacle pour la poussière, sans parler des souris ».

Le Montauk posait surtout un épineux problème de fondations. Dans un premier temps, Root envisagea d'employer une technique que les architectes de Chicago utilisaient depuis 1873 pour des bâtiments de dimensions classiques. Les ouvriers érigeaient des pyramides de pierres sur la dalle du sous-sol. La base évasée de ces pyramides permettait de répartir les charges et de réduire l'affaissement ; leur sommet supportait des colonnes porteuses. Mais pour soutenir dix étages de pierres et de briques, il aurait fallu construire des pyramides monumentales et transformer le sous-sol du Montauk en un Gizeh enfoui. Brooks n'en voulut pas. Il tenait à y mettre les chaudières et la dynamo.

La solution, quand Root la décrivit pour la première fois, dut paraître trop simple pour être réalisable. Il proposa de creuser le sol jusqu'à la première couche d'argile raisonnablement ferme, qu'on appelait le *hardpan*, puis de couler à cette profondeur-là une chape de béton d'une soixantaine de centimètres d'épaisseur. Les ouvriers poseraient dessus un radier, c'est-à-dire une série de poutres d'acier parallèles sur toute la longueur de la chape, puis une deuxième couche perpendiculaire. Plusieurs autres couches seraient ensuite empilées sur le même mode. Une fois achevé, ce grillage de poutres n'aurait plus qu'à être noyé dans du ciment de Portland afin de produire un large socle rigide, que Root baptisa « fondations flottantes ». Il s'agissait dans les faits de créer une strate artificielle de roche de fond pouvant aussi servir de dalle pour le sous-sol. L'idée plut à Brook.

Le Montauk, une fois sa construction achevée, se révéla assez novateur et surtout assez haut pour échapper aux descriptions conventionnelles. On ignore qui inventa le terme, mais il lui allait comme un gant : le Montauk devint le premier immeuble au monde à être qualifié de « gratte-ciel ». « Ce qu'était Chartres à la cathédrale gothique, le Montauk l'est désormais à l'immeuble de bureaux », écrivit Thomas Talmadge, architecte et critique de Chicago.

C'était l'âge d'or de l'invention architecturale. Les ascenseurs allaient de plus en plus vite et de plus en plus haut. Les producteurs de verre étaient capables de fabriquer des vitres toujours plus grandes. William Jenney, de l'agence Loring & Jenney, où Burnham avait entamé sa carrière architecturale, réalisa le premier immeuble pourvu d'une structure porteuse métallique, grâce à laquelle le poids des charges à supporter était transféré des murs extérieurs à un squelette de fer et d'acier. Burnham et Root comprirent que l'innovation de Jenney libérait les ouvriers des dernières contraintes liées à l'altitude. Ils s'en servirent pour édifier des bâtiments toujours plus hauts, de véritables cités dans le ciel peuplées d'une nouvelle race de businessmen que certains appelaient les « habitants des falaises ». Des hommes, écrivit Lincoln Steffens, « qui ne voudraient pas d'un bureau ailleurs que là-haut où l'air est frais et vif, où la vue est ample et belle, et où le silence règne au cœur des affaires ».

Burnham et Root devinrent riches. Pas aussi riches que Pullman, pas assez non plus pour accéder au premier cercle de l'élite où l'on croisait des gens comme Potter Palmer et Philip Armour, ni pour que les robes de leur épouse soient commentées par les journaux de la ville, mais tout de même plus riches que l'un ou l'autre n'avait jamais rêvé de l'être – assez pour que Burnham puisse désormais s'offrir chaque année un tonneau du meilleur madère qu'il faisait ensuite vieillir en lui infligeant un double tour du monde en cargo.

Plus leur agence prospérait, plus le caractère de chacun des deux associés se révéla et s'affirma. Burnham était lui-même un dessinateur et un architecte de talent, mais sa plus grande force résidait dans sa capacité à conquérir des marchés et à exécuter les magnifiques dessins de Root. Burnham était bel homme, grand et fort, avec des yeux d'un bleu intense, et le tout attirait les clients aussi sûrement qu'une lentille concentre la lumière. « Daniel Hudson Burnham était l'un des hommes les plus séduisants que j'aie connus », dit de lui Paul Starrett, futur bâtisseur de l'Empire State Building, engagé par Burnham & Root en 1888 en tant qu'assistant. « Il était facile de voir comment il décrochait des contrats. Sa prestance à elle seule remportait la moitié de la bataille. Dans sa bouche, les propos les plus ordinaires semblaient essentiels et convaincants. » Starrett se souvenait d'avoir été marqué par une exhortation que Burnham répétait à l'envi : « Ne vous contentez jamais de petits plans ; ils n'ont aucune magie pour échauffer le sang des hommes. »

Burnham réalisa de bonne heure que Root était le vrai moteur artistique de l'agence. Il le considérait comme un génie pour ce qui était d'imaginer une structure rapidement et dans son entièreté. « Je n'ai jamais vu personne d'aussi fort que lui sur ce plan-là, devait-il dire. Il devenait distrait et silencieux, son regard se perdait dans le lointain, et tout à coup le bâtiment lui apparaissait – sans qu'il y manque une pierre. » Il comprit dans le même temps que Root ne s'intéressait que fort peu aux aspects commerciaux de l'architecture et à la nécessité de cultiver au Chicago Club ou à l'Union League des relations susceptibles de déboucher ensuite sur des commandes.

Root jouait de l'orgue chaque dimanche matin à la Première Église presbytérienne. Il rédigeait des critiques d'opéras pour le *Chicago Tribune*. Il était très versé dans la lecture d'écrits philosophiques, scientifiques, artistiques et religieux, et sa capacité à discourir avec infiniment d'esprit sur à peu près n'importe quel sujet était connue dans toute la haute société de Chicago. « Sa conversation était extraordinaire, raconta un ami. Il semblait n'exister aucun sujet qu'il n'eût pas exploré et sur lequel il ne fût pas profondément instruit. » Il possédait aussi un humour teinté d'espièglerie. Un certain dimanche matin, il joua de l'orgue avec une gravité toute particulière. Il fallut un certain temps pour que quelqu'un s'aperçoive qu'il était en train de réinterpréter à sa manière une comptine pour enfants, « Shoo, Fly ». Quand Burnham et lui étaient ensemble, écrivit une femme, « ils me faisaient toujours penser à un gros arbre cerné d'éclairs ».

Chacun d'eux connaissait et respectait les qualités de l'autre. D'où une harmonie qui se reflétait dans la gestion de leur agence, laquelle, selon un historien, fonctionnait avec la précision mécanique d'une « chaîne d'abattage », allusion tout à fait pertinente vu l'étroitesse des liens professionnels et personnels de Burnham avec les Union Stock Yards. Mais Burnham instaura aussi une « culture d'agence » avec un siècle d'avance sur l'apparition du concept de culture d'entreprise. Il aménagea un gymnase où, pendant la pause déjeuner, certains de ses employés jouaient au hand-ball. Burnham lui-même donnait des leçons d'escrime, Root des récitals improvisés sur un piano de location. « Le rythme de travail était effréné à l'agence, écrivit Starrett, mais l'ambiance y était délicieusement libre, chaleureuse et humaine par rapport à d'autres par où j'étais passé. »

Burnham savait que, ensemble, Root et lui avaient atteint un niveau de réussite auquel ni l'un ni l'autre n'aurait jamais pu parvenir seul. Leur symbiose professionnelle leur permettait d'entreprendre des projets toujours plus audacieux, en un temps où une bonne partie de ce que réalisaient les architectes était novateur et où l'augmentation spectaculaire de la hauteur et de la masse des bâtiments amplifiait les risques d'échec catastrophique. Comme le résuma Harriet Monroe, « le travail de chacun devenait constamment plus nécessaire à l'autre ».

L'agence était en plein boom, la ville aussi. Elle gagnait en surface, en hauteur, en richesse ; mais elle devenait également toujours plus sale, plus sombre, plus dangereuse. Les cendres de charbon noircissaient les rues et réduisaient parfois la visibilité à moins d'un bloc, surtout en hiver, quand les chaudières tournaient à plein régime. Le passage des trains, trams, trolleys, voitures – surreys, landaus, victorias, coupés, phaétons et corbillards, tous munis de roues cerclées de fer qui martelaient les pavés – produisait un tonnerre constant qui ne s'atténuait qu'après minuit et rendait insupportable l'ouverture des fenêtres les soirs d'été. Dans les quartiers pauvres, les ordures s'amoncelaient dans les ruelles transversales et débordaient d'énormes poubelles où venaient festoyer les rats et les mouches vertes. Des millions de mouches. Les chiens, chats et chevaux morts restaient souvent à pourrir là où ils étaient tombés. Le gel les figeait en janvier dans leur sinistre pose ; en août, ils enflaient jusqu'à éclater. Beaucoup finissaient dans la Chicago River, qui était alors la principale voie commerçante de la ville. Pendant les fortes pluies, les eaux de la rivière déployaient leur panache graisseux jusqu'au large du lac Michigan, parfois jusqu'aux tours marquant l'entrée des énormes adducteurs qui servaient à approvisionner la ville en eau potable. Sous la pluie, toutes les rues non revêtues de macadam se couvraient d'une gadoue malodorante à base de crottin de cheval, de boue et d'ordures suintant entre les dalles de granit tel le pus d'une blessure. Chicago impressionnait et terrifiait les visiteurs. L'éditeur français Octave Uzanne évoqua « cette cité gordienne, si excessive, si satanique ». Paul Lindau, auteur et éditeur, décrivit quant à lui « un gigantesque spectacle d'horreur absolue, mais sonnant extraordinairement juste ».

Burnham aimait Chicago pour les occasions qu'elle offrait mais commençait à se lasser de la ville même. Margaret et lui avaient cinq enfants : deux filles et trois garçons, dont un nourrisson prénommé Daniel et venu au monde en février 1886. Cette année-là, Burnham fit l'acquisition d'une ancienne ferme dans le tranquille village d'Evanston, surnommé par certains « l'Athènes des faubourgs ». La maison, entourée de « superbes vieux arbres », se composait de 16 pièces sur deux niveaux et occupait une longue terre rectangulaire qui s'étirait jusqu'à la rive du lac Michigan. Il l'acheta malgré l'opposition initiale de sa femme et du père de celle-ci, et n'informa sa mère de son projet de déménagement qu'une fois la vente concrétisée. Il lui écrivit plus tard une lettre d'excuse. « Je l'ai fait, expliqua-t-il, car je ne supporte plus d'avoir mes enfants dans les rues de Chicago... »

Si le destin souriait à Burnham et à Root, les deux hommes connurent tout de même leur lot d'épreuves. En 1885, un incendie détruisit le Grannis Block, leur immeuble amiral. L'un d'eux au moins se trouvait sur place à ce moment-là et dut s'enfuir par un escalier en flammes. Ils s'établirent ensuite au dernier étage du

Rookery. Trois ans plus tard, un hôtel dessiné par eux à Kansas City s'effondra en cours de construction, tuant un homme et en blessant plusieurs. Burnham était atterré. La ville réclama une enquête au coroner, qui concentra ses soupçons sur la conception de l'édifice. Pour la première fois de sa carrière, Burnham était publiquement attaqué. Comme il l'écrivit à sa femme, « tu ne dois pas t'inquiéter de cette affaire, quoi qu'en dise la presse. Il y aura sans doute des reproches et de nombreuses difficultés avant que nous soyons délestés de ce fardeau, que nous endosserons de manière calme, franche, virile : du mieux que nous le pourrons ».

L'expérience le blessa profondément, en particulier le fait que ses compétences aient pu être soumises aux critiques d'un bureaucrate sur lequel il n'exerçait aucune influence. « Le coroner, écrivit-il à Margaret trois jours après la catastrophe, est un petit docteur désagréable, un politicien sans cervelle qui me met au désespoir. » Triste et seul, Burnham n'aspirait plus qu'à regagner ses pénates. « J'ai terriblement envie de rentrer et de retrouver la paix auprès de toi. »

Il essuya un troisième revers à cette époque, d'une autre sorte. Même si Chicago était en train d'imposer rapidement son statut de moteur industriel et commercial, ses élites souffraient cruellement des sarcasmes de New York sur l'indigence culturelle de leur ville. Pour aider à combler cette lacune, un Chicagoan éminent, Ferdinand W. Peck, décida de bâtir une salle de concert si grande et si parfaite sur le plan acoustique qu'elle rabattrait le caquet de tous les gens de l'Est et permettrait par ailleurs de dégager de copieux bénéfices. Peck projetait d'enfermer ce gigantesque théâtre dans une coquille plus vaste encore qui contiendrait également un hôtel, une salle de banquet et des bureaux. Les nombreux architectes qui se réunirent autour d'un dîner au Kinsley, un restaurant de Chicago jouissant alors d'un prestige équivalent à celui du Delmonico à New York, convinrent que ce projet architectural était le plus ambitieux de l'histoire de la ville et qu'il avait de bonnes chances de tomber dans l'escarcelle de Burnham & Root. Burnham lui-même était de cet avis.

Peck choisit pourtant un autre architecte de Chicago, Dankmar Adler : il savait qu'en cas de défaut acoustique son projet serait un fiasco, quelle que soit la splendeur de l'édifice lui-même. Or seul Adler avait jusque-là fait la preuve d'une indéniable maîtrise des principes de la conception acoustique. « Burnham n'apprécia pas, écrivit Louis Sullivan, désormais associé à Adler, et John Root ne fut pas franchement ravi. » En étudiant les premiers dessins de l'Auditorium, Root déclara avoir l'impression que Sullivan s'apprêtait encore une fois à « barbouiller une façade d'ornements ».

Une tension existait depuis l'origine entre les deux agences, même si personne n'aurait pu prédire à l'époque qu'elle dégénérerait des années plus tard en une charge au vitriol de Sullivan contre les plus grandes réussites de Burnham, une fois sa propre carrière dissoute dans un mélange amer d'alcool et de regrets. Pour l'heure, cette tension était subtile – une sorte de vibration comparable à la plainte inaudible de l'acier lorsqu'il est soumis à des forces excessives. Elle provenait de convictions discordantes sur la nature et la fonction de l'architecture. Sullivan se voyait avant tout comme un artiste, un idéaliste. Dans son autobiographie – où il parlait toujours de lui à la troisième personne – il se présentait comme « un innocent au cœur absorbé par les beaux-arts, les philosophies, les religions, les béatitudes de la beauté naturelle, sa quête de la réalité de l'homme, sa foi profonde dans les bienfaits de l'énergie ». Il y traitait Burnham de « mercantiliste colossal », obnubilé par la construction de bâtiments toujours plus gros, plus hauts, plus chers. « Il était éléphantin, grossier et étourdi. »

Les ouvriers entamèrent la construction de l'Auditorium le 1er juin 1887. Il résulta de leurs efforts un luxueux immeuble qui, pour l'heure, était le plus gros bâtiment privé d'Amérique. La salle contenait au-delà de 4 000 sièges, soit 1 200 de plus que le Metropolitan Opera House de New York. Et elle était climatisée, au moyen d'un système de soufflerie avec blocs de glace intégrés. Le complexe hébergeait en outre des bureaux, une immense salle de banquet et un hôtel de 400 chambres de luxe. Un voyageur venu d'Allemagne raconta qu'il lui suffisait de tourner un cadran électrique fixé dans le mur à la tête de son lit pour demander des serviettes, du papier à lettres, de l'eau glacée, des journaux, du bourbon ou un cirage à chaussures. L'Auditorium devint immédiatement l'édifice le plus célèbre de Chicago. Le président des États-Unis, Benjamin Harrison, assista à son inauguration en grande pompe.

Au bout du compte, ces échecs se révélèrent mineurs pour Burnham et Root. Ils en connaîtraient de nettement pires, et bientôt, mais en ce 14 février 1890, date décisive pour l'attribution de l'Expo, les deux complices semblaient promis à une éternité de succès.

*

Devant le siège du *Tribune*, c'était toujours le silence. La foule eut besoin de quelques instants pour assimiler la nouvelle. L'un des premiers à réagir fut un homme à longue barbe : il avait juré de ne plus se raser tant que Chicago n'aurait pas obtenu l'exposition. Il monta sur le perron de l'Union Trust Company Bank voisine. Une fois sur la plus haute marche, il poussa un hurlement qu'un témoin compara au vacarme d'une fusée d'artifice. D'autres dans la foule reprirent son cri en écho, et bientôt les 2 000 hommes et femmes présents – il y avait peu d'enfants, hormis les petits télégraphistes et autres saute-ruisseau – libérèrent une clameur qui déferla à travers le canyon de brique, de pierre et de verre comme une crue subite. Tous les télégraphistes présents filèrent porter la bonne nouvelle, tandis qu'aux quatre coins de la ville d'autres quittaient à toutes jambes les bureaux de la Postal Telegraph Company et de la Western Union ou enfourchaient leur bicyclette « de sûreté » Pope en direction du Grand Pacific Hotel, du Richelieu, de l'Auditorium, du Wellington, des belles demeures de Michigan ou de Prairie Avenue, des clubs – le Chicago, le Century, l'Union League – et des bordels de luxe au premier rang desquels figurait celui de Carrie Watson, avec ses filles sublimes et ses cascades de champagne.

L'un de ces garçons de course se fraya un chemin dans la pénombre jusqu'à une ruelle non éclairée qui empestait le fruit pourri et dont le silence n'était rompu que par le sifflement de plus en plus faible des réverbères de la rue qu'il venait de quitter. Il stoppa devant une porte fermée à clé, frappa, et fut admis dans une pièce grouillante d'hommes, jeunes et vieux, qui parlaient tous en même temps et dont certains semblaient déjà assez ivres. Au centre de la salle, un cercueil faisait office de comptoir. Le peu de lumière provenait de quelques becs de gaz dissimulés derrière des crânes humains accrochés aux murs. D'autres crânes gisaient épars sur le sol. Une corde à nœud coulant de potence décorait un autre mur, non loin d'une collection d'armes et d'une couverture croûtée de sang.

Tous ces objets contribuaient à établir cette salle dans son rôle de quartier général du Whitechapel Club, ainsi nommé en référence au sordide quartier de Londres où Jack l'Éventreur avait commis ses crimes deux ans auparavant. Son président détenait le titre officiel d'« Éventreur » ; ses membres étaient essentiellement des journalistes capables d'alimenter les réunions du club en histoires de meurtres glanées dans les rues de la ville. Les armes exposées avaient servi à commettre de vrais homicides. Elles avaient été fournies par des policiers de Chicago ; les crânes, par un aliéniste travaillant dans un asile de fous local ; et la couverture, par un membre du club qui l'avait acquise en rendant compte d'une bataille entre l'armée et les Sioux.

En apprenant que Chicago venait de se voir attribuer l'Exposition universelle, les hommes du Whitechapel Club rédigèrent un télégramme pour Chauncey Depew, qui mieux que personne symbolisait New York et sa campagne de lobbying. Depew avait eu l'imprudence de promettre à ces messieurs que si Chicago l'emportait, il se présenterait en chair et en os à la prochaine réunion du club pour être taillé en pièces par l'Éventreur luimême – métaphoriquement, supposait-il, même s'il ne fallait jurer de rien avec le Whitechapel Club. Le cercueil reconverti en comptoir, par exemple, avait un jour contenu le corps d'un membre qui s'était suicidé. Après avoir recueilli sa dépouille, ses confrères l'avaient transportée jusqu'aux Indiana Dunes, sur la rive du lac Michigan, où ils avaient dressé un immense bûcher funéraire. Le corps avait été déposé au sommet puis brûlé. Munis de torches et tous vêtus d'une robe à capuche noire, ils avaient tourné autour du brasier en psalmodiant des hymnes funèbres entre deux lampées de bourbon. Le club avait aussi l'habitude d'envoyer des équipes de membres en robe enlever certaines personnalités en visite et de les emmener ensuite, sans un mot, dans un attelage noir aux fenêtres occultées.

Le télégramme du club trouva Depew à Washington vingt minutes après le dernier tour de scrutin, juste au moment où la délégation de Chicago commençait à fêter l'événement à l'hôtel Willard, près de la Maison Blanche. Il était rédigé en ces termes : « Quand vous verrons-nous sur notre table de dissection ? »

La réponse de Depew ne tarda pas : « Je viendrai quand vous me l'ordonnerez et je suis tout à fait prêt, après les événements d'aujourd'hui, à faire don de mon corps à la science de Chicago. »

Tout en reconnaissant sa défaite de bonne grâce, Depew doutait de la capacité de la métropole de l'Illinois à comprendre le défi qui l'attendait. « La plus merveilleuse exposition de tous les temps vient de s'achever avec succès à Paris, déclara-t-il au *Tribune*. Quoi que vous fassiez, c'est à elle que vous serez comparés. Si vous l'égalez, ce sera un succès. Si vous la surpassez, ce sera un triomphe. Si vous restez en deçà, vous serez tenus responsables par tout le peuple américain d'avoir présumé de vos forces. »

« Attention, ajoutait-il. Prenez garde ! »

*

Chicago s'empressa de créer une entité officielle, la Compagnie de l'Exposition universelle colombienne, pour financer et construire la foire mondiale. Ses dirigeants laissèrent discrètement entendre que Burnham et Root en seraient les grands architectes. La lourde tâche de rétablir la fierté de la nation après l'exposition parisienne reposait désormais sur les épaules de Chicago, qui comptait bien s'en remettre au dernier étage du Rookery.

Un échec était impensable. Si l'Expo échouait, Burnham le savait bien, l'honneur de la nation serait sali, Chicago serait humiliée, et son agence le paierait au prix fort. De quelque côté qu'il se tourne, il trouvait toujours quelqu'un – ami, journaliste ou camarade de club – pour lui rappeler que la nation attendait de cet événement quelque chose d'extraordinaire. Et ce en un temps record. L'Auditorium à lui seul avait exigé près de trois années de chantier, poussant Louis Sullivan à l'extrême bord de l'effondrement physique. On demandait maintenant à Burnham et à Root de construire l'équivalent d'une ville entière à peu près dans les mêmes délais – et pas n'importe laquelle : une ville capable de faire oublier Paris. Il fallait en outre que la manifestation soit lucrative. Dans les cercles dirigeants de Chicago, le profit était une affaire d'honneur personnel et local.

À l'aune des critères architecturaux traditionnels, le défi semblait impossible à relever. Ni Burnham ni Root n'auraient d'ailleurs pu le relever seul, mais Burnham estimait qu'ils possédaient à eux deux la volonté et la puissance complémentaire d'organisation et de conception qu'il fallait pour réussir. Ensemble, ils avaient vaincu la gravité et conquis le gombo de Chicago, transformant pour toujours la réalité de la vie urbaine ; ensemble, ils allaient construire cette foire mondiale et changer le cours de l'histoire. Cela pouvait être fait parce qu'il fallait que ce soit fait, mais le défi avait quelque chose de monstrueux. La rhétorique de Depew sur l'Expo avait certes vite lassé, mais l'homme possédait un vrai talent pour saisir avec esprit et concision la nature d'une situation. « Chicago ressemble à l'homme qui épouse une femme déjà flanquée d'une famille de 12 personnes, déclara-t-il. Les ennuis ne font que commencer. »

Depew lui-même aurait été cependant bien en peine de prédire la véritable magnitude des forces qui convergeaient sur Burnham et Root. À cet instant, il n'envisageait comme eux le défi que dans ses deux dimensions les plus fondamentales, le temps et l'argent, ce qui était déjà bien assez compliqué.

Seul Poe aurait pu imaginer le reste.

3

Le matériau nécessaire

Un matin d'août 1886, tandis que la chaleur montait de l'asphalte avec l'intensité d'une fièvre d'enfant, un homme qui se faisait appeler H. H. Holmes pénétra à pied dans l'une des gares ferroviaires de Chicago. L'air était fétide et lourd, chargé d'une forte odeur de pêche pourrie, de crottin et d'anthracite en combustion. Une demi-douzaine de locomotives patientaient le long des quais, exhalant des bouffées de vapeur dans un ciel déjà jaune.

H. H. Holmes s'acheta un billet à destination du village d'Englewood, situé sur la commune de Lake, une ville de 200 000 habitants jouxtant le sud de Chicago. Le territoire de Lake englobait les abattoirs mais aussi deux grands parcs : Washington Park, avec ses pelouses, ses jardins et son célèbre champ de courses, et Jackson Park, une lande déserte et inexploitée au bord du lac.

Malgré la chaleur, Holmes avait un aspect frais et pimpant. Pendant qu'il traversait la gare, les regards de plusieurs jeunes femmes voletèrent autour de lui comme des pétales de rose soufflés par le vent.

Avec sa démarche assurée et ses beaux vêtements, il dégageait une impression de prospérité et de succès. Il avait 26 ans, mesurait 1,72 mètre et pesait à peine 70 kilos. Ses cheveux étaient noirs ; ses yeux d'un bleu saisissant furent un jour comparés à ceux d'un hypnotiseur. « Les yeux sont immenses et grands ouverts », écrirait plus tard à son sujet un médecin, le docteur John L. Capen. « Ils sont bleus. Les grands assassins, comme les grands hommes dans d'autres champs d'activité, ont les yeux bleus. » Capen releva aussi ses lèvres minces, à l'ombre d'une épaisse moustache noire. Mais ce qui le frappa par-dessus tout, ce furent les oreilles de Holmes. « C'est une oreille merveilleusement petite, dont le sommet est formé et modelé d'après la façon dont les sculpteurs antiques suggéraient le diabolisme et le vice dans leurs figures de satyres. » Globalement, notait Capen, « il est coulé dans un moule très délicat ».

Pour des femmes ignorant tout de ses obsessions intimes, cette délicatesse ne manquait pas de charme. Holmes outrepassait avec elles les limites ordinaires de la familiarité : il les approchait de trop près, les regardait trop fixement et les touchait trop souvent, trop longtemps. Et les femmes l'adoraient pour cela.

Il descendit du train, gagna à pied le centre d'Englewood et prit le temps d'observer son environnement. Il fit halte à l'intersection de la 63e Rue et de Wallace Street, près d'un poteau télégraphique sur lequel était fixé le boîtier d'alarme-incendie n° 2475. Les carcasses de plusieurs immeubles à trois étages en construction se découpaient au loin. On entendait résonner des tintements de marteau. Des arbres frais plantés s'alignaient avec une rigueur toute militaire, même si la brume de chaleur ambiante les faisait plutôt ressembler à des soldats du désert trop longtemps privés d'eau. L'air était stagnant, moite et imprégné d'une odeur de réglisse brûlée caractéristique du macadam tout juste passé au rouleau. L'échoppe installée au coin de la rue arborait une enseigne disant « E. S. Holton, Apothicaire ».

Il se remit en marche. Il atteignit Wentworth Street, qui courait du nord au sud et était de toute évidence, avec sa chaussée envahie de chevaux, de charrettes et de phaétons, la principale artère d'Englewood. À proximité de l'angle de la 63e Rue et de Wentworth, il passa devant une caserne de pompiers, celle de la 51e compagnie motorisée. Juste à côté se trouvait un poste de police. Des années plus tard, un villageois qui ne comprenait manifestement pas grand-chose au macabre écrirait : « Cependant que le besoin d'une force de police était parfois considérable dans le quartier des abattoirs, Englewood poursuivait son petit bonhomme de chemin sans ressentir la nécessité d'une telle présence, sinon pour agrémenter le paysage et veiller à ce que la paix des vaches ne soit pas troublée dans les prés. »

Holmes revint sur ses pas jusqu'à Wallace Street, où il avait vu l'enseigne de l'officine Holton. Une voie ferrée traversait le carrefour. Un garde-barrière assis en plein soleil, les yeux plissés, scrutait la voie ferrée et bloquait la circulation de la rue à l'approche de chaque locomotive ahanante. La boutique de l'apothicaire occupait l'angle nord-ouest de Wallace et de la 63e Rue. Juste en face, sur Wallace, s'étalait un grand terrain vague.

Holmes entra dans l'officine et y trouva une dame âgée, Mme Holton. Il sentit chez elle de la vulnérabilité, de la même façon qu'un autre homme aurait pu sentir le parfum d'une femme. Il se présenta comme un médecin diplômé en pharmacie et lui demanda si elle avait besoin d'assistance. Il s'exprimait avec douceur, souriait souvent et la maintenait captive de son franc regard bleu.

Il était doué pour la conversation, et elle ne tarda pas à lui révéler sa plus profonde souffrance. Son mari, juste au-dessus, se mourait d'un cancer dans leur appartement. Elle finit par avouer que tenir la boutique tout en prenant soin de lui était devenu un écrasant fardeau.

Holmes l'écouta, l'œil humide. Il lui toucha le bras. Il pouvait alléger ce fardeau, déclara-t-il. Non seulement cela, mais il était aussi capable de faire de l'officine un commerce prospère et de prendre des clients aux concurrents du quartier.

Son regard était incroyablement limpide, incroyablement bleu. Elle répondit qu'elle allait devoir en parler à son mari.

*

Elle monta à l'étage. Il faisait très chaud. Des mouches grouillaient sur l'appui des fenêtres. Dehors, un énième train traversa le carrefour en grondant. Un mélange de fumée et de cendres passa comme un voile de gaze sale devant la vitre. Elle devait en parler à son mari, oui, mais son mari agonisait. C'était elle qui gérait désormais la pharmacie et en assumait seule la responsabilité – et sa décision était prise.

Il lui suffisait de penser à ce jeune médecin pour être touchée par un contentement qu'elle n'avait plus ressenti depuis longtemps.

*

Holmes était déjà venu à Chicago, mais seulement pour de brèves visites. La ville l'avait impressionné, confierait-il plus tard, chose d'autant plus surprenante qu'en règle générale rien ne l'impressionnait ni ne l'émouvait. Les événements et les gens captaient son attention comme les objets en mouvement captent celle d'un amphibien : il y avait d'abord un enregistrement mécanique de leur présence, puis un calcul de leur valeur, et enfin la décision d'agir ou de rester immobile. Quand il résolut de s'établir à Chicago, il vivait encore sous son vrai nom, Herman Webster Mudgett.

Comme pour la plupart des gens, son premier contact sensoriel avec la ville fut la fantastique puanteur qui émanait en permanence des abattoirs, une pestilence de carcasses en putréfaction et de peaux brûlées, « une odeur bestiale, selon l'écrivain Upton Sinclair, crue et grossière ; elle était écœurante, presque nauséabonde, sensuelle et forte ». Tout le monde ou presque la trouvait infâme. Les rares personnes à la juger revigorante étaient en général des hommes qui avaient fait fortune en pataugeant dans les « fleuves de sang » des abattoirs, selon l'expression de Sinclair. Bien qu'il soit tentant d'imaginer que cette odeur de mort et de sang ait pu donner à Mudgett l'impression qu'il était le bienvenu à Chicago, il semble plus réaliste de supposer qu'elle lui fit simplement sentir qu'il avait enfin trouvé une ville tolérant une palette de comportements plus large que ce qui était admis à Gilmanton Academy, New Hampshire, où il avait vu le jour et traversé une enfance de petit garçon fluet, bizarre et exceptionnellement intelligent – autant de caractéristiques qui, dans l'imagination cruelle de ses semblables, avaient fait de lui une proie.

Un souvenir de cette enfance l'accompagna jusqu'à la fin de sa vie. À l'âge de 5 ans, ses parents l'habillèrent de son premier uniforme d'écolier et l'envoyèrent s'instruire à l'école du village. « Je devais passer chaque jour devant le cabinet du docteur du village, dont la porte n'était que rarement sinon jamais barrée, écrivit-il bien plus tard. En partie parce que mon esprit l'assimilait à la source de toutes les nauséeuses mixtures qui étaient la terreur de mon jeune âge (car ceci se passait avant l'époque des remèdes pour enfants), et en partie à cause de vagues rumeurs que j'avais entendues sur son contenu, ce lieu m'inspirait une aversion singulière. »

En ce temps-là, un cabinet médical pouvait effectivement paraître effrayant. Tous les médecins étaient en un sens des amateurs. Les meilleurs d'entre eux achetaient des cadavres pour les étudier. Ils les payaient en espèces, sans poser de questions, et conservaient les morceaux de viscères malades les plus intéressants à l'intérieur de gros bocaux transparents. Les squelettes exposés dans certains cabinets fournissaient des repères anatomiques simples ; certains transcendaient cette fonction pour devenir des objets d'art si détaillés, si minutieusement articulés – chaque os du corps ayant été blanchi et relié à son voisin avec du fil de cuivre, sous un crâne souriant avec une déconcertante bonhomie –, qu'ils semblaient prêts à se précipiter dans la rue avec force cliquetis pour attraper le prochain tram.

Ayant découvert la peur du petit Mudgett, deux garçons plus âgés que lui le capturèrent un jour et le traînèrent, « hurlant et se débattant », dans le cabinet du docteur. « Ils n'eurent point de cesse, relate Mudgett, que je ne fusse mis sous le nez d'un de ces squelettes ricanants, qui, avec ses bras écartés, semblait lui aussi prêt à s'emparer de moi. C'était une épreuve cruelle et dangereuse à infliger à un enfant d'âge et de santé aussi tendres, mais elle se révéla une méthode de traitement héroïque, qui me guérit de mes peurs et m'inculqua tout d'abord un fort sentiment de curiosité, puis, ultérieurement, un désir d'apprendre d'où résulta des années plus tard mon choix de la médecine comme profession. »

L'incident eut sans doute lieu, mais avec une chorégraphie différente. Plus vraisemblablement, les deux grands garçons découvrirent que leur victime de 5 ans n'avait rien contre l'excursion ; et Mudgett, loin de hurler et de se débattre, se borna à contempler le squelette d'un œil froidement appréciateur.

Lorsque son regard se fixa de nouveau sur ses ravisseurs, ce furent eux qui prirent la fuite.

*

Gilmanton, petite commune rurale située dans la région des lacs du New Hampshire, était assez loin de tout pour que ses habitants n'aient accès à aucun journal quotidien et n'entendent que très rarement le sifflet strident des trains. Mudgett avait un frère et une sœur. Son père, Levi, était fermier, comme son grand-père. M. et Mme Mudgett étaient des méthodistes dévots dont la réponse aux écarts de conduite, même les plus routiniers, se fondait avant tout sur la verge et la prière, ainsi que sur le bannissement au grenier et la privation de nourriture et de parole pour une journée. La mère de Herman insistait souvent pour qu'il vienne prier avec elle dans sa chambre, où elle l'enveloppait d'une atmosphère de frémissante passion.

De son propre aveu, Mudgett fut un enfant couvé. Il passait une bonne partie de son temps seul dans sa chambre, à lire Jules Verne ou Edgar Allan Poe et à inventer des objets. Il mit ainsi sur pied une sorte de moulin à vent produisant un bruit censé chasser les oiseaux des prés familiaux et tenta de concevoir une machine à mouvement perpétuel. Il dissimulait ses trésors dans de petites boîtes, notamment sa première dent de lait et un portrait photographique de sa « bien-aimée de 12 ans », même si certains émirent plus tard l'hypothèse que ces boîtes contenaient aussi des trophées plus morbides, comme les crânes de petits animaux qu'il aurait mutilés puis disséqués, vivants, dans les bois proches de Gilmanton. Cette hypothèse fut inspirée par les dures leçons apprises au XXe siècle sur le comportement d'autres enfants de profil similaire. Le seul ami proche de Mudgett fut un garçon plus âgé que lui prénommé Tom, qui trouva la mort lors d'une chute pendant que tous deux jouaient dans une maison abandonnée.

Mudgett grava ses initiales sur le tronc d'un vieil orme de la ferme de son grand-père, où la famille marquait sa croissance à l'aide d'encoches dans le chambranle d'une porte. Un de ses passe-temps favoris consistait à crapahuter jusqu'à une éminence rocheuse du haut de laquelle il aimait crier pour produire un écho. Il servit aussi de garçon de courses à un « photographe itinérant » qui s'était arrêté pour un temps à Gilmanton. L'homme souffrait d'une claudication prononcée et accepta volontiers son aide. Un matin, il confia à Mudgett une grosse bille en bois fendue et lui demanda de l'apporter au charron du village pour que celui-ci la remplace. De retour avec la bille neuve, Mudgett trouva son employeur assis devant sa porte, à demi dévêtu. Sans préambule, le photographe ôta une de ses jambes.

Mudgett resta bouche bée. Il n'avait jamais vu de membre artificiel et regarda très attentivement le photographe insérer la bille neuve dans la cavité articulaire de sa jambe de bois. « Eût-il ensuite ôté sa tête de la même façon mystérieuse que je n'eusse pas été davantage surpris », écrivit Mudgett.

Quelque chose dans l'expression de l'enfant attira l'œil du photographe. Toujours sur une jambe, il sautilla jusqu'à son appareil et le prépara pour une prise de vue. Juste avant de déclencher, il brandit sa jambe de bois à l'intention de l'enfant. Quelques jours plus tard, il remit le cliché à Mudgett.

« Je l'ai gardé de nombreuses années, écrivit celui-ci, et je vois encore le visage saisi de terreur de ce garçonnet nu-pieds, habillé sans recherche. »

À l'époque où Mudgett relata l'épisode dans ses mémoires, il croupissait en prison et espérait susciter une vague de compassion au sein de l'opinion. Aussi plaisant soit-il d'imaginer cette scène, il n'en reste pas moins que les appareils photographiques du temps de sa jeunesse étaient quasi incapables de saisir sur le vif une expression spontanée, surtout quand le sujet était un enfant. Si le photographe vit quelque chose dans les yeux de Mudgett, ce fut sans doute un vide bleu pâle qu'aucune plaque sensible existante, à son grand dam, ne pouvait immortaliser.

*

À 16 ans, Mudgett obtint l'équivalent du baccalauréat et, malgré son âge, trouva un emploi d'enseignant, d'abord à Gilmanton puis à Alton, toujours dans le New Hampshire, où il fit la connaissance d'une jeune fille nommée Clara A. Lovering. Jamais elle n'avait rencontré quelqu'un comme lui. Extrêmement posé pour un garçon aussi jeune, il avait le don de faire en sorte qu'elle se sente bien même quand elle n'y était pas disposée. Il s'exprimait avec chaleur et élégance et il la gratifiait constamment de petits gestes d'affection, y compris en public. Son principal défaut était son insistance à vouloir qu'elle se donne à lui, non pas comme une fiancée mais de la manière qui était censée ne survenir qu'après les noces. Clara résista mais aurait été bien en peine de nier que Mudgett éveillait en elle d'intenses désirs qui coloraient ses rêves. Mudgett avait 18 ans quand il la supplia de s'enfuir avec lui. Elle consentit. Ils se marièrent le 4 juillet 1878, devant un juge de paix.

Ils vécurent d'abord une passion bien au-delà de ce que les sévères ragots de ses aînées avaient permis à la jeune femme d'espérer, mais leurs rapports connurent assez vite un sérieux coup de froid. Mudgett se mit à découcher, parfois plusieurs nuits de suite. Et pour finir, il ne revint plus du tout. Sur les registres de l'état civil d'Alton, New Hampshire, ils demeurèrent mariés, unis par un contrat légal quoique vidé de sa substance.

*

À 19 ans, Mudgett entama des études supérieures. Après avoir envisagé de se présenter au prestigieux Dartmouth College, il changea d'avis et décida de faire directement sa médecine. Il entra donc à l'institut de médecine de l'université du Vermont à Burlington mais trouva cet établissement trop petit pour lui et, au bout d'un an à peine, rejoignit l'université du Michigan à Ann Arbor, une des meilleures écoles de sciences médicales de l'Ouest, connue pour mettre l'accent sur l'art controversé de la dissection. Il s'y inscrivit le 21 septembre 1882. Pendant l'été de sa première année, il commit ce qu'il appela, dans ses mémoires, « le premier acte réellement malhonnête de ma vie ». Engagé comme commis voyageur par un éditeur, il partit vendre un livre dans tout le nord-ouest de l'Illinois. Sauf que, au lieu de remettre le montant des recettes à son patron, il le garda pour lui. Il revint dans le Michigan à la fin de l'été. « J'aurais difficilement pu compter ce voyage vers l'ouest comme un échec, écrit-il, car j'avais vu Chicago. »

Il obtint son diplôme en juin 1884, sans briller, et se mit en quête de « quelque emplacement favorable » où établir son cabinet. Dans ce but, il redevint commis voyageur, cette fois pour un pépiniériste basé à Portland, dans le Maine. Ses déplacements l'amenèrent à traverser des villes où il n'aurait jamais mis les pieds autrement. Ainsi finit-il par débarquer à Mooers Forks, dans l'État de New York, où, selon le *Chicago Tribune*, les administrateurs de l'école primaire, « impressionnés par les manières de gentleman de Mudgett », l'embauchèrent comme principal de l'établissement, un poste qu'il conserva jusqu'au jour où il put enfin ouvrir son cabinet médical. « J'y passai une année à faire efficacement et consciencieusement mon travail, ce qui me valut de recevoir beaucoup de gratitude mais peu ou pas d'argent. »

Partout sur son passage, des phénomènes inquiétants semblaient se produire. Si ses professeurs de l'université du Michigan n'avaient pas été marqués par les talents universitaires de Mudgett, celui-ci s'était distingué sur un autre plan. « Certains enseignants d'ici ont gardé le souvenir d'un coquin, confia l'un d'eux. Il avait rompu sa promesse de mariage avec une coiffeuse venue de Saint Louis, Michigan. »

À Mooers Forks, des rumeurs firent état de la disparition d'un petit garçon vu en sa compagnie. Mudgett affirma que l'enfant avait regagné son foyer dans le Massachusetts. Aucune enquête ne fut diligentée. Personne n'imaginait que le charmant docteur Mudgett puisse faire du mal à quelqu'un, et encore moins à un enfant.

À minuit, fréquemment, Mudgett battait le pavé devant chez lui.

*

Mudgett manquait d'argent. L'enseignement ne lui avait rapporté qu'un salaire de misère ; sa pratique médicale lui assurait des revenus à peine supérieurs. « À l'automne 1885, écrivit-il, la famine me regardait dans le blanc des yeux. »

À l'école de médecine, lui et un autre étudiant, un Canadien, s'étaient fait la réflexion qu'il serait extrêmement facile pour l'un d'eux de contracter une assurance sur la vie, de désigner l'autre comme bénéficiaire, et d'utiliser ensuite le cadavre d'un tiers afin de se faire passer pour mort. À Mooers Forks, l'idée revint titiller Mudgett. Il retourna donc voir son ancien camarade de classe et constata que sa condition financière n'était pas meilleure que la sienne. Ensemble, ils mirent au point une fraude à l'assurance-vie très élaborée, mentionnée dans ses mémoires. Leur plan était incroyablement tortueux et sordide, bien au-delà des capacités d'exécution de l'un ou de l'autre, mais sa description est néanmoins précieuse pour ce qu'elle révèle, à l'insu de Mudgett, de son âme déviante.

Dans ses grandes lignes, ce plan consistait pour Mudgett et son ami à recruter deux autres complices, avec lesquels ils simuleraient la mort d'une famille de trois personnes en fournissant pour chacune d'elles un cadavre de substitution. Les corps seraient retrouvés au bout d'un temps assez long, en état de décomposition avancée, et les conspirateurs n'auraient plus qu'à se partager les 40 000 dollars versés par l'assurance (plus de 1 million de dollars actuels).

« Le stratagème requérait un matériau considérable, écrivit Mudgett, rien moins que trois corps à vrai dire. » Ce qui impliquait que son ami et lui se procurent trois cadavres ressemblant ne fût-ce que vaguement au mari, à l'épouse et à l'enfant.

Mudgett ne prévoyait aucune difficulté pour ce qui était de l'acquisition des corps, alors même que, en raison d'une pénurie de cadavres destinés à la formation médicale, certains docteurs n'hésitaient pas à profaner les tombes de personnes récemment décédées. Ayant fini par reconnaître que même un médecin ne pouvait décemment pas acheter trois cadavres sans éveiller les soupçons, Mudgett et son complice convinrent que chacun d'eux fournirait une partie du « matériau nécessaire ».

Mudgett affirma s'être rendu à Chicago en novembre 1885 et y avoir acquis sa « part » des corps. Incapable de trouver du travail, il mit cette part de côté et partit à

Minneapolis, où il se fit embaucher dans une pharmacie. Il y resta jusqu'en mai 1886, après quoi il partit pour New York avec l'intention de transporter « une partie du matériau là-bas » tout en laissant le reste à Chicago. « Ceci, précisa-t-il, nécessita un remballage. »

Il raconta avoir déposé un paquet contenant un cadavre démembré au garde-meuble Fidelity Storage de Chicago. L'autre le suivit jusqu'à New York, où il le plaça « en lieu sûr ». Pendant son trajet en train vers New York, il lut deux articles de presse sur les escroqueries à l'assurance, « et je réalisai pour la première fois combien les principales compagnies d'assurances étaient organisées et bien préparées pour détecter et punir ce type de fraude ». Ces articles, prétend-il, lui firent immédiatement renoncer à son plan et abandonner tout espoir de réussir un coup de cet ordre à l'avenir.

Il mentait. En réalité, Mudgett resta convaincu de l'intérêt de son approche – et que, en simulant des décès de tiers, il pourrait bel et bien escroquer des compagnies d'assurances sur la vie. Étant médecin, il savait qu'aucun moyen n'existait d'établir formellement l'identité des cadavres calcinés, démembrés ou défigurés. Et toucher à ceux-ci ne le dérangeait pas. Ils constituaient un « matériau » au même titre que le bois de chauffage, quoique un peu plus difficile à détruire.

Il mentait aussi sur son manque d'argent. Le propriétaire de la maison de Mooers Fork où il était en pension, D. S. Hays, remarqua que Mudgett étalait souvent de fortes sommes. Hays en conçut même des soupçons et se mit à l'observer de près – mais pas assez.

*

Mudgett quitta Mooers Fork en pleine nuit, à la cloche de bois. Il atterrit à Philadelphie, où il espérait se faire embaucher dans une pharmacie pour ensuite devenir l'associé de son propriétaire ou lui succéder. N'ayant rien trouvé de convenable, il accepta faute de mieux un emploi de « gardien » à l'asile de Norristown. « Ce fut, écrivit-il, ma première expérience auprès de personnes aliénées, et elle fut si terrible que, aujourd'hui encore, il m'arrive de revoir leurs visages dans mon sommeil. » Il démissionna au bout de quelques jours.

Il finit par trouver une place dans une pharmacie de Philadelphie. Peu après, un enfant mourut après avoir pris un médicament acheté à la pharmacie. Mudgett quitta la ville sur-le-champ.

Il prit un train pour Chicago mais découvrit rapidement qu'il ne pourrait travailler comme pharmacien dans l'Illinois que s'il se procurait l'indispensable licence correspondante à Springfield, la capitale de l'État. Ce fut donc là qu'en juillet 1886, optant pour un des patronymes les plus connus de l'époque, Mudgett se fit immatriculer sous le nom de Holmes.

*

Holmes comprit que de puissantes forces nouvelles étaient à l'œuvre à Chicago, causant une expansion quasi miraculeuse. La ville grandissait dans toutes les directions possibles ; au bord du lac, elle poussait en hauteur, d'où une augmentation spectaculaire de la valeur des terrains dans le Loop. De quelque côté qu'il se tournât, des preuves de la prospérité de Chicago s'offraient à son regard. La presse locale adorait pavoiser sur l'incroyable augmentation du nombre de travailleurs employés par les industries de la ville, en particulier dans le secteur de la conserverie de viande. Holmes savait – comme tout le monde – qu'aussi longtemps que des gratte-ciel sortiraient de terre et que les abattoirs développeraient leur production, la demande de main-d'œuvre resterait forte ; il savait aussi que les ouvriers et contremaîtres cherchaient pour la plupart à s'établir dans les banlieues de la ville, attirés par la promesse d'un macadam lisse, d'une eau propre, d'écoles convenables, et par-dessus tout d'un air épargné par l'odeur putride des abattoirs.

À mesure que la population de Chicago progressait, la demande de logements se mua en une véritable fièvre. Les gens qui ne parvenaient ni à acheter ni même à louer un appartement cherchaient à se faire héberger chez l'habitant ou dans une pension de famille, où le loyer incluait en général les repas. La spéculation immobilière galopante créait d'étranges paysages. À Calumet, un millier de réverbères tarabiscotés surgirent en plein marais, sans autre utilité que d'éclairer la brume et d'attirer des hordes de moustiques. Le futur écrivain Theodore Dreiser, qui découvrit Chicago à peu près à la même époque que Holmes, s'étonna de ces paysages marqués du sceau de l'anticipation. « La ville avait posé des milles et des milles de rues et d'égouts dans des régions où se dressait peut-être çà et là une maison solitaire, écrirait-il dans *Sister Carrie*. Certaines de ces régions, fouettées par le vent et les pluies, étaient déjà éclairées toute la nuit par d'interminables alignements de becs de gaz qui clignotaient sous les rafales. »

Englewood était une des banlieues qui se développaient le plus vite. Même un nouveau venu comme Holmes pouvait le sentir. Les annonces immobilières se faisaient abondamment l'écho de la flambée de la demande et des prix. En vérité, Englewood était en plein boom depuis le Grand Incendie de 1871. « Il y eut alors une telle ruée sur les logements à Englewood et un tel accroissement de la population qu'il était impossible de suivre le rythme », témoigna un habitant en parlant de la période immédiatement consécutive à la catastrophe. Les cheminots de la vieille génération continuaient d'appeler le village « Chicago Junction », « Junction Grove » ou simplement « The Junction », à cause des huit lignes de chemin de fer qui y convergeaient, mais les gens du cru avaient commencé à s'émouvoir de la résonance un tantinet trop industrielle de ce nom dès la fin de la guerre de Sécession. En 1868, une certaine Mme H. B. Lewis en suggéra un nouveau, Englewood, en référence à une ville du New Jersey où elle avait vécu – et qui tenait elle-même le sien d'une des forêts de Carlisle, en Angleterre, légendaire pour avoir servi de repaire à deux brigands proches de Robin des Bois. Et ce fut là, dans ce que les Chicagoans qualifiaient de *streetcar suburb*, c'est-à-dire une banlieue devant son essor à une ligne de tramway, que beaucoup de cadres des abattoirs choisirent d'élire domicile, tout comme les dirigeants de nombreuses sociétés ayant leur siège dans les gratte-ciel du Loop. Ils s'offrirent de grosses maisons dans des rues baptisées « Harvard » ou « Yale » et plantées d'ormes, de frênes, de sycomores, de tilleuls et de panneaux dont la vocation était d'interdire le passage de tout véhicule transportant autre chose que des produits de première nécessité. Ils envoyaient leurs enfants à l'école, fréquentaient l'église et assistaient aux réunions de l'une ou l'autre des 45 sociétés secrètes, maçonniques ou autres, qui disposaient d'une loge ou d'une cellule sur le territoire communal. Le dimanche, ils s'en allaient flâner sur les pelouses manucurées de Washington Park ou, s'ils étaient d'humeur solitaire, sur les dunes venteuses de Jackson Park, à l'extrémité est de la 63e Rue, au bord du lac.

Ils se rendaient au travail en tram ou en train et se félicitaient de vivre loin des miasmes des abattoirs. Le promoteur immobilier d'un vaste terrain à Englewood n'hésita pas à mettre cet atout en avant dans un catalogue destiné à annoncer la vente d'un lotissement de 200 parcelles, la Subdivision Bates : « Particulièrement commode et simple d'accès pour les hommes d'affaires des Union Stock Yards, ces terrains sont à l'abri des odeurs que les vents dominants chassent vers les quartiers les plus chic de la ville. »

*

Le docteur Holton mourut comme prévu. Holmes fit une proposition à la veuve : il était prêt à lui racheter son fonds de commerce, et elle continuerait d'occuper l'appartement du premier étage. Il formula son offre dans une prose censée suggérer qu'il n'agissait en aucun cas pour son intérêt personnel, mais à seule fin de soulager la pauvre Mme Holton du fardeau de son officine. Il lui toucha l'avant-bras en parlant. Lorsqu'elle lui rendit l'acte de cession signé, il se leva et la remercia avec des larmes dans la voix.

Il finança en grande partie cette acquisition grâce à un prêt obtenu en hypothéquant les murs et le mobilier du magasin, qu'il s'engagea à rembourser par mensualités de 100 dollars (l'équivalent approximatif de 3 000 dollars d'aujourd'hui). « Mon affaire marchait bien, écrivit-il, et j'étais établi pour la première fois de ma vie dans une activité qui m'apportait satisfaction. »

Il fit mettre une nouvelle enseigne : « Pharmacie H. H. Holmes ». Le bruit s'étant répandu qu'un jeune et beau docteur visiblement célibataire tenait désormais le comptoir, des jeunes femmes seules ayant le plus souvent entre 20 et 30 ans se mirent à fréquenter l'officine en nombre croissant. Elles venaient dans leurs plus beaux atours et faisaient des achats dont elles n'avaient pas forcément besoin. Les clients de longue date appréciaient eux aussi le nouveau propriétaire, même si la présence familière de Mme Holton leur manquait. Les Holton avaient toujours été là pour les rassurer quand leurs enfants tombaient malades ou pour les consoler quand ces maladies se révélaient fatales. Ils savaient que Mme Holton avait vendu sa boutique. Mais pourquoi ne la voyait-on plus en ville ?

Holmes leur répondait en souriant qu'elle avait décidé de rendre visite à des parents en Californie, un voyage dont elle rêvait depuis des années mais qu'elle n'avait jamais eu ni le temps ni les moyens financiers d'accomplir, surtout avec son mari cloué sur son lit de mort.

Le temps passant et les questions s'espaçant, Holmes modifia quelque peu son histoire. Mme Holton, expliquait-il, aimait tant la Californie qu'elle avait décidé de s'y fixer en permanence.

4

« Pertinence »

Rien. Après toute cette débauche d'énergie et de fanfaronnades, il n'y avait maintenant plus rien. On était en juillet 1890, près de six mois après que le vote du Congrès eut attribué l'Exposition universelle colombienne à Chicago, mais les 45 directeurs du conseil chargé de son organisation n'avaient toujours pas décidé où elle serait construite. À l'époque du scrutin, alors qu'il en allait de la fierté de la ville, tout Chicago avait chanté d'une seule voix. Ses émissaires s'étaient targués au Congrès d'être capables d'offrir à l'Expo un écrin plus grandiose et mieux adapté que tout ce que pourrait proposer New York, Washington ou n'importe quelle autre ville. Aujourd'hui, en revanche, chaque quartier de Chicago insistait pour accueillir la manifestation, et ces chamailleries paralysaient le conseil.

Le Comité des terrains et bâtiments de l'Exposition avait prié Burnham, discrètement, d'évaluer un certain nombre de sites. Avec une égale discrétion, ce même comité avait assuré à Burnham et à Root qu'ils piloteraient la conception et la réalisation de l'ensemble. Pour

Burnham, chaque minute perdue venait amputer le délai déjà terriblement étroit qu'on leur accordait pour construire l'Expo. Le projet de loi final signé en avril par le président Benjamin Harrison fixait l'inauguration au 12 octobre 1892, afin de fêter le 400e anniversaire du jour où Christophe Colomb était pour la première fois arrivé en vue du Nouveau Monde. L'ouverture officielle de la foire mondiale, en revanche, n'aurait lieu que le 1er mai 1893, pour donner à Chicago un peu de temps en plus pour se préparer. Burnham savait malgré tout que les travaux devraient être en grande partie achevés pour l'inauguration. Ce qui leur laissait tout juste vingt-six mois.

Un de ses amis, James Ellsworth, comptait parmi les directeurs de l'Exposition ; lui aussi était exaspéré par l'impasse ambiante, au point que de sa propre initiative, lors d'un voyage d'affaires à la mi-juillet dans le Maine, il fit un crochet par Brookline, Massachusetts, où se trouvait l'agence du grand paysagiste Frederick Law Olmsted ; il espérait le convaincre de venir à Chicago évaluer les divers sites envisagés et peut-être d'accepter de dessiner le paysage de l'Expo. Ellsworth comptait sur l'avis d'Olmsted, et sur sa réputation de magicien de Central Park, pour imposer enfin une décision au conseil des directeurs.

Que quelqu'un comme Ellsworth se soit senti poussé à entreprendre une telle démarche était en soi significatif. À l'origine, il avait fait montre d'ambivalence sur la question de savoir si Chicago devait ou non présenter sa candidature à l'organisation de l'Expo. Il n'avait consenti à siéger au conseil des directeurs que parce qu'il redoutait que la ville ne confirme les calamiteuses prédictions de l'Est en proposant « une simple foire au sens général du terme ». Il lui semblait impératif que Chicago préserve son honneur civique en promouvant le plus grand événement de ce type de l'histoire du monde, un objectif dont la réalisation semblait s'éloigner un peu plus à chaque nouveau tour des aiguilles de l'horloge.

Il offrit à Olmsted 1 000 dollars d'honoraires (environ 30 000 dollars actuels), en se gardant bien de préciser que cet argent était le sien et qu'il n'était pas officiellement habilité à l'engager.

Olmsted déclina. Les foires n'étaient pas son rayon, expliqua-t-il en substance à Ellsworth. En outre, il doutait que les délais fixés permettent à quiconque de faire honneur au projet. La production des effets de paysage que lui-même s'efforçait de créer requérait non pas des mois mais des années, voire des décennies de patience. « J'ai privilégié toute ma vie les effets distants et toujours sacrifié le succès et les applaudissements immédiats à ceux de l'avenir, écrivit-il à ce sujet. En concevant Central Park, nous avons décidé de ne rechercher aucun résultat attingible en moins de quarante ans. »

Ellsworth insista sur le fait que le projet de Chicago surpasserait largement l'Exposition universelle de Paris. Il décrivit à Olmsted sa vision d'une cité de rêve créée par les plus grands architectes des États-Unis sur une superficie supérieure d'un tiers au moins à celle de son illustre devancière. Ellsworth assura à Olmsted qu'en acceptant d'y contribuer, il associerait son nom à l'un des plus grands projets artistiques du siècle.

Vaguement radouci, le paysagiste déclara qu'il allait réfléchir et accepta de revoir Ellsworth le surlendemain, à son retour du Maine.

Olmsted réfléchit en effet, et l'Expo commença à lui apparaître comme une occasion d'atteindre un objectif qu'il visait depuis longtemps, presque toujours avec des résultats décevants. Tout au long de sa carrière il s'était battu, sans grand succès, pour dissiper la perception selon laquelle l'architecture paysagère se réduisait à une forme ambitieuse de jardinage, et obtenir que son domaine soit reconnu en tant que branche à part entière des beaux-arts, au même titre que la peinture, la sculpture et l'architecture à base de brique et de mortier. Olmsted s'intéressait aux plantes, aux arbres et aux fleurs non pas pour leurs attributs individuels mais en tant que couleurs et formes ayant leur place sur une palette. Les parterres classiques l'offensaient. Les roses n'étaient pas des roses mais des « flocons blancs ou rouges modifiant des masses de verts ». Il se désespérait de ce que trop peu de gens semblaient comprendre les effets qu'il travaillait si dur et si longtemps pour créer. « Je dessine en ayant la vision d'un paysage discrètement composé, doux, tamisé et réfléchi, je façonne le sol, je filtre les éléments discordants et je fais pousser une végétation adéquate. » Trop souvent, hélas, il lui arrivait de « revenir au bout d'un an et de trouver des destructions. Et pourquoi ? "Ma femme adore les roses" ; "On m'a offert plusieurs grands épicéas norvégiens" ; "J'ai un faible pour les bouleaux blancs – il y en avait un dans le jardin de mon père du temps de mon enfance" ».

Le même phénomène se reproduisait avec les grosses commandes publiques. Calvert Vaux et lui avaient créé puis affiné Central Park de 1858 à 1876 mais, par la suite, Olmsted s'était retrouvé pris dans un combat sans fin pour défendre son œuvre contre des tentatives de remaniement qui relevaient pour lui du pur vandalisme. Et il n'y avait pas que Central Park. Tous les parcs semblaient sujets à de tels abus.

« Supposez, écrivit-il à l'architecte Henry Van Brunt, que vous ayez été choisi pour construire un opéra de grand prestige ; et qu'une fois les travaux presque achevés et votre plan de décoration entièrement défini, on vienne vous annoncer que l'édifice devra aussi accueillir le dimanche matin les offices de l'Église baptiste et qu'il faudra par conséquent prévoir le volume nécessaire à l'ajout d'une énorme tribune d'orgues, d'une chaire et d'un bassin de baptême. Que par la suite, on vous avertisse successivement que l'édifice devra être revu pour que certaines parties puissent servir de tribunal, de prison, de salle de concert, d'hôtel, de patinoire, de clinique chirurgicale, de cirque, de hall d'exposition canine, de champ de tir, de salle de bal, de gare ferroviaire et de tour à plomb ? Voilà, ajoutait-il, ce qui arrive presque toujours avec les parcs publics. Pardonnez-moi si je vous submerge : c'est pour moi un motif de colère chronique. »

L'architecture paysagère, selon Olmsted, avait besoin d'une plus grande visibilité, qui à son tour lui procurerait une plus grande crédibilité. L'exposition pouvait y contribuer, comprit-il, à condition d'atteindre réellement les sommets décrits par Ellsworth. Ce bénéfice devait néanmoins être mis en balance avec le coût à court terme qu'impliquerait son engagement. Le carnet de commandes de son agence était déjà bien rempli, au point, écrivit-il, que « nous étions perpétuellement soumis à une pression gênante et à un nuage d'anxiété ». Par ailleurs, la santé d'Olmsted battait de l'aile. Il avait 68 ans et était handicapé depuis un accident d'attelage qui, plusieurs décennies auparavant, lui avait raccourci une jambe de 3 centimètres. Il était sujet à de longues périodes de dépression. Il souffrait de maux de dents, d'insomnie chronique et de névralgies faciales. Un mystérieux bourdonnement d'oreilles l'empêchait parfois de prendre une part active aux conversations. Il débordait toujours d'énergie créatrice et était constamment sur la brèche, mais les longs voyages nocturnes en train le mettaient au supplice. Même chez lui, ses nuits se transformaient souvent en cauchemars sans sommeil ponctués de rages de dents.

Mais la vision d'Ellsworth avait quelque chose de fascinant. Olmsted en parla à ses fils et à la plus récente recrue de l'agence, Henry Sargent Codman – « Harry » –, un jeune paysagiste immensément doué, vite devenu son conseiller et confident.

Au retour d'Ellsworth, Olmsted lui annonça qu'il avait changé d'avis. Il participerait à l'aventure.

*

Revenu à Chicago, Ellsworth obtint l'autorisation officielle d'engager Olmsted et s'arrangea pour que celui-ci dépende directement de Burnham.

Dans une lettre à Olmsted, Ellsworth écrivit : « Ma position est la suivante : la réputation de l'Amérique est en jeu dans cette affaire, celle de Chicago l'est aussi. En tant que citoyen des États-Unis, vous avez un intérêt égal à contribuer au succès de cette grande et noble entreprise, et je sais pour vous avoir parlé qu'en de telles occasions vous appréhendez l'ensemble de la situation et que vous ne vous laisserez pas confiner à d'étroites limites. »

Cela dut certainement sembler être le cas pendant les négociations contractuelles qui s'ensuivirent : poussé par Codman, Olmsted réclama 22 000 dollars d'honoraires (environ 675 000 dollars actuels) et les obtint.

Le mercredi 6 août 1890, trois semaines après la visite à Brookline d'Ellsworth, la Compagnie de l'Exposition envoya à Olmsted le télégramme suivant : « Quand pouvez-vous arriver ? »

*

Olmsted et Codman arrivèrent trois jours plus tard, le samedi matin, et trouvèrent la ville bruissante de la nouvelle selon laquelle les chiffres définitifs du recensement confirmaient le classement préliminaire de Chicago au rang de 2e plus grande ville d'Amérique, même si son avance sur Philadelphie s'avérait finalement dérisoire : à peine 52 324 âmes. Cette annonce eut l'effet d'un baume apaisant après un été difficile. Un peu plus tôt, une vague de chaleur s'était abattue sur la ville, tuant 17 personnes (dont un certain M. Christ) et anéantissant d'un coup les affirmations de ses émissaires au Congrès, lesquels avaient soutenu que Chicago possédait l'agréable climat estival – « frais et délicieux », avait précisé le *Tribune* – d'un lieu de villégiature. Et juste avant cette canicule, un jeune et talentueux écrivain britannique avait publié un essai au vitriol sur la ville. « L'ayant vue, écrivait Rudyard Kipling, je désire ne plus la revoir. Elle est peuplée de sauvages. »

Burnham trouva Codman incroyablement jeune, moins de 30 ans à coup sûr. Pour jouir à cet âge de la confiance du plus grand architecte de paysages des États-Unis, il devait être extrêmement talentueux. Ses yeux d'obsidienne semblaient capables de perforer l'acier. Quant à Olmsted, Burnham fut frappé par sa silhouette frêle, en apparence insuffisante pour supporter une tête aussi massive. Et quelle tête : chauve pour l'essentiel, fleurie à la base par une barbe blanche touffue, on aurait dit une boule de Noël en ivoire sur un lit de copeaux. Olmsted paraissait fatigué du voyage, mais ses grands yeux pétillaient de chaleur et d'intelligence. Il voulait se mettre au travail sans tarder. Enfin, songea Burnham, un homme conscient du coût réel de chaque minute perdue.

Burnham avait bien sûr entendu parler des réalisations d'Olmsted : Central Park à Manhattan, Prospect Park à Brooklyn, les campus de Cornell et de Yale, ainsi que des dizaines d'autres projets. Il savait également que, avant de se lancer dans l'architecture paysagère, Olmsted avait été écrivain et journaliste et qu'il avait voyagé dans le Sud avant la guerre de Sécession pour étudier la culture et la pratique de l'esclavage. Olmsted avait la réputation d'être brillant et inlassablement dévoué à sa tâche – mais aussi de posséder une franchise acerbe qui s'affirmait surtout en présence d'hommes incapables de comprendre qu'il n'aspirait pas à créer des massifs de fleurs et des jardins ornementaux, mais des paysages empreints de mystère, mouchetés d'ombres et de soleil.

Olmsted, de son côté, savait que Burnham avait joué un rôle moteur dans la poussée des immeubles vers les nuages. On le présentait comme le génie commercial de son agence, Root étant l'artiste. Ce fut avec Burnham qu'Olmsted se sentit le plus d'affinités. Burnham était résolu, direct et cordial ; il avait un regard bleu et calme qu'Olmsted trouvait rassurant. En aparté, Codman et lui convinrent que c'était un homme avec qui ils pourraient travailler.

La visite commença sur-le-champ mais n'eut pas grand-chose d'objectif. Burnham et Root penchaient nettement en faveur d'un site en particulier : Jackson Park, dans le South Side de Chicago, à la limite est d'Englewood et en bordure de lac. En fait, Olmsted connaissait déjà les lieux. Vingt ans plus tôt, à la demande de la commission de South Park, il avait étudié à la fois Jackson Park et, plus à l'ouest, Washington Park, ainsi que l'ample artère en ligne droite qui les reliait, Midway Boulevard. Les plans présentés aux membres de la commission montrent qu'il envisageait de transformer le désert de sable et d'étangs qu'était Jackson Park en un parc différent de tout ce qui existait dans le pays, voué à l'eau et au nautisme et baigné de canaux, de lagunes et d'anses ombragées. Les plans d'Olmsted avaient été achevés peu avant le Grand Incendie de 1871. Dans sa précipitation à reconstruire, l'administration de Chicago ne concrétisa jamais le projet. Le parc avait été intégré à la ville au moment des annexions de 1889, mais, en dehors de cela, Olmsted constata que pas grand-chose n'avait changé. Il en connaissait les défauts, les *nombreux* défauts, mais croyait néanmoins que, au prix d'un gros effort de dragage et de remodelage, Jackson Park pouvait être transformé en un paysage n'ayant rien à voir avec tous ceux qui avaient déjà accueilli une exposition.

Car Jackson Park possédait selon lui un atout qu'aucune autre ville du monde n'était capable d'égaler : l'immense plaine bleue du lac Michigan, la plus pertinente toile de fond qu'on puisse rêver pour une exposition.

*

Le mardi 12 août, quatre jours à peine après son arrivée avec Codman à Chicago, Olmsted présenta un rapport aux directeurs de l'Exposition, qui à son grand dam le rendirent public. Olmsted l'avait écrit à l'intention d'un lectorat de professionnels, tenant pour acquise l'acceptabilité fondamentale de Jackson Park et considérant ce texte comme un guide indéfectible pour faire face aux défis à venir. Il fut surpris de le voir utilisé par des factions adverses pour démontrer que la manifestation ne pouvait pas avoir lieu à Jackson Park.

Les directeurs lui demandèrent un second rapport. Olmsted le leur remit le lundi 18 août, six jours après le premier. Burnham constata alors avec ravissement qu'Olmsted ne s'était pas contenté de donner aux directeurs ce qu'ils souhaitaient recevoir.

*

Olmsted n'était pas un styliste littéraire. Les phrases de son rapport s'entortillaient au fil des pages comme du liseron entre les piquets d'une clôture. En revanche, sa prose révélait la profondeur et la subtilité de sa pensée quant aux façons dont le paysage pouvait être modifié pour produire un effet sur l'esprit.

Il avait commencé par établir quelques principes et faire une série de réprimandes.

Plutôt que de se chamailler, sermonnait-il, les différentes factions avaient un intérêt urgent à reconnaître que, pour assurer le succès de l'exposition, tout le monde devait travailler main dans la main, et ce quel que fût le site choisi par les directeurs. « Il est à désirer, dirons-nous, que certains de vos concitoyens comprennent mieux qu'ils ne semblent le fait que cette foire n'a pas vocation à être une foire de Chicago. C'est une foire mondiale, et Chicago doit apparaître aux yeux du monde comme le porte-drapeau choisi pour l'occasion par les États-Unis d'Amérique. Tout Chicago doit faire en sorte de fournir rien moins que le tout meilleur des sites susceptibles d'accueillir l'événement, sans prendre en considération les intérêts particuliers de tel ou tel quartier de la ville. »

Chaque élément de paysage de l'Expo, affirmait-il, devait avoir un « objectif suprême, à savoir, la "pertinence" : l'harmonie de tout ce qui pourra être perçu comme une modeste contribution à un grand tout dont l'élément majeur sera la majestueuse série des édifices principaux de l'exposition. En d'autres termes, le parc, avec tout ce qu'il comporte, devant, entre et derrière les bâtiments, qu'il soit revêtu de gazon ou agrémenté de fleurs, de buissons ou d'arbres, de fontaines, de statues, de bric-à-brac et d'objets d'art, devra présenter une *unité de conception* avec les bâtiments – devra mettre ceux-ci en valeur et être mis en valeur par eux pour tout ce qui touche à la lumière, aux ombres et aux tons ».

Certains sites étaient à l'évidence plus richement dotés que d'autres. Or il y avait davantage à gagner en associant l'exposition à un paysage naturel d'une beauté remarquable « que par les décorations les plus élaborées, coûteuses et artificielles en matière de jardinage, de terrasses, de fontaines ou de statues qu'il est possible à l'esprit de l'homme d'inventer et à la main de l'homme de fabriquer. » Les nombreuses factions qui se disputaient l'exposition semblaient ignorer le fait que Chicago possédait « un seul et unique objet naturel distinctement local et susceptible d'être considéré comme ayant de la grandeur, de la beauté et de l'intérêt. C'est le Lac ».

Le lac était splendide et constamment changeant dans ses nuances et sa texture, mais il représentait aussi, affirmait Olmsted, une nouveauté capable d'amplifier la pertinence de l'exposition. Beaucoup de visiteurs issus du cœur du pays « n'auront, jusqu'à leur arrivée ici, jamais vu une aussi vaste étendue d'eau se déployer à perte de vue ; jamais vu un vaisseau à la voile, ni un vapeur même deux fois moins gros que ceux que l'on voit entrer et sortir à toute heure du port de Chicago ; ni jamais vu non plus d'effets de lumière ou de nuages amoncelés sur l'horizon semblables à ceux qui se peuvent apprécier ici presque à chaque jour de l'été depuis la berge du lac ».

Olmsted passait ensuite en revue quatre candidatures : un site bordant le lac au nord du Loop ; deux autres dans les terres, dont Garfield Park, à la lisière ouest de la ville ; et bien entendu Jackson Park.

Bien qu'ayant lui-même une préférence pour le site le plus au nord, il insistait sur le fait que Jackson Park pouvait faire l'affaire et « produire des résultats plaisamment pertinents, encore jamais recherchés à ce jour dans le cadre d'une foire mondiale ».

Olmsted rejetait les sites dans les terres pour leur platitude, leur monotonie et leur distance vis-à-vis du lac. En critiquant Garfield Park, il prit de nouveau le temps d'exprimer sa contrariété face à l'incapacité de Chicago à désigner un site, incapacité d'autant plus exaspérante que les élites de la ville avaient fanfaronné avec une belle unité lorsqu'il s'était agi de faire pression sur le Congrès pour obtenir l'exposition :

« Considérant tout ce qui a été si vigoureusement affirmé devant le pays entier sur le nombre et l'excellence des sites que Chicago avait à offrir ; considérant les avantages dont les paysages locaux ont fait bénéficier l'Expo du Centenaire à Philadelphie ; considérant les avantages du même ordre dont aurait bénéficié l'Expo si elle avait été construite sur le très beau site de la Rock Creek Valley à Washington, que la nation vient de faire sien pour y créer un parc ; considérant les superbes vues qui ont été présentées des Palisades et de la haute vallée de l'Hudson d'une part, des eaux et des rivages variés de Long Island South d'autre part, s'agissant du site proposé par New York pour accueillir cette foire ; considérant tout cela, nous ne pouvons que craindre que le choix d'un site à l'arrière-plan de la ville et tout à fait dénué de paysage naturellement attractif constituerait une déception pour le pays et serait l'occasion d'allusions pour le moins ironiques aux déclarations sur le nombre infini de sites *parfaits* proférées l'hiver dernier devant le Congrès. »

Le mot *parfaits* était souligné par Olmsted.

Burnham comptait sur ce second rapport pour provoquer enfin une décision. Le sablier était retourné depuis longtemps et le retard pris commençait à être crispant, absurde. Le comité semblait ne pas se rendre compte que Chicago s'exposait à devenir la risée de la nation, voire du monde.

*

Les semaines passèrent.

À la fin d'octobre 1890, la question du site demeurait toujours en suspens. Burnham et Root étaient très occupés par le développement rapide de leur agence. Deux nouveaux gratte-ciel sortis de leurs cartons et appelés à figurer parmi les plus élevés de Chicago venaient d'être mis en chantier, le Temple de l'Union pour la Tempérance des femmes chrétiennes et le Temple de la Fraternité maçonnique, qui avec ses 21 étages était promis à devenir le plus haut du monde. Les fondations de l'un et de l'autre étaient presque prêtes pour la pose de la première pierre. L'architecture et la construction exerçaient une telle fascination à Chicago que les cérémonies de ce genre prenaient parfois des proportions extravagantes.

La pose de la première pierre du Temple de la Tempérance eut lieu à l'angle de La Salle et de Monroe, autour d'un bloc de granit noir du New Hampshire pesant 10 tonnes et mesurant 2,10 mètres de côté par près de 1 mètre d'épaisseur. Burnham et Root s'y joignirent à d'autres dignitaires, dont la présidente de l'Union, Mme Frances E. Willard, et Carter Henry Harrison, un ex-maire de Chicago qui, ayant déjà quatre mandats en poche, espérait en décrocher un cinquième. Quand ce dernier apparut, coiffé de son habituel chapeau mou à larges bords et les poches pleines de cigares, la foule l'acclama bruyamment, en particulier les Irlandais et les syndicalistes, qui voyaient en lui un ami des classes laborieuses. La présence de Burnham, de Root et de Harrison devant la première pierre du Temple de la Tempérance ne manquait pas d'ironie. Du temps où il était en fonction, Harrison avait toujours eu quelques caisses d'excellent bourbon sous la main dans son bureau de la mairie. Les austères élites protestantes de la ville le considéraient comme une espèce de satyre dont la tolérance vis-à-vis de la prostitution, des jeux d'argent et de l'alcool avait permis aux quartiers chauds de la ville, en particulier le Levee – berceau du tristement célèbre barman-voleur Mickey Finn –, d'atteindre un niveau de dépravation sans précédent. Root, bon vivant notoire, fut un jour décrit par Louis Sullivan comme « un homme du monde, de la chair, et dans une large mesure du diable ». Quant à Burnham, outre le fait qu'il suivait de très près les pérégrinations intercontinentales de son madère, il se faisait envoyer chaque année par un ami 400 bouteilles de moindre prestige et sélectionnait en personne les vins destinés à la cave de l'Union League.

En grande pompe, Burnham tendit une truelle en argent à Mme T. B. Carse, présidente de l'Association pour la construction du Temple, dont le sourire en coin suggérait qu'elle ne comprenait rien à ces monstrueuses habitudes ou du moins qu'elle attendait avec hâte le moment où elle pourrait enfin les ignorer. Elle ramassa dans sa truelle une toute petite partie du ciment précédemment étalé en vue de la cérémonie puis le remit vaguement en place, ce qui inspira à un témoin l'observation suivante : « Elle tapota ce ciment comme on tapoterait la tête d'un garçonnet bouclé. » Elle transmit ensuite la truelle à la redoutable Mme Willard, « qui tassa le ciment avec plus d'enthousiasme et s'en mit un peu sur la robe ».

Root, selon une autre personne présente, se pencha vers ses amis et suggéra *sotto voce* qu'ils s'en aillent tous prendre un cocktail.

Non loin de là, au dépôt de distribution du *Chicago Inter Ocean*, journal aussi lu que respecté, un jeune immigrant irlandais, fervent partisan de Carter Harrison, était en train de terminer sa journée de travail. Il s'appelait Patrick Eugene Prendergast. Il dirigeait une équipe de jeunes et turbulents crieurs de journaux qu'il exécrait et qui le lui rendaient bien, comme l'attestaient clairement leurs quolibets et leurs farces. Que Prendergast soit appelé à influer un jour sur le destin de l'Exposition universelle colombienne aurait paru grotesque à ces jeunes gens, qui voyaient en lui l'être humain le plus lamentable qui se puisse imaginer.

Né en Irlande en 1868, il était âgé de 22 ans ; sa famille avait émigré aux États-Unis en 1871 et s'était installée en août de la même année à Chicago, juste à temps pour subir les effets du Grand Incendie. Prendergast avait toujours été, selon l'expression de sa mère, « un garçon timide et réservé ». Il effectua ses études primaires à l'Institut de La Salle de Chicago. Un de ses instituteurs, le frère Adjutor, déclara plus tard qu'« il était remarquable à l'école en ce qu'il était extrêmement discret et ne participait pas aux jeux des autres élèves à midi. Il se tenait en général à l'écart. L'apparence de ce garçon m'inclinait à penser qu'il n'allait pas bien ; qu'il était malade ». Le père de Prendergast lui trouva un emploi de porteur de télégrammes pour la Western Union, que le garçon conserva un an et demi. Il avait 13 ans lorsque son père mourut, ce qui le priva de son seul allié. Pendant un temps, il parut se retirer complètement du monde. Il refit surface petit à petit. Il lut des livres de droit et des essais politiques et se mit à fréquenter les réunions du club de l'Impôt unique, acquis à la conviction de l'économiste Henry George selon laquelle il fallait obliger les propriétaires de terrains privés à payer un impôt, assimilable en somme à un loyer, pour illustrer la vérité sous-jacente que la terre appartenait à tous. Lors de ces réunions, Prendergast intervenait dans toutes les discussions et dut une fois être expulsé de la salle. Aux yeux de sa mère, c'était un homme nouveau : instruit, enthousiaste, engagé. « Il est devenu intelligent d'un seul coup », dit-elle.

En vérité, sa folie s'aggravait. Quand il n'était pas au travail, il envoyait des cartes postales, par dizaines, peut-être même par centaines, aux hommes les plus puissants de la ville, sur un ton laissant à supposer qu'il était socialement leur égal. Il écrivit à son cher Harrison et à divers autres politiciens, parmi lesquels le gouverneur de l'Illinois. Il est d'ailleurs possible que Burnham ait lui aussi reçu une carte, étant donné sa notoriété grandissante.

Que Prendergast fût un jeune homme perturbé allait de soi ; qu'il pût devenir dangereux semblait impossible. Ceux qui le croisaient ne voyaient en lui qu'une pauvre âme broyée comme tant d'autres par le chaos et la sordidité de Chicago. Et pourtant Prendergast fondait d'immenses espoirs sur l'avenir, qui se concentraient tous sur un seul homme : Carter Henry Harrison.

Il se jeta à corps perdu dans la campagne municipale de Harrison, quoique à l'insu de l'intéressé, envoyant des flopées de cartes postales et affirmant à qui voulait l'entendre que Harrison, ami fidèle des Irlandais et de la classe ouvrière, était le meilleur candidat à cette magistrature.

Il croyait dur comme fer qu'une fois acquis son cinquième mandat bisannuel – idéalement lors des élections d'avril 1891 mais peut-être pas avant les suivantes, celles de 1893 – Harrison le récompenserait en lui offrant un poste. Ainsi fonctionnait la politique à Chicago. Prendergast n'avait aucun doute sur le fait que Harrison viendrait le sauver des petits matins blêmes et des sarcasmes venimeux des crieurs de journaux qui pour l'heure définissaient sa vie.

Les aliénistes les mieux informés connaissaient ce type de croyance infondée sous le nom de délire et l'associaient à un trouble identifié depuis peu, la paranoïa. Heureusement, la plupart des délires étaient inoffensifs.

*

Le 25 octobre 1890, alors que le choix du site n'était toujours pas arrêté, d'inquiétantes nouvelles arrivèrent d'Europe, signe avant-coureur d'une accumulation de forces susceptibles de s'avérer infiniment plus dommageables pour l'exposition que l'indécision de ses directeurs. Le *Chicago Tribune* signala que des turbulences croissantes sur les marchés mondiaux avaient fait naître à Londres la crainte d'une récession, voire d'une panique générale. Ces incertitudes ébranlèrent immédiatement Wall Street. Le cours des compagnies ferroviaires dégringola. L'action de la Western Union perdit 5 %.

Le samedi suivant, la nouvelle d'une faillite absolument stupéfiante courut en morse d'un bout à l'autre du câble sous-marin qui reliait la Grande-Bretagne et l'Amérique.

Avant qu'elle n'atteigne Chicago, les agents de change passèrent ce matin-là un certain temps à discuter du temps bizarre qu'il faisait. Un « voile sombre » inhabituel planait au-dessus de la ville. Certains suggérèrent en plaisantant que cette pénombre était peut-être un signe de l'imminence du « jugement dernier ».

Les rires cessèrent à l'arrivée des premiers télégrammes de Londres : la Baring Brothers & Co, puissante banque d'investissements londonienne, était au bord de la fermeture. « La nouvelle, observa un journaliste du *Tribune*, était presque impossible à croire. » La Banque d'Angleterre et un consortium de financiers s'efforçaient de lever précipitamment des fonds pour garantir les obligations financières de la Barings. « La folle ruée qui s'ensuivit pour revendre des titres fut terrible. Un véritable vent de panique souffla pendant une heure. »

Pour Burnham et les directeurs de l'Exposition, cette onde de choc financière fut déstabilisante. Si elle marquait le début d'une panique profonde sur les marchés, le moment était on ne pouvait plus mal choisi. Pour que Chicago réussisse comme ses représentants l'avaient clamé à surpasser l'Exposition de Paris en taille *et* en fréquentation, il allait falloir dépenser beaucoup plus que les Français et attirer beaucoup plus de visiteurs – alors que l'exposition parisienne avait réuni davantage de monde que tout autre événement pacifique de l'histoire humaine. Dans les meilleures circonstances du monde, attirer un public de cette échelle aurait déjà été un défi ; dans les pires, cela relevait de l'impossible, d'autant que la localisation continentale de Chicago obligerait la plupart des visiteurs à faire le voyage en train de nuit. Or, les compagnies ferroviaires avaient vite et très clairement fait savoir qu'elles n'avaient aucune intention de baisser leurs tarifs vers Chicago pendant l'exposition.

D'autres faillites s'enchaînèrent en Europe et aux États-Unis, mais leur véritable signification restait peu claire pour le moment – ce qui, avec le recul, s'avéra une bonne chose.

*

Le 30 octobre, au milieu de cette tourmente financière de plus en plus violente, le conseil de l'Exposition nomma Burnham directeur de la construction et lui accorda un salaire équivalent à 360 000 dollars actuels ; à son tour, Burnham désigna Root directeur architectural de l'exposition et Olmsted directeur des paysages.

Burnham disposait à présent de l'autorité officielle pour lancer la construction d'une foire mondiale, mais il ne savait toujours pas où la mettre.

5

« N'ayez pas peur »

Plus Englewood se peuplait, plus les ventes de for-
tifiants et de lotions augmentaient pour Holmes. À la
fin de 1886, sa pharmacie lui rapportait des bénéfices
réguliers. Ses pensées étaient désormais accaparées par
une jeune femme rencontrée dans l'année à l'occasion
de son bref séjour à Minneapolis, Myrta Z. Belknap.
C'était une blonde aux yeux bleus et aux courbes généreuses, mais ce qui l'avait attiré plus encore que sa
beauté était l'aura de vulnérabilité et de carence affective qui l'enveloppait. Elle était devenue pour lui une
obsession immédiate et son image faisait désormais le
siège de son esprit. Il retourna donc à Minneapolis,
officiellement pour affaires. Holmes ne doutait pas de
parvenir à ses fins. Il trouvait amusant que les femmes
en général soient aussi délicieusement vulnérables,
comme si elles croyaient que les codes de conduite en
vigueur dans leur paisible bourgade natale, que ce soit
Alva, Clinton ou Percy, continueraient de s'appliquer
une fois qu'elles auraient laissé derrière elles leurs

salons poussiéreux et embaumés au kérosène pour prendre leur vie à bras-le-corps.

La ville les endurcissait vite, cela étant. Mieux valait les saisir au début de leur ascension vers la liberté, tout juste débarquées de leur petite ville, lorsqu'elles étaient anonymes et perdues et que leur présence n'avait encore été remarquée nulle part. Chaque jour, il les voyait descendre de leur train, de leur tram ou de leur diligence, plissant invariablement les yeux sur quelque bout de papier censé leur dire où elles devaient aller. Les mères maquerelles de la ville l'avaient compris elles aussi et venaient fréquemment les accueillir à l'arrivée des trains avec force promesses de sympathie et d'amitié, en gardant l'essentiel pour plus tard. Holmes adorait Chicago, et en particulier la façon dont la fumée et les brumes pouvaient s'y refermer sur une jeune femme sans laisser la moindre trace de son existence, sinon peut-être un imperceptible sillage de parfum dans la puanteur ambiante du crottin, de l'anthracite et de la pourriture.

Aux yeux de Myrta, Holmes paraissait sortir d'un monde bien plus excitant que le sien. Elle vivait chez ses parents et travaillait dans un magasin de musique. Minneapolis était une petite ville somnolente, peuplée de fermiers suédois et norvégiens aussi charmants que des tiges de maïs. Holmes était beau, chaleureux, visiblement aisé, et il vivait à Chicago, la plus redoutable et la plus magnétique des métropoles. Dès leur première rencontre, il la toucha ; ses yeux bleu vif luisaient d'espoir. Après son départ du magasin ce jour-là, tandis que des atomes de poussière comblaient peu à peu le vide qu'il laissait derrière lui, sa propre existence apparut à Myrta d'une platitude insupportable. La pendule tictaquait. Quelque chose devait changer.

À la lecture de sa première lettre, où il lui demandait si gentiment l'autorisation de la courtiser, elle eut l'impression d'être enfin débarrassée de la couverture rêche qui l'avait étouffée jusque-là. Holmes revint plusieurs fois à Minneapolis. Il lui parla de Chicago. Il décrivit les gratte-ciel et expliqua qu'ils montaient chaque année un peu plus haut. Il raconta d'un ton enjoué de choquantes histoires sur les abattoirs, et notamment sur la façon dont les porcs empruntaient le pont des Soupirs jusqu'à une plate-forme surélevée où on leur enchaînait les pattes arrière afin qu'ils soient ensuite transportés, hurlants et tête en bas, le long d'un rail situé au-dessus d'eux qui se prolongeait jusqu'aux entrailles sanglantes de l'équarrissoir. Il raconta aussi des histoires romantiques : celle de Potter Palmer, par exemple, tellement épris de sa femme Bertha qu'il lui avait offert un hôtel de luxe, le Palmer House, en guise de cadeau de mariage.

Faire la cour obéissait à certaines règles. Bien que personne ne les ait jamais couchées par écrit, toutes les jeunes femmes les connaissaient et savaient immédiatement quand elles étaient enfreintes. Holmes les enfreignit toutes – et avec une telle effronterie qu'il sembla évident à Myrta que les règles en question devaient être différentes à Chicago. Elle commença par s'en effrayer, mais s'aperçut vite qu'elle aimait cette sorte de pression et de jeu avec le feu. Quand Holmes lui demanda sa main, elle accepta sans hésiter. Ils se marièrent le 28 janvier 1887.

Holmes omit de préciser à Myrta qu'il avait déjà une femme, Clara Lovering – Mme Herman Webster Mudgett. Deux semaines après avoir épousé Myrta, il intenta une action auprès de la Cour suprême du comté de Cook,

Illinois, pour divorcer d'avec Lovering. Il ne s'agissait pas pour lui de tourner la page avec élégance : il accusa Lovering d'infidélité, une attaque dévastatrice à l'époque. Il laissa cependant sa plainte en suspens, et le tribunal finit par la classer pour « défaut de poursuites ».

À Chicago, Myrta constata d'emblée que les récits de Holmes ne rendaient que très partiellement justice au charme et à la sulfureuse énergie de la ville. On aurait dit un chaudron fumant, avec des trains partout – une expérience perturbante, mais aussi un signe de ce que la vie s'ouvrait enfin à elle. À Minneapolis, elle n'avait connu que le silence et les inévitables avances d'hommes patauds à la recherche de quelqu'un, n'importe qui, pour partager l'angoisse de leurs jours. Le fait que Holmes vive à Englewood, et non au cœur de Chicago, fut au début une déception, mais l'on sentait ici aussi une vitalité dépassant de très loin tout ce qu'elle avait pu voir dans sa ville natale. Holmes et elle emménagèrent au-dessus de la pharmacie, dans l'ancien appartement de Mme Holton. Au printemps 1888, Myrta se retrouva enceinte.

Dans un premier temps, elle aida son mari à tenir la boutique. Elle appréciait de travailler avec lui et l'observait souvent lorsqu'il était affairé avec la clientèle. Elle savourait sa prestance et son calme et attendait avidement les instants où, au détour de quelque geste routinier, leurs corps se frôleraient. Elle admirait aussi le charme avec lequel il concluait chacune de ses transactions et sa façon de conquérir jusqu'aux clients âgés les plus fidèles à l'absente Mme Holton. Et elle s'amusa, du moins au début, du cortège apparemment sans fin de jeunes femmes qui passaient à la pharmacie, toutes aussi catégoriques pour affirmer que seule une consultation directe du docteur Holmes pourrait les aider.

Myrta en vint cependant à s'apercevoir que la surface bienveillante et enjôleuse de son mari dissimulait un courant profond d'ambition. Il semblait n'avoir de pharmacien que le titre ; il correspondait bien davantage à l'image répandue du *self-made man* qui à force de travail et d'invention gravissait un à un tous les échelons de la société. « L'ambition a été le fléau de la vie de mon mari, reconnaîtrait-elle plus tard. Il aspirait à atteindre une position où il serait honoré et respecté. Il aspirait à la fortune. »

Et pourtant, à l'en croire, cette ambition ne corrompit jamais son caractère et ne le divertit jamais de son rôle de mari, puis de père. Holmes, selon Myrta, avait le cœur bon. Il adorait les enfants et les animaux. « Il raffolait des animaux domestiques et avait toujours un chien, un chat et en général un cheval, avec lesquels il jouait à toute heure, leur apprenant de petits tours ou courant en leur compagnie. » Il n'était ni buveur, ni fumeur, ni joueur. Il était affectueux et impossible à froisser. « Dans sa vie familiale, je ne crois pas qu'il y ait jamais eu de meilleur homme que mon mari, dit Myrta. Il n'avait jamais un mot méchant pour notre petite fille, pour ma mère ni pour moi. Il n'était jamais ni vexé ni en colère, mais au contraire constamment heureux et insouciant. »

Et pourtant, le couple se retrouva très vite sous tension. Holmes n'exprimait aucune hostilité ; l'impatience vint de Myrta, lassée de toutes ces jeunes clientes et de la façon dont son mari leur souriait, les touchait et plongeait ses yeux bleus au fond des leurs. Au début, elle avait trouvé cela excitant ; puis elle s'était sentie gagnée par un malaise ; pour finir, elle devint jalouse et méfiante.

La possessivité croissante de sa femme ne mit pas Holmes en colère. Il en vint plutôt à la voir comme un capitaine de navire verrait un iceberg – un obstacle à surveiller et éviter. La pharmacie marchait si bien, dit-il à Myrta, qu'il avait besoin de son aide pour en tenir les comptes. Elle se retrouva donc à passer de plus en plus de temps dans un bureau à l'étage, chargée de la correspondance et des factures de la pharmacie. Elle écrivit à ses parents pour leur faire part de son chagrin. À l'été 1888, ceux-ci s'installèrent à Wilmette, Illinois, dans une jolie maison à deux étages sur John Street, juste en face d'une église. Seule, triste et enceinte, Myrta finit par aller les rejoindre et accoucha sous leur toit d'une petite fille, Lucy.

Soudain, Holmes se comporta en mari dévoué. Les parents de Myrta l'accueillirent d'abord fraîchement, mais il s'efforça de conquérir leur approbation à grand renfort de regrets prononcés les larmes aux yeux et de démonstrations d'adoration envers sa femme et son enfant. Cela fonctionna. « Sa présence, dit Myrta, était comme de l'huile sur une eau troublée, comme ma mère le lui disait souvent. Il était tellement aimable, gentil et attentionné que nous en oubliions nos soucis et nos inquiétudes. »

Il implora leur indulgence pour ses longues absences de la maison de Wilmette. Il avait tant à faire à Chicago ! Au vu de son aspect et des sommes d'argent qu'il versait à Myrta, il donnait indéniablement l'impression d'être un homme en pleine ascension sociale, et cela fit beaucoup pour apaiser les doutes des parents de Myrta, qui s'installèrent avec leur fille et leur petite-fille dans une vie ponctuée par les visites de plus en plus rares du docteur Holmes, lequel ne manquait toutefois jamais, lorsqu'il réapparaissait, de leur apporter de la chaleur, des cadeaux et de couvrir la petite Lucy de mamours.

« On dit que les bébés sont meilleurs juges des personnes que les adultes, déclara Myrta, et je n'ai jamais vu un bébé refuser d'aller vers M. Holmes et de rester volontiers en sa compagnie. Ils voulaient bien de lui quand ils ne voulaient pas de moi. Il éprouvait une tendresse remarquable pour les enfants. Souvent, lorsque nous voyagions et qu'il y avait un nourrisson dans le wagon, il me disait : "Va donc voir s'ils ne te prêtent pas ce bébé un moment" ; et sitôt que je le lui amenais il se mettait à jouer avec, oubliant tout le reste, jusqu'à ce que sa mère vienne le réclamer ou que je sente son désir de le reprendre. Il a souvent pris des bébés en pleurs dans les bras de leur mère et obtenu en un rien de temps qu'ils s'endorment ou qu'ils jouent avec ce bonheur propre aux tout-petits. »

*

Englewood était toujours en plein essor, et Holmes sentit qu'il y avait une occasion à saisir. Depuis l'acquisition de la pharmacie Holton, il lorgnait le terrain vague qui lui faisait face. Renseignement pris, il découvrit qu'il appartenait à une New-Yorkaise. Il le lui acheta à l'été 1888 et enregistra l'acte de propriété sous un faux nom, H. S. Campbell. Rapidement, il commença à prendre des notes et à griffonner les croquis d'un bâtiment qu'il rêvait de construire sur ce terrain. Il ne fit pas appel à un architecte – il y en avait pourtant un, l'Écossais A. A. Frazier, dans l'immeuble de sa pharmacie. Cela l'aurait obligé à révéler la véritable nature du projet qui venait d'éclore dans son imagination.

La conception d'ensemble du bâtiment et sa fonction lui étaient apparues tout à coup, comme un plan sorti d'un tiroir. Il voulait plusieurs boutiques au rez-de-chaussée, pour lui assurer une source de revenus et lui permettre d'employer autant de femmes que possible ; les deux étages contiendraient des logements. Il installerait son appartement personnel ainsi qu'un vaste cabinet à l'angle du premier étage, au-dessus de l'intersection de la 63e Rue et de Wallace. Voilà pour les grandes lignes, mais ce fut surtout la conception des détails qui lui procura du plaisir. Il dessina un large conduit vertical en bois censé relier une pièce secrète du premier étage au sous-sol. Il projetait d'enduire l'intérieur de ce conduit de graisse à essieux. La pièce secrète serait attenante à son cabinet et bâtie à la façon d'une chambre forte, avec des soudures hermétiques et des murs en fonte isolés à l'amiante. Le brûleur à gaz encastré dans l'un d'eux serait commandé par un robinet installé dans sa penderie personnelle, de même que pour les autres brûleurs cachés dans plusieurs appartements. Son immeuble posséderait une grande cave avec là aussi des pièces secrètes, et un deuxième sous-sol destiné au stockage permanent de matériau sensible.

Plus Holmes rêvait et dessinait, plus la représentation de son projet lui apparaissait précise et satisfaisante. Mais il n'était encore qu'au stade du rêve. Il ne pouvait qu'imaginer le plaisir qui inonderait ses jours une fois l'immeuble construit, lorsqu'il serait peuplé de femmes en chair et en os. Cette vision l'excitait toujours autant.

La construction d'un tel bâtiment, il le savait, ne serait pas un mince défi. Il arrêta donc une stratégie qu'il pensait susceptible non seulement d'éloigner les soupçons, mais aussi de réduire considérablement les coûts du chantier.

Il fit paraître dans la presse une série de petites annonces pour recruter charpentiers et maçons, et des équipes d'hommes et de chevaux entreprirent bientôt d'excaver le terrain. La fosse qui en résulta avait des allures de tombeau géant, d'autant que l'air y était plus froid qu'en surface et empreint d'une forte odeur de moisi – ce qui n'était d'ailleurs pas entièrement malvenu pour des terrassiers contraints de travailler sous le brûlant soleil estival. Le sol leur posa des problèmes. La couche superficielle fut facile à creuser, mais la terre dessous était sableuse et humide. Il fallut étayer les côtés de la fosse, où de l'eau suintait en permanence. Comme le nota ultérieurement un inspecteur des travaux de Chicago dans son rapport : « On constate un tassement inégal du soubassement, avec par endroits une dénivelée de 10 centimètres sur une distance de 6 mètres. » Des maçons érigèrent les fondations et les murs extérieurs, des charpentiers se chargèrent de l'ossature intérieure. La rue résonnait de la plainte constante des scies à main.

Holmes endossa le rôle d'un maître d'œuvre exigeant. Chaque fois que les ouvriers venaient lui réclamer leur dû, il leur reprochait la mauvaise qualité de leur travail et refusait de les payer, même quand le résultat était parfait. Soit ils démissionnaient, soit il les renvoyait. Il en recrutait d'autres à leur place et les traitait de manière identique. Le chantier avançait lentement, mais à un coût nettement inférieur à celui qu'il aurait dû atteindre. La haute rotativité de la main-d'œuvre avait l'avantage subsidiaire de réduire au minimum le nombre de personnes au fait des secrets de l'immeuble.

Un ouvrier pouvait se voir confier une certaine tâche – par exemple l'installation du brûleur à gaz mural de la chambre forte – mais vu le contexte étroit dans lequel il effectuait sa tâche, celle-ci pouvait lui sembler raisonnable ou au pire légèrement excentrique.

Ce cloisonnement n'empêcha pas un maçon du nom de George Bowman de trouver plus ou moins inquiétante l'expérience de son travail pour Holmes. « Je ne sais pas quoi penser de lui, déclara-t-il. Je n'étais pas sur son chantier depuis deux jours qu'il est venu me demander si je ne trouvais pas ça trop dur de poser toutes ces briques. Il m'a demandé si je ne préférerais pas gagner de l'argent plus facilement, et j'ai évidemment répondu oui. Quelques jours plus tard, le voilà qui revient et qui me dit en montrant le sous-sol du doigt : "Tu vois cet homme, en bas ? Eh bien, c'est mon beau-frère. Il ne me porte pas dans son cœur, ni moi non plus. Rien ne serait plus facile pour toi que de laisser tomber une pierre sur la tête de ce gaillard pendant que tu travailles, et je te donnerai 50 dollars en échange." »

L'incident fut rendu particulièrement effrayant par la façon dont Holmes formula son offre – « à peu près comme un ami vous poserait la plus banale des questions », dit Bowman.

Il est impossible de savoir si Holmes voulait réellement que Bowman tue cet homme. Il aurait été tout à fait dans sa manière d'avoir auparavant persuadé le « beau-frère » de souscrire une assurance-vie dont il serait lui-même le bénéficiaire. Mais peut-être Holmes cherchait-il seulement à tester le maçon pour déterminer s'il pourrait lui être utile à l'avenir. Dans ce cas, Bowman dut le décevoir. « Il m'a fait tellement peur que je n'ai plus su ni quoi dire ni quoi faire, dit-il, mais je n'ai laissé tomber aucune pierre et j'ai quitté les lieux peu après. »

Trois hommes se révélèrent dignes de la confiance de Holmes. Ils travaillèrent pour lui pendant toute la durée du chantier et continuèrent une fois l'immeuble bâti. Le premier, Charles Chappell, était un mécanicien vivant à proximité de l'hôpital du comté de Cook. Il entra au service de Holmes comme simple manœuvre mais ne tarda pas à faire preuve d'un talent particulièrement précieux pour son patron. Le deuxième s'appelait Patrick Quinlan et habitait à Englewood, à l'angle de la 47e et de Morgan, jusqu'au jour où il prit ses quartiers en tant que concierge dans l'immeuble de Holmes. C'était un petit homme nerveux proche de la quarantaine, aux cheveux clairs bouclés et à la moustache couleur sable.

Le dernier et le plus important des trois était le charpentier Benjamin Pitezel, qui rejoignit Holmes en novembre 1889. Il remplaçait un certain Robert Latimer, qui venait de démissionner pour devenir garde-barrière du passage à niveau situé devant la pharmacie. Selon Latimer, Pitezel commença par s'occuper des chevaux utilisés sur le chantier de l'immeuble, mais il devint par la suite l'homme à tout faire de Holmes. Les deux hommes nouèrent semble-t-il des liens étroits, assez en tout cas pour que Holmes accepte de rendre à Pitezel un coûteux service. Pitezel fut arrêté dans l'Indiana pour avoir tenté d'écouler de faux chèques. Holmes régla sa caution et perdit la somme en totalité après que Pitezel, conformément à leur plan, eut omis de se présenter à son procès.

Pitezel avait les traits lisses et un menton saillant bien dessiné. Il aurait pu être beau sans sa mine famélique et ses paupières tombantes qui couvraient le haut de ses iris. « D'une façon générale, écrivit Holmes, je le décrirais comme un homme d'environ 1,80 mètre, maigre et pesant entre 65 et 70 kilos, aux cheveux très noirs et très épais, assez drus, sans la moindre tendance à la calvitie ; sa moustache nettement plus claire était je crois d'un ton roux, quoique je l'aie parfois vue teinte en noir, ce qui lui donnait un aspect très différent. »

Pitezel était marié à Carrie Canning de Galva, Illinois, et père d'un nombre d'enfants en constante augmentation. Les photographies de sa progéniture suggéraient une troupe docile et sage, toujours prête à manier le balai et le torchon. La première fille du couple, Dessie, était née en dehors des liens sacrés du mariage, un incident tout à fait conforme à ce que les parents de Pitezel en étaient venus à attendre de leur fils. Dans une ultime tentative de ramener celui-ci dans le droit chemin, son père lui écrivit : « Viens avec moi et je ferai le bien, tel est le commandement du Seigneur. Viendras-tu ? Je chasserai de toi cette nature perverse, je te laverai de toute tache, je serai pour toi un père et tu seras un fils, un héritier. » Et il ajoutait, avec un chagrin palpable : « Je t'aime, aussi dévoyé sois-tu. »

Alice, deuxième enfant du couple, naquit peu après le mariage. Une autre fille et trois garçons suivirent, dont un qui mourut de la diphtérie peu après sa naissance. Trois de ces enfants – Alice, Nellie et Howard – finiraient par devenir tellement célèbres en Amérique que les titreurs des journaux se contenteraient de les désigner par leur prénom, certains que tous leurs lecteurs, même les plus isolés, comprendraient de qui parlaient leurs manchettes.

Pitezel accéderait lui aussi à une notoriété certaine du fait de Holmes. « Pitezel était son instrument, déclara plus tard un procureur de district, sa créature. »

*

La construction de l'immeuble se fit par à-coups, s'interrompant à peu près chaque hiver au terme de ce que les ouvriers appelaient la « saison des chantiers », même si Holmes avait lu que certains architectes du Loop employaient désormais des techniques permettant de continuer à travailler toute l'année. Avec le recul, certaines personnes feraient remarquer que l'immeuble de Holmes était sorti de terre en même temps que Jack l'Éventreur, à des milliers de kilomètres de là, commençait son carnage.

Le premier meurtre de Jack eut lieu le 31 août 1888 et le dernier dans la nuit du 9 au 10 novembre 1888, lorsqu'il croisa le chemin d'une prostituée nommée Mary Kelly et la raccompagna jusqu'à sa chambre. Il lui trancha la gorge d'un coup de couteau van goghien qui lui détacha presque la tête du corps. Pendant les quelques heures suivantes, à l'abri des regards dans la chambrette de Mary, il lui coupa les seins et les plaça sur une table à côté de son nez. Il l'éventra de la gorge au pubis, lui écorcha les cuisses, la vida de ses organes internes et les disposa en pile entre ses pieds. Il lui trancha une main et l'enfonça dans son abdomen béant. Kelly était enceinte de trois mois.

Les meurtres cessèrent brusquement, comme si son rendez-vous galant avec Mary Kelly avait enfin assouvi la frénésie du tueur. Cinq victimes confirmées, cinq à peine, et Jack l'Éventreur devint l'incarnation, à jamais, du mal absolu.

Tous les habitants de Chicago sachant lire dévoraient les articles sur son compte venus d'outre-Atlantique, mais il est probable qu'aucun ne le fit avec autant d'avidité que le docteur H. H. Holmes.

*

Le 29 juin 1889, alors que la construction de l'immeuble de Holmes était à mi-chemin, Chicago annexa Englewood où fut créée peu après une nouvelle antenne de police, le 10ᵉ commissariat de la 2ᵉ division, à l'angle de la 63ᵉ et de Wentworth – à sept rues de la pharmacie de Holmes. Les agents de patrouille sous le commandement du capitaine Horace Elliott passaient désormais souvent devant l'officine, où selon l'usage en vigueur il leur arrivait d'entrer pour bavarder un peu avec le jeune et séduisant propriétaire. De temps à autre, ils traversaient la rue pour jeter un coup d'œil au chantier de son futur immeuble. Englewood abritait déjà un certain nombre de bâtiments substantiels, dont le siège de la YMCA et celui de l'école normale du comté de Cook, qui assurait la formation des enseignants, sans oublier le gigantesque opéra Timmerman, en phase d'achèvement à l'angle de la 63ᵉ et de Stewart, mais il restait encore beaucoup de terrains vacants dans le quartier, et tout bâtiment voué à occuper un pâté de maisons entier devenait un sujet de conversation.

La construction dura une année de plus, en comptant la pause hivernale habituelle. En mai 1890, l'immeuble était quasiment prêt. Le premier étage contenait 6 couloirs, 35 pièces et 51 portes, le deuxième trois douzaines de pièces. Le rez-de-chaussée pouvait accueillir 5 commerces de détail, dont le meilleur et le plus alléchant était sans conteste un vaste emplacement situé à l'angle de la 63e et de Wallace.

Un mois après avoir emménagé dans ses nouveaux murs, Holmes revendit l'ex-pharmacie Holton en assurant à son acquéreur qu'il n'aurait guère de concurrence à redouter.

Après quoi il s'empressa d'ouvrir un drugstore juste en face, dans son magasin d'angle.

Il ouvrit aussi divers autres commerces dans les boutiques restantes du rez-de-chaussée, dont un salon de coiffure et un restaurant. Les annuaires de l'époque signalaient aussi à l'adresse de Holmes le cabinet d'un certain docteur Henry D. Mann – peut-être un pseudonyme de Holmes – et le siège de la Warner Glass Bending Company, une entreprise spécialisée dans le façonnage du verre, que Holmes prétendait avoir fondée pour se lancer sur le marché en plein essor de ces grandes vitres que tout le monde semblait soudain s'arracher.

Holmes équipa et meubla ses boutiques à crédit. Il n'avait aucune intention de régler ses dettes et ne doutait pas de pouvoir échapper aux poursuites grâce à un savant dosage de ruse et de charme. Chaque fois qu'un créancier exigeait de voir le propriétaire de l'immeuble, Holmes l'aiguillait avec empressement sur le fictif H. S. Campbell.

« C'était l'homme le plus affable que j'aie jamais vu », dit de lui C. E. Davis, que Holmes avait recruté pour tenir le comptoir à bijoux de son drugstore. Les créanciers, toujours selon Davis, « arrivaient fous de rage en le traitant de tous les noms imaginables ; il leur parlait en souriant, sortait les cigares, les alcools, et à leur départ on les aurait crus amis pour la vie. Je ne l'ai jamais vu en colère. On avait beau faire, il était impossible de se fâcher avec lui ».

Et Davis ajouta avec un geste en direction du magasin : « Si tous les commandements à payer dont cette boutique a fait l'objet étaient placardés sur ses trois murs, le pâté de maisons ressemblerait à un panneau d'affichage géant. Mais je n'ai jamais entendu dire qu'un seul d'entre eux ait été suivi d'effet. Holmes avait l'habitude de m'expliquer qu'il avait un avocat payé pour lui éviter les soucis, mais il m'a toujours semblé que c'était plutôt sa propre filouterie courtoise et effrontée qui lui permettait de s'en tirer. Je me souviens du jour où il a acheté et fait installer un lot de meubles dans le restaurant. Le marchand qui les lui avait vendus s'est présenté le soir même pour toucher la somme due ou récupérer son bien. Holmes lui a servi l'apéritif, l'a invité à dîner et lui a offert un cigare ; l'homme est ressorti en riant d'une plaisanterie, certain d'être réglé la semaine suivante. Dans la demi-heure qui a suivi son départ, Holmes a fait venir plusieurs chariots devant le magasin pour embarquer les meubles, et ce marchand n'a jamais touché un cent. Holmes n'est pas allé en prison pour autant. Il était le seul homme aux États-Unis à pouvoir faire ce qu'il faisait. »

Holmes avait pourtant les moyens de régler ses dettes. Selon les estimations de Davis, le drugstore et ses autres activités commerciales, pour la plupart frauduleuses, lui rapportèrent 200 000 dollars. Holmes tenta par exemple de vendre à des investisseurs une machine capable de transformer l'eau en gaz naturel. Il avait secrètement relié son prototype au réseau de gaz de la ville.

Bien qu'il se montrât toujours charmant et sympathique, il y avait des moments où même ces traits de caractère ne suffisaient pas à mettre à l'aise ses partenaires commerciaux. Un pharmacien du nom d'Erickson se souvient des fréquentes visites que fit Holmes à son officine pour lui acheter du chloroforme, anesthésique aussi puissant qu'imprévisible en vogue depuis la guerre de Sécession. « Je lui en vendais parfois neuf ou dix fois dans la semaine, et toujours en grande quantité. Je l'ai interrogé à plusieurs reprises sur l'usage qu'il en faisait, mais ses réponses étaient toujours évasives. Pour finir, j'ai refusé de continuer à lui en vendre s'il ne me le disait pas, en feignant de craindre qu'il ne l'emploie de façon inadéquate. »

Holmes expliqua à Erickson que le chloroforme lui servait pour ses expériences scientifiques. Plus tard, lorsqu'il revint en racheter, Erickson s'enquit du progrès desdites expériences.

Holmes le gratifia d'un regard vide et répondit qu'il ne menait aucune expérience.

« Je n'ai jamais pu le cerner », conclut Erickson.

*

Une certaine Mme Strowers lavait périodiquement le linge de Holmes. Un jour, il offrit de lui verser 6 000 dollars si elle contractait une assurance-vie de 10 000 dollars en le désignant comme bénéficiaire. Lorsqu'elle lui demanda pourquoi il souhaitait faire une chose pareille, il expliqua qu'il réaliserait une plus-value de 4 000 dollars à sa mort, mais qu'en attendant elle serait libre de dépenser ses 6 000 dollars comme bon lui semblerait.

Aux yeux de Mme Strowers, cette somme représentait une fortune, et il lui suffisait de signer quelques documents. Holmes lui assura que tout cela était parfaitement légal.

Elle était en bonne santé et espérait vivre encore longtemps. Elle s'apprêtait à accepter l'offre quand Holmes lui glissa d'une voix douce : « N'ayez pas peur de moi. »

Ce qui la terrifia.

*

En novembre 1890, Holmes apprit avec le reste de Chicago que les directeurs de l'Exposition universelle colombienne étaient enfin parvenus à une décision sur l'emplacement de la future foire mondiale. Il découvrit avec ravissement que la plupart des bâtiments seraient construits dans Jackson Park, à l'extrémité est de la 63ᵉ Rue ; il y aurait aussi des attractions dans le centre de Chicago, dans Washington Park et sur toute la longueur de Midway Boulevard.

Holmes connaissait ces deux parcs pour les avoir visités à bicyclette. Comme la plupart des Américains, il avait succombé à l'engouement provoqué par l'invention de la bicyclette « de sûreté », avec ses deux roues de même diamètre et son entraînement par chaîne et pédalier. À la différence de la plupart des Américains, en revanche, Holmes avait l'intention de capitaliser sur cet engouement en achetant des bicyclettes à crédit, puis en les revendant sans même les avoir payées. Lui-même se déplaçait sur une Pope.

La décision de la Compagnie de l'Exposition souleva une lame de fond spéculative à travers le South Side de

Chicago. Une annonce parue dans le *Tribune* proposait par exemple à la vente une maison de six chambres située à l'angle de la 41ᵉ Rue et de Ellis, soit à 1,5 kilomètre de Jackson Park, en mettant en avant le fait que, pendant l'Expo, le nouveau propriétaire pourrait vraisemblablement louer quatre de ses chambres pour un total de 1 000 dollars par mois (30 000 dollars d'aujourd'hui). L'immeuble et le terrain de Holmes, qui avaient déjà pris beaucoup de valeur du fait de la croissance continue d'Englewood, semblaient tout à coup devenus une véritable mine d'or.

Une idée lui vint pour exploiter au mieux ce filon et satisfaire en même temps ses besoins d'une autre nature. Il publia une annonce pour embaucher des ouvriers du bâtiment et mit une fois de plus à contribution ses trois fidèles acolytes, Chappell, Quinlan et Pitezel.

6

Pèlerinage

Le soir du lundi 15 décembre 1890, journée qui s'était distinguée à Chicago par son extraordinaire tiédeur et ailleurs par l'assassinat de Sitting Bull par des membres de la police indienne, Daniel Burnham partit en train vers New York et ce qui s'annonçait comme une rencontre décisive pour l'odyssée de l'exposition.

Il s'installa dans un somptueux wagon-lit vert vif de Pullman, où l'air était aussi immobile qu'une lourde tenture. Une cloche tinta et continua de tinter sur un tempo rapide pendant que le train s'enfonçait au niveau de la chaussée dans le cœur de la ville, roulant à plus de 30 kilomètres-heure malgré la présence presque à portée de main de tramways, de voitures et de piétons. Tout le monde dans la rue faisait halte pour le voir franchir les barrières, suivi d'un onduleux panache de fumée blanche et noire. Le train longea en cliquetant les abattoirs, encore plus fétides qu'à l'ordinaire en raison de l'étrange douceur ambiante, puis contourna des terrils au sommet coiffé de neige fondue noirâtre. Burnham, qui aimait les belles choses, n'en vit aucune pendant de nombreux kilomètres, tout juste un défilé sans fin de charbon, de rouille et de fumée, jusqu'à ce que le train atteigne la prairie et que la paix s'installe enfin. La nuit tomba, ne laissant au ras du sol qu'une aurore factice de vieille neige.

Le choix d'un site pour l'exposition avait déclenché une accélération des événements à la fois stimulante et perturbante, l'ensemble du projet apparaissant tout à coup plus tangible et sa véritable ampleur plus impressionnante. Les directeurs avaient sur-le-champ exigé une ébauche de plan d'ensemble, livrable dans les vingt-quatre heures. John Root, guidé par Burnham et Olmsted, avait pondu un dessin sur une gigantesque feuille de papier d'emballage de près de 5 mètres carrés, que les trois hommes apportèrent au comité en pestant dans leur barbe sur le fait que les créateurs de l'exposition parisienne avaient disposé d'une année entière pour réfléchir, planifier et dessiner avant de parvenir au même point. Leur plan improvisé prévoyait l'aménagement d'une plaine de 2,5 kilomètres carrés sur la rive du lac, que des dragues sculpteraient en un sublime paysage de lagunes et de canaux. Au final, ils le savaient, l'exposition se composerait de plusieurs centaines de bâtiments, dont un pour chaque État de l'Union, réservés à un grand nombre de pays et de corporations, mais leur plan ne figurait que les principaux, notamment cinq immenses palais répartis autour d'une cour centrale. On y voyait aussi l'emplacement d'une tour censée se dresser à l'une des extrémités de cette cour, dont personne ne savait au juste qui la construirait ni à quoi elle ressemblerait – seulement qu'elle devrait surpasser la tour Eiffel en tout point. Les directeurs de l'Exposition et la Commission nationale qui les chapeautait à l'échelon fédéral approuvèrent ce plan avec une célérité inhabituelle.

Dans l'esprit des profanes, c'était la taille même de cette exposition qui rendait le défi quasi impossible à tenir. Qu'il fallût un parc immense et des édifices colossaux allait de soi pour tous les habitants de Chicago ; ce qui suscitait leur perplexité, en revanche, c'était que des gens puissent espérer achever le plus énorme chantier jamais entrepris sur le sol américain, bien plus énorme que le Brooklyn Bridge de Roebling, en aussi peu de temps. Burnham savait pour sa part que les dimensions de l'exposition n'étaient qu'un des éléments du défi qui l'attendait. Les grands traits du projet présenté sur plan dissimulaient un milliard d'obstacles plus discrets, dont l'opinion publique et la plupart des directeurs de l'Exposition eux-mêmes ne soupçonnaient pas l'existence. Burnham allait devoir installer un réseau de voies ferrées à l'intérieur même du parc pour transporter l'acier, les pierres et les poutres nécessaires à chaque construction. Il allait devoir gérer l'acheminement d'une quantité incalculable de matériel, de marchandises et de courrier, sans parler de toutes les pièces exposées qui allaient être livrées sur le site par des compagnies internationales de transport, dont l'Adams Express Company. Il allait aussi avoir besoin d'une force de police et d'une caserne de pompiers, d'un hôpital et d'un service d'ambulances. Et il y aurait des chevaux, des milliers de chevaux – des solutions devraient être trouvées pour éliminer les tonnes de crottin produites chaque jour.

Immédiatement après l'approbation de son plan sur papier d'emballage, Burnham demanda l'autorisation de construire « sans tarder des logements en bois à petit prix dans Jackson Park pour mes effectifs et moi-même », où il vivrait presque sans discontinuer durant les trois années à venir. Le sien gagna vite le surnom de « cabane », même s'il disposait d'une énorme cheminée et d'une excellente cave à vins, alimentée par Burnham en personne. Avec sa capacité de perception très en avance sur son temps, celui-ci comprit que la façon dont les gens évalueraient l'exposition serait déterminée par des détails infimes. Sa vigilance s'étendit jusqu'au dessin du sceau officiel de l'Expo. « Il se peut que l'extrême importance de cette question du sceau vous ait échappé », écrivit-il dans une lettre du 8 décembre 1890 à George R. Davis, le directeur général de l'exposition, autrement dit son principal responsable politique. « Il sera très largement distribué à l'étranger et fera partie de ces choses triviales à l'aune desquelles ces gens jugeront du niveau artistique de l'Expo. »

Ces questions ne constituaient cependant que de simples diversions par rapport à la plus importante de toutes les tâches de Burnham : la sélection des architectes appelés à concevoir les principaux édifices.

John Root et lui avaient d'abord envisagé de tout dessiner eux-mêmes, et c'est en vérité ce à quoi s'attendaient leurs pairs jaloux. Harriet Monroe, la belle-sœur de Root, évoqua dans un livre le soir où Root rentra chez lui « piqué au vif » parce qu'un architecte qu'il considérait jusque-là comme un ami « avait apparemment refusé de saluer Burnham lorsqu'ils s'étaient croisés dans un club ». Elle entendit Root maugréer : « Je suppose qu'il s'imagine qu'on va tout garder pour nous ! » Il décida qu'afin de préserver sa crédibilité de directeur architectural de l'exposition – un rôle qui lui imposerait de superviser les travaux de tous les autres architectes – il ne dessinerait aucun bâtiment lui-même.

Si Burnham savait déjà qui il souhaitait engager, il avait moins nettement conscience des réactions incendiaires que ses choix soulèveraient. Il voulait les meilleurs architectes que l'Amérique puisse offrir, pas seulement pour leur talent mais aussi pour la façon dont leur participation réduirait à néant la conviction tenace chez les gens de l'Est que Chicago n'était capable de proposer qu'une foire provinciale.

En décembre, bien que n'ayant aucun mandat officiel pour le faire, Burnham sonda secrètement cinq confrères par courrier, « assuré que j'obtiendrais gain de cause ». Et en effet, le Comité des terrains et bâtiments de l'Exposition l'autorisa peu après à proposer à ces hommes de se rallier au projet. Ils faisaient indéniablement partie des plus grands architectes que l'Amérique eût produits, mais, sur les cinq, trois venaient du pays des « bêtes malpropres » : George B. Post, Charles McKim, et Richard M. Hunt, le plus vénérable architecte de la nation. Les deux autres étaient Robert Peabody, de Boston, et Henry Van Brunt, de Kansas City.

Aucun n'était originaire de Chicago, alors même que la ville tirait une profonde fierté de ces pionniers de l'architecture qu'étaient Sullivan, Adler, Jenney, Beman, Cobb et les autres. Malgré ses facultés d'anticipation, Burnham ne s'était pas rendu compte que Chicago risquait d'accueillir ses choix comme une trahison.

*

Ce qui le tracassait pour l'heure, dans le confort ouaté de son compartiment Pullman, c'était le fait qu'un seul de ses candidats de prédilection, Van Brunt, avait répondu avec enthousiasme. Les autres n'avaient accepté que tièdement de le rencontrer à son arrivée à New York.

Burnham avait demandé à Olmsted de se joindre à lui pour ce rendez-vous, conscient qu'à New York la réputation de l'architecte paysagiste exerçait une force d'attraction similaire à celle de la gravité, mais Olmsted n'avait pas pu se libérer. Burnham se retrouvait donc confronté à la perspective de devoir affronter seul ces architectes légendaires – et notamment Hunt, dont l'irascibilité était tout aussi légendaire.

Pourquoi semblaient-ils si peu enthousiastes ? Comment réagiraient-ils à ses efforts de persuasion ? Et que se passerait-il s'ils déclinaient son offre ? Si la nouvelle de leur refus devenait publique ?

Le paysage qui défilait derrière la vitre ne le consola guère. En traversant l'Indiana, le train rencontra un front froid. La température chuta. De fortes rafales secouèrent les wagons, qui furent enveloppés toute la nuit par une bruine spectrale.

*

Il y avait une chose que Burnham ignorait. Peu après avoir reçu sa lettre, les architectes de l'Est, Hunt, Post, Peabody et McKim s'étaient réunis au siège new-yorkais de l'agence McKim, Mead et White, afin de déterminer si cette foire pouvait être autre chose qu'un simple étalage de bestiaux surnourris. Au cours de leur conciliabule, Hunt – celui que Burnham tenait le plus à recruter – annonça qu'il n'y participerait pas. George Post le persuada d'entendre au moins ce que Burnham avait à dire, en lui expliquant que s'il se retirait les autres se sentiraient poussés à l'imiter, tant son influence était grande.

McKim avait ouvert les débats par un discours méandreux sur l'exposition et ses perspectives. « Au diable, vos préambules, McKim, l'interrompit Hunt. Venez-en aux faits ! »

*

À New York, un vent violent souffla toute la semaine. La glace paralysait la navigation sur l'Hudson pour la première fois depuis 1880. En déjeunant à son hôtel le jeudi matin, Burnham lut avec inquiétude un article sur la faillite de la S. A. Kean & Co, une banque privée de Chicago. C'était encore un signe avant-coureur de panique.

*

Burnham rencontra les architectes de l'Est le soir du lundi 22 décembre au Player's Club, pour un dîner. Les joues rougies par le froid, ils lui serrèrent la main : Hunt, McKim, Post et Peabody – ce dernier étant venu de Boston pour l'occasion. Il y avait là, réunis autour d'une même table, les plus éminents interprètes de ce que Goethe et Schelling appelaient la « musique pétrifiée ». Ils étaient tous riches et à l'apogée de leur carrière, mais aussi tous marqués par les aléas du XIXe siècle avec leur vie émaillée d'accidents ferroviaires, de fièvres et de décès prématurés d'êtres chers. Ils étaient tous vêtus d'un habit noir et d'un col blanc empesé. Ils portaient tous la moustache, noire chez certains, grise chez d'autres. Post était énorme, de loin le plus gras de tous. L'ombrageux Hunt, avec sa liste de clients incluant la plupart des familles les plus riches d'Amérique, fronçait les sourcils en permanence. La quasi-totalité des hôtels particuliers de Newport, de Rhode Island et de la 5ᵉ Avenue à New York semblaient avoir été créés par lui, mais il avait aussi construit le socle de la statue de la Liberté et comptait parmi les fondateurs de l'Institut américain des architectes. Tous ces hommes étaient unis par un ou plusieurs éléments de passé communs. Hunt, McKim et Peabody avaient étudié à l'École des beaux-arts de Paris ; Van Brunt et Post s'étaient formés sous l'égide de Hunt ; et Van Brunt avait été le mentor de Peabody. Pour Burnham, qui avait été recalé à Harvard et à Yale et souffrait d'un certain manque de culture architecturale théorique, dîner avec ces hommes était un peu comme se retrouver pour Thanksgiving à la table d'une famille inconnue.

Le repas fut cordial. Burnham présenta sa vision d'une exposition plus gigantesque, plus majestueuse encore que celle de Paris. Il insista lourdement sur la participation d'Olmsted : Hunt travaillait alors de concert avec lui sur le domaine Biltmore, près d'Asheville, en Caroline du Nord, où George Washington Vanderbilt était en train de construire un manoir Renaissance inspiré du château de Blois, et ils avaient déjà réalisé ensemble le mausolée des Vanderbilt. Hunt restait cependant sceptique et n'hésita pas à formuler ses doutes. Quel intérêt y aurait-il pour les autres et lui-même à interrompre un programme déjà chargé pour créer des structures temporaires dans une ville lointaine où ils n'auraient de toute façon que peu de contrôle sur le produit fini ?

Ce scepticisme ébranla Burnham, habitué à l'énergie cocardière débridée de Chicago. Il regretta qu'Olmsted et Root ne soient pas à ses côtés pour contrer Hunt – Root grâce à son esprit, et aussi parce que les autres le connaissaient tous, vu son rôle de secrétaire de l'Institut américain des architectes. En temps normal, c'était dans des situations comme celle-ci que Burnham se montrait le plus efficace. « Pour lui-même, et à vrai dire pour une bonne partie du monde, il avait toujours raison, écrivit Harriet Monroe, et ce haut degré d'assurance lui permettait d'amasser un pouvoir absolu de persuasion qui accomplissait de grandes choses. » Mais ce soir-là il se sentait mal à l'aise, un enfant de chœur au milieu de cardinaux.

Il avança que l'exposition de Chicago, à la différence de toutes celles qui l'avaient précédée, serait avant tout un monument architectural. Qu'elle éveillerait la nation au pouvoir propre à l'architecture de créer de la beauté à partir de la pierre et de l'acier. Les plans d'Olmsted à eux seuls rendraient l'exposition unique avec leurs lagunes, leurs canaux et leurs vastes pelouses, le tout étant sublimé par la steppe bleu cobalt du lac Michigan. En termes de surface, l'exposition dépasserait d'un bon tiers celle de Paris. Ce n'était pas un vain rêve, insista-t-il. La détermination de Chicago à faire de ce projet une réalité était sans faille, semblable à celle qui avait permis à la ville de devenir la deuxième d'Amérique. Sans compter, ajouta-t-il, qu'elle en avait les moyens financiers.

Les architectes se départirent imperceptiblement de leur défiance pour poser des questions plus concrètes. Quelle sorte d'édifice envisageait-on, et dans quel style ? Le problème de la tour Eiffel fut mis sur la table :

que proposait Chicago pour égaler cela ? À cet égard, Burnham n'avait pas d'autre plan que de « battre Eiffel » d'une façon ou d'une autre. Il était secrètement déçu qu'aucun ingénieur américain ne se soit encore manifesté avec une idée novatrice mais réalisable pour éclipser la prouesse d'Eiffel.

Les architectes redoutaient par ailleurs de se retrouver pris dans l'étau d'innombrables comités s'ils adhéraient au projet. Burnham leur garantit une indépendance artistique totale. Ils voulurent connaître en détail le sentiment d'Olmsted sur le site choisi pour l'exposition et en particulier sur un de ses éléments centraux, appelé « l'Île boisée ». Leur insistance poussa Burnham à télégraphier sur-le-champ à Olmsted pour le supplier de venir. Cette fois encore, le paysagiste fit la sourde oreille.

Une question revint tout au long de la soirée : restait-il assez de temps ?

Burnham leur assura qu'il restait largement assez de temps mais qu'il ne fallait pas se leurrer. Les travaux devaient commencer sans tarder.

Croyant les avoir conquis, il leur demanda à la fin de la soirée s'ils étaient prêts à le suivre.

Un ange passa.

*

Burnham quitta New York le lendemain matin à bord du North Shore Limited. Le train fila toute la journée à travers un paysage soudain revêtu de neige par un blizzard soufflant de l'Atlantique au Minnesota. La tempête détruisit des habitations, abattit des arbres et tua un homme à Barberton, dans l'Ohio, mais elle ne stoppa pas le Limited.

De son wagon, Burnham écrivit à Olmsted une lettre contenant une description peu sincère de sa rencontre avec les architectes. « Ils ont tous approuvé la proposition de prendre en charge la partie artistique des principaux édifices. (...) Le plan d'ensemble semble avoir suscité une chaleureuse approbation, d'abord chez M. Hunt puis chez les autres, mais ils ont manifesté le désir de connaître vos vues sur le paysage et l'Île boisée. D'où le télégramme que je vous ai envoyé en urgence pour vous prier de venir. Ils ont été fort déçus, tout comme moi, d'apprendre qu'il était impossible de vous joindre. Ces messieurs doivent tous venir ici le 10 du mois prochain et vous prient instamment, tout comme moi, d'être présent. Je constate que M. Hunt en particulier accorde une grande importance à vos opinions sur le projet entier. »

En vérité, la soirée s'était finie de façon bien différente. Au Player's Club, les gorgées de cognac et les bouffées de fumée avaient fini par combler le lourd silence. Le rêve était tentant, convinrent les architectes de l'Est, et personne ne doutait de la sincérité de Chicago pour ce qui était d'imaginer un territoire féerique de lagunes et de palais, mais la réalité risquait de s'avérer tout autre. Les seules vraies certitudes concernaient les perturbations que ne manqueraient pas d'engendrer leurs longs voyages en train et la myriade d'autres difficultés inhérentes à la construction de bâtiments complexes loin de leurs bases. Peabody accepta de s'engager, mais pas Hunt ni aucun autre : « Ils m'ont dit, reconnaîtrait plus tard Burnham, qu'ils allaient réfléchir. »

Ils acceptèrent néanmoins de venir le 10 janvier à Chicago pour poursuivre la discussion et examiner le site choisi.

Aucun de ces architectes ne connaissait Jackson Park. À l'état brut, Burnham le savait, ce n'était pas un décor susceptible d'enthousiasmer les cœurs. Il fallait cette fois qu'Olmsted soit présent. En attendant, Root aussi allait devoir s'efforcer de les courtiser. Les hommes de l'Est avaient beau le respecter, ils se défiaient des pouvoirs que lui conférerait son titre de directeur architectural. Il était donc impératif qu'il aille à New York.

Dehors, le ciel était gris et la lumière jaunâtre. Malgré les vestibules créés par Pullman, des particules de verglas aussi minuscules que des grains de poussière se fixaient entre les wagons et emplissaient le compartiment de Burnham d'une forte odeur d'hiver. Les premiers arbres couchés par le vent apparurent le long de la voie ferrée.

*

À son arrivée à Chicago, Burnham trouva les architectes locaux et les directeurs de l'Exposition outrés d'apprendre qu'il était allé aussi loin – et à New York, par-dessus le marché – pour tenter d'appâter des confrères ; et qu'il avait pu snober des gens comme Adler, Sullivan et Jenney. Sullivan y vit la preuve que Burnham ne croyait pas réellement au talent de Chicago pour mener le projet à bien. « Burnham s'était imaginé qu'il servirait mieux son pays en confiant les travaux exclusivement à des architectes de l'Est », écrivit-il. Le président du Comité des terrains et bâtiments était Edward T. Jefferey. « Avec une délicatesse et un tact exquis, Jefferey, lors d'une réunion du comité, persuada Daniel, sur la sellette, d'ajouter des hommes de l'Ouest à sa liste de nominations », ajouta Sullivan.

Root et Burnham se concertèrent en hâte et choisirent d'associer au projet cinq agences de Chicago, parmi lesquelles Adler & Sullivan. Burnham rendit visite à leurs responsables un par un le lendemain. Quatre d'entre eux mirent de côté leur sentiment d'humiliation et acceptèrent sur-le-champ de participer. Seul Adler traîna les pieds. Il était vexé. « Je pense qu'il avait espéré obtenir la position que j'occupais, expliqua Burnham. Il était assez mécontent et "ne savait pas trop". »

En fin de compte, Adler accepta l'invitation.

*

Le tour était venu pour Root d'aller à New York. Il devait de toute façon assister à une réunion de l'Institut américain des architectes et projetait de prendre ensuite un train pour Atlanta afin d'inspecter un immeuble mis en chantier par l'agence. L'après-midi du jour de l'an 1891, peu de temps avant son départ, Root était à son bureau du Rookery lorsqu'un collaborateur passa le voir. « Il m'a confié qu'il était fatigué, déclara l'homme, et qu'il était tenté de démissionner de ses fonctions de secrétaire de l'Institut. C'était alarmant, car personne ne l'avait jamais entendu se plaindre d'une surcharge de travail, et même si cela n'indiquait qu'une fatigue physique extrême, même s'il avait retrouvé son entrain et son optimisme avant de rentrer chez lui, ce n'était pas quelque chose d'anodin comme l'ont montré les événements ultérieurs. »

*

À New York, Root assura à maintes reprises aux architectes qu'il ne s'ingérerait en aucun cas dans leurs projets. En dépit de son charme – le *Chicago Inter Ocean* le qualifia un jour de « deuxième Chauncey M. Depew sur le plan de l'esprit et de l'humour d'après-repas » – il échoua à susciter leur enthousiasme et quitta New York pour Atlanta en proie au même type de déception que Burnham deux semaines plus tôt. Son voyage dans le Sud ne fit pas grand-chose pour éclaircir son humeur. Harriet Monroe le vit à son retour à Chicago. Il était abattu, dit-elle, « par l'attitude des hommes de l'Est, qu'il trouvait singulièrement apathiques, profondément incrédules quant au fait qu'un consortium d'hommes d'affaires de l'Ouest puisse vouloir laisser carte blanche à l'art comme il le leur avait expliqué. Ce rêve était trop extravagant pour devenir réalité, et ils étaient extrêmement réticents à entreprendre de le concrétiser en affrontant les obstacles, les manipulations et les interférences mesquines ou grandes dont ils ne doutaient pas qu'elles surviendraient ».

Root était las, découragé. Il fit part à Monroe de son incapacité à éveiller l'intérêt de ses interlocuteurs. « Il avait le sentiment que c'était la plus belle occasion jamais offerte à sa profession dans ce pays, et il ne parvenait pas à faire en sorte qu'ils en prennent conscience », écrivit-elle. Les architectes avaient certes l'intention de venir à Chicago pour la réunion de janvier, lui confia Root, « mais sans enthousiasme : le cœur n'y était pas ».

*

Le 5 janvier 1891, le Comité des terrains et bâtiments de l'Exposition autorisa Burnham à passer officiellement leur commande aux dix architectes sélectionnés et à verser à chacun d'eux 10 000 dollars (l'équivalent de 300 000 dollars actuels). Une somme rondelette, sachant que Burnham leur demandait juste de fournir les plans et d'effectuer quelques visites à Chicago. Root et lui se chargeraient d'assurer le suivi du chantier et de régler tous les menus détails qui hantaient traditionnellement le quotidien des architectes. Il n'y aurait pas d'ingérence artistique.

Les architectes de l'Est acceptèrent du bout des lèvres, mais leurs inquiétudes demeuraient.

Et ils n'avaient toujours pas vu Jackson Park.

7

Un hôtel pour l'Expo

Holmes avait une nouvelle idée : reconvertir son immeuble en hôtel pour les visiteurs de l'Exposition universelle colombienne – rien à voir avec le Palmer House ou le Richelieu, bien sûr, mais un établissement tout de même assez confortable et bon marché pour attirer un certain type de clientèle et assez convaincant pour justifier la contractation d'une forte assurance contre l'incendie. À l'issue de l'Expo, il comptait y mettre le feu pour toucher l'assurance et, en prime, se débarrasser du surplus de « matériau » qui pourrait encore être caché dans ses pièces secrètes, bien qu'il y ait fort à parier, étant donné les autres systèmes d'élimination dont il disposait, que l'immeuble ne contiendrait plus rien de compromettant à ce stade. Mais on ne savait jamais. Dans les moments d'extase, il n'était que trop facile de commettre une erreur et d'oublier quelque menu détail qu'un enquêteur intelligent s'empresserait d'utiliser pour le pousser vers l'échafaud. Quant à savoir si la police de Chicago possédait en son sein des talents de cet ordre, c'était une autre question.

L'agence nationale de détectives Pinkerton était une entité plus dangereuse, mais ses agents, depuis quelque temps, consacraient apparemment l'essentiel de leur énergie à combattre les grévistes des mines de charbon et des aciéries un peu partout dans le pays.

Redevenu son propre architecte, Holmes entreprit début 1891 de dessiner les modifications nécessaires, et des charpentiers se mirent bientôt à l'ouvrage dans les étages de son immeuble. Une fois encore, la méthode consistant à cloisonner les tâches et à limoger des ouvriers se révéla fructueuse. À l'évidence, aucun d'eux n'alla trouver la police. Les agents du tout nouveau commissariat de Wentworth Street passaient chaque jour devant l'immeuble de Holmes en effectuant leur ronde. Loin de se montrer suspicieux, ils étaient devenus amicaux, presque protecteurs. Holmes connaissait chacun d'eux par son nom. Une tasse de café, un repas gratis dans son restaurant, un bon cigare noir – les *policemen* appréciaient ces attentions bienveillantes.

Holmes commençait cependant à subir une pression croissante de la part de ses créanciers, et notamment de plusieurs marchands de meubles et de bicyclettes. Il réussissait encore à les embobiner en compatissant à leur incapacité à localiser l'insaisissable signataire officiel des reconnaissances de dette, H. S. Campbell, mais il savait qu'ils perdraient bientôt patience et était même surpris de n'avoir pas déjà été relancé un peu plus vigoureusement. Sans doute ses techniques étaient-elles trop neuves, ses talents trop grands, et les hommes qui l'entouraient trop naïfs, comme s'ils n'avaient jamais été confrontés au mensonge. Pour chaque marchand qui refusait à présent de lui vendre des articles, 12 autres lui faisaient fête et acceptaient sans sourciller ses billets à ordre endossés par H. S. Campbell ou garantis sur les actifs de la Warner Glass Bending Company. Lorsqu'il était sous pression, sentant tel créancier tout au bord de l'action légale, voire violente, Holmes réglait ses factures en espèces grâce à l'argent que lui rapportaient les loyers de ses appartements et fonds de commerce, les ventes de son drugstore, et les recettes de sa toute dernière activité en date, la distribution de médicaments à distance. Parodiant l'empire en pleine expansion à Chicago d'Aaron Montgomery Ward, le pionnier mondial de la vente par correspondance, Holmes s'était en effet mis à commercialiser des faux médicaments capables selon lui de soigner l'alcoolisme et la calvitie.

Il avait toujours été ouvert aux nouvelles perspectives financières et l'était plus que jamais à présent, conscient que même s'il parvenait à réduire au minimum ses coûts de main-d'œuvre, il lui faudrait tout de même payer une partie des transformations de son immeuble. C'est pourquoi, lorsque le grand-oncle de Myrta, Jonathan Belknap de Big Foot Prairie, Illinois, vint à Wilmette en visite, la solution à son problème lui apparut d'un coup. Belknap n'était pas un homme riche, mais il vivait dans l'aisance.

Holmes commença à revenir plus fréquemment à Wilmette. Il apportait des jouets à Lucy, des bijoux à Myrta et à sa mère. Il emplissait la maison d'amour.

*

Belknap n'avait jamais rencontré Holmes mais savait à peu près tout de ses difficultés conjugales avec Myrta et était plutôt mal disposé envers le jeune médecin. À leur première rencontre, il le trouva beaucoup trop onctueux et sûr de lui pour un homme d'âge aussi tendre. Il fut en revanche frappé de voir que Myrta était comme envoûtée chaque fois que Holmes traînait dans les parages et que la mère de Myrta elle-même – sa nièce par alliance – semblait rayonner en sa présence. Après avoir vu Holmes plusieurs fois, Belknap commença à comprendre pourquoi Myrta était tombée aussi profondément amoureuse de lui. Beau, propre et toujours tiré à quatre épingles, Holmes s'exprimait par phrases élégantes. Son regard était bleu et sincère. Dans la conversation, il écoutait avec une intensité presque effrayante, comme s'il voyait en Belknap l'homme le plus fascinant de la terre, pas seulement un vieil oncle de Big Foot Prairie en visite.

Belknap éprouvait toujours aussi peu de sympathie pour Holmes, mais le franc-parler de celui-ci était tellement désarmant que, le jour où le jeune homme lui demanda d'endosser un billet à ordre de 2 500 dollars pour l'aider à couvrir les frais d'acquisition d'une maison à Wilmette pour Myrta et lui-même, il accepta. Holmes le remercia chaudement. Un nouveau foyer, distinct de celui des parents de Myrta, était peut-être tout ce qui manquait au couple pour mettre fin à sa mésentente grandissante. Holmes promit de s'acquitter de sa dette dès que ses affaires le lui permettraient.

Il repartit à Englewood et s'empressa de falsifier la signature de Belknap pour émettre un second billet à ordre de même valeur, avec la ferme intention d'investir la somme dans son hôtel.

Lors de son séjour suivant à Wilmette, Holmes invita Belknap à venir à Englewood visiter son immeuble et le site choisi depuis peu pour l'Exposition universelle colombienne.

Bien que Belknap eût beaucoup lu sur la foire mondiale et fût effectivement curieux de voir l'endroit où elle se tiendrait, l'idée de passer une journée entière avec Holmes ne l'enchantait guère. Holmes avait beau être charmant et plein de grâce, quelque chose en lui continuait de le mettre mal à l'aise. Belknap aurait été bien en peine de dire quoi. En vérité, il allait falloir attendre encore plusieurs décennies pour que les aliénistes et leurs successeurs parviennent à décrire avec une certaine précision ce qui, chez les personnes comme Holmes, pouvait donner une impression de bienveillance et d'affabilité tout en télégraphiant le sentiment diffus qu'il leur manquait un élément important d'humanité. Dans un premier temps, les aliénistes qualifièrent cet état d'« insanité morale » et ceux qui présentaient ce type de trouble d'« imbéciles moraux ». Ils adoptèrent un peu plus tard le terme de « psychopathie », qui fut repris par la presse généraliste dès 1885. La *Pall Mall Gazette* de William Stead la décrivit notamment comme une « nouvelle maladie », affirmant : « En dehors de sa propre personne et de ses propres intérêts, rien n'est sacré pour le psychopathe. » Un demi-siècle plus tard, dans son livre révolutionnaire *Le Masque de santé mentale*, le docteur Hervey Cleckley décrirait le psychopathe type comme « une machine réflexive subtilement construite et capable d'imiter la personnalité humaine à la perfection. (...) Si parfaite est la reproduction d'un homme entier et normal qu'il est impossible à quiconque, dans le cadre d'un examen clinique, de mettre en évidence en termes scientifiques ou objectifs pourquoi, ou en quoi, cet homme n'est pas réel ». Les individus atteints de cette pathologie sous sa forme la plus pure seraient par la suite appelés, en jargon psychiatrique, des psychopathes « de Cleckley ».

Le grand-oncle ayant décliné son invitation, Holmes parut accablé de chagrin et de déception. Une visite était indispensable, plaida-t-il, ne fût-ce que pour sauver son propre honneur et démontrer à Belknap qu'il possédait un patrimoine et que son billet à ordre était l'investissement le plus sûr qui fût. Myrta aussi avait l'air déconfite.

Belknap céda. Pendant leur trajet en train vers Englewood, Holmes lui montra quelques hauts lieux de la ville : les gratte-ciel, la Chicago River, les abattoirs. Belknap trouva l'odeur suffocante, mais Holmes donnait l'impression de ne pas la remarquer. Les deux hommes descendirent en gare d'Englewood.

La ville était en mouvement perpétuel. Toutes les cinq minutes, un train passait sur la chaussée en grondant. Des trams à chevaux sillonnaient la 63e Rue vers l'ouest et l'est, au milieu d'une dense circulation de chariots et de haquets. Où que Belknap portât le regard, il découvrait un immeuble en construction. Le nombre de chantiers allait bientôt s'accroître encore, poussé par l'empressement des investisseurs à profiter de la ruée de visiteurs attendue pour l'exposition. Holmes exposa ses projets à Belknap. Il lui fit visiter son drugstore, avec ses comptoirs revêtus de marbre et ses bocaux en verre emplis de solutions aux couleurs extravagantes, puis il le conduisit au premier étage, où il le présenta au concierge de l'immeuble, Patrick Quinlan. Holmes promena Belknap à travers les nombreux couloirs du bâtiment et lui décrivit l'aspect qu'aurait le futur hôtel. Belknap trouva l'endroit aussi sinistre qu'étrange, percé de passages partant dans des directions inattendues.

Holmes demanda à Belknap s'il lui plairait de voir le toit et les travaux en cours. Belknap déclina, sous le fallacieux prétexte qu'il était trop âgé pour gravir autant de marches.

Holmes lui promit une vue à couper le souffle sur Englewood – et peut-être même sur Jackson Park, plus à l'est, où les palais de l'exposition sortiraient bientôt de terre. Belknap résista de nouveau, cette fois avec davantage de vigueur.

Holmes tenta une approche différente. Il invita le vieil homme à passer la nuit dans l'immeuble. Après avoir dans un premier temps décliné l'offre, Belknap, craignant peut-être d'avoir fait preuve d'un excès d'impolitesse en esquivant le toit, finit par accepter.

Une fois la nuit tombée, Holmes mena son hôte à une chambre du premier étage. Des lampes à gaz ponctuaient le couloir à intervalles irréguliers, créant des poches d'obscurité dont les bordures frissonnaient au passage des deux hommes. La chambre, meublée et relativement confortable, donnait sur la rue, où régnait encore une animation rassurante. À la connaissance de Belknap, Holmes et lui étaient désormais les deux seuls occupants de l'immeuble. « Au moment d'aller me coucher, déclara-t-il, je pris soin de fermer la porte à clé. »

Les sons de la rue ne tardèrent pas à s'estomper, réduits au grondement des trains et aux occasionnels claquements de sabots d'un cheval. Belknap peinait à s'endormir. Il fixait le plafond, baigné par le halo mouvant du réverbère tendu sous sa fenêtre. Quelques heures passèrent. « Un peu plus tard, dit Belknap, j'ai entendu tourner le bouton de ma porte, et une clé a été introduite dans la serrure. »

D'une voix forte, Belknap demanda qui était là. Le bruit cessa. Il retint son souffle, dressa l'oreille et entendit des pas s'éloigner dans le couloir. Sa conviction était qu'il y avait eu initialement deux hommes devant sa porte mais que l'un d'eux venait de s'en aller. Il appela encore. Cette fois, quelqu'un lui répondit. Belknap reconnut la voix de Patrick Quinlan, le concierge.

Quinlan voulait entrer.

« J'ai refusé de lui ouvrir, dit Belknap. Il a insisté un certain temps, et puis il est parti. »

Belknap ne ferma pas l'œil de la nuit.

Il découvrit peu après que Holmes avait falsifié sa signature. Holmes se confondit en excuses, invoquant un tragique manque d'argent, et fit preuve d'une telle persuasion et d'une telle veulerie que Belknap se laissa apaiser, même si sa méfiance vis-à-vis du mari de sa nièce augmenta. Ce ne fut que bien plus tard qu'il comprit pourquoi Holmes avait tant insisté pour lui montrer le toit de son immeuble. « Si j'y étais allé, dit-il, la falsification n'aurait probablement jamais été découverte, car je n'aurais plus été là pour la découvrir. »

« Mais je n'y suis pas allé, ajouta-t-il. Je souffre de vertige. »

*

Pendant que charpentiers et plâtriers s'activaient dans l'immeuble, Holmes voua son attention à la création d'un dispositif essentiel. Après avoir dessiné un certain nombre de systèmes possibles, sans doute en se fondant sur ses observations passées d'équipements similaires, il opta pour la configuration qui lui semblait la plus efficace : un compartiment rectangulaire en brique réfractaire mesurant 90 centimètres de côté sur environ 2,50 mètres de profondeur, emboîté dans une cavité de forme identique mais plus grande, avec entre les deux un vide que se chargeraient de chauffer les flammes d'un brûleur à pétrole. Le compartiment intérieur lui servirait de four. Bien que n'ayant jamais construit de four, Holmes croyait son système capable de produire une température suffisamment extrême pour incinérer tout ce qu'il y mettrait. En outre, il était impératif que ce four soit capable d'éliminer la totalité des odeurs produites dans le compartiment intérieur.

Il décida de le construire au sous-sol et engagea pour ce faire un maçon nommé Joseph E. Berkler. Il lui expliqua qu'il avait l'intention de s'en servir pour le façonnage du verre à vitre de la Warner Glass Bending Company. Selon les instructions de Holmes, Berkler y adjoignit un certain nombre d'éléments métalliques. Il travailla vite, et le four fut bientôt prêt pour un premier essai.

Holmes alluma le brûleur. Un ronronnement satisfaisant se fit entendre. La vague de chaleur qui monta peu à peu du four finit par envahir le sous-sol. Une odeur de pétrole partiellement brûlé se répandit dans l'air.

Hélas, l'essai s'avéra décevant. Le compartiment produisait moins de chaleur que prévu. Holmes modifia le réglage du brûleur et fit une nouvelle tentative, sans plus de succès.

Il trouva dans le bottin une entreprise spécialisée dans la fabrication de fours et prit rendez-vous avec un technicien expérimenté en se présentant comme le fondateur de la Warner Glass. Si quelqu'un s'avisait de vérifier l'existence de sa société pour une raison ou pour une autre, il n'aurait qu'à ouvrir l'annuaire de 1890 d'Englewood : Holmes y était nommément désigné comme propriétaire.

Le patron de l'entreprise – son nom ne fut jamais rendu public – décida de prendre l'affaire en main et se rendit lui-même à l'adresse de Holmes. Il y trouva un beau jeune homme presque délicat, respirant l'assurance et la prospérité, au regard d'un bleu frappant. Son immeuble était plutôt minable, en tout cas de qualité nettement inférieure à ceux qui poussaient un peu partout le long de la 63e Rue, mais il présentait l'avantage d'être situé au cœur d'un quartier en pleine expansion. Et pour un homme aussi jeune, posséder la quasi-totalité d'un pâté d'immeubles en ville était en soi un signe de réussite.

Le fabricant suivit le maître des lieux jusqu'à son cabinet du premier étage où, savourant l'agréable brise que laissaient passer les fenêtres d'angle, il étudia les dessins réalisés par Holmes de son four. Holmes lui expliqua qu'il ne parvenait pas à obtenir « la quantité de chaleur nécessaire ». Le fabricant demanda à voir l'installation.

Ce n'était pas nécessaire, répondit Holmes. Il ne souhaitait pas le déranger trop longtemps, tout au plus lui demander son avis, qu'il était prêt à rétribuer à sa juste valeur.

Le fabricant maintint qu'il ne pourrait rien faire sans avoir examiné le four.

Holmes sourit. Bien sûr. Si le fabricant ne voyait pas d'inconvénient à lui consacrer un surcroît de temps, il serait ravi de le lui montrer.

Il précéda son visiteur au rez-de-chaussée et lui fit emprunter un deuxième escalier, plus sombre, pour descendre au sous-sol.

Ils émergèrent dans une vaste caverne rectangulaire couvrant toute la longueur du pâté d'immeubles, ponctuée de poutres et de poteaux. On devinait, dans l'ombre des cuves, des tonneaux et des amas de matière sombre, peut-être de la terre. Une table revêtue d'acier tout en longueur s'étirait sous une série de lampes éteintes, et deux valises en cuir patiné attendaient à même le sol non loin de là. Cette cave avait l'aspect d'une mine et l'odeur d'un cabinet de chirurgien.

Le fabricant examina le four. Il vit que le foyer intérieur en brique réfractaire était construit de façon à empêcher les flammes d'y pénétrer et remarqua l'ingénieuse adjonction au sommet du compartiment de deux ouvertures permettant l'évacuation des gaz vers les flammes environnantes pour accélérer leur combustion. C'était un système intéressant et qui devait pouvoir fonctionner, même si le fabricant se fit en son for intérieur l'observation que la forme du four semblait inadaptée au façonnage du verre à vitre. Le compartiment était trop étroit pour accueillir les grandes plaques qui commençaient à orner les vitrines de la ville. Pour le reste, il ne remarqua rien d'anormal et n'entrevit aucune difficulté pour ce qui était d'améliorer le rendement de ce four.

Il revint avec une équipe d'ouvriers. Ils installèrent un brûleur plus puissant qui, une fois allumé, chauffa le four à 1 650 °C. Holmes semblait aux anges.

Beaucoup plus tard, le fabricant reconnaîtrait que la forme singulière de ce four le rendait idéal pour un tout autre usage, radicalement différent. « En vérité, déclarat-il, la conception d'ensemble n'était pas sans rappeler celle d'un four crématoire, et, du fait du système déjà décrit, strictement aucune odeur ne pouvait s'en échapper. »

Mais cette prise de conscience, encore une fois, viendrait beaucoup trop tard.

*

Les absences de Holmes à Wilmette s'allongèrent de nouveau, même s'il envoyait régulièrement à Myrta et à leur fille assez d'argent pour qu'elles ne manquent de rien. Il assura même la petite Lucy sur la vie : les enfants étaient somme toute de fragiles créatures, susceptibles d'être ravies à l'affection des leurs en un clin d'œil.

Ses affaires étaient florissantes. Son entreprise de vente par correspondance lui rapportait plus que prévu, et il se mit en quête d'un moyen de capitaliser sur la dernière frénésie médicale en date, un remède contre l'alcoolisme inventé par un certain docteur Keeley de Dwight, Illinois. Tout se passait bien au drugstore, même si une dame du quartier remarqua que Holmes semblait avoir des difficultés à retenir ses jeunes et souvent jolies vendeuses. Ces vendeuses, à son humble avis, avaient la fâcheuse manie de quitter leur emploi sans préavis, et parfois même sans se donner la peine de récupérer leurs affaires personnelles dans leur chambre du premier étage. Elle voyait dans cette attitude un signe inquiétant du relâchement croissant des mœurs.

Les travaux visant à transformer l'immeuble de Holmes en hôtel progressaient lentement, ponctués comme d'habitude de rancœurs et de retards. Holmes délégua la tâche de trouver des ouvriers de substitution à ses trois acolytes, Quinlan, Chappell et Pitezel. Ceux-ci n'avaient apparemment aucun mal à pourvoir les postes vacants. Les milliers de travailleurs au chômage qui affluaient à Chicago dans l'espoir de se faire embaucher sur les chantiers de l'Expo s'apercevaient vite que de trop nombreux autres avaient eu la même idée qu'eux, d'où une main-d'œuvre en permanence abondante et disponible – pour n'importe quel travail et n'importe quel salaire.

Holmes, lui, reporta son attention sur des objets plus divertissants. Le hasard venait d'amener deux nouvelles femmes dans sa vie, dont l'une qui frôlait le mètre quatre-vingts et possédait un corps de rêve, tandis que l'autre, sa belle-sœur, était une ravissante créature aux cheveux noirs et aux sublimes yeux marron.

Que la plus grande des deux fût dotée d'un mari et d'une fille augmentait infiniment l'attrait de la situation.

8

Le jardin des regrets

Les architectes de l'Est quittèrent le New Jersey le
8 janvier 1891 à 16 h 50, dans le compartiment 6 de la
voiture 5 du North Shore Limited, réservé par Hunt pour
que tous puissent voyager ensemble. Olmsted était descendu la veille au soir de Boston afin de se joindre à
eux.

Ce fut un moment magique : un train somptueux catapulté à travers le paysage hivernal avec à son bord cinq
des plus grands architectes de l'histoire, tous dans le
même wagon, papotant, plaisantant, buvant, fumant.
Olmsted sauta sur l'occasion pour leur décrire en détail
Jackson Park et les épreuves imposées par le mille-
feuille de comités de l'exposition, lesquels semblaient
pour l'heure disposer d'un immense pouvoir. Il respectait Burnham pour sa droiture, son franc-parler et l'autorité que celui-ci dégageait, et il le fit certainement savoir
aux architectes. Sans doute passa-t-il aussi un temps
considérable à leur exposer sa vision du paysage de
l'exposition, et en particulier sa conviction que l'Île

boisée devait rester entièrement libre de tout édifice visible.

Deux heures avant l'arrivée à Chicago, lors d'un bref arrêt, McKim reçut un câble l'informant que sa mère, Sarah McKim, âgée de 78 ans, était subitement décédée à son domicile. Il avait toujours été très proche d'elle. Il quitta le groupe pour repartir en sens inverse.

Les architectes débarquèrent à Chicago le vendredi 9 janvier en fin de soirée et se rendirent en voiture au Wellington Hotel, où Burnham leur avait réservé des chambres. Van Brunt, parti de Kansas City, les rejoignit sur place. Le lendemain matin, ils remontèrent en voiture pour se rendre à Jackson Park. Root, absent, devait rentrer ce jour-là d'Atlanta.

Leur trajet vers le sud dura une petite heure. « C'était une froide journée d'hiver, se rappelle Burnham. Le ciel était surchargé de nuages et le lac couvert d'écume. »

Une fois sur place, les architectes descendirent de leur attelage en soufflant des jets de buée dans l'air glacial. Les grains de sable emportés par le vent leur piquaient les joues et les obligeaient à plisser les paupières. Ils poursuivirent en trébuchant sur le sol gelé, Hunt jurant et grimaçant à cause de sa goutte, n'en croyant pas ses yeux ; Olmsted souffrant toujours de la rage de dents qui lui avait valu de passer une affreuse nuit blanche et boitant bas.

Le lac gris allait s'assombrissant jusqu'à étirer une large bande noire sur l'horizon. Les seules couleurs visibles étaient le rouge des joues de ces messieurs et le bleu des yeux de Burnham et d'Olmsted.

Olmsted guettait les réactions des architectes. De temps à autre, Burnham et lui échangeaient un coup d'œil.

Les hommes de l'Est étaient abasourdis : « Ils regardaient autour d'eux, écrivit Burnham, avec un sentiment de quasi-désespoir. »

Sur plus de 2,5 kilomètres carrés, Jackson Park offrait un paysage de désolation, en grande partie dépourvu d'arbres à l'exception de quelques poches où s'enchevêtraient diverses variétés de chênes – à gros fruits, des marais, noir et écarlate – émergeant d'un fouillis de sureaux, de petits pruniers sauvages et de saules. Dans les zones les plus exposées, on ne trouvait que du sable moucheté de touffes d'herbes littorales ou steppiques. Un écrivain avait traité le parc d'endroit « perdu et repoussant » ; un autre, de « lande sableuse et désertique ». Tout était laid dans ce paysage d'ultime recours. Olmsted lui-même avait dit de Jackson Park : « S'il s'était agi de déterminer quel site ressemblait le moins à un parc aux abords de la ville, aucun autre n'aurait mieux correspondu à ce critère. »

En vérité, la situation était encore pire qu'il n'y paraissait. De nombreux chênes étaient secs. En cette saison, les arbres morts se distinguaient mal des vivants. Le système racinaire des autres était gravement endommagé. D'après les sondages, le sol du parc se composait d'une couche superficielle d'environ 30 centimètres de terre noire sous laquelle on trouvait 60 centimètres de sable, puis 3,30 mètres d'un sable tellement saturé d'eau que, selon Burnham, « il ressemblait presque à des sables mouvants et on lui donnait souvent ce nom ». Les hommes de Chicago connaissaient le défi que représentait ce type de sol ; ce n'était pas le cas de ceux de New York, habitués à une sous-couche rocheuse.

Le plus grave défaut du parc, du point de vue d'Olmsted, était que sa côte était soumise aux spectaculaires variations annuelles du niveau d'eau du lac, lesquelles pouvaient atteindre jusqu'à 1,20 mètre. Ces fluctuations, reconnaissait-il, allaient beaucoup compliquer l'aménagement des rives. Si le niveau baissait, les visiteurs de l'exposition découvriraient une affreuse bande de terre nue dans la zone à sec. S'il montait trop, les flots submergeraient et tueraient les plantations littorales.

Les architectes regagnèrent leurs voitures. Ils empruntèrent avec la lenteur et la tristesse d'un convoi funèbre une route criblée d'ornières pour se rapprocher du lac. Comme l'écrivit Burnham, « un sentiment de découragement mêlé de désespoir submergea ceux qui venaient de prendre conscience de l'ampleur du projet envisagé et du caractère inexorable de la limite de temps imposée aux travaux. (...) Une loi du Congrès avait déterminé que l'inauguration des bâtiments aurait lieu vingt et un mois plus tard et que dans le court délai de vingt-sept mois et demi, c'est-à-dire avant le 1er mai 1893, l'ensemble des travaux de construction devrait être achevé, les paysages prêts, et les collections en place ».

Au bord du lac, ils mirent de nouveau pied à terre. Peabody, de Boston, monta sur un embarcadère et se retourna vers Burnham.

« Et vous vous proposez réellement d'ouvrir une foire mondiale ici en 1893 ?

— Oui, dit Burnham. C'est bien notre intention.

— Impossible », lâcha Peabody.

Burnham le regarda dans les yeux. « Ce point-là est réglé », répondit-il.

Mais lui-même ne saisissait pas, n'avait aucun moyen de saisir ce qui les attendait.

*

Root rentra à Chicago pendant que les architectes visitaient Jackson Park. C'était son 41e anniversaire. De la gare, il se rendit directement au Rookery. « Il arriva à l'agence d'humeur enjouée, dit Harriet Monroe, et le jour même reçut commande d'un gros immeuble de bureaux. »

Mais dans l'après-midi, le dessinateur Paul Starrett croisa Root dans un des ascenseurs du Rookery et lui trouva « l'air malade ». Sa bonne humeur s'était envolée. Il se plaignit encore une fois d'être fatigué.

*

Les architectes revinrent de leur excursion abattus et pleins de regrets. Ils se réunirent de nouveau dans la bibliothèque de l'agence, où Root, soudain revigoré, les rejoignit. Il se montra courtois, drôle, attentionné. Si quelqu'un pouvait encore influencer ces hommes et susciter leur passion, Burnham le savait, c'était son associé. Root invita les architectes à venir prendre un thé dînatoire dans sa maison d'Astor Place le lendemain, un dimanche, après quoi il rentra enfin chez lui pour saluer ses enfants et sa femme, Dora, qui selon Harriet Monroe était alitée et « malade presque à mourir » suite à une récente fausse couche.

Root fit part à Dora de sa lassitude et suggéra qu'ils s'échappent quelque part l'été suivant pour prendre un long repos. Ces derniers mois avaient abondé en frustrations et en longues nuits de travail ou de voyage. Il se sentait épuisé. Son déplacement dans le Sud n'avait rien arrangé. Il attendait avec impatience la fin de la semaine suivante et plus précisément le 15 janvier, date à laquelle les architectes rentreraient chez eux après avoir conclu leurs discussions.

« Après le 15, assura-t-il à sa femme, je serai moins occupé. »

*

Les architectes de l'Est et de Chicago se retrouvèrent ce soir-là à l'University Club pour un dîner organisé en leur honneur par le Comité des terrains et bâtiments de l'Exposition. Root était trop épuisé pour y assister. À l'évidence, ce dîner était une arme visant à raviver l'enthousiasme et à montrer aux gens de l'Est que la ville était résolue à se montrer à la hauteur de ses toni-truantes rodomontades. Ce fut le premier d'une série de banquets incroyablement fastueux, dont les menus pous-saient à s'interroger sur l'état des artères de l'élite diri-geante de la ville.

À leur arrivée, les architectes furent assaillis par des journalistes. Ils réagirent courtoisement mais restèrent bouche cousue.

Ils devaient s'asseoir à une grande table en T à la tête de laquelle trônerait Lyman Gage, le président de l'Exposition, avec Hunt à sa droite et Olmsted à sa gauche. Les nappes surchargées de bouquets d'œillets et de roses rouges ressemblaient à des plates-bandes. Une fleur reposait à côté de chaque assiette. Tout le monde était en smoking. Il n'y avait pas une femme en vue.

À 20 heures précises, Gage prit Hunt et Olmsted par le bras et les mena du salon du club à la salle de banquet. Le menu :

Huîtres
Un verre ou deux de montrachet
Consommé de tortue verte
Amontadillo
Alose rôtie à la maréchal
Concombres, pommes de terre à la duchesse
Filet mignon à la Rossini
Château-lafite et ruinart brut
Fonds d'artichauts farcis
Pommery sec
Sorbet au kirsch
Cigarettes
Bécasse sur pain grillé
Salade d'asperges
Glace au gingembre de Canton
Fromages : pont-l'évêque, roquefort
Café, liqueurs
Madère 1815
Cigares

Gage parla le premier. Il se lança dans un discours solennel et passionné sur l'éclat de la future foire mondiale et la nécessité pour les grands hommes présents dans cette salle de banquet de penser en premier à l'événement et en dernier à eux-mêmes, affirmant que seule l'abnégation pouvait permettre le succès de l'Exposition universelle. Il eut droit à des applaudissements nourris et enthousiastes.

Burnham se leva à son tour. Il parla de sa vision du projet et de la détermination de Chicago à transformer cette vision en réalité. Lui aussi se fit l'apôtre du travail d'équipe et du sacrifice de soi. « Messieurs, dit-il, 1893 sera la troisième grande date de l'histoire de notre pays après 1776 et 1861[1]. Tous les vrais Américains se sont battus pour rendre possibles les deux autres, et c'est pourquoi je vous demande ici de vous battre à nouveau ! »

Cette fois, la salle explosa. « Les hommes quittèrent le banquet ce soir-là aussi unis que des soldats en campagne », dit Burnham.

Ce furent les Chicagoans, cependant, qui assurèrent le gros de la fanfare. Au domicile de Root, le lendemain, Harriet Monroe rencontra les architectes de l'Est et en ressortit effarée. « En parlant avec eux, je fus sidérée de leur attitude apathique et désespérée, écrivit-elle. On ne pouvait guère s'attendre à des effets de beauté avec des palais aussi énormes et de construction aussi médiocre ; le degré de monotonie des terrains de Chicago rendait presque impossible tout agencement efficace ; le temps alloué pour la conception et la construction était trop court ; ces critiques et bien d'autres traduisaient un sentiment général de dédain. »

À la fin du thé, Root raccompagna ses visiteurs jusqu'à leurs voitures. Il faisait nuit et extrêmement froid. Un vent mordant balayait Astor Place. Certains ne manqueraient pas de mettre l'accent, rétrospectivement, sur l'imprudence de Root : en habit de soirée, celui-ci s'aventura dans la nuit glaciale sans songer à enfiler un manteau.

---

1. Dates de la déclaration d'Indépendance et du début de la guerre de Sécession.

9

Disparitions

Après des années à errer de ville en ville et de travail en travail, un jeune bijoutier nommé Icilius Conner – il préférait qu'on l'appelle « Ned » – s'établit à Chicago avec sa femme Julia et la petite Pearl, leur fille de 8 ans, et ne tarda pas à constater que la métropole de l'Illinois offrait de réelles perspectives. Au début de 1891, Ned fut engagé pour tenir le comptoir de bijouterie d'un florissant drugstore du South Side, à l'angle de la 63e et de Wallace. Pour la première fois de sa vie d'adulte, l'avenir semblait lui sourire.

Le propriétaire du magasin, bien que fort jeune, était prospère et dynamique – un vrai homme de son temps ; il semblait d'ailleurs promis à de plus grands succès encore, car la future Exposition universelle colombienne devait ouvrir ses portes au bout de la 63e Rue, c'est-à-dire à quelques minutes de tram. On parlait en outre de prolonger jusqu'à Jackson Park, parallèlement à la 63e, une nouvelle ligne de chemin de fer aérien, sur-nommée « Alley L » parce que ses chevalets enjam-baient les ruelles de la ville, pour offrir aux visiteurs un moyen supplémentaire d'accéder à l'exposition. Le trafic avait d'ailleurs déjà nettement augmenté dans la rue, par où passaient désormais des centaines de citoyens en voiture désireux d'aller jeter un coup d'œil au site choisi. Il n'y avait pourtant pas grand-chose à y voir. Ned et Julia avaient trouvé le parc sinistre et désolé avec ses dunes et ses chênes à demi morts, même si Pearl s'était bien amusée à tenter d'attraper des têtards dans les mares d'eau croupie. Que quoi que ce soit de merveilleux puisse sortir de ce sol leur semblait impossible, même si Ned, comme la plupart des nouveaux venus à Chicago, admettait volontiers que la ville ne ressemblait à aucune de celles qu'il avait connues jusque-là. Si l'une d'elles était capable de réaliser les prodiges annoncés, c'était bien Chicago. Le nouvel employeur de Ned, le docteur H. H. Holmes, apparaissait d'ailleurs comme un parfait exemple de ce que tout le monde appelait « l'esprit de Chicago ». Se retrouver si jeune à la tête d'un immeuble long d'un bloc aurait été impensable dans tout autre endroit connu de Ned. Ici, cela semblait relever du succès ordinaire.

Les Conner habitaient au premier étage de l'immeuble, à proximité de l'appartement privé du docteur Holmes. Leur logement n'était ni le plus clair, ni le plus gai du monde, mais il offrait l'avantage d'être chauffé et tout proche de leur lieu de travail. Holmes avait en effet décidé d'engager Julia comme vendeuse au drugstore et de la former à tenir ses comptes. Plus tard, quand la sœur de Ned, Gertrude, 18 ans, vint les rejoindre à Chicago, Holmes proposa de l'embaucher elle aussi, pour s'occuper de sa nouvelle société de vente de médicaments par correspondance. Avec ces trois revenus, les Conner pensaient être bientôt en mesure d'acquérir leur propre maison, peut-être dans une large rue goudronnée d'Englewood. Ils pourraient sûrement se payer des bicyclettes et des sorties à l'opéra Timmerman, à quelques blocs de là.

Une chose gênait cependant Ned : l'attention excessive que Holmes témoignait à Gertie et Julia. En un sens, il s'agissait d'un phénomène naturel auquel Ned avait fini par s'habituer, car toutes deux étaient d'une grande beauté, Gertie svelte et brune, Julia grande et heureusement proportionnée. Il était clair à ses yeux, depuis la toute première minute, que Holmes était un homme qui aimait les femmes et que celles-ci le lui rendaient bien. Son drugstore semblait avoir le pouvoir d'attirer les jeunes et jolies créatures. Quand Ned se proposait de les servir, elles l'accueillaient avec une froide indifférence. Leur attitude changeait du tout au tout si Holmes apparaissait.

Ned était resté un homme simple et avait maintenant la désagréable impression de faire partie du décor, d'être un spectateur de sa propre vie. Seule sa fille Pearl continuait de lui témoigner la même affection qu'avant. Ned voyait avec inquiétude Holmes couvrir Gertie et Julia – surtout Gertie – de sourires, de cadeaux et de mielleuses flatteries qui les faisaient rayonner. Le dépit se lisait sur leurs traits chaque fois qu'il les quittait, et elles redevenaient soudain cassantes, hargneuses.

Encore plus déconcertant était le changement d'attitude des clients du drugstore que Ned sentait vis-à-vis de lui-même, moins dans leurs paroles que dans ce qu'il voyait au fond de leurs yeux, quelque chose qui ressemblait à de la compassion, peut-être même à de la pitié.

Un soir de cette période-là, Holmes demanda un service à Ned. Il le mena devant sa chambre forte, entra dedans, puis pria Ned de refermer la porte et d'écouter son cri. « J'ai fermé la porte et j'ai plaqué l'oreille contre la fente, déclara Ned, mais je n'ai entendu qu'un son étouffé. » Ned rouvrit, Holmes reparut. Holmes demanda à Ned d'entrer et de crier à son tour dans la chambre forte, afin qu'il entende lui aussi le bruit qui s'en échappait. Ned s'exécuta mais ressortit à la seconde où Holmes rouvrit la porte. « Je n'aimais pas trop ce genre d'affaire », raconta-t-il.

La question de savoir pourquoi quelqu'un pouvait avoir besoin d'une chambre forte insonorisée ne l'effleura apparemment pas.

*

Il y eut d'autres signaux dont la police aurait pu s'alarmer – des lettres de parents inquiets, des visites de détectives engagés par ces mêmes parents – mais tout cela se perdit dans le chaos ambiant. Disparaître semblait être devenu une manie à Chicago. Trop de gens se volatilisaient, dans tous les quartiers de la ville, pour que chacune de ces affaires fasse l'objet d'une enquête digne de ce nom, et trop de forces contraires empêchaient la mise en évidence de caractéristiques récurrentes. Les agents de police, pour la plupart nommés sur simple indication des responsables administratifs du quartier, manquaient cruellement de formation. Les enquêteurs étaient rares, leurs ressources et leurs compétences réduites au minimum. Les préjugés de classe déformaient leur vision des choses. Les disparitions ordinaires – jeunes immigrantes polonaises, apprentis des abattoirs, manœuvres italiens, femmes noires – ne méritaient guère d'effort. Seule l'évaporation d'âmes aisées suscitait une réaction vigoureuse, et même ainsi les enquêteurs ne pouvaient pas faire grand-chose à part envoyer des télégrammes vers d'autres villes et se rendre périodiquement à la morgue pour vérifier l'arrivage quotidien d'hommes, de femmes et d'enfants non identifiés. La moitié des enquêteurs de la ville en vint à se retrouver mobilisée par des affaires de disparition, ce qui incita le chef du bureau central des enquêtes à annoncer qu'il envisageait la formation d'une entité distincte, « un service des disparitions mystérieuses ».

Les deux sexes disparaissaient en égale proportion. Fannie Moore, une jeune femme de passage originaire de Memphis, omit un jour de regagner la pension de famille où elle logeait et ne réapparut plus jamais. À la sortie de son travail, J. W. Highleyman prit un train de banlieue et se volatilisa, selon le *Tribune*, « aussi complètement que si la terre l'avait englouti ». On présumait que les femmes avaient été violées, les hommes détroussés, et que leurs corps avaient fini soit dans les flots turbides de la Chicago River soit au fond de quelque ruelle de Halsted, du Levee ou de la partie la plus violente de Clark Street – entre Polk et Taylor – surnommée « Cheyenne » par les vétérans de la police. Les corps récupérés allaient à la morgue ; si personne ne les réclamait, ils partaient ensuite à l'amphithéâtre de dissection du Rush Medical College ou à l'hôpital du comté de Cook, dont le laboratoire des articulations se chargeait de la délicate tâche qui consistait à éliminer les chairs et tissus conjonctifs des os du corps et du crâne, puis à laver ceux-ci à l'eau oxygénée et à reconstituer des squelettes entiers à l'usage des médecins, des muséums d'anatomie et des collectionneurs particuliers de curiosités scientifiques. Les cheveux étaient revendus à des perruquiers, les vêtements donnés aux bonnes œuvres.

À Chicago comme aux abattoirs, rien ne se perdait.

10

Seul

Les architectes de l'Est et de Chicago se réunirent une fois de plus le lundi matin au dernier étage du Rookery, dans la bibliothèque de Burnham et de Root. Ce dernier était absent. William R. Mead venait d'arriver de New York pour représenter McKim, son associé en deuil. En attendant que tout le monde soit là, les visiteurs s'approchaient de temps en temps des baies vitrées de la façade est pour contempler l'immensité du lac Michigan. La lumière qui inondait la pièce était d'une intensité surnaturelle, exacerbée par les reflets du lac et de ses rives gelées.

Burnham se leva pour accueillir solennellement ses hôtes, mais il n'était pas à son aise. Conscient de leurs réticences, il semblait vouloir à tout prix les conquérir par un déploiement de flatteries proche de l'onctuosité – une tactique que Louis Sullivan l'avait vu déployer avec un art consommé. « Lui-même n'étant pas spécialement susceptible à la flatterie à part sur le plan des sentiments, il découvrit vite son efficacité lorsqu'on la tartinait en couche épaisse sur de gros businessmen, écrivit Sullivan. Louis le vit faire à maintes reprises, et, après avoir été estomaqué dans un premier temps par l'effronterie de Burnham, il le fut bien plus encore par l'extase de sa cible. La méthode avait beau être sommaire, elle fonctionnait. »

Et Sullivan d'ajouter : « Il devint vite évident qu'il cherchait progressivement et grossièrement à s'excuser auprès des hommes de l'Est de la présence de leurs ignares confrères de l'Ouest. »

Hunt le remarqua aussi. « Bon sang, lâcha-t-il brutalement, nous ne sommes pas ici en expédition missionnaire. Mettons-nous au travail. »

Des murmures d'approbation s'élevèrent dans la pièce. Adler reprit espoir ; Sullivan esquissa un sourire narquois. Olmsted resta de marbre, perturbé par un bourdonnement d'oreilles qui refusait de s'atténuer. Hunt grimaçait : le voyage puis l'excursion à Jackson Park n'avaient fait qu'aggraver sa goutte.

L'intervention de Hunt déstabilisa Burnham. Elle raviva d'un coup la plaie profonde de la double rebuffade subie à l'Est lorsqu'il avait échoué à Harvard et à Yale ; mais cette remarque et le soutien manifeste qu'elle obtint le poussèrent aussi à ramener son attention sur la tâche qui les attendait. Comme le raconta Sullivan, « Burnham quitta sa divagation somnambulique et revint sur terre. Il eut la finesse de comprendre que "l'oncle Dick" » – Hunt – « lui avait rendu un service nécessaire ».

Burnham annonça à ses interlocuteurs qu'ils formeraient dorénavant le conseil des architectes de l'Exposition et les invita à désigner un président. Ils élurent Hunt. « La prédominance naturelle du maître s'imposa une fois de plus à juste titre, écrivit Van Brunt, et nous redevînmes ses élèves heureux et enthousiastes. »

Le poste de secrétaire fut attribué à Sullivan, qui pour sa part n'était certainement pas un « élève heureux » de Hunt. À ses yeux, celui-ci était au contraire le représentant suprême d'un style mort. Burnham aussi, d'ailleurs. Ces deux hommes symbolisaient tout ce qui contredisait sa philosophie naissante selon laquelle la fonction d'un bâtiment devait se traduire dans son plan – et pas seulement parce que la forme suivait la fonction mais aussi parce que « la fonction *créait* ou organisait la forme ».

Aux yeux de Sullivan, Hunt était une relique, Burnham quelque chose d'infiniment plus dangereux. Sullivan sentait chez lui un pouvoir d'obsession identique au sien. Il en était venu à considérer que deux agences dominaient l'architecture de Chicago : Burnham & Root d'un côté, Adler & Sullivan de l'autre. « Il y avait dans chaque agence un homme dont la vie entière était régie par un but fixe et irrévocable, au nom duquel il aurait plié ou sacrifié tout le reste, écrit Sullivan. Daniel Burnham était obsédé par une idée féodale du pouvoir. Louis Sullivan l'était tout autant par l'idée salutaire du pouvoir démocratique. » Sullivan avait beau admirer Root et Adler, il les mettait tous les deux sur un plan inférieur. « John Root s'apitoyait tellement sur son sort qu'il risquait de ne jamais parvenir à exploiter son énergie sous-jacente ; Adler était fondamentalement un technicien, un ingénieur, un administrateur consciencieux. (...) Adler manquait incontestablement d'imagination ; c'était en un sens aussi le cas de John Root – je parle ici de l'imagination du rêveur. L'imagination-rêve était la force de Burnham et la passion de Louis. »

Peu avant midi, Burnham quitta la bibliothèque pour prendre un appel téléphonique de Dora Root. Elle lui expliqua que son mari s'était réveillé avec un mauvais rhume et qu'il n'était pas en état de participer à la réunion. Elle rappela quelques heures plus tard : un médecin était venu et avait diagnostiqué une pneumonie.

Le moral de Root restait bon. Il plaisantait, dessinait. « J'ai trop longtemps échappé à la maladie pour m'en tirer à bon compte, confia-t-il à Harriet Monroe. J'ai toujours su qu'elle me tomberait dessus un jour comme une harpie. »

*

Les architectes poursuivirent les discussions sans Burnham, qui passait son temps au chevet de son associé à l'exception de brefs allers-retours à la bibliothèque pour aider à résoudre tel ou tel problème et au Wellington Hotel pour rendre visite à Hunt, dont la goutte avait tellement empiré qu'elle l'empêchait maintenant de quitter sa chambre. Root plaisantait avec ses infirmières. Au terme de sa réunion habituelle du mercredi, le Comité des terrains et bâtiments se fendit d'un communiqué lui souhaitant un prompt rétablissement. Ce jour-là, Burnham écrivit à un architecte de Chicago, W. W. Boyington : « M. Root est bien bas et son rétablissement s'annonce incertain, mais il garde ses chances. »

Le jeudi, Root parut reprendre le dessus. Burnham écrivit de nouveau à Boyington : « Suis en mesure ce matin de vous donner des nouvelles un peu meilleures. Il a plutôt passé une bonne nuit et respire mieux. Bien que le danger ne soit pas écarté, nous avons bon espoir. »

L'enthousiasme grandissait au sein du conseil des architectes. En l'absence du président en titre, toujours confiné à sa chambre, Post fut nommé suppléant. Van Brunt et lui faisaient la navette entre le Rookery et l'hôtel de Hunt. Les architectes approuvèrent le plan originel sur papier d'emballage imaginé par Burnham, Olmsted et Root en y apportant quelques modifications. Ils arrêtèrent les dimensions des principaux édifices et leur position sur le site. Ils optèrent pour un style uniforme, néoclassique, impliquant la présence de colonnes, de frontons et de toutes sortes de références à la gloire de la Rome antique. Ce choix fut frappé d'anathème par Sullivan, qui abhorrait l'architecture d'imitation, mais il n'émit pourtant aucune objection devant ses confrères. Les architectes prirent aussi ce qui s'avérerait une des décisions clés du projet : ils définirent une hauteur commune de 60 pieds – 18,3 mètres – pour la corniche de tous les palais de la cour centrale. Une corniche n'était qu'une projection horizontale décorative. Les murs, les toits, les dômes, les arches pourraient s'élever nettement plus haut, mais en établissant ce point commun les architectes s'assurèrent d'une harmonie fondamentale entre les plus majestueux édifices de l'exposition.

Le jeudi vers 16 heures, Codman et Burnham se rendirent au domicile de Root. Codman resta à attendre dans la voiture pendant que Burnham entrait.

Burnham trouva son ami au bord de l'asphyxie. Tout au long de la journée, Root avait été visité par d'étranges rêves, dont un où il se voyait voler qu'il avait déjà fait maintes fois dans le passé. À l'approche de Burnham, il lâcha : « Tu ne vas pas me quitter cette fois-ci, j'espère ? »

Burnham répondit que non mais le quitta tout de même, pour aller parler à l'épouse de Root, installée dans une pièce voisine. Pendant qu'ils discutaient, une parente les rejoignit. Elle leur annonça que Root venait de mourir. Dans ses ultimes instants, dit-elle, il avait fait courir ses doigts sur le drap comme pour jouer du piano. « Vous entendez cela ? avait-il murmuré. N'est-ce pas merveilleux ? Voilà ce que j'appelle de la musique. »

*

La maison s'installa dans un étrange silence mortuaire, à peine rompu par le sifflement des lampes à gaz et le tic-tac monotone des pendules. Burnham faisait les cent pas. Il ne le savait pas encore, mais il était observé. Nettie, la tante de Harriet Monroe, était assise dans la pénombre sur une marche du tournant supérieur de l'escalier reliant le salon au premier étage. Elle l'écoutait aller et venir. Un feu crépitait dans l'âtre derrière lui, projetant d'immenses ombres sur le mur opposé. « J'ai travaillé, grommela Burnham, j'ai intrigué et rêvé pour faire de nous les plus grands architectes du monde, j'ai fait en sorte qu'il s'en rende compte et qu'il tienne bon, et le voilà qui meurt – merde ! merde ! Merde ! »

*

La mort de Root assomma Burnham, assomma Chicago. Les deux hommes étaient associés et amis depuis dix-huit ans. Chacun d'eux lisait dans les pensées de l'autre. Chacun d'eux avait appris à se reposer sur les talents de l'autre. Les profanes se demandèrent si la mort de Root ne signait pas celle de l'Exposition universelle. Les journaux publièrent toutes sortes d'interviews à longueur desquelles les plus éminents personnages de la ville présentaient Root comme la grande force motrice du projet, en prenant soin d'ajouter que Chicago n'avait aucune chance de réaliser son rêve sans lui. Le *Tribune* déclara que Root était « de loin l'architecte le plus brillant de Chicago, peut-être sans rival dans le pays entier ». Edward Jefferey, président du Comité des terrains et bâtiments, déclara : « Il n'y a aucun autre membre du corps des architectes qui ait le génie et la capacité de reprendre le projet de l'Exposition là où M. Root l'a laissé. »

Burnham resta muet. Il envisagea de renoncer. Deux forces s'affrontaient en lui : le chagrin, et le désir de crier que c'était *lui*, Burnham, qui avait été le vrai moteur du projet ; que c'était *lui* qui avait hissé l'agence Burnham & Root au sommet du succès.

Les architectes de l'Est reprirent le train le samedi 17 janvier. Le dimanche, Burnham assista à une messe de souvenir à la maison d'Astor Place, puis à l'enterrement de Root au cimetière de Graceland, ravissant havre pour riches défunts situé à quelques kilomètres au nord du Loop.

Le lundi matin, il était de retour à l'agence. Il rédigea 12 lettres. Il n'y avait plus de bruit dans le bureau de Root, tendu de crêpe noir juste à côté du sien. Un parfum de fleurs de serre flottait dans l'air.

Le défi qui le guettait semblait plus colossal que jamais.

*

Le mardi, une grande banque fit faillite à Kansas City. Le samedi suivant, Lyman Gage annonça qu'il démissionnait de ses fonctions de président de l'Exposition le 1er avril pour s'occuper de sa propre banque. Le directeur général, George Davis, refusa dans un premier temps d'y croire. « C'est complètement absurde, lâcha-t-il. Gage doit rester avec nous. On ne peut pas se passer de lui. »

Le climat social était de plus en plus tendu. Comme le redoutait Burnham, les dirigeants syndicaux commençaient à se servir de la future foire mondiale pour imposer des revendications comme l'adoption d'un salaire minimum et la journée de huit heures. Il y avait aussi la menace du feu, des intempéries et des maladies : certains journalistes étrangers se demandaient déjà qui oserait se rendre à l'exposition au vu des insuffisances notoires de Chicago en termes de traitement des eaux. Nul n'avait oublié l'épidémie de choléra et de tiphoïde qui, en 1885, avait tué 10 % de la population de la ville.

Des forces obscures s'amoncelaient dans la fumée. Au cœur de la ville, un jeune immigrant irlandais s'enfonçait toujours plus loin dans la folie, préambule à un acte qui allait choquer la nation et anéantir ce que Burnham rêvait d'être le plus grand moment de sa vie.

Plus près encore, un personnage d'une absolue étrangeté tendait le cou, empli d'expectative. « Je suis né avec le diable en moi, écrirait-il. Je n'ai pas pu m'empêcher d'être un assassin, pas plus que le poète ne peut empêcher son inspiration de chanter. »

DEUXIÈME PARTIE

Un affreux combat

Chicago, 1891-1893

Le palais des Manufactures et des Arts libéraux
après la tempête du 13 juin 1892.

11

Convocation

Le mardi 24 février 1891, Burnham, Olmsted, Hunt et les autres architectes se rassemblèrent dans la bibliothèque du dernier étage du Rookery pour présenter leurs dessins des grands palais de l'exposition au Comité des terrains et bâtiments. Ils s'étaient concertés entre eux toute la matinée sous la présidence de Hunt, que sa goutte contraignait à garder un pied sur la table. Olmsted avait le teint gris et l'air fatigué, à l'exception de ses yeux qui luisaient sous son crâne chauve comme deux billes de lapis. Un nouveau venu s'était joint au groupe, Augustus Saint-Gaudens, l'un des plus célèbres sculpteurs d'Amérique, invité par Charles McKim à évaluer les dessins. Les membres du Comité des terrains et bâtiments arrivèrent à 14 heures, emplissant la bibliothèque d'une odeur de cigare et de laine mouillée.

Le soleil déjà déclinant diffusait une lumière jaunâtre. De fortes bourrasques fouettaient les vitres. Un feu grondait dans la cheminée du mur nord, répandant sur la pièce un sirocco qui faisait frémir les peaux glacées.

À la brusque invite de Hunt, les architectes se mirent au travail.

Un par un, ils prirent place devant leur auditoire, déroulèrent leurs dessins et les affichèrent au mur. Quelque chose s'était passé entre eux, cela se sentit immédiatement, comme si une force nouvelle avait pris possession du lieu. Ils s'exprimèrent, selon l'expression de Burnham, « presque en murmures ».

Chaque palais semblait plus beau, plus élaboré que le précédent, et tous étaient immenses – des édifices phénoménaux, à une échelle jamais envisagée jusque-là.

Hunt s'avança en clopinant et présenta son palais de l'Administration, censé être le plus important de l'exposition parce qu'il serait aussi son point d'entrée pour la plupart des visiteurs. Sa partie centrale était un octogone recouvert d'un dôme culminant à 83 mètres, c'est-à-dire plus haut que celui du Capitole des États-Unis.

L'édifice suivant était encore plus titanesque. S'il voyait le jour, le palais des Manufactures et des Arts libéraux de George B. Post consommerait assez d'acier pour construire deux ponts de Brooklyn et deviendrait le plus grand bâtiment jamais construit par l'homme. Tout cet espace devrait en outre être éclairé intérieurement et extérieurement à l'électricité. Douze ascenseurs électriques emmèneraient les visiteurs vers les parties supérieures de l'édifice, dont quatre dans une tour centrale qui permettrait d'accéder à un pont intérieur suspendu 67 mètres au-dessus du sol, lequel mènerait à une promenade extérieure offrant une vue à couper le souffle sur la rive du lac Michigan, « un panorama, lirait-on plus tard dans un guide, comme il n'en a jamais été auparavant accordé aux mortels ».

Post proposa de surmonter son bâtiment d'un dôme culminant à 137 mètres, ce qui ferait non seulement le plus grand du monde en surface, mais aussi le plus élevé. En balayant la bibliothèque du regard, il sentit dans les yeux de ses pairs une vraie admiration, mais aussi autre chose. Un murmure circula. La cohésion toute neuve des architectes était si forte que Post comprit sur-le-champ. Ce dôme était excessif – non pas trop haut pour être techniquement réalisable, mais trop altier par rapport à l'ensemble. Il amoindrissait le palais de Hunt, ce qui revenait à amoindrir Hunt et à rompre l'harmonie des autres édifices de la Grande Cour. Sans avoir besoin d'y être incité, Post lâcha à mi-voix : « Je ne pense pas que je doive défendre ce dôme ; je vais probablement modifier le bâtiment. » Ses propos lui valurent une approbation silencieuse, mais unanime.

Sullivan avait déjà modifié le sien, sur une suggestion de Burnham. Au départ, celui-ci avait voulu qu'Adler et Sullivan se chargent du palais de la Musique mais, en partie parce qu'ils continuaient d'avoir le sentiment d'avoir été injustement traités, les deux associés avaient refusé. Burnham leur proposa donc le palais des Transports, qu'ils acceptèrent. Deux semaines avant la présentation du projet d'ensemble, Burnham avait écrit à Sullivan pour l'inciter à modifier ses plans de manière à ne laisser qu'« une seule et majestueuse entrée à l'est, nettement plus opulente que les deux que vous proposez. (...) Je suis certain que votre bâtiment fera ainsi beaucoup plus d'effet que par l'ancienne méthode consistant à aménager deux entrées de ce côté-là, qui ne seront jamais ni aussi belles ni aussi efficaces qu'un élément central unique ». Sullivan suivit la suggestion mais ne reconnut jamais sa provenance, y compris lorsque la porte en question serait devenue l'une des sensations de l'Expo.

Tous les architectes semblaient être tombés sous le même charme – Sullivan aussi, quand bien même il désavouerait plus tard ce moment. Chaque fois que l'un d'eux déroulait ses dessins, « la tension émotive était presque douloureuse », écrivit Burnham. Saint-Gaudens, dégingandé et barbichu, restait assis dans son coin, immobile comme une statue de cire. Sur chaque visage, Burnham lisait une « silencieuse intensité ». Il était clair à ses yeux que les architectes avaient enfin compris que Chicago ne prenait pas à la légère son ambitieux projet. « Les dessins furent déroulés les uns après les autres, dit Burnham, et il devint manifeste au fil de la journée qu'une image avait pris forme dans l'esprit des personnes présentes – une vision plus grandiose et plus belle que tout ce qu'avait pu produire jusque-là la plus fertile des imaginations. »

Le jour tombait, et les architectes allumèrent les lampes à gaz de la bibliothèque, qui se mirent à cracher tels des chats contrariés. Vu de la rue, tout en bas, le dernier étage du Rookery sembla s'embraser, éclairé par la lumière vacillante des brûleurs et par les flammes du vaste foyer. « La pièce était calme comme la mort, dit Burnham, en dehors de la voix assourdie de celui qui commentait ses plans. On aurait dit qu'un formidable aimant maintenait tout le monde sous son emprise. »

L'ultime dessin fut présenté. Ensuite, pendant quelques secondes, le silence régna.

Lyman Gage, toujours président de l'Exposition, fut le premier à bouger. Ce banquier de haute taille, raide et aussi conservateur dans ses attitudes que dans sa tenue, se leva soudain et marcha jusqu'à une des fenêtres, tremblant d'émotion. « Vous rêvez, messieurs, vous rêvez, murmura-t-il. J'espère seulement que la moitié de cette vision pourra être réalisée. »

Ce fut au tour de Saint-Gaudens de quitter son siège. Il avait gardé le silence toute la journée. Il se précipita vers Burnham et lui prit les deux mains. « Jamais je n'aurais cru vivre un tel moment, lui glissa-t-il. Dites donc, mon vieux, est-ce que vous vous rendez compte que c'est la plus grande réunion d'artistes depuis le XVe siècle ? »

*

Olmsted sentit également qu'il venait de se passer quelque chose d'extraordinaire, mais il était inquiet. Tout d'abord, la réunion confirma son impression grandissante que les architectes étaient en train de perdre de vue la nature même de l'œuvre qu'ils se proposaient de créer. La vision commune qui se dégageait de leurs dessins le frappait par son aspect excessivement austère et monumental. Il s'agissait somme toute d'une *foire* mondiale, et les foires se devaient d'être distrayantes. Conscient que les architectes mettaient de plus en plus l'accent sur les questions de taille, Olmsted avait écrit à Burnham peu avant la réunion pour lui suggérer quelques façons d'animer le parc. Il voulait que les lagunes et canaux soient parsemés d'oiseaux d'eau de toutes les espèces et de toutes les couleurs, et traversés en permanence par de petits bateaux. Pas n'importe quels bateaux, cependant : des bateaux *pertinents*. Ce sujet allait même devenir pour lui une obsession. Sa large vision de ce qui constituait l'architecture paysagère englobait tout ce qui poussait, volait, flottait ou participait de quelque autre façon au décor à créer. Les roses étaient des touches de rouge ; les bateaux ajoutaient de la complexité et de la vie. Mais il était crucial de bien les choisir. Il redoutait ce qui se passerait si la décision était abandonnée à l'un des innombrables comités de l'exposition. Il tenait donc à informer d'emblée Burnham de son point de vue.

« Nous devrions tenter de faire de l'élément nautique de l'exposition quelque chose de gai et de vivant », écrivit Olmsted, qui exécrait le vacarme et la fumée des bateaux à vapeur ; il souhaitait donc des embarcations électriques conçues spécialement pour le parc, en mettant l'accent sur la grâce de leurs lignes et le silence de leur fonctionnement. Il jugeait d'une extrême importance que ces bateaux soient constamment mais discrètement en mouvement, de manière à divertir les regards tout en reposant les oreilles. « Ce qu'il va nous falloir, c'est un service régulier de bateaux-navettes comparable à une ligne d'omnibus dans les rues d'une ville », écrivit-il encore. Il rêvait aussi d'une flotte de longs canoës en écorce de bouleau manœuvrés par des Indiens emplumés et vêtus de peaux de daim, et il recommandait que des embarcations exotiques de types divers soient ancrées dans le port de l'exposition. « J'entends par là des praos malais, des catamarans, des boutres arabes, des sampans chinois, des bateaux pilotes japonais, des caïques turcs, des kayaks esquimaux, des canoës de guerre alaskiens, des bateaux à capote venus des lacs suisses, et ainsi de suite. »

Mais la conséquence de loin la plus importante pour Olmsted de cette réunion au Rookery fut qu'elle lui permit de comprendre que les rêves grandioses des architectes n'allaient qu'amplifier et compliquer encore l'énorme défi qui l'attendait à Jackson Park. Lorsque Calvert Vaux et lui avaient créé Central Park à New York, ils s'étaient appliqués à créer des effets visuels qui ne seraient pas visibles avant plusieurs décennies ; ici, on ne lui laissait que vingt-six mois pour métamorphoser la désolation du parc en une Venise de la prairie et pour planter sur ses berges, îles, terrasses et allées tout ce dont celles-ci auraient besoin pour créer un paysage correspondant à la richesse de sa vision. Ce que les dessins des architectes venaient de lui montrer, hélas, c'était qu'en réalité il aurait bien moins de vingt-six mois pour y parvenir. La partie de son travail qui influencerait le plus le jugement des visiteurs sur le paysage de l'exposition – la façon dont seraient plantés puis entretenus les abords immédiats de chaque palais – ne pourrait être effectuée qu'*après* l'achèvement des principaux édifices et la disparition du matériel de chantier, des routes et des chemins provisoires ainsi que de tous les autres désagréments esthétiques. Or les palais dévoilés au Rookery étaient tellement grands, tellement riches en détail que leur construction consommerait sans doute la quasi-totalité du délai qu'on leur accordait, et dont il ne lui resterait plus que les miettes.

Peu après la réunion, Olmsted définit sa stratégie pour la transformation de Jackson Park dans un mémorandum de 10 pages contenant l'essence de ses convictions sur l'architecture paysagère et sur l'impérieuse nécessité de rechercher des effets dépassant largement la seule somme des feuillages et pétales obtenus.

Il se concentra tout particulièrement sur la lagune centrale, que des dragues commenceraient bientôt à creuser sur le rivage de Jackson Park. Elles devaient laisser un îlot en son centre, « l'Île boisée ». Les grands palais se dresseraient sur les berges extérieures de la lagune. De même que la Grande Cour avait vocation à devenir le cœur architectural de l'exposition, la lagune centrale et son Île boisée en seraient le pivot en termes de paysage.

Par-dessus tout, Olmsted tenait à ce que son paysage soit entouré d'une aura de « mystérieux effet poétique ». Les plantes n'auraient pas le même usage que dans un jardin ordinaire. Chaque fleur, chaque buisson, chaque arbre devrait être déployé en fonction de la manière dont il agirait sur l'imagination. Ceci pouvait être obtenu, écrivit Olmsted, « par l'intrication complexe de nombreuses formes de végétation, par l'alternance et l'enchevêtrement étudié de feuilles et de tiges saillantes dont les tons de verts variés mettront en valeur d'autres feuilles et d'autres tiges, plus en arrière ou plus basses, donc moins définies et davantage à l'ombre, quoique bénéficiant partiellement de la lumière réfléchie par l'eau ».

Il espérait offrir aux visiteurs un festin de visions fugaces – la face inférieure des feuilles, étincelante de reflets ; quelques éclairs de couleur entre les frondes des fougères agitées par la brise. Nulle part, écrivit-il, il ne devrait y avoir de « déploiement de fleurs exigeant l'attention en tant que tel. Au contraire, les fleurs à utiliser pour l'occasion devront plutôt produire un effet de flocons et de vives couleurs imparfaitement perceptibles dans la verdure ambiante. Tout ce qui pourrait ressembler à un étalage de fleurs splendide, tapageur ou criard devra être évité ».

Des roseaux, fougères et joncs gracieux seraient plantés sur les berges de l'Île boisée pour créer une illusion de touffeur et de densité et « faire imperceptiblement écran, sans les cacher, à des fleurs qui sans cela seraient sans doute trop en évidence ». Il imaginait de vastes étendues de massettes parfois interrompues par des touffes de joncs, de glaïeuls et d'iris des marais et saupoudrées de petites fleurs telles que des lobélies cardinales rouge flamme et des boutons-d'or – plantées, si nécessaire, sur des terrains en très légère pente pour être tout juste visibles au gré des ondulations des plantes situées au premier plan.

Sur la rive opposée, en contrebas des imposantes terrasses qui borderaient les palais, il projetait d'installer des plantes odoriférantes de type chèvrefeuille et clèthre, dont le parfum flatterait les narines des visiteurs qui feraient halte pour contempler l'île et la lagune.

L'effet d'ensemble, écrivait-il, « devra donc dans une certaine mesure être proche de celui d'un décor de théâtre, pour occuper la scène de l'Exposition le temps d'un été ».

Coucher tout ceci sur papier était une chose, l'exécuter en était une autre. À presque 70 ans, Olmsted avait la bouche en feu et les tempes vrombissantes ; chacune de ses nuits ressemblait à un désert d'insomnie. En dehors de l'Expo, il supervisait déjà un programme impressionnant de travaux en cours, en particulier à Biltmore, le domaine des Vanderbilt en Caroline du Nord. Si tout se déroulait à la perfection – si sa santé ne se dégradait pas, si le climat restait favorable, si Burnham bouclait tous ses chantiers dans les délais, si des grèves ne venaient pas anéantir l'exposition, si les nombreux comités et directeurs (qu'Olmsted appelait « l'armée de nos centaines de maîtres ») daignaient un jour laisser les architectes en paix –, il avait peut-être une petite chance de mener sa tâche à bien.

Un journaliste d'*Engineering Magazine* osa formuler la question que personne n'avait soulevée au Rookery : « Comment est-il possible que ce nombre faramineux de bâtiments, excédant largement celui de l'exposition parisienne de 1889, soit prêt d'ici deux ans ? »

*

Chez Burnham aussi, la réunion du Rookery avait provoqué une conscience accrue de la brièveté des délais. Tout prenait beaucoup plus de temps qu'il n'aurait fallu, rien ne se passait en douceur. Les premiers coups de pelle furent donnés à Jackson Park le 11 février, lorsque 50 immigrants italiens employés par l'entreprise de terrassement McArthur Brothers creusèrent un fossé de drainage. Ce n'était presque rien, une intervention de routine. Mais la nouvelle se répandit comme une traînée de poudre, et 500 syndicalistes déferlèrent sur le site pour en chasser les ouvriers. Le surlendemain, le vendredi 13, 600 hommes environ manifestèrent dans le parc pour protester contre l'usage que faisait McArthur de ce qu'ils affirmaient être des travailleurs « importés ». Le lendemain, 2 000 hommes, dont un certain nombre armés de bâtons taillés en pointe, chargèrent les ouvriers de McArthur, attrapèrent deux d'entre eux et les rossèrent. La police intervint. La foule recula. McArthur demanda protection à Dewit C. Cregier, le maire de Chicago ; Cregier chargea le conseiller juridique de la municipalité, un jeune juriste du nom de Clarence Darrow, de se pencher sur l'affaire. Le surlendemain, les syndicats de la ville rencontrèrent des émissaires de l'exposition pour exiger que la journée de travail soit limitée à huit heures, que les salaires soient fixés au tarif syndical et que les ouvriers syndiqués bénéficient d'une priorité à l'embauche. Au bout de deux semaines de délibération, les directeurs de l'Exposition acceptèrent la journée de huit heures mais dirent qu'ils allaient réfléchir au reste.

L'ambiance était également conflictuelle du côté des instances dirigeantes de l'exposition. La Commission nationale, formée de politiciens et emmenée par le directeur général George Davis, revendiquait le contrôle financier ; la Compagnie de l'Exposition, dirigée par les principaux businessmen de Chicago sous la houlette du président Lyman Gage, ne voulait pas en entendre parler : c'était la compagnie qui avait levé les fonds et c'était elle qui les dépenserait, comme bon lui semblerait.

Tout était régi par des comités. Dans sa pratique privée, Burnham était habitué à exercer un contrôle absolu sur les dépenses nécessaires à la construction de ses gratte-ciel. Il devait à présent rechercher l'approbation du comité exécutif de la Compagnie de l'Exposition à chaque pas, ne serait-ce que pour acheter des planches à dessin. C'était immensément frustrant. « Nous allons devoir bousculer tout cela, conclut Burnham. Ces retards sont interminables. »

Il y avait tout de même du progrès. Par exemple, Burnham organisa un concours destiné à choisir une architecte pour bâtir le palais de la Femme. Sophia Hayden, de Boston, l'emporta. Elle avait 21 ans. Sa rétribution se limiterait à la valeur du prix : 1 000 dollars. Ses confrères masculins avaient chacun touché dix fois plus. L'idée qu'une personne du sexe opposé puisse concevoir par elle-même un édifice aussi important avait été accueillie avec scepticisme. « L'examen des faits montre que cette femme n'a reçu aucune aide d'aucune sorte pour mettre au point son projet, écrivit Burnham. Tout a été fait par elle, chez elle. »

En mars, les architectes jugèrent à l'unisson que les choses avançaient beaucoup trop lentement – et que si leurs bâtiments étaient construits comme cela avait été initialement prévu en pierre, en acier et en briques, ils ne pourraient en aucun cas être prêts pour l'inauguration. Ils votèrent donc pour que les façades soient réalisées en « staff », un mélange de plâtre et de fibres de jute susceptible d'être modelé en colonnes ou en statues et, appliqué sur des cadres en bois, de créer l'illusion de la pierre. « Il n'y aura pas une brique sur le site », déclara Burnham.

Confronté à une charge de travail de plus en plus lourde, Burnham s'aperçut qu'il ne pouvait plus remettre le remplacement de son cher John Root. Il avait besoin de quelqu'un pour superviser les projets en cours de l'agence pendant que lui-même s'occupait de l'Expo. Un ami lui recommanda Charles B. Atwood, de New York. McKim secoua la tête. On racontait des choses sur Atwood, on s'interrogeait sur sa fiabilité. Burnham s'arrangea néanmoins pour le rencontrer à New York, au Brunswick Hotel.

Atwood lui posa un lapin. Après l'avoir attendu une heure, Burnham quitta l'hôtel pour repartir en train. Au moment de traverser la rue, il fut accosté par un bel homme vêtu d'une cape et d'un chapeau melon noirs, aux yeux aussi opaques que des bouches de canon, qui lui demanda s'il était bien M. Burnham.

« En effet, répondit Burnham.

— Je suis Charles Atwood. Vous souhaitiez me voir ? »

Burnham le foudroya du regard.

« Je rentre à Chicago. Je vais réfléchir et je vous préviendrai. »

Burnham prit son train. De retour à Chicago, il se rendit directement à son agence. Quelques heures plus tard, Atwood l'y rejoignit. Il l'avait suivi depuis New York.

Burnham l'engagea.

Atwood avait effectivement un secret. Il était opiomane, ce qui expliquait ses yeux et son comportement erratique. Mais Burnham le considérait comme un génie.

*

En guise de pense-bête autant destiné à lui-même qu'à tous ceux qui lui rendaient visite à la « cabane », son quartier général, Burnham accrocha au-dessus de son bureau une affichette portant un seul mot : RUSH.

*

Le temps était tellement compté que le Comité exécutif commença à se pencher sur les futures attractions de l'Expo et à désigner des commissaires pour les organiser. En février, il décida notamment d'envoyer à Zanzibar un jeune officier de l'armée de terre, le lieutenant Mason A. Schufeldt, pour localiser une tribu de Pygmées – dont l'existence n'avait été révélée que récemment par l'explorateur Henry Stanley – et ramener en vue de l'exposition « une famille de 12 ou 15 de ces gnomes féroces ».

Le comité accorda deux ans et demi au lieutenant Schufeldt pour mener sa mission à bien.

*

De l'autre côté des clôtures flambant neuves du parc, Chicago sombrait dans la souffrance et l'agitation. Les leaders syndicaux menaçaient de s'unir à l'échelle mondiale pour empêcher l'exposition. Selon *The Inland Architect*, une prestigieuse revue de Chicago, « cette institution non-américaine, le syndicalisme, a décidé de développer son objectif de restreindre ou d'abolir la liberté personnelle de l'individu d'une nouvelle manière en s'efforçant, dans la mesure du possible, de paralyser la foire mondiale ». Une telle attitude, poursuivait la revue, « serait qualifiée de trahison dans un pays moins éclairé et plus arbitraire que le nôtre ». La situation financière de la nation se dégradait. Des bureaux restaient vacants dans les plus récents gratte-ciel de Chicago. À quelques blocs du Rookery se dressait désormais le Temple de la Tempérance, énorme, noir et en grande partie vide. Vingt-cinq mille ouvriers au chômage erraient à travers la ville. La nuit, certains d'entre eux dormaient dans les postes de police ou les sous-sols de la mairie. Les syndicats montaient en puissance.

L'ancien temps s'estompait. P. T. Barnum mourut : des profanateurs de sépulture tentèrent de voler son cadavre. William Tecumseh Sherman aussi mourut. Atlanta applaudit. Des dépêches venues de l'étranger affirmèrent, à tort, que Jack l'Éventreur avait fait son retour. Moins loin, un meurtre barbare commis à New York fit craindre qu'il n'ait émigré en Amérique.

À Chicago, l'ancien directeur du pénitencier d'État de Joliet, Illinois, le major R. W. McClaughry, décida de préparer la ville à la vague de crimes que tout le monde s'attendait à voir déferler avec l'exposition en installant un bureau dans l'Auditorium pour recevoir et distribuer les fiches anthropométriques d'un certain nombre de criminels connus. Conçu par le criminologue français Alphonse Bertillon, ce système requérait que la police mesure précisément les particularités dimensionnelles des suspects. Bertillon croyait que les mensurations de chaque individu étaient uniques et pouvaient donc servir à démasquer les criminels qui changeaient de nom et se déplaçaient de ville en ville. En théorie, il suffisait à un enquêteur de Cincinnati de télégraphier quelques nombres distinctifs à des collègues de New York pour que, si une concordance existait, New York se charge de retrouver le suspect.

Un journaliste demanda au major McClaughry s'il pensait vraiment que l'exposition risquait d'attirer les malfaiteurs. Il hésita un instant avant de répondre : « J'estime tout à fait nécessaire que les autorités d'ici soient préparées à voir arriver et à combattre la plus grande concentration de criminels jamais rencontrée dans ce pays. »

12

Cocu

À l'angle de la 63ᵉ et de Wallace, derrière les murs de l'immeuble de Holmes que la plupart des gens du quartier appelaient désormais « le château », la famille Conner était en pleine tourmente. La brune et belle Gertrude – la sœur de Ned – vint un jour trouver son frère en pleurs et annonça qu'elle ne resterait pas là une minute de plus. Elle lui fit part de son désir de sauter dans le premier train pour rentrer à Muscatine, dans l'Iowa. Ned la supplia de lui expliquer ce qui s'était passé, en vain.

Sachant que sa sœur fréquentait depuis peu un jeune homme, Ned supposa que ses larmes résultaient de quelque chose que celui-ci avait dit ou fait. Peut-être tous deux avaient-ils été « indiscrets », même s'il ne pensait pas Gertrude capable d'une aussi grave entorse à la moralité. Plus il la pressait de questions, plus son trouble et sa détermination augmentaient. Elle regrettait amèrement d'être venue à Chicago. C'était une ville corrompue, diabolique, pleine de vacarme, de poussière, de fumée et de tours inhumaines qui faisaient barrage au soleil, et elle haïssait tout cela – elle haïssait par-dessus tout cet affreux immeuble et le bruit incessant des travaux.

Lorsque Holmes arriva, elle esquiva son regard. Ses joues rougirent. Ned ne s'en aperçut pas.

Après avoir demandé à une compagnie de transport express de venir chercher sa malle, il accompagna sa sœur à la gare. Elle refusait toujours de s'expliquer. En larmes, elle lui fit ses adieux. Le train quitta la gare en ahanant.

Dans l'Iowa – à Muscatine, ville aussi terne que sûre – Gertrude tomba malade, un accident de la nature. Elle n'y survécut pas. Quand Holmes fit part à Ned de la profonde tristesse que lui inspirait son décès, ses yeux bleus étaient d'un calme plat, semblables au lac par un beau matin d'août.

*

Gertrude partie, la tension monta encore d'un cran entre Ned et Julia. Leur union n'avait jamais été sereine. En Iowa, ils avaient déjà frôlé la séparation. Leurs rapports se dégradèrent de plus belle. Leur fille, Pearl, devint dans le même temps plus difficile à vivre, alternant périodes de mutisme et éruptions de colère. Ned n'y comprenait rien. Il était « d'un naturel innocent et accommodant », observerait plus tard un journaliste, et « ne se méfiait de rien ». Il ne voyait pas ce qui sautait pourtant aux yeux de ses amis et même de ses clients réguliers. « Certains de mes amis m'ont prévenu qu'il y avait quelque chose entre Holmes et ma femme, dit-il plus tard. Au début, je ne les ai pas crus. »

Malgré ces avertissements et son malaise grandissant, Ned admirait Holmes. Contrairement à lui-même, qui n'était qu'un simple bijoutier au service d'un tiers, Holmes régnait sur un petit empire – alors qu'il n'avait pas encore 30 ans. Cette énergie, cette réussite, incitaient Ned à se rabaisser encore plus qu'il n'était déjà enclin à le faire, surtout maintenant que Julia le regardait comme s'il sortait tout droit d'une poubelle de déchets animaux des abattoirs.

Aussi fut-il particulièrement sensible à une offre de Holmes qui lui semblait à même de redorer un peu son blason aux yeux de Julia. Holmes proposa en effet de lui vendre le drugstore en totalité, à des conditions que Ned – naïf Ned – trouva d'une générosité inespérée. Holmes augmenterait son salaire de 12 à 18 dollars par semaine, de manière à ce que Ned puisse lui en reverser 6 et couvrir ainsi son acquisition. Ned n'aurait même pas à se préoccuper de ces 6 dollars – son patron les déduirait chaque semaine de son nouveau salaire, automatiquement. Holmes promit aussi de régler tous les détails juridiques et d'enregistrer la transaction auprès de l'administration municipale. Ned continuerait de recevoir ses 12 dollars par semaine comme avant, mais il serait désormais propriétaire d'un excellent fonds de commerce dans un quartier prospère, qui le deviendrait plus encore dès que l'Exposition universelle aurait ouvert ses portes.

Ned accepta, sans se demander pourquoi son patron pouvait bien vouloir se défaire d'une boutique aussi florissante. Cette offre atténua ses inquiétudes au sujet de Julia et de Holmes. Si ce dernier avait entretenu une liaison interdite avec sa femme, lui aurait-il offert à lui, Ned, le joyau de son empire d'Englewood ?

Hélas, Ned constata vite que son nouveau statut n'allégeait en rien la tension de ses rapports avec Julia. La férocité de leurs querelles ne fit qu'augmenter, tout comme la longueur des froids silences qui occupaient le reste du temps où ils se côtoyaient. Holmes se montra compatissant. Il invita Ned à déjeuner au restaurant du rez-de-chaussée et le rassura sur l'avenir de son couple. Julia avait beau être une femme ambitieuse et d'une beauté tout à fait évidente, elle ne tarderait assurément pas à retrouver ses esprits.

La compassion de Holmes était désarmante. L'idée qu'il pût être la cause du mécontentement de Julia apparaissait de plus en plus improbable. Holmes insistait même pour que Ned souscrive une assurance-vie – il tenait certainement, une fois passé ces dissensions conjugales, à protéger Julia et Pearl de la misère au cas où il lui arriverait malheur. Il recommanda à Ned d'assurer également sa fille et proposa de régler lui-même les premières primes. Il fit venir un assureur, C. W. Arnold, pour s'entretenir avec Ned.

Arnold expliqua qu'il était en train de monter un cabinet d'assurances et qu'il cherchait à vendre un maximum de polices pour éveiller l'intérêt des grosses compagnies. Pour être couvert, Ned n'aurait besoin que de verser un dollar, ajouta Arnold – juste un petit dollar pour commencer à garantir la protection des siens pour la vie.

Mais Ned ne voulait pas de cette police. Arnold s'efforça de le faire changer d'avis. Ned refusa, refusa et finit par dire à l'assureur que si celui-ci avait vraiment besoin d'un dollar, il voulait bien le lui donner.

Arnold et Holmes échangèrent un regard dénué d'expression.

*

Les premiers créanciers arrivèrent bientôt au drugstore, exigeant le remboursement d'emprunts garantis sur le mobilier du magasin ainsi que sur son stock de baumes, d'onguents et d'articles divers. Ned ignorait l'existence de ces dettes et crut d'abord qu'on cherchait à l'escroquer – jusqu'à ce que ses visiteurs lui présentent des billets à ordre signés par le précédent propriétaire des lieux, H. H. Holmes. Convaincu de l'authenticité de ces reconnaissances de dette, Ned promit de payer dès qu'il en aurait la capacité.

Là encore, Holmes fit montre de compassion, mais il ne pouvait rien faire. Toutes les entreprises en forte croissance accumulaient les dettes. Il aurait cru que Ned savait cela sur le fonctionnement des affaires. De toute façon, c'était un inconvénient auquel il allait devoir s'habituer. La vente, lui rappela-t-il, était ferme et définitive.

*

Cette ultime déception réveilla le malaise de Ned. Il commença à suspecter que ses amis avaient peut-être raison de croire que Holmes et Julia entretenaient une liaison. Cela expliquerait le changement de Julia et peut-être même la vente du drugstore – un échange tacite : ma boutique contre ta femme.

Ned s'abstint cependant de déclarer ses soupçons à Julia. Il se contenta de dire que si elle ne changeait pas d'attitude envers lui, que si sa froideur et son hostilité persistaient, ils devraient se séparer.

« Cette séparation ne viendra jamais assez tôt pour moi », riposta-t-elle.

Ils restèrent toutefois ensemble un certain temps. Leurs batailles devinrent de plus en plus fréquentes. Un soir, enfin, Ned s'écria qu'il n'en pouvait plus, que c'en était fini de leur couple. Il passa la nuit au rez-de-chaussée, dans l'échoppe du barbier. Il entendait Julia aller et venir juste au-dessus de lui.

Le lendemain matin, il annonça à Holmes qu'il s'en allait et renonçait à la propriété du drugstore. Quand Holmes le pressa de réfléchir, Ned se contenta de rire. Il déménagea ses affaires et trouva un emploi chez H. Purdy & Co., un bijoutier du centre de Chicago. Pearl resta avec Julia et Holmes.

Ned fit une ultime tentative pour reconquérir sa femme. « Je lui ai dit après avoir quitté l'immeuble que si elle revenait vers moi et cessait ses querelles, nous vivrions à nouveau ensemble, mais elle a refusé de me suivre. »

Ned se promit de revenir un jour chercher Pearl. Peu après, il quitta Chicago et s'installa à Gilman, Illinois, où il fit la connaissance d'une jeune femme qu'il demanda officiellement en fiançailles, ce qui l'obligea à revenir une dernière fois chez Holmes, car il avait besoin d'un jugement de divorce. Il l'obtint mais se vit refuser la garde de Pearl.

*

Une fois Ned reparti et le divorce prononcé, l'intérêt de Holmes pour Julia diminua. Il lui avait maintes fois promis de l'épouser après le jugement, mais cette perspective avait maintenant quelque chose de rebutant. La

présence taciturne et accusatrice de Pearl lui était devenue particulièrement odieuse.

La nuit, lorsque les commerces du rez-de-chaussée
étaient clos et que Julia, Pearl et tous les autres habitants
de l'immeuble dormaient à poings fermés, il descendait
parfois au sous-sol, en prenant soin de tirer le verrou
derrière lui, pour allumer son four et s'émerveiller de
sa chaleur extraordinaire.

13

Contrariétés

Burnham ne voyait plus que rarement les siens. Au printemps 1891, il vivait presque à plein temps dans sa cabane de Jackson Park ; Margaret était restée à Evanston, entourée de quelques domestiques qui l'aidaient à s'occuper de leurs cinq enfants. Ceux-ci n'étaient séparés de Burnham que par un court trajet en train, mais les exigences croissantes de l'exposition rendaient cette distance aussi difficile à franchir que l'isthme de Panama. Burnham aurait pu envoyer des télégrammes à son épouse, mais la concision froide et inélégante de ce mode de communication ne favorisait guère l'intimité. Aussi préférait-il lui écrire des lettres, et souvent. « Tu ne dois pas penser que cette vie frénétique durera toujours, écrivit-il dans l'une d'elles. Je m'arrêterai après la Foire mondiale. Ma décision est prise. » L'exposition était devenue un « ouragan », disait-il. « En finir avec cette tourmente est mon vœu le plus cher. »

Chaque jour à l'aube, il quittait ses quartiers pour inspecter le site. Six dragues à vapeur aussi massives que des granges flottantes étaient en train de grignoter le rivage, pendant que 5 000 hommes équipés de pelles, de brouettes et de niveleuses tirées par des chevaux éventraient le sol, souvent en costume et chapeau melon – comme s'ils étaient passés là par hasard et que l'envie leur avait pris de mettre la main à la pâte. Malgré le nombre considérable de travailleurs présents, le manque de bruit et de remue-ménage avait quelque chose de crispant. Le parc était trop grand, les hommes trop épars pour donner une impression immédiate de travaux en cours. Les seuls signes d'activité dignes de ce nom étaient les panaches de fumée noire des dragues et l'odeur omniprésente de feuilles brûlées qui s'élevait des innombrables tas de branchages auxquels les terras-siers mettaient le feu. Les piquets blanc vif servant à délimiter le périmètre des futurs bâtiments conféraient au décor l'aspect d'un cimetière de la guerre de Séces-sion. Burnham trouvait une certaine beauté à ce paysage à l'état brut – « parmi les arbres de l'Île boisée, les longues tentes blanches des ouvriers flamboyaient sous le soleil, seule note de douceur et de clarté dans le paysage gris-brun, et l'horizon bleu pur du lac offrait un contraste bienvenu par rapport à l'aride déchiqueture du premier plan » –, mais tout cela lui inspirait aussi une profonde frustration.

Les travaux progressaient lentement, freinés non seu-lement par les relations de plus en plus mauvaises entre les deux instances dirigeantes de la manifestation, la Commission nationale et la Compagnie de l'Exposition, mais aussi par le fait que les architectes n'avaient pas réussi à livrer leurs plans à temps. Tous étaient en retard. Plus grave encore, aucun concurrent d'Eiffel digne de ce nom ne s'était encore imposé. Et l'exposition venait d'entrer dans cette première phase aléatoire commune à tous les grands projets architecturaux où des obstacles inattendus surgissaient à tout bout de champ.

Burnham avait beau savoir traiter le problème des sols notoirement instables de Chicago, lui-même fut pris de court par Jackson Park.

Tout d'abord, la capacité de charge de ce sol-là était « pratiquement d'une qualité inconnue », selon l'expression d'un ingénieur. En mars 1891, Burnham ordonna des essais pour mesurer à quel point il serait capable de supporter les formidables palais nés sur les planches des architectes. Plus particulièrement préoccupant était le fait que les édifices seraient attenants à des canaux et lagunes récemment creusés. Comme le savaient tous les ingénieurs, n'importe quel sol soumis à une forte pression avait tendance à se déplacer et à combler les cavités les plus proches. Les ingénieurs de l'exposition effectuèrent leur premier test à 3,60 mètres de la lagune, sur le terrain censé soutenir l'angle nord-est du palais de l'Électricité. Ils construisirent une plate-forme de 1,20 mètre de côté et mirent dessus une charge de 1,5 kilogramme d'acier par centimètre carré, soit 22 tonnes au total. Après avoir laissé le tout en place quinze jours, ils constatèrent que la plate-forme ne s'était affaissée que de 0,6 centimètre. Ils creusèrent ensuite une profonde tranchée à 1,20 mètre de la plate-forme. En l'espace de deux jours, celle-ci s'affaissa de 0,30 centimètre supplémentaire, et puis plus rien. C'était une bonne nouvelle. Cela signifiait que Burnham allait pouvoir utiliser le système de fondations flottantes de Root sans avoir à redouter un affaissement catastrophique.

Pour s'assurer que ces propriétés étaient constantes dans le parc, Burnham pria son ingénieur en chef des structures, Abraham Gottlieb, de procéder à des essais à l'emplacement des autres palais. Les essais donnèrent des résultats similaires – jusqu'au jour où les hommes de Gottlieb testèrent le site attribué au gigantesque palais des Manufactures et des Arts libéraux de George Post. Le sol voué à supporter la moitié nord du bâtiment montra un affaissement total inférieur à 2,5 centimètres, ce qui était cohérent avec le reste du parc. Dans la partie sud du site, en revanche, les hommes firent une découverte effarante. Avant même que les ouvriers aient fini de charger la plate-forme, celle-ci descendit de 20 centimètres. Elle s'affaissa de 75 centimètres supplémentaires dans les quatre jours suivants et aurait continué si les ingénieurs n'avaient pas interrompu l'essai.

Naturellement : la quasi-totalité du sol de Jackson Park autorisait la pose de fondations flottantes, *sauf* le terrain destiné à accueillir le plus gros et le plus lourd de tous les édifices. Burnham comprit que, à cet endroit-là, les ouvriers allaient devoir enfoncer des pieux de fondation au moins jusqu'au *hard-pan*, une complication onéreuse et une source certaine de retards supplémentaires.

Les problèmes posés par ce palais ne faisaient toutefois que commencer.

*

En avril 1891, Chicago découvrit les résultats des dernières élections municipales. Dans les clubs huppés de la ville, les industriels portèrent des toasts à la victoire du républicain Hempstead Washburne face à Carter Henry Harrison, qu'ils jugeaient beaucoup trop complaisant vis-à-vis de la main-d'œuvre syndiquée. Burnham aussi s'accorda un instant de célébration. À ses yeux, Harrison représentait l'ancienne Chicago, celle de la crasse, des fumées et du vice, bref, tout ce que l'exposition se destinait à répudier.

Cette célébration fut néanmoins tempérée par le fait que Harrison n'avait perdu que d'extrême justesse, moins de 4 000 voix. Sans compter qu'il avait obtenu cette quasi-victoire sans le soutien d'un grand parti. Rejeté par les démocrates, il s'était présenté en tant que candidat indépendant.

*

Ailleurs en ville, Patrick Prendergast broyait du noir. Harrison était son héros, son grand espoir. L'écart de voix était toutefois tellement mince qu'il eut tôt fait de se persuader que Harrison l'emporterait s'il se présentait de nouveau. Il décida de redoubler d'efforts pour l'aider à gagner.

*

À Jackson Park, Burnham était fréquemment dérangé par des obligations liées à son rôle d'ambassadeur *de facto* de l'exposition. Pour l'essentiel, ces banquets, discours et visites étaient pour lui des corvées dévoreuses de temps, comme lorsqu'en juin 1891, à la demande du directeur général Davis, il reçut la visite à Jackson Park d'un bataillon de dignitaires étrangers qui lui fit perdre deux jours pleins. D'autres étaient en revanche un pur plaisir pour lui. Quelques semaines plus tôt, Thomas Edison, souvent surnommé « le magicien de Menlo Park », était passé le voir à la cabane. Burnham lui avait montré le site. Edison lui suggéra que l'exposition utilise des ampoules incandescentes plutôt que des lampes à arc, dont la lumière était moins douce. Dans tous les cas où les lampes à arc ne pouvaient être évitées, ajouta-t-il, il conviendrait de les recouvrir de globes blancs. Et Edison préconisa évidemment l'usage du courant continu, selon la norme en vigueur.

La courtoisie de cette rencontre cachait mal la bataille acharnée qui se livrait en dehors de Jackson Park pour obtenir le droit d'éclairer l'exposition. Il y avait d'un côté la General Electric Company, fondée suite au rachat par J. P. Morgan de la société d'Edison puis à sa fusion avec quelques autres, qui proposait d'installer un système de courant continu pour éclairer le site. Et il y avait de l'autre la Westinghouse Electric Company, dont l'offre consistait à équiper Jackson Park d'un réseau de courant alternatif inspiré des brevets que son fondateur, George Westinghouse, avait rachetés quelques années plus tôt à Nikola Tesla.

La General Electric avait présenté un devis d'un montant de 1,8 million de dollars, en insistant sur le fait que le contrat ne lui rapporterait pas 1 penny. Un certain nombre de directeurs de l'Exposition possédaient des actions de la compagnie et pressèrent William Baker, devenu président de l'Exposition suite au retrait de Lyman Gage en avril, d'accepter ce devis. Baker refusa, le qualifiant d'« exorbitant ». La General Electric revint à la charge avec une nouvelle offre miraculeusement tombée à 554 000 dollars. Mais Westinghouse, dont le système de courant alternatif était par nature moins cher et plus efficace, chiffra la sienne à 399 000 dollars. L'exposition choisit Westinghouse et contribua à changer l'histoire de l'électricité.

*

La principale source d'angoisse pour Burnham était l'incapacité des architectes à tenir les délais.

S'il avait un temps fait preuve d'obséquiosité envers Richard Hunt et ses confrères de l'Est, ce n'était plus le cas. Dans une lettre du 2 juin 1891, il écrivit à Hunt : « L'attente de vos plans à l'échelle nous place dans une impasse mortelle. Ne pourrions-nous pas les avoir tels quels et les finir ici ? »

Il le relança quatre jours plus tard : « Le retard que vous causez en ne nous expédiant pas vos dessins à l'échelle est gênant à l'extrême. »

Le même mois, une interruption sérieuse mais sans doute inévitable frappa la division des paysages. Olmsted tomba malade – gravement. Il mit son état sur le compte d'un empoisonnement causé par un pigment à l'arsenic, le « Turkey Red », contenu dans le papier peint de sa maison de Brookline. Mais peut-être s'agissait-il tout bonnement d'une de ces fréquentes crises de mélancolie profonde qui l'assaillaient depuis des années.

Pendant sa convalescence, Olmsted fit mettre des bulbes et des semis en pépinière dans deux vastes serres installées dans le parc. Il commanda des cinéraires maritimes, des bugles rampantes, des héliotropes « Président Garfield », des véroniques, de l'herbe de Saint-Laurent, du lierre d'Angleterre et des Canaries, de la verveine, des pervenches, ainsi qu'une riche palette de géraniums : « Prince noir », « Christophe Colomb », « Mme Turner », « Crystal Palace », « Heureuse Pensée », « Jeanne d'Arc ». Il dépêcha sur les berges du lac Calumet une armée de cueilleurs, qui y remplirent 27 wagons de chemin de fer d'iris, de roseaux, de joncs et d'autres plantes ou herbes semi-aquatiques. Ils ramassèrent en outre 4 000 caisses de racines de nénuphar que les jardiniers d'Olmsted s'empressèrent ensuite de replanter à Jackson Park, même si la plupart d'entre elles devaient succomber aux incessantes variations du niveau d'eau du lac.

Loin du luxuriant verdoiement des pépinières, le parc avait été dépouillé de toute sa végétation. Les ouvriers étaient en train d'en enrichir les sols à l'aide de 1 000 chariots de purin venus des abattoirs et de 2 000 autres chargés de crottin produit par les chevaux qui travaillaient à Jackson Park. La présence d'une telle quantité de terre nue et de purin finit par poser problème. « C'était déjà assez dur par temps chaud, quand un vent du sud aveuglait le regard des hommes et des bêtes, écrivit Rudolf Ulrich, qui supervisait pour Olmsted le chantier des paysages du parc, mais c'était encore pire par temps de pluie, car les terrains remblayés depuis peu n'étaient pas encore drainés et s'imbibaient d'eau. »

Les chevaux s'y enfonçaient parfois jusqu'au ventre.

*

Il fallut attendre le milieu de l'été 1891 pour que les architectes livrent leurs derniers dessins. À mesure que les plans arrivaient, Burnham lançait des appels d'offres. Considérant que la lenteur des architectes avait retardé l'ensemble du programme, il inséra dans ses contrats de construction des clauses dignes d'un « tsar », selon l'expression du *Chicago Tribune*. Chaque contrat imposait au constructeur désigné un délai de livraison ultra serré, avec des pénalités financières quotidiennes en cas de dépassement. Burnham avait lancé son premier appel d'offres dès le 14 mai, pour le palais des Mines. Il tenait à le voir achevé pour la fin de l'année. Cela laissait au mieux sept mois pour le construire (soit à peu près le temps moyen qu'il faut à un propriétaire du début du XXIe siècle pour créer un garage neuf). « Il est l'arbitre de toutes les disputes, et aucune disposition ne prévoit que l'on puisse faire appel de ses décisions, expliqua le *Tribune*. Si de l'avis de M. Burnham le constructeur n'emploie pas une force suffisante d'hommes pour achever les travaux à temps, M. Burnham s'arroge le droit d'en embaucher d'autres par lui-même et de faire supporter le surcoût au constructeur. » Le palais des Mines fut en effet le premier des grands édifices de l'exposition à voir le jour, mais son chantier ne démarra que le 3 juillet 1891, moins de seize mois avant la date de l'inauguration.

Le lancement des travaux de construction provoqua un regain d'expectative en dehors du parc. Le colonel William Cody – Buffalo Bill – cherchait une nouvelle concession pour son Wild West Show, qui revenait tout juste d'une tournée triomphale en Europe, mais le Comité des moyens et finances refusa de lui en accorder une sur le site de l'exposition en invoquant son « incongruité ». Sans se laisser démonter, Cody obtint le droit d'installer son arène et son campement sur un vaste terrain attenant au parc. À San Francisco, un entrepreneur de 21 ans nommé Sol Bloom se rendit compte que l'Expo de Chicago allait lui permettre de tirer enfin profit d'un bien acquis à Paris deux ans plus tôt. Enchanté par le « Village algérien » de l'Exposition universelle française, il avait acquis les droits lui permettant de présenter de nouveau celui-ci et ses habitants lors de futures manifestations de cet ordre. Sa demande fut elle aussi rejetée par le Comité des moyens et finances.

Bloom repartit à San Francisco bien décidé à mettre en œuvre une nouvelle approche, plus oblique, pour obtenir une concession sur le site de l'Expo – une approche qui s'avérerait infiniment plus fructueuse qu'il ne l'espérait. Pendant ce temps-là, le jeune lieutenant Schufeldt avait atteint Zanzibar. Le 20 juillet, il télégraphia au président de l'Exposition William Baker qu'il ne doutait pas de pouvoir acquérir autant de Pygmées du Congo qu'il en faudrait, pourvu que le roi des Belges y consentît. « Le président Baker veut ces Pygmées, écrivit le *Tribune*, comme tout le monde au siège. »

Sur le papier, l'exposition s'annonçait spectaculaire. Sa clé de voûte serait la Grande Cour, que tout le monde appelait désormais la cour d'honneur. Avec ses immenses palais signés Hunt, Post, Peabody et les autres, cette cour à elle seule promettait d'être une pure merveille, et presque tous les États de la nation projetaient maintenant d'édifier un bâtiment dans Jackson Park, de même qu'environ 200 corporations et pays étrangers. L'exposition promettait donc de surpasser celle de Paris sur tous les plans – ou plutôt tous sauf un, et la persistance de ce manque perturbait Burnham : les organisateurs n'avaient toujours rien prévu qui fût susceptible d'égaler, et encore moins d'éclipser la tour Eiffel. Du haut de ses 313 mètres, celle-ci continuait d'être la construction la plus élevée du monde et un odieux rappel du triomphe de l'exposition parisienne. « Battre Eiffel » était devenu un des cris de guerre des directeurs.

Un concours organisé par le *Tribune* déclencha un afflux de projets improbables. C. F. Ritchel, de Bridgeport, Connecticut, proposa une tour ayant une base de 150 mètres de côté sur 30 de hauteur, à l'intérieur de laquelle il envisageait de loger une deuxième tour qui en contiendrait une troisième. À intervalles réguliers, un système complexe de tubes et de pompes hydrauliques était censé permettre à ces tours emboîtées de s'élever télescopiquement, en quelques heures, et de revenir ensuite à leur position initiale. Le sommet de la tour devait accueillir un restaurant, même si une maison close aurait sans doute été mieux adaptée.

Un autre inventeur, J. B. McComber, membre de la Chicago-Tower-Spiral-Spring Ascension & Toboggan Transportation Company, imagina rien moins qu'une tour de 2 728 mètres, soit près de neuf fois plus haute que la tour Eiffel, campée sur une base de 300 mètres de diamètre dont les fondations descendraient à 600 mètres sous terre. Le sommet de cette tour serait relié par une série de rampes aériennes à New York, Boston, Baltimore et quelques autres villes. Les visiteurs ayant terminé leur visite de l'exposition et assez téméraires pour se risquer tout là-haut en ascenseur n'auraient plus qu'à rentrer chez eux en toboggan. « Le coût de la tour et des rampes étant d'une importance secondaire, écrivait McComber, je ne le mentionne pas ici, mais je suis prêt à fournir des chiffres sur demande. »

La troisième proposition exigeait encore plus de courage de la part des futurs visiteurs. Son inventeur, qui se présenta sous les initiales R.T.E., proposait une tour de 1 220 mètres de hauteur, au sommet de laquelle il prévoyait d'attacher un câble de 610 mètres du « meilleur caoutchouc ». Un wagon d'une capacité de 200 passagers assis serait suspendu à l'extrémité de ce câble. Le wagon et ses passagers seraient précipités dans le vide à partir d'une plate-forme et s'abîmeraient en chute libre sur toute la longueur du câble, avant de repartir presque aussi brutalement en sens inverse et de poursuivre ce jeu de yoyo jusqu'à l'arrêt complet. L'ingénieur précisait que, à titre de précaution, le sol « serait recouvert d'un matelas en plume épais de 2,50 mètres ».

Tout le monde réfléchissait à une tour, mais Burnham, lui, ne pensait pas que ce fût la meilleure approche. Eiffel l'avait déjà fait, et à la perfection. Non seulement sa tour était haute, mais elle célébrait aussi la grâce du fer et était aussi évocatrice de l'esprit de son temps qu'avait pu l'être la cathédrale de Chartres au Moyen Âge. Construire une tour reviendrait à suivre Eiffel sur un territoire qu'il avait déjà conquis pour la France.

En août 1891, Eiffel lui-même télégraphia aux directeurs pour demander s'il pouvait leur soumettre un projet de tour. Ce fut une surprise, bien accueillie au départ. Baker, le président de l'Exposition, lui répondit sur-le-champ par câble que les directeurs seraient ravis d'étudier sa proposition. Si tour il devait y avoir, expliqua Baker dans une interview, « M. Eiffel est l'homme de la situation. La part d'expérimentation serait moindre s'il se chargeait du projet. Il devrait pouvoir améliorer la conception de sa tour de Paris, et il me paraît juste de supposer qu'il ne construirait rien d'inférieur à cette célèbre structure ». Pour les ingénieurs américains, en revanche, cette main tendue à Eiffel fut une gifle en plein visage. Pendant les dix jours suivants, des télégrammes furent envoyés de ville en ville et d'ingénieur en ingénieur, au point que l'histoire finit par être quelque peu déformée. Soudain, tout se passait comme si la construction d'une tour Eiffel à Chicago était une certitude – comme si Eiffel allait se battre lui-même. Les spécialistes étaient outrés. Une longue lettre de protestation atterrit sur le bureau de Burnham, signée par quelques-uns des plus éminents ingénieurs de la nation.

Accepter « l'offre de ce distingué gentleman », lui écrivirent-ils, reviendrait à « affirmer que le grand corps des ingénieurs civils d'Amérique, dont les nobles ouvrages attestent le talent à l'étranger aussi bien qu'aux quatre coins de notre pays, n'a pas la capacité d'affronter ce genre de problème, et une telle action aurait tendance à le dépouiller de sa juste revendication d'excellence ».

Cette lettre suscita l'approbation de Burnham. Il fut content de voir les ingénieurs civils d'Amérique s'exprimer enfin avec passion sur l'exposition, alors qu'en réalité les directeurs n'avaient rien promis à Eiffel. La proposition officielle de celui-ci arriva une semaine plus tard : une tour qui ressemblait pour l'essentiel – en plus haut – à celle de Paris. Les directeurs firent traduire le projet, l'examinèrent, et le rejetèrent poliment. Si l'exposition devait accueillir une tour, cette tour serait américaine.

Sauf que les planches à dessin des ingénieurs américains restaient désespérément vides.

*

Sol Bloom, revenu en Californie, présenta sa demande de concession pour le Village algérien à un influent citoyen de San Francisco, Mike De Young, directeur du *San Francisco Chronicle* et membre de la Commission nationale de l'Exposition. Bloom lui parla des droits acquis à Paris et de la façon dont l'exposition avait rejeté sa requête.

Les deux hommes se connaissaient. Adolescent, Bloom avait été employé au théâtre de De Young, l'Alcazar, dont il avait gravi tous les échelons jusqu'à en devenir le trésorier à 19 ans. Sur son temps libre, il avait réorganisé le travail des ouvreuses, des caissières et des vendeuses de rafraîchissements de façon plus efficace et plus cohérente, augmentant grandement les recettes du théâtre et ses propres émoluments. Il rationalisa dans la foulée ces mêmes fonctions dans plusieurs autres théâtres, ce qui lui valut de percevoir de chacun d'eux des commissions régulières. À l'Alcazar, il avait fait insérer dans le texte des spectacles des noms de produits, de bars et de restaurants connus comme le Cliff House, ce qui lui assura une ligne supplémentaire de revenus. Il avait créé par ailleurs un cadre d'applaudisseurs professionnels, connu sous le nom de « claque », dont la fonction était de lancer des ovations enthousiastes, des demandes de rappel et des « Bravo ! » à tout artiste disposé à mettre la main à la poche. Ce que faisaient la plupart d'entre eux, y compris Adelina Patti, la plus célèbre diva de l'époque. Un jour, Bloom lut dans une publication théâtrale un article sur un orchestre mexicain dont il pressentit le pouvoir de séduction sur le public américain ; il réussit à convaincre l'imprésario de le laisser emmener ses musiciens vers le nord le temps d'une tournée. Bloom engrangea 40 000 dollars de bénéfices. Il n'avait que 18 ans.

De Young promit au jeune homme de se renseigner. Une semaine plus tard, il le fit revenir à son bureau.

« Quand pouvez-vous être prêt à partir pour Chicago ? » demanda-t-il.

Bloom, surpris, répondit : « Dans quelques jours, je pense. » Il supposa que De Young lui avait obtenu une deuxième chance de postuler auprès du Comité des moyens et finances. Hésitant, il déclara à De Young qu'il ne voyait aucun intérêt à effectuer un tel voyage tant que les directeurs de l'Exposition n'auraient pas une meilleure idée du style d'attractions qu'ils souhaitaient.

« La situation a évolué depuis notre entretien, répondit De Young. Tout ce qui nous manque, maintenant, c'est quelqu'un pour prendre les commandes. » De Young montra à Bloom un câble de la Compagnie de l'Exposition lui donnant pleins pouvoirs pour recruter la personne qui serait chargée d'attribuer les concessions du « Midway Plaisance », le futur parc de loisirs de Midway Boulevard, et ensuite de superviser leur construction et leur promotion. « Vous êtes l'heureux élu », ajouta-t-il.

« Je ne peux pas, répondit Bloom, qui n'avait aucune envie de quitter San Francisco. Et même si je pouvais, j'ai beaucoup trop à perdre ici pour l'envisager. »

De Young l'observa. « Je ne veux plus entendre un mot de vous avant demain », dit-il.

Il demanda à Bloom de réfléchir entre-temps à un montant de rémunération qui puisse venir à bout de ses réticences. « Quand vous reviendrez, vous n'aurez qu'à me chiffrer votre salaire, ajouta-t-il. Soit j'accepterai, soit je refuserai. Il n'y aura pas de discussion. Cela vous paraît-il acceptable ? »

Bloom accepta, mais seulement parce que cette proposition lui offrait un moyen élégant de refuser le poste. Il lui suffirait d'annoncer une somme tellement extravagante que De Young serait dans l'impossibilité de dire oui, « et en redescendant la rue je décidai de ce qu'elle serait ».

*

Burnham s'efforçait d'anticiper toutes les menaces possibles contre l'exposition. Conscient de la réputation de débauche et de violence de Chicago, il se démena pour créer une importante force de police, la Garde colombienne, qu'il plaça sous le commandement du colonel Edmund Rice, un militaire de valeur ayant résisté à la charge de Pickett à Gettysburg. À la différence des services de police conventionnels, le mandat de la Garde mettait explicitement l'accent sur une idée novatrice : il s'agissait de prévenir les crimes et plus seulement d'arrêter les malfaiteurs après coup.

Les maladies aussi, Burnham le savait, représentaient un vrai danger pour l'Expo. Une poussée de variole, de choléra ou d'une autre des affections mortelles qui rôdaient en ville de façon endémique pouvait ternir irrémédiablement la manifestation et anéantir tous les espoirs des directeurs d'attirer un nombre de visiteurs suffisant pour réaliser des bénéfices.

La bactériologie, une science nouvelle dont les pionniers étaient Robert Koch et Louis Pasteur, avait d'ores et déjà convaincu la plupart des responsables de la santé publique que la contamination de l'eau potable était à l'origine de la propagation du choléra et d'autres maladies bactériennes. L'eau de Chicago grouillait de microbes, essentiellement venus de la Chicago River. En 1871, dans un monumental effort de génie civil, la ville avait inversé le cours de celle-ci pour que ses eaux se jettent non plus dans le lac Michigan mais dans la Des Plaines River, et au-delà dans le Mississippi, dont le débit immense était censé diluer les eaux usées jusqu'à les rendre inoffensives – une théorie que les villes situées en aval comme Joliet n'embrassèrent pas avec enthousiasme. Toutefois, et à la grande surprise des ingénieurs, il arrivait souvent qu'à la faveur de pluies prolongées la Chicago River reprenne son sens initial et déverse de nouveau un flot de chats crevés et de matières fécales dans le lac, et ce en telle quantité que ses vrilles de bourbe noirâtre pouvaient s'étirer jusqu'aux bouches d'adduction du système d'alimentation en eau de la ville.

La plupart des habitants de Chicago n'avaient pas d'autre choix que de boire cette eau. Burnham croyait cependant depuis le début que les ouvriers et visiteurs de l'Exposition universelle méritaient un approvisionnement plus sûr et de meilleure qualité. En cela aussi, il était en avance sur son temps. Sur ses ordres, l'ingénieur sanitaire William S. MacHarg construisit dans le parc même une usine d'épuration des eaux destinée à pomper l'eau du lac et à la faire ensuite passer par une série de vastes réservoirs à l'intérieur desquels elle était aérée et bouillie. Les hommes de MacHarg installèrent un peu partout sur le site des citernes qui étaient remplies chaque jour de cette eau afin de permettre aux ouvriers de se désaltérer.

Burnham avait prévu de fermer cette usine d'épuration d'ici l'inauguration et de laisser le choix aux visiteurs entre deux autres sources d'eau potable : celle du lac, purifiée à l'aide de filtres Pasteur et proposée gratuitement, ou une eau naturellement pure à 1 penny la timbale, acheminée par une canalisation de 160 kilomètres depuis les célèbres sources de Waukesha, dans le Wisconsin. En novembre 1891, Burnham demanda à MacHarg d'aller évaluer la capacité et la pureté de cinq de ces sources mais de le faire « discrètement », signe qu'il se rendait bien compte que la pose d'une canalisation au milieu d'un aussi charmant paysage risquait d'être une affaire délicate. Il était cependant loin d'imaginer que les efforts de MacHarg pour acheminer la meilleure eau de Waukesha jusqu'à Chicago débouche-raient sur un affrontement armé en pleine nuit dans le Wisconsin.

Mais ce que redoutait le plus Burnham, c'était le feu. La perte du Grannis Block, où était à l'époque installée son agence avec Root, restait pour lui un souvenir aussi vivace qu'humiliant. Un incendie à Jackson Park pou-vait détruire l'exposition. Le feu jouait pourtant un rôle central dans le processus de construction. Les plâtriers se servaient de petits poêles appelés salamandres pour accélérer le séchage. Les étameurs et les électriciens utilisaient des marmites de braises pour fondre, tordre, souder. Même les pompiers avaient besoin de feu : les pompes des chariots de la caserne étaient actionnées par des moteurs à vapeur.

Burnham imposa des mesures de protection qui au regard des normes de son temps durent paraître bien sévères, pour ne pas dire excessives. Il créa une unité de pompiers dédiée à l'exposition et ordonna la pose de centaines de bouches d'incendie et de boîtiers d'alarme télégraphiques. Il fit construire un bateau pompier, le *Fire Queen*, spécialement conçu pour naviguer sur les canaux peu profonds et passer sous les nombreux ponts du parc. Le cahier des charges exigeait que chaque bâtiment soit entouré par une conduite immergée et alimenté par des colonnes intérieures. Burnham décréta aussi l'interdic-tion de fumer dans le parc, avec toutefois deux exceptions au moins : l'une pour un entrepreneur qui allégua que ses artisans européens le planteraient là si on les privait de leurs cigares, et l'autre pour sa propre cabane, devant l'immense cheminée de laquelle il se retrouvait chaque soir avec ses ingénieurs, dessinateurs et architectes en visite pour boire du vin, discuter et fumer.

Au début de l'hiver, Burnham ordonna que toutes les bouches d'incendie soient enrobées de crottin de cheval pour éviter le gel.

Les jours de grand froid, ce crottin se mettait parfois à fumer, comme si les bouches elles-mêmes étaient en feu.

*

Lorsque Sol Bloom revint au bureau de Mike De Young, il était persuadé que celui-ci n'accepterait jamais sa demande de salaire, car il avait exprès choisi le même que celui du président des États-Unis : 50 000 dollars au total. « Plus j'y pensais, raconta Bloom, plus je me réjouissais à l'idée de dire à Mike De Young qu'aucune somme inférieure à celle-là ne pourrait compenser le sacrifice que représentait pour moi un départ de San Francisco. »

De Young l'invita à s'asseoir. Son expression était neutre et attentive.

« Bien que j'apprécie le compliment, commença Bloom, je constate que mes intérêts sont ici même, dans cette ville. En ce qui concerne l'avenir, je me vois... »

De Young l'interrompit d'une voix douce.

« Voyons, Sol, je croyais que vous alliez me dire combien vous vouliez être payé.

— Je ne voudrais surtout pas que vous pensiez que je n'apprécie pas...

— Vous venez de le dire à l'instant, lâcha De Young. Maintenant, dites-moi combien vous voulez. »

Les choses ne se déroulaient pas tout à fait comme Bloom l'avait prévu. Non sans appréhension, il annonça le montant : « Mille dollars par semaine. »

De Young sourit. « Ma foi, c'est un salaire plutôt rondelet pour un gaillard de 21 ans, mais je suis sûr que vous le mériterez. »

*

En août, l'ingénieur en chef Abraham Gottlieb annonça à Burnham une nouvelle sidérante : il avait oublié de calculer la résistance au vent des principaux bâtiments de l'exposition. Burnham ordonna à ses principaux entrepreneurs – parmi lesquels Agnew & Co, qui construisait le palais des Manufactures et des Arts libéraux – de suspendre sur-le-champ les travaux. Depuis des mois, il s'efforçait de combattre la rumeur selon laquelle il imposait à ses équipes un rythme de travail trop rapide, d'où il résultait des bâtiments peu sûrs ; en Europe, plusieurs articles n'avaient pas hésité à affirmer que certains d'entre eux étaient même « condamnés ». Et voici que Gottlieb lui avouait une omission potentiellement catastrophique.

L'ingénieur en chef protesta que, malgré l'absence d'un calcul explicite de leur résistance au vent, les bâtiments seraient suffisamment solides.

« Je ne pouvais cependant pas me contenter de cette opinion », écrivit Burnham dans une lettre à James Dredge, directeur de l'influent magazine britannique *Engineering*. Il ordonna que toutes les structures soient renforcées de manière à pouvoir résister aux plus forts vents enregistrés sur les dix années précédentes. « C'est peut-être extrême, expliqua-t-il à Dredge, mais cela me semble sage et prudent, au vu des formidables intérêts en jeu. »

Gottlieb démissionna. Burnham le remplaça par Edward Shankland, un ingénieur de son agence jouissant d'une réputation nationale en matière de conception de ponts.

Le 24 novembre 1891, Burnham écrivit encore une fois à James Dredge pour lui signaler qu'il essuyait une nouvelle salve de critiques portant sur l'intégrité structurelle des bâtiments. « Le reproche est maintenant, expliqua-t-il, que les constructions sont inutilement solides. »

*

Bloom arriva à Chicago et comprit pourquoi les choses avançaient si peu sur le front du Midway Plaisance, officiellement appelé « service M. ». Sa direction avait été jusqu'à présent confiée à Frederick Putnam, un professeur d'ethnologie de Harvard. L'homme était un anthropologue distingué, mais lui confier la responsabilité d'un lieu comme le Midway était, comme le dirait Bloom des années plus tard, « à peu près aussi intelligent que si l'on nommait aujourd'hui Albert Einstein imprésario du cirque Barnum & Bailey ». Putnam ne l'aurait sans doute pas désapprouvé. Il confia à un collègue de Harvard qu'il avait « hâte d'être débarrassé de tout ce cirque d'Indiens ».

Bloom fit part de son inquiétude à Baker, le président de l'Exposition, qui l'envoya voir Burnham.

« Vous êtes jeune, vraiment très jeune pour assumer la tâche qu'on vous a confiée », dit Burnham, qui lui-même n'était pas bien âgé le jour où John B. Sherman avait franchi le seuil de son bureau et changé sa vie. « Je tiens à ce que vous sachiez que vous disposez de mon entière confiance, poursuivit-il. Votre autorité sur le Midway est complète. Mettez-vous au travail. Vous ne rendrez des comptes qu'à moi. Je donnerai des consignes écrites à cet effet. Bonne chance. »

*

En décembre 1891, les deux bâtiments les plus avancés étaient le palais des Mines et le palais de la Femme. La construction du palais des Mines progressait en douceur, grâce à un début d'hiver singulièrement clément. Celle du palais de la Femme, en revanche, était en train de virer au calvaire, tant pour Burnham que pour sa jeune architecte, Sophia Hayden, en grande partie à cause des modifications exigées par Bertha Honoré Palmer, la patronne du Comité des dames gestionnaires, chargé de tout ce qui concernait la gent féminine dans l'exposition. Épouse de l'homme d'affaires Potter Palmer, Mme Palmer était habituée par sa fortune et sa position de supériorité sociale absolue à imposer son point de vue en toutes choses, ainsi qu'elle l'avait clairement montré cette année-là en étouffant une révolte menée par la secrétaire exécutive du Comité, révolte qui avait causé une guerre quasi ouverte entre factions de dames élégamment vêtues et coiffées. « J'espère de tout cœur que le Congrès ne sera pas dégoûté par notre sexe », avait écrit une membre du Comité horrifiée à Mme Palmer au plus fort de la crise.

Hayden vint à Chicago livrer ses dessins définitifs puis repartit à Boston, laissant l'exécution des travaux à Burnham. Ceux-ci furent entamés le 9 juillet ; en octobre, les ouvriers commencèrent à poser la dernière couche de staff. Hayden revint en décembre pour diriger la décoration de l'extérieur du bâtiment, qu'elle estimait relever de sa responsabilité. Elle découvrit que Bertha Palmer ne l'entendait pas ainsi.

En septembre, à l'insu de Hayden, Mme Palmer avait convié des femmes de tous horizons à faire don d'ornements architecturaux pour décorer l'édifice, ce qui lui avait valu de recevoir de quoi emplir un musée de colonnes, boiseries, sculptures, balustrades, portes et objets divers. Mme Palmer pensait le palais capable d'accueillir la totalité de ces contributions, en particulier celles qui provenaient de dames du monde. Hayden, de son côté, savait qu'un tel fatras ne pouvait accoucher que d'une abomination esthétique. Ainsi, lorsqu'une dame influente du Wisconsin nommée Flora Ginty lui fit parvenir une porte en bois copieusement sculptée, Hayden la refusa. Ginty en fut mortifiée. « Quand je pense au nombre de jours travaillés et au nombre de kilomètres parcourus pour me procurer ces objets destinés au palais de la Femme, je sens encore une pointe de courroux me gagner. » Mme Palmer se trouvait à ce moment-là en Europe, mais sa secrétaire particulière, Laura Hayes, véritable virtuose du commérage, fit le nécessaire pour que sa patronne n'en perde pas une miette. Hayes répéta aussi à Palmer les quelques conseils qu'elle avait elle-même adressés à la jeune architecte : « Je crois qu'il vaut mieux donner au bâtiment l'aspect d'une courtepointe en patchwork que de refuser ces choses que le Comité des dames gestionnaires s'est donné tant de peine pour solliciter. »

Cette courtepointe en patchwork n'était pas ce que Hayden avait en tête. Malgré l'aveuglant rayonnement social de Mme Palmer, elle s'obstina à refuser des dons. Une véritable bataille s'ensuivit, livrée dans le plus pur style de l'époque, c'est-à-dire à grand renfort d'attaques indirectes et de courtoisie venimeuse. Mme Palmer distribuait des coups de bec, aiguillonnait et inondait de sourires glaciaux le ressentiment croissant de Hayden. Pour finir, elle confia l'aménagement du palais de la Femme à une décoratrice nommée Candace Wheeler.

Hayden combattit cette décision avec son calme et sa ténacité habituels, jusqu'au jour où elle craqua. Elle fit irruption dans le bureau de Burnham, commença à lui raconter son histoire et soudain, littéralement, devint folle : des larmes, des hoquets, des cris de désespoir, et ainsi de suite. « Une sévère crise de nerfs, selon une connaissance, doublée d'une violente attaque d'excitation nerveuse du cerveau. »

Burnham, éberlué, convoqua un des chirurgiens de l'exposition. Hayden fut discrètement évacuée dans une des toutes nouvelles ambulances anglaises de l'exposition, aux roues cerclées de pneumatiques en caoutchouc, et internée dans un sanatorium pour une période de repos forcé. Elle y sombra dans la « mélancolie », autrement dit la dépression.

*

À Jackson Park, les contrariétés ne manquaient pas. Les affaires les plus simples, constatait Burnham, viraient fréquemment à l'imbroglio. Olmsted lui-même était devenu une source d'irritation. Malgré son esprit brillant et son charme, il se montrait aussi inflexible qu'une dalle de marbre dès lors qu'il avait une idée en tête. À la fin de 1891, la question du choix des bateaux à lancer sur les voies navigables du parc en vint à l'obséder, comme si eux seuls étaient en mesure de déterminer le succès de sa quête du « mystère poétique ».

En décembre 1891, Burnham reçut une proposition d'un fabricant de remorqueurs désireux de lui vendre ses navettes à vapeur. Olmsted en eut vent par Harry Codman, qui non content d'être son principal lieutenant à Chicago lui servait aussi plus ou moins d'espion et le tenait informé de tout ce qui risquait de mettre en péril sa vision du paysage. Codman transmit à Olmsted une copie de la lettre du fabricant, en précisant dans une note que celui-ci semblait jouir de la confiance de Burnham.

Le 23 décembre, Olmsted écrivit à Burnham : « Je soupçonne Codman lui-même d'être enclin à penser que je fais trop grand cas de cette question des bateaux et que j'y consacre une quantité d'inquiétude, sinon de pensée, qui serait mieux utilisée sur des sujets plus critiques, et je crains que vous ne me preniez pour un fanatique. »

Il enchaînait toutefois en laissant libre cours à son obsession. La lettre du fabricant de remorqueurs, se plaignait-il, n'envisageait la question des bateaux que sous l'angle du nombre de passagers à transporter d'un point à l'autre de l'exposition à la plus grande vitesse et au moindre coût possibles. « Vous savez parfaitement que l'objectif principal à atteindre n'avait rien à voir avec cela. Je n'ai nul besoin de vous décrire ce que c'était. Vous le connaissez aussi bien que moi. Vous savez que c'était un objectif poétique, et vous savez que si des bateaux doivent être introduits sur ces eaux, il est tout à fait absurde de les choisir d'un type allant à l'encontre de cet objectif poétique. »

Le simple transport n'avait jamais été le but, fulminait-il. La vraie fonction des bateaux était de mettre le paysage en valeur. « Choisissez des navettes malséantes et l'effet sera profondément repoussant, car il détruira la valeur de ce qui aurait été sans cela la caractéristique la plus originale et la plus précieuse de cette Exposition. J'emploie délibérément le mot détruire. Il vaut mille fois mieux n'avoir aucun bateau. »

*

Malgré l'ingérence croissante des divers comités, le conflit de plus en plus vif entre Burnham et le directeur général Davis, et la menace de grève omniprésente, les principaux édifices étaient enfin en construction. Des ouvriers en jetaient les fondations constituées de grillages successifs d'énormes poutres d'acier suivant le principe imaginé par Root, puis ils utilisaient des mâts de charge alimentés à la vapeur pour soulever et mettre en place les gigantesques poteaux de fer qui formeraient l'ossature de chaque bâtiment. Ils enrobaient ensuite cette carcasse d'échafaudages et la bardaient de centaines de milliers de planches afin de créer des façades capables de supporter deux épaisses couches de staff. Des contreforts de sciure et de débris eurent tôt fait d'apparaître au pied de chaque montagne de bois de charpente empilé par les manœuvres aux abords des édifices. L'air sentait le bois coupé et la Noël.

L'exposition fit sa première victime fatale en décembre : un homme du nom de Mueller, au palais des Mines, mort des suites d'une fracture du crâne. Trois autres décès survinrent dans la foulée :

Jansen, fracture du crâne, palais de l'Électricité ;

Allard, fracture du crâne, palais de l'Électricité ;

Algeer, foudroyé par une décharge électrique (un phénomène nouveau), palais des Mines.

Des dizaines d'accidents moins tragiques se produisirent aussi. En public, Burnham continuait d'afficher une posture de confiance et d'optimisme. Dans une lettre du 28 décembre 1891 au rédacteur en chef du *Chicago Herald*, il écrivit : « Quelques problèmes de dessin et de plan restent encore en suspens, mais il n'y a rien là qui ne soit à portée de main, et je ne vois pas ce qui pourrait nous empêcher d'achever les travaux à temps pour les cérémonies d'octobre 1892 » – il parlait de l'inauguration – « et pour l'ouverture de l'Exposition, le 1er mai 1893. »

En réalité, les travaux avaient pris un retard considérable, et seule la douceur de l'hiver empêchait la situation de s'aggraver. L'inauguration devait avoir lieu à l'intérieur du palais des Manufactures et des Arts libéraux, et pourtant, en janvier, seules les fondations de celui-ci étaient en place. Pour que l'exposition ressemble à quelque chose le jour de la cérémonie, il était indispensable que tout s'enchaîne à la perfection d'ici là. Et notamment que le climat reste coopératif.

Pendant ce temps, des banques et des entreprises faisaient faillite aux quatre coins de l'Amérique, des grèves menaçaient d'éclater un peu partout, et le choléra traçait lentement son sinistre sillon à travers l'Europe, laissant à craindre que les premiers navires porteurs de l'épidémie ne touchent bientôt le port de New York.

Comme s'il était besoin d'une pression supplémentaire, le *New York Times* avertit : « Un échec de l'exposition ou tout autre résultat qu'un succès indéniable et marqué jetterait le discrédit sur le pays entier, et pas seulement sur Chicago. »

14

Restes de Noël

En novembre 1891, Julia Conner annonça à Holmes qu'elle était enceinte ; maintenant, dit-elle, il n'avait plus d'autre choix que de l'épouser. Holmes accueillit la nouvelle avec calme et bienveillance. Il la prit dans ses bras, lui caressa les cheveux et jura les yeux embués qu'elle n'avait rien à craindre, qu'il l'épouserait bien sûr, comme promis depuis longtemps. Il y avait, toutefois, une condition qu'il se sentait obligé de poser. Un enfant était hors de question. Il l'épouserait donc seulement si elle le laissait pratiquer un avortement. En tant que médecin, il avait l'expérience de ce geste simple. Il utiliserait du chloroforme, elle ne sentirait rien et se réveillerait au seuil d'une nouvelle vie sous le nom de Mme H. H. Holmes. Les enfants seraient pour plus tard. Pour le moment, il avait bien trop à faire, surtout au vu de la quantité de travaux qui l'attendait encore s'il voulait avoir fini l'hôtel et meublé toutes ses chambres à temps pour l'Exposition universelle.

Holmes était conscient d'exercer un immense pouvoir sur Julia. Il y avait en premier lieu le pouvoir que lui conférait sa capacité naturelle à ensorceler indifféremment hommes et femmes à coups de fausse franchise et de cordialité feinte ; et en second lieu le pouvoir d'approbation sociale qu'il détenait à présent sur elle. Si les liaisons extraconjugales étaient monnaie courante, la société ne les tolérait qu'aussi longtemps qu'elles restaient secrètes. Des princes de la conserverie s'offraient des escapades avec des domestiques, des présidents de banque séduisaient des dactylographes ; si nécessaire, leurs avocats arrangeaient pour celles-ci des croisières en solitaire vers l'Europe et ses cabinets de chirurgie aussi discrets que compétents. Une grossesse publique hors mariage était synonyme de honte et de déchéance. Holmes possédait Julia aussi complètement qu'une esclave d'avant la guerre de Sécession, et cette possession lui procurait un immense plaisir. L'opération, l'avertit-il, aurait lieu le soir de Noël.

*

Il neigeait. Des groupes de chanteurs de Noël circulaient entre les hôtels particuliers de Prairie Avenue, s'arrêtant ici ou là pour entrer dans une luxueuse demeure et se faire offrir un bol de cidre chaud ou de cacao. L'air sentait le feu de bois et le canard rôti. Au cimetière de Graceland, dans le nord de la ville, des jeunes couples filaient en traîneau sur les ondulations enneigées du paysage, serrant un peu plus fort les couvertures qui les emmitouflaient lorsqu'ils passaient devant l'austère caveau d'un des personnages les plus riches et les plus puissants de Chicago, dont l'obscurité était encore accentuée par la présence de toute cette neige bleuie par la nuit.

À Englewood, et plus précisément au 701, 63ᵉ Rue, Julia Conner mit sa fille au lit en faisant de son mieux pour sourire et répondre à sa délicieuse attente de Noël. Bien sûr, saint Nicolas allait venir, et il lui apporterait des merveilles. Holmes avait promis d'offrir des jouets et des bonbons à Pearl, et à Julia quelque chose d'absolument sublime, bien au-delà de tout ce qu'elle aurait pu espérer recevoir de son pauvre ballot de Ned.

Dehors, la neige amortissait le piétinement des chevaux. Des trains dégoulinants de crocs de glace franchissaient en trombe le passage à niveau de Wallace Street.

Julia longea le couloir jusqu'à l'appartement occupé par M. et Mme John Crowe. Elle s'était liée d'amitié avec cette dernière. Ensemble, les deux femmes décorèrent le sapin de Noël des Crowe, une surprise que Pearl était censée découvrir le lendemain matin. Julia parla de tout ce que sa fille et elle feraient ce jour-là ; elle informa Mme Crowe qu'elle se rendrait bientôt à Davenport, Iowa, pour assister au mariage d'une de ses sœurs aînées, « une vieille fille », précisa Mme Crowe, qui à la surprise générale s'apprêtait à épouser un cheminot. Julia n'attendait plus que le billet de train que le fiancé devait lui envoyer par courrier.

Julia quitta l'appartement tard dans la soirée de bonne humeur, comme le rappela plus tard Mme Crowe : « Rien dans sa conversation n'aurait pu mener l'un de nous deux à penser qu'elle avait l'intention de partir cette nuit-là. »

*

Holmes accueillit Julia d'un « Joyeux Noël » enjoué et la serra dans ses bras avant de l'entraîner par la main jusqu'à une pièce du premier étage qu'il avait apprêtée pour l'intervention. Il y avait là une table recouverte d'un drap blanc. Ses instruments chirurgicaux brillaient de mille feux, disposés à la façon d'un flamboyant tournesol d'acier. Des objets effrayants : des scies à os, des écarteurs abdominaux, un trocart, un trépan. Plus d'instruments, sans doute, qu'il ne lui en fallait, et tous placés de manière à ce que Julia ne puisse échapper à la nausée que soulevait en elle la vision de leur violent éclat.

Il enfila un tablier blanc et se retroussa les manches. Peut-être portait-il son chapeau, un melon. Il ne se lava pas les mains et n'enfila pas de masque. C'était inutile.

Elle lui attrapa la main. Il ne lui ferait pas mal, assurat-il. Elle se réveillerait en aussi bonne forme que maintenant, mais débarrassée du fardeau qui l'encombrait. Il déboucha un flacon de liquide couleur d'ambre sombre, dont il sentit aussitôt le puissant effluve assaillir ses narines. Il versa du chloroforme dans un chiffon en boule. Julia accentua sa pression sur sa main, ce qu'il trouva singulièrement excitant. Il plaça le chiffon devant son nez et sa bouche. Les yeux de Julia papillonnèrent, puis se révulsèrent. Vint ensuite l'inévitable perturbation réflexe des muscles, comme si elle rêvait qu'elle courait. Elle lui lâcha la main et la repoussa, les doigts écartés. Ses talons se mirent à marteler la table à la façon d'un roulement de tambour. Holmes sentit son désir monter encore d'un cran. Elle tenta d'écarter le chiffon, mais il s'attendait à ce brusque accès de stimulation musculaire qui précédait toujours la stupeur et le maintint plaqué devant sa bouche et son nez. Elle lui gifla les bras. Son énergie la quitta peu à peu ; le tambour se tut, ses mains commencèrent à décrire des arcs lents, apaisants et sensuels. Un ballet, à présent, une sortie de scène pastorale.

Une main toujours sur le chiffon, Holmes se servit de l'autre pour répandre un peu plus de liquide entre ses doigts, jouissant de la sensation de froid intense dont le chloroforme enrobait sa peau. Un des poignets de Julia retomba mollement sur la table, puis l'autre. Ses paupières frémirent et se fermèrent. Même si Holmes ne la croyait pas assez rusée pour simuler le coma, il maintint sa pression. Au bout d'un moment, il lui pinça le poignet et constata que son pouls s'était réduit à trois fois rien, comme le tac-tac d'un train de plus en plus lointain.

Il ôta son tablier et rabaissa ses manches. Le chloroforme et son intense excitation lui donnaient le tournis. Une sensation agréable, comme toujours, qui provoquait chez lui une brûlante langueur, un peu comme lorsqu'il restait trop longtemps assis devant un poêle. Il reboucha le flacon de chloroforme, sélectionna un chiffon propre et partit vers la chambre de Pearl.

Il ne lui fallut qu'un instant pour mettre son chiffon en boule et l'imbiber de chloroforme. Dans le couloir, plus tard, il consulta sa montre et vit que c'était Noël.

*

Cette date ne signifiait rien pour Holmes. Les matins de Noël de sa jeunesse avaient été asphyxiés par un excès de dévotion, de prière et de silence, comme si une gigantesque couverture en laine s'abattait ce jour-là sur la maison.

*

Le matin de Noël, les Crowe attendirent Julia et Pearl, impatients de voir s'illuminer les yeux de la fillette lorsqu'elle découvrirait l'arbre splendide et les cadeaux sous ses ramures. Il faisait doux, et l'appartement fleurait bon la cannelle et le sapin. Une heure passa. Les Crowe attendirent aussi longtemps qu'ils le purent, mais se mirent en route à 10 heures pour prendre un train à destination du centre de Chicago, où ils devaient rendre visite à des amis. Ils ne fermèrent pas à clé la porte de l'appartement, sur laquelle ils laissèrent un joyeux mot de bienvenue.

Les Crowe rentrèrent vers 11 heures du soir et découvrirent que tout était intact et que l'appartement ne portait aucune trace d'un passage de Julia ou de sa fille. Le lendemain matin, ils allèrent frapper à la porte de Julia mais n'obtinrent pas de réponse. Ils s'enquirent de Julia et de Pearl auprès de leurs voisins de l'immeuble ou du quartier ; personne ne les avait vues.

Dès que Holmes reparut, Mme Crowe lui demanda où était Julia. Il expliqua que Pearl et elle étaient parties pour Davenport plus tôt que prévu.

Mme Crowe n'eut plus jamais de nouvelles de Julia. Ses voisins et elle trouvèrent toute cette histoire bien étrange. Leur seule certitude était que plus personne n'avait revu la jeune femme et sa fille depuis le soir de Noël.

Ce n'était pas tout à fait exact. D'autres gens allaient revoir Julia, mais sous une forme telle que personne, pas même ses parents restés à Davenport, dans l'Iowa, n'aurait pu la reconnaître.

*

Juste après Noël, Holmes demanda à un de ses complices, Charles Chappell, de venir le voir à l'immeuble. Il avait appris que Chappell était « articulateur », ce qui signifiait qu'il maîtrisait l'art de dépouiller les corps humains de leur chair puis d'en reconstituer – ou d'en articuler – les os de manière à former des squelettes complets, qui se retrouvaient plus tard exposés dans des cabinets médicaux et des laboratoires. Il avait acquis l'ensemble des techniques nécessaires en articulant des cadavres pour les étudiants en médecine à l'hôpital du comté de Cook.

Durant ses études médicales, Holmes lui-même avait été bien placé pour constater à quel point les écoles étaient avides de dépouilles, qu'elles fussent toutes fraîches ou à l'état de squelette. La pratique sérieuse et systématique de la médecine s'intensifiait, et aux yeux des scientifiques le corps humain était comparable à la calotte glaciaire : un territoire d'exploration et d'analyse. Les squelettes accrochés chez les médecins faisaient office d'encyclopédies visuelles. La demande ayant bientôt dépassé l'offre, ceux-ci prirent l'habitude d'accepter de bonne grâce et discrètement tous les cadavres qu'on leur proposait. Le meurtre comme méthode de ravitaillement leur faisait froncer les sourcils ; en revanche, ils ne faisaient guère de zèle pour étudier la provenance de tel ou tel corps. Le pillage de sépulture avait même fini par devenir une petite industrie, exigeant cependant une dose exceptionnelle de sang-froid. Dans les périodes de pénurie aiguë, certains docteurs participaient eux-mêmes à l'exhumation des récents défunts.

Il était évident pour Holmes que la demande, même en ce début des années 1890, restait forte. Les journaux de Chicago publiaient des histoires morbides de médecins profanateurs de cimetières. Suite à un raid manqué de ce type à New Albany, Indiana, le 24 février 1890, le docteur W. H. Wathen, patron du Kentucky Medical College, expliqua à un journaliste du *Tribune* : « Ces messieurs n'agissaient ni pour l'école de médecine du Kentucky, ni pour leur compte personnel, mais pour les écoles médicales de Louisville, auxquelles le sujet humain est aussi nécessaire que la respiration l'est à la vie. » Trois semaines plus tard à peine, des médecins locaux récidivaient. Ils tentèrent de vider une tombe à l'asile public d'aliénés d'Anchorage, Kentucky, cette fois pour l'université de Louisville. « Oui, le groupe a été envoyé par nous, admit un haut responsable de l'établissement. Nous avons besoin de corps, et si l'État ne nous en donne pas, nous devons les voler. Les classes de l'hiver ont été très nombreuses ; elles ont consommé tellement de sujets qu'il n'en restait plus pour les classes du printemps. » L'homme ne ressentait pas le besoin de s'excuser. « Le cimetière de l'asile est pillé depuis des années, ajoutait-il, et je doute qu'il y reste un seul cadavre. Nous avons besoin de corps, vous dis-je. On ne pourra pas former de médecins sans eux, l'opinion doit le comprendre. Si nous ne pouvons pas nous en procurer par d'autres moyens, nous armerons nos étudiants de carabines Winchester et nous les enverrons protéger les voleurs de cadavres pendant leurs descentes. »

Holmes savait saisir les occasions : une demande de cadavres aussi vigoureuse était une vraie aubaine.

Il conduisit Charles Chappell à une pièce du premier étage qui contenait une table, des instruments médicaux et des flacons de solvants. Rien de tout cela ne perturba Chappell, pas plus que le cadavre allongé sur la table :

Holmes, il le savait, était médecin. Il s'agissait visiblement d'un corps de femme, quoique de très grande taille. Chappell ne vit rien qui puisse indiquer son identité. « Ce corps, déclara-t-il plus tard, ressemblait à celui d'un gros lièvre qu'on aurait écorché de la tête aux pieds en commençant par lui ouvrir la face en deux. À certains endroits, une part considérable de la chair avait été arrachée avec la peau. »

Holmes lui expliqua qu'il avait pratiqué une dissection mais que sa recherche était désormais terminée. Il offrit 36 dollars à Chappell pour nettoyer les os du corps ainsi que le crâne et lui fournir un squelette entièrement articulé. Chappell accepta. Holmes et lui installèrent le corps dans une malle doublée de coutil. Une voiture de l'express le transporta au domicile de Chappell.

L'articulateur revint peu après avec un squelette. Holmes le remercia, paya son dû et s'empressa de revendre le squelette au Hahneman Medical College – celui de Chicago, pas son homonyme de Philadelphie – pour une somme plusieurs fois supérieure à celle qu'il avait versée à Chappell.

*

Dès la deuxième semaine de janvier 1892, une famille de nouveaux locataires, les Doyle, s'établirent à la place de Julia dans l'immeuble de Holmes. Ils trouvèrent la table mise et des vêtements de Pearl sur une chaise. Tout dans l'appartement semblait indiquer que ses anciens occupants allaient revenir d'une minute à l'autre.

Les Doyle demandèrent à Holmes ce qui s'était passé.

D'une voix dont la sobriété sonnait parfaitement juste, Holmes leur demanda pardon pour le désordre et expliqua que, la sœur de Julia étant soudain tombée gravement malade, celle-ci avait sauté dans le premier train avec sa fille. Il était inutile de conserver leurs affaires, car Julia et Pearl ne manquaient de rien et avaient fait savoir qu'elles ne reviendraient pas.

Plus tard, Holmes raconterait une histoire différente à propos de Julia : « Je la vis pour la dernière fois le 1er janvier 1892, lorsqu'elle vint s'acquitter de son loyer. Elle m'avait annoncé à cette occasion, et non seulement à moi mais aussi à ses voisins et amis, qu'elle partait. » Bien qu'elle eût expliqué à tout le monde qu'elle retournait dans l'Iowa, en réalité, s'il fallait en croire Holmes, « elle s'en allait ailleurs pour ne pas courir le risque que sa fille lui fût retirée, et n'avait donné cette destination de l'Iowa que pour égarer son mari ». Holmes nia avoir eu quelque liaison que ce fût avec Julia et avoir pratiqué sur elle la moindre « opération criminelle », selon l'euphémisme alors en vigueur pour désigner l'avortement. « Dire que c'était une femme soupe au lait et d'un caractère pas toujours facile est peut-être exact, mais que quelqu'un de ses amis ou parents ait pu la considérer comme amorale ou capable de se rendre complice d'un acte criminel, je n'y crois pas. »

15

Bras de fer

1892 commença froidement, avec 15 centimètres de neige au sol et des températures allant jusqu'à −12 °C ; Chicago avait certes connu pire, mais ce début d'hiver fut tout de même assez froid pour geler les bouches d'adduction de la ville et interrompre temporairement l'alimentation en eau potable. Malgré le temps, les travaux se poursuivirent à Jackson Park. Les ouvriers avaient construit un abri chauffé amovible permettant d'appliquer du staff sur la façade du palais des Mines quelle que fût la température. Le palais de la Femme, presque achevé, était débarrassé de tous ses échafaudages ; les murs du gigantesque palais des Manufactures et des Arts libéraux dépassaient enfin les fondations. Au total, la force de travail déployée dans le parc s'élevait maintenant à 4 000 hommes. Il y avait parmi eux un charpentier et fabricant de meubles nommé Elias Disney, qui à l'avenir raconterait à ses enfants toutes sortes d'histoires sur la construction de ce royaume magique au bord du lac. Son fils Walt s'en souviendrait.

Derrière la clôture haute de 2,40 mètres du parc et

ses deux niveaux de barbelés, en revanche, c'était le tumulte. Les réductions de salaire et les licenciements poussaient les ouvriers à réagir dans le pays entier. Plus les syndicats gagnaient en force, plus l'agence de détectives Pinkerton gagnait de l'argent. Une étoile montante du syndicalisme, Samuel Gompers, fut reçue par Burnham pour évoquer des allégations selon lesquelles l'exposition pratiquait la discrimination à l'encontre des ouvriers syndiqués. Burnham ordonna à son conducteur de travaux, Dion Geraldine, d'ouvrir une enquête. En même temps que les conflits sociaux s'aggravaient et que l'économie vacillait, le niveau général de la violence monta en flèche. En s'appuyant sur les chiffres de 1891, le *Chicago Tribune* constata que 5 906 meurtres avaient été commis en Amérique, soit près de 40 % de plus qu'en 1890. M. et Mme Borden de Fall River, Massachusetts, comptèrent parmi ces victimes supplémentaires.

Si la menace de grève constante et l'arrivée des grands froids ternirent quelque peu le nouvel an de Burnham, c'était surtout la trésorerie de plus en plus mal en point de la Compagnie de l'Exposition qui l'inquiétait. En faisant ce qu'il fallait pour que les travaux progressent aussi rapidement et à une aussi grande échelle, ses services avaient dépensé beaucoup plus d'argent que prévu. Les directeurs envisageaient à présent de demander une rallonge budgétaire de 10 millions de dollars au Congrès, mais la seule solution immédiate consistait à tailler dans les dépenses. Le 6 janvier, Burnham ordonna donc à ses lieutenants de prendre des mesures parfois draconiennes pour raboter les coûts. Il ordonna à son dessinateur en chef, qui planchait sur l'exposition depuis le sommet du Rookery, de mettre à pied sur-le-champ tous ceux qui produisaient un « travail imprécis ou bâclé » ou qui se contentaient de faire leur devoir sans aller au-delà. Il écrivit au conducteur de travaux d'Olmsted, Rudolf Ulrich : « Il me semble que vous pouvez dès à présent diviser votre effectif par deux, et dans le même temps laisser partir un grand nombre d'hommes coûteux. » Dorénavant, ajoutait Burnham, la totalité des travaux de charpenterie devraient être exécutés par des ouvriers employés par les entreprises de l'exposition. À Dion Geraldine, il écrivit : « Veuillez s'il vous plaît renvoyer tous les charpentiers de votre effectif... »

Jusque-là, Burnham avait montré un niveau de compassion vis-à-vis de ses ouvriers assez extraordinaire pour l'époque. Il les payait même lorsqu'ils étaient empêchés par une maladie ou une blessure de travailler, et il avait fait construire un hôpital de l'exposition qui leur fournissait des soins médicaux gratuits. Il avait aussi fait installer dans le parc des baraquements où ils recevaient trois copieux repas par jour et dormaient sur des lits propres dans des dortoirs chauffés. Un professeur d'économie politique de Princeton, Walter Wyckoff, se déguisa en ouvrier non qualifié et passa une année à voyager et à travailler au sein de l'armée grandissante des chômeurs de la nation ; il fit un séjour à Jackson Park. « Protégés par des sentinelles et de hautes barrières de tout contact indésiré avec l'extérieur, de formidables équipes d'hommes comme moi, sains et robustes, vivent et travaillent dans un monde merveilleusement artificiel, écrivit-il. Aucun spectacle de misère ne vient nous perturber, ni cette pauvreté désespérante qui naît des vaines recherches d'emploi. (...)

Nous effectuons nos huit heures par jour dans une paisible sécurité et dans l'absolue certitude d'être payés. »

Sauf qu'à présent, l'exposition elle-même licenciait à tour de bras, ce qui tombait horriblement mal. Avec l'arrivée de l'hiver, la saison traditionnelle des chantiers venait de s'achever. La concurrence pour les rares postes à pourvoir n'avait fait que s'intensifier depuis que des milliers de chômeurs venus des quatre coins du pays – malencontreusement surnommés « hobos », peut-être d'après le cri « *ho, boy* » des cheminots – convergeaient sur Chicago dans l'espoir de trouver un travail sur le site de l'exposition. Les ouvriers renvoyés, Burnham le savait, se retrouvaient à la rue et dans la misère ; leurs familles étaient souvent confrontées au spectre de la faim.

Mais l'Expo passait avant tout.

*

L'absence d'adversaire à la mesure d'Eiffel continuait d'exaspérer Burnham. Les projets tendaient à devenir de plus en plus farfelus. Ainsi de ce visionnaire qui proposa une tour une fois et demie plus haute que la tour Eiffel mais entièrement bâtie en rondins, avec au sommet une cabane servant de refuge et de buvette. Une cabane bien entendu en rondins.

Si un ingénieur capable de battre Eiffel ne se présentait pas dans les plus brefs délais, Burnham savait qu'il serait bientôt trop tard pour qu'une structure de prestige digne de l'exposition voie le jour. Il fallait donc trouver un moyen de secouer les ingénieurs américains. L'occasion se présenta à lui sous la forme d'une invitation à discourir au Saturday Afternoon Club, un groupement d'ingénieurs qui depuis quelque temps se réunissaient le samedi dans un restaurant du centre de Chicago pour évoquer les défis de construction posés par le projet.

Il y eut d'abord l'habituel repas à plats multiples, avec du vin, des cigares, du café, du cognac. À l'une des tables était assis un ingénieur de Pittsburgh âgé de 33 ans, qui dirigeait une entreprise de contrôle des métaux ayant des succursales à New York et à Chicago et déjà officiellement chargée d'inspecter l'acier des bâtiments de l'exposition. Avec son visage anguleux, son épaisse moustache, ses cheveux noirs et ses yeux sombres, il aurait pu faire carrière dans le cinématographe si cette industrie dont Thomas Edison jetait au même moment les bases avec son kinétoscope avait déjà existé. Il « était éminemment aimable et policé et avait un sens de l'humour acéré, écrivit de lui un de ses collaborateurs. Dans toutes les réunions, il devenait immédiatement le centre d'attraction, car il possédait une maîtrise parfaite du langage et un fonds permanent d'anecdotes et d'expériences amusantes ».

Comme les autres membres du Saturday Afternoon Club, ce jeune ingénieur s'attendait à entendre Burnham parler du défi que représentait le projet d'édification d'une ville entière en un temps aussi bref, mais le directeur de la construction le surprit. Après avoir affirmé que « les architectes d'Amérique s'étaient couverts de gloire » avec leurs plans de l'exposition, Burnham reprocha aux ingénieurs civils de la nation de ne pas s'être élevés au même niveau qu'eux. Les ingénieurs, accusa Burnham, « n'avaient contribué en rien ou presque à imaginer des procédés novateurs ni à montrer les possibilités ouvertes par la pratique moderne du génie civil en Amérique ».

Un murmure de contrariété parcourut la salle.

« Il nous faut un élément distinctif, enchaîna Burnham, quelque chose qui puisse occuper au sein de l'Exposition universelle colombienne une position comparable à celle de la tour Eiffel à l'exposition de Paris. »

Mais pas une tour, ajouta-t-il. Les tours n'étaient plus originales. Eiffel en avait déjà bâti une. La « simple grande taille » ne suffirait pas davantage. « Quelque chose d'inédit, d'original, d'audacieux et d'unique doit être conçu et bâti pour que les ingénieurs américains gardent leur prestige et leur statut. »

Certains ingénieurs furent froissés ; d'autres reconnurent que Burnham avait raison. L'ingénieur de Pittsburgh se sentit « blessé au vif par la vérité de ces remarques ».

Assis au milieu de ses confrères, il eut une idée qui lui vint « comme une inspiration ». Elle se présenta selon lui non pas sous la forme d'une impression à demi formée, mais avec un grand luxe de détails. Quelque chose de visible et de palpable, qu'il entendait déjà cliqueter à travers le ciel.

Il ne restait que très peu de temps, mais s'il réussissait à produire rapidement des dessins puis à convaincre le Comité des moyens et finances de la faisabilité de son idée, il croyait que l'exposition pouvait encore battre Eiffel. Et si lui-même connaissait le même sort qu'Eiffel, sa fortune serait faite.

*

Sans doute cela fit-il du bien à Burnham de venir devant les membres du Saturday Afternoon Club et de leur reprocher ouvertement leur impuissance, car ses autres rendez-vous viraient presque invariablement à l'exercice de retenue diplomatique, surtout lorsqu'il se présentait devant un des nombreux comités de l'exposition, lesquels n'en finissaient d'ailleurs pas de se multiplier. Cet incessant menuet victorien de fausses bonnes grâces lui prenait un temps fou. Burnham aurait eu besoin d'un surcroît de pouvoir – non pas pour lui-même mais pour le salut de l'exposition. Le chantier prendrait un retard irréparable si le rythme des prises de décision ne s'accélérait pas, et les barrières à l'efficacité tendaient au contraire à augmenter en taille et en nombre. Le trésor de guerre de plus en plus réduit de la Compagnie de l'Exposition avait entraîné une nouvelle dégradation des rapports de celle-ci avec la Commission nationale, d'autant que le directeur général Davis avait décrété que tout nouvel apport d'argent fédéral serait désormais contrôlé par son instance, laquelle semblait accoucher de nouveaux services à peu près tous les jours, dirigés par des chefs rétribués – Davis nomma par exemple un directeur des bergeries, payé par an l'équivalent de 60 000 dollars actuels – qui s'empressaient de revendiquer une part d'autorité sur un domaine que Burnham pensait jusque-là être de son ressort.

Cette lutte pour le pouvoir finit par dégénérer en conflit personnel entre Burnham et Davis, avec pour champ de bataille initial un désaccord lié au contrôle de la conception artistique de l'intérieur des bâtiments et des collections qui y seraient exposées. Burnham trouvait évident que ce territoire-là relevât de sa responsabilité. Daniel était d'un autre avis.

Dans un premier temps, Burnham tenta une approche oblique. « Nous sommes en train d'organiser une force décorative et architecturale spécialement dédiée à la prise en charge des intérieurs, écrivit-il à Davis, et j'ai l'honneur d'offrir l'aide de mon service au vôtre sur ces questions. Il me paraîtrait délicat que mes hommes suggèrent aux vôtres l'arrangement, la forme et la décoration artistiques des collections exposées sans votre pleine et entière approbation, que je sollicite respectueusement par la présente. »

Mais comme Davis le déclara à un journaliste, « je crois qu'il est tout à fait entendu à l'heure actuelle que personne d'autre que le directeur général et ses agents n'a son mot à dire sur les collections ».

Le conflit continua donc de couver. Le 14 mars, Burnham croisa Davis lors d'un dîner au Chicago Club avec la délégation japonaise de l'exposition. Les deux hommes restèrent ensuite sur place jusqu'à 5 heures du matin, discutant à mi-voix. « Ce temps a été bien mis à profit, écrivit Burnham à Margaret, alors absente de la ville, et nous sommes revenus à de meilleurs sentiments, de sorte que la route sera beaucoup plus lisse à partir de maintenant. »

Une lassitude inhabituelle chez lui transparaissait cependant dans cette lettre à sa femme. Il lui faisait part de son intention de s'arrêter tôt ce soir-là pour pouvoir rentrer à Evanston, « et dormir dans ton cher lit, mon amour, où je rêverai de toi. Quelle course que cette vie ! Où passent donc les années ? ».

*

Il y avait des moments de grâce. Burnham attendait avec impatience les soirs où ses lieutenants et les architectes en visite se retrouvaient à la cabane autour d'un dîner et devisaient jusqu'à une heure avancée de la nuit devant l'âtre. Il attachait une grande valeur à la camaraderie et aux histoires. Olmsted revenait sur ses efforts inlassables pour protéger Central Park de diverses modifications mal pensées. Le colonel Edmund Rice, chef de la Garde colombienne, décrivait ce qu'il avait ressenti, tapi dans l'ombre d'un bois à Gettysburg, en voyant Pickett lancer ses hommes à l'assaut de la prairie qui les séparait.

À la fin du mois de mars 1892, comme souvent, Burnham invita ses fils à venir passer la nuit avec lui à la cabane. Ils n'arrivèrent pas à l'heure prévue. Au début, tout le monde mit cela sur le compte d'un banal retard de train, mais plus les heures passaient, plus Burnham sentait monter son angoisse. Il savait comme tout le monde que les catastrophes ferroviaires étaient quasiment quotidiennes à Chicago.

Le crépuscule tomba, les garçons se présentèrent enfin. Leur train avait été bloqué par la rupture d'un pont sur la ligne du Milwaukee & St Paul. Ils atteignirent la cabane, comme l'écrivit Burnham à Margaret, « juste à temps pour entendre le colonel Rice conter des histoires sur la guerre et la vie dans la prairie au milieu des éclaireurs et des Indiens ».

Quand Burnham rédigea cette lettre, ses fils étaient à portée de main. « Ils sont très heureux d'être ici et regardent en ce moment le grand album photographique avec M. Geraldine. » Cet album contenait une collection d'images du chantier réalisées par Charles Dudley Arnold, de Buffalo, État de New York, que Burnham avait engagé comme photographe officiel de l'exposition. Arnold était également présent, et les enfants se joignirent à lui peu après pour une séance de dessin.

« Nous sommes tous en bonne santé et satisfaits de la quantité comme de la variété des travaux que notre bonne fortune nous a donnés à accomplir », concluait Burnham.

Ces paisibles intermèdes ne duraient jamais long-temps.

*

Le conflit entre Burnham et Davis connut un brusque retour de flamme. Les directeurs de la Compagnie de l'Exposition s'étaient finalement décidés à demander une rallonge budgétaire au Congrès, mais cette démarche provoqua l'ouverture d'une enquête parlementaire sur les dépenses liées au chantier. Burnham et le président Baker s'attendaient à un examen d'ordre général, au lieu de quoi leurs dépenses les plus triviales furent passées au crible. Par exemple, lorsque Baker présenta le total des sommes destinées à la location d'attelages, la sous-commission exigea les noms des personnes ayant utilisé les voitures en question. Lors d'une séance à Chicago, cette même sous-commission demanda à Davis d'estimer le coût final du chantier de l'Expo. Sans consulter le Comité des dames gestionnaires, Davis fournit une estimation inférieure de 10 % au montant qu'avait donné Burnham au président Baker... et que Baker avait inclus dans sa propre déposition. Le témoi-gnage de Davis portait en germe une accusation impli-cite : Burnham et Baker avaient gonflé les sommes nécessaires à la construction de l'Exposition universelle.

Burnham se leva d'un bond. Le président de la sous-commission lui ordonna de se rasseoir. Burnham resta debout. Il était furieux, à peine capable de garder sa contenance. « M. Davis ne m'a pas consulté, ni aucun de mes collaborateurs, objecta-t-il, et quels que soient ses chiffres, il les a donnés précipitamment. Il ne connaît rien au sujet. »

Son emportement offusqua le président. « Je suis opposé à tout commentaire visant un témoin de cette sous-commission, riposta-t-il, et je demanderai donc à M. Burnham de retirer le sien. »

Burnham commença par refuser. Puis, du bout des lèvres, il accepta de retirer sa phrase sur la méconnaissance de Davis. Mais seulement celle-là. Il ne s'excusa pas.

La sous-commission repartit à Washington pour étudier les témoignages et rendre son rapport sur l'attribution d'un crédit budgétaire. Les députés, écrivit Burnham, « sont abasourdis par la taille et l'envergure de cette entreprise. Nous leur avons remis à chacun une énorme pile de données à digérer, et je pense que leur rapport sera drôle, sachant comme je le sais que plusieurs mois ne me suffiraient pas à en rédiger un, malgré l'étendue de mes connaissances ».

*

Sur le papier du moins, le Midway Plaisance commençait à prendre forme. Le professeur Putnam l'avait conçu au départ comme un lieu éducatif, voué à la découverte des cultures étrangères. Sol Bloom, lui, ne se sentait aucun devoir de cet ordre. Le Midway se devait avant tout d'être un lieu d'amusement – un gigantesque jardin des plaisirs, étiré sur plus de 1,6 kilomètre entre Jackson Park et la lisière est de Washington Park. Il s'agissait d'électriser, de titiller, et si tout allait bien peut-être même de choquer. Bloom considérait que sa grande force était la « réclame spectaculaire ». Il diffusa donc des annonces dans des publications du monde entier pour faire savoir que le Midway Plaisance serait un royaume exotique truffé de visions, de sons et d'odeurs inédits. Il y aurait là d'authentiques villages venus de contrées lointaines et peuplés d'authentiques habitants – même des Pygmées, si le lieutenant Schufeldt réussissait sa mission. Bloom avait aussi vite compris que, en sa nouvelle qualité de « tsar du Midway », il n'aurait plus besoin de solliciter une concession pour son Village algérien : il suffisait qu'il se l'accorde lui-même. Il prépara un contrat et l'envoya à Paris.

Son talent pour la promotion attira l'attention d'autres responsables de l'exposition, qui vinrent le trouver pour qu'il les aide à augmenter la visibilité d'ensemble du projet. À un moment donné, il fut appelé à la rescousse pour obtenir que les journalistes se rendent réellement compte de l'immensité du palais des Manufactures et des Arts libéraux. Jusque-là, le service de publicité de l'exposition s'était contenté de donner à la presse une liste détaillée de statistiques aussi monumentales qu'ennuyeuses. « Sentant qu'ils n'étaient pas le moins du monde intéressés par le nombre d'hectares ou de tonnes d'acier, écrivit Bloom, je leur ai dit : "Voyez plutôt la chose comme ça : ce sera assez grand pour contenir toute l'armée de métier de la Russie." »

Bloom ne savait même pas si la Russie était dotée d'une armée de métier, sans parler du nombre de ses soldats ni du nombre de mètres carrés que ceux-ci pouvaient bien occuper tous ensemble. Cela n'empêcha pas sa phrase d'être reprise comme parole d'évangile d'un bout à l'autre de l'Amérique. Les lecteurs du guide Rand & McNally de l'exposition ne tarderaient pas à être transportés par la vision de ces millions d'hommes à toque de fourrure, serrés comme des sardines sur les 12 hectares intérieurs de l'édifice.

Bloom n'en eut aucun remords.

16

L'ange de Dwight

Au printemps de 1892, l'assistant de Holmes Benjamin Pitezel se retrouva à Dwight, une ville de l'Illinois située à environ 120 kilomètres au sud-ouest de Chicago, pour suivre la célèbre cure Keeley contre l'alcoolisme. Les patients descendaient au Livingstone Hotel, un immeuble en brique rouge sur trois niveaux d'aspect aussi simple qu'attrayant avec ses fenêtres cintrées et sa véranda courant tout le long de sa façade – un endroit idéal pour se reposer entre les injections de la « cure à l'or » du docteur Leslie Enraught Keeley. L'or était en effet l'ingrédient le plus fameux de la solution tantôt rouge, tantôt blanche, tantôt bleue surnommée « poteau de barbier » que les employés du docteur Keeley injectaient trois fois par jour dans le bras des patients. L'énorme aiguille, même selon les critères du XIXe siècle – c'était à peu près comme si on vous plantait un tuyau d'arrosage dans le biceps –, créait invariablement une auréole jaunâtre autour du site d'injection, un emblème pour certains, une infâme souillure pour d'autres. Le reste de la formule était secret, mais de l'avis des meilleurs médecins et chimistes, la solution contenait des substances induisant un agréable état d'euphorie, de sédation et d'amnésie – un effet que les services postaux de Chicago trouvaient problématique, car des centaines de courriers partaient chaque année de Dwight dépourvus d'informations essentielles. Les expéditeurs traités chez le docteur Keeley avaient tout bonnement tendance à oublier que des données telles qu'un nom de destinataire ou un numéro de rue étaient indispensables au bon acheminement du courrier.

Pitezel buvait comme un trou depuis longtemps, mais ses beuveries devaient être devenues franchement débilitantes, car ce fut Holmes lui-même qui l'envoya à Dwight et régla les frais de sa cure. Il expliqua à Pitezel qu'il agissait ainsi par bonté et pour le récompenser de sa loyauté. Comme toujours, il avait d'autres motivations en tête. Il sentait que l'alcoolisme de Pitezel diminuait son utilité et menaçait de compromettre des plans en cours d'exécution. Comme il le dirait plus tard, « c'était un homme trop précieux, même en tenant compte de ses faiblesses, pour que je puisse m'en passer ». Sans doute Holmes comptait-il aussi sur Pitezel pour recueillir autant d'informations que possible sur la cure Keeley et son étiquetage, ce qui lui permettrait de contrefaire le médicament et de le vendre par le biais de sa société de vente par correspondance. Holmes créerait d'ailleurs un peu plus tard son propre centre de cure au premier étage de son immeuble d'Englewood, le Silver Ash Institute (l'« Institut Poussière d'Argent »). La cure Keeley jouissait d'une incroyable notoriété. Des milliers de personnes affluaient à Dwight pour corriger leur intempérance ; des milliers d'autres optaient pour la formule orale de la cure, que le docteur Keeley vendait dans des flacons tellement caractéristiques qu'il demandait à ses clients de les détruire une fois vides pour éviter que des concurrents indélicats ne les revendent emplis d'une préparation de leur cru.

Chaque jour, Pitezel se faisait injecter sa dose de médicament avec trois douzaines d'autres hommes selon un rituel surnommé le « supplice du tuyau ». Les femmes recevaient la leur dans leur chambre et restaient à l'écart des hommes pour préserver leur réputation. À Chicago, les maîtresses de maison n'avaient aucune peine à reconnaître ceux de leurs hôtes qui venaient de suivre la cure : lorsqu'on leur offrait un verre, ceux-ci répondaient invariablement : « Non merci. Je reviens de Dwight. »

Pitezel regagna Englewood en avril. L'effet psychotrope des injections de Keeley explique peut-être le récit qu'il fit à Holmes de sa rencontre à Dwight d'une jeune femme extraordinairement belle qui s'appelait Emeline Cigrand. Elle était blonde, elle avait 24 ans et travaillait depuis 1891 comme sténographe au cabinet du docteur Keeley. La description quasi hallucinatoire de Pitezel dut émoustiller Holmes, car il écrivit à Cigrand pour lui proposer de devenir sa secrétaire personnelle, avec un salaire double de celui qu'elle touchait chez Keeley. « Une offre flatteuse », commenta plus tard un membre de la famille Cigrand.

Emeline accepta sans hésitation. L'institut avait un certain cachet, mais le village de Dwight n'était pas Chicago. La perspective de doubler son salaire et de vivre dans cette ville aux attraits légendaires, où l'Exposition universelle allait ouvrir ses portes d'ici un an, rendait l'offre irrésistible. Elle quitta donc Keeley au mois de mai, en emportant 800 dollars d'économies.

Dès son arrivée à Englewood, elle prit une chambre dans une pension proche de l'immeuble de Holmes.

Pitezel avait exagéré la beauté d'Emeline, constata Holmes, mais pas de beaucoup. Avec ses cheveux d'un blond lumineux, elle était en effet ravissante. Holmes déploya immédiatement ses outils de séduction, sa voix et ses gestes caressants, la sincérité de son regard bleu.

Il lui offrit des fleurs et l'emmena à l'opéra Timmerman tout proche. Il lui donna une bicyclette. On les voyait le soir pédaler ensemble sur le macadam lisse de Yale et Harvard Streets, offrant l'image d'un beau jeune couple heureux et fortuné. (« Les chapeaux en piqué blanc ornés de rubans en moire noire et d'une paire de fines plumes latérales sont du dernier cri pour les dames cyclistes », observait la rubrique Mode du *Tribune*.) À mesure qu'Emeline s'habituait à sa « roue », un terme encore souvent employé même si les périlleux « grands-bis » du passé étaient devenus totalement obsolètes, Holmes et elle allongèrent leur rayon d'action ; à l'ombre des saules de Midway Boulevard, ils roulaient de plus en plus souvent jusqu'à Jackson Park pour observer l'avancée des travaux de l'Exposition universelle, qui attiraient invariablement des milliers d'autres gens, dont beaucoup venaient eux aussi à bicyclette.

Certains dimanches, Emeline et Holmes entraient dans le parc même, où ils constataient que la construction était encore dans sa phase initiale – une surprise, car les deux dates butoirs de l'exposition, celle de l'inauguration et celle de l'ouverture, se rapprochaient à grands pas. La majeure partie du parc ressemblait toujours à une lande, et le plus grand de tous les futurs édifices, le palais des Manufactures et des Arts libéraux, sortait à peine de terre. D'autres étaient bien plus avancés, au point de paraître quasiment prêts, en particulier le palais des Mines et le palais de la Femme. On croisait dans le parc une abondance de messieurs à l'allure distinguée – des hommes d'État, des princes, des architectes, et les grands barons de l'industrie locale. On y voyait aussi des patronnesses de la haute société, venues participer aux réunions du Comité des dames gestionnaires. L'énorme carrosse noir de Mme Palmer franchissait souvent en grondant les portes de Jackson Park, tout comme celui de son inverse mondain, la tenancière de maison close Carrie Watson, dont la voiture était reconnaissable entre toutes à sa flamboyante carrosserie d'émail blanc, à ses roues jaunes et à son cocher noir vêtu de soie écarlate.

Emeline s'aperçut vite qu'il valait mieux se promener à bicyclette après une bonne averse. Autrement, la poussière tourbillonnait en permanence dans l'air comme le sable au-dessus de Khartoum et se fixait dans sa chevelure, d'où même le brossage le plus énergique ne parvenait pas à la déloger.

*

Un après-midi, pendant qu'Emeline était assise face à sa machine à écrire dans le cabinet de son nouveau patron, un homme entra et demanda Holmes. Un homme d'une trentaine d'années grand et glabre à l'exception d'une fine moustache, vêtu d'un costume bon marché ; agréable à regarder, en un sens, mais avec dans le même temps quelque chose d'effacé et d'insignifiant – malgré la colère qui semblait l'habiter. Il se présenta sous le nom de Ned Conner et ajouta qu'il avait autrefois tenu le rayon bijouterie du drugstore au rez-de-chaussée de l'immeuble. Il était là pour régler un problème d'hypothèque.

Elle connaissait ce nom – elle l'avait entendu quelque part, ou peut-être aperçu dans les papiers de Holmes. Elle lui répondit en souriant que celui-ci était absent. Elle ne savait pas du tout quand il reviendrait. Pouvait-elle l'aider ?

La colère du visiteur retomba. Emeline et lui en vinrent « à parler de Holmes », selon l'expression de Ned.

Ned observa la jeune femme. Elle était jeune et avenante – une « jolie blonde », ainsi qu'il la décrirait plus tard. Vêtue d'un chemisier blanc et d'une jupe noire qui accentuaient la finesse de sa ligne, elle était assise près d'une fenêtre, la chevelure rendue incandescente par le soleil en contre-jour, devant une Remington noire, neuve, qui n'avait certainement jamais été payée. À la lumière de son expérience et de l'étincelle d'adoration qui brillait dans les yeux d'Emeline lorsqu'elle parlait de Holmes, Ned n'eut aucun mal à deviner que ses attributions allaient bien au-delà du simple secrétariat. Comme il le rappela ultérieurement, « je lui ai dit que je le tenais pour un coquin et qu'elle avait intérêt à éviter tout contact avec lui et à le quitter dès que possible ».

Elle ignora son conseil.

*

Le 1er mai 1892, un médecin nommé M. B. Lawrence et son épouse emménagèrent dans un appartement de cinq pièces de l'immeuble, où ils croisaient souvent Emeline, bien que celle-ci n'y vécût pas encore : elle avait gardé sa chambre dans une pension du voisinage.

« C'était l'une des jeunes femmes les plus jolies et les plus charmantes que j'aie jamais rencontrées, déclara le docteur Lawrence, et ma femme et moi en sommes venus à penser beaucoup à elle. Nous la voyions tous les jours, et elle entrait souvent pour bavarder quelques minutes avec Mme Lawrence. » Les Lawrence l'apercevaient régulièrement en compagnie de Holmes. « Je n'ai pas été long, ajoutait le docteur Lawrence, à prendre conscience que les relations entre Mlle Cigrand et M. Holmes n'étaient pas strictement celles d'une employée avec son employeur, mais nous sentions qu'elle était plus à plaindre qu'à blâmer. »

Emeline s'était éprise de Holmes. Elle l'aimait pour sa chaleur, ses caresses, son calme imperturbable, son élégance. Jamais elle n'avait rencontré d'homme tel que lui. D'ailleurs, il était le fils d'un lord anglais, une vérité qu'il ne lui avait confiée que sous le sceau du secret le plus absolu. Elle ne devait en parler à personne, ce qui atténua en partie son plaisir mais ajouta du mystère à la révélation. Elle en parla tout de même à des amies, bien sûr, mais seulement après leur avoir fait jurer de ne jamais rien dire. Aux yeux d'Emeline, cette noble filiation avait de la crédibilité. Ses origines anglaises pouvaient expliquer le charme extraordinaire et les belles manières de Holmes, qualités tellement rares dans la brutalité tapageuse de Chicago.

*

Emeline était une jeune femme aimable et extravertie. Elle écrivait souvent à ses parents restés à Lafayette, Indiana, et aux amies qu'elle s'était faites à Dwight.

Elle se liait facilement. Elle continuait de dîner à intervalles réguliers avec la propriétaire de la première pension où elle était descendue en arrivant à Chicago, et qu'elle considérait depuis comme une amie intime.

En octobre, un cousin éloigné, le docteur B. J. Cigrand, dentiste établi à l'angle de North Street et de Milwaukee Avenue, dans le North Side de Chicago, vint avec sa femme rendre visite à Emeline après l'avoir contactée dans le cadre de recherches qu'il effectuait sur l'histoire de la famille. Ils ne se connaissaient pas. « Je fus charmé par ses manières et son esprit, se souvient le docteur Cigrand. C'était une femme splendide physiquement, grande, bien faite, aux abondants cheveux de lin. » Le docteur Cigrand et son épouse ne rencontrèrent Holmes ni ce jour-là ni à vrai dire aucun autre, mais ils eurent droit à toutes sortes de récits élogieux d'Emeline sur son charme, sa générosité et son talent pour les affaires. Emeline leur fit visiter l'immeuble et leur parla des efforts que faisait Holmes dans le but de le transformer en hôtel pour les futurs visiteurs de l'Exposition universelle. Elle leur expliqua aussi que l'Alley L, le chemin de fer aérien en construction au-dessus de la 63e Rue, emmènerait directement ceux-ci à Jackson Park. Il semblait évident pour elle que, à l'été 1893, des armées de visiteurs déferleraient sur Englewood. Pour Emeline, le succès semblait inévitable.

L'enthousiasme d'Emeline faisait partie de son charme. Aimant éperdument son jeune médecin, elle aimait tout ce qu'il entreprenait. Mais le docteur Cigrand ne se laissa pas gagner par sa vision idyllique de l'immeuble et de ses perspectives. À ses yeux, c'était un lieu aussi sinistre qu'imposant, très éloigné de l'esprit du quartier. Tous les autres bâtiments d'une certaine taille d'Englewood semblaient vibrer d'une énergie liée à l'anticipation non seulement de l'Exposition universelle, mais aussi d'un avenir grandiose dépassant de loin l'horizon de cet événement ponctuel. À quelques blocs de la 63e Rue, on trouvait des maisons aussi imposantes que raffinées, bâties avec une profusion de couleurs et de textures ; un peu plus bas dans la rue se dressaient l'opéra Timmerman et le New Julien Hotel voisin, dont les propriétaires avaient lourdement investi en matériaux nobles et en artisans d'élite. Par contraste, l'immeuble de Holmes évoquait un espace mort, un peu comme un coin de pièce que la lumière du gaz n'atteint pas. Holmes n'avait visiblement pas fait appel à un architecte, en tout cas pas à un architecte compétent. Ses couloirs sombres étaient percés de trop nombreuses portes. Les poutres semblaient de qualité douteuse, la charpente mal posée. Les bifurcations s'effectuaient selon des angles bizarres.

Emeline semblait pourtant transportée. Il aurait fallu que le docteur Cigrand soit un homme bien froid pour doucher cette tendre et naïve adoration. Sans aucun doute, il regretta plus tard de ne pas avoir été plus franc avec sa cousine et d'avoir ignoré la petite voix intérieure qui lui disait qu'il y avait quelque chose d'anormal dans ce bâtiment et dans l'écart entre son véritable aspect et la perception qu'en avait Emeline. Mais encore une fois, Emeline était sous l'emprise de l'amour. Il ne lui appartenait pas de la blesser. Elle était jeune, joyeuse, et son allégresse était contagieuse – surtout pour quelqu'un comme le docteur Cigrand, le dentiste, qui ne rencontrait guère de joie dans son quotidien, lui qui réduisait aux larmes des hommes adultes au courage pourtant avéré.

Peu après la visite des Cigrand, Holmes demanda à Emeline de l'épouser, ce qu'elle accepta. Il lui promit une lune de miel en Europe pendant laquelle, évidemment, ils rendraient visite à son père – le lord.

17

Inauguration

Les dents d'Olmsted le faisaient souffrir, ses oreilles bourdonnaient et il ne dormait plus ; cela ne l'empêcha pas, sur les premiers mois de 1892, de maintenir un rythme qu'un homme trois fois moins âgé que lui eût trouvé exténuant. Il passait son temps entre Chicago, Asheville, Knoxville, Louisville et Rochester, et chaque nuit de train aggravait ses douleurs. À Chicago, malgré les inlassables efforts de son jeune lieutenant Harry Codman, les travaux avaient pris un retard considérable, et la tâche à accomplir devenait chaque jour un peu plus colossale. La première date butoir, celle de l'inauguration, semblait effroyablement proche, même si elle avait été reportée du 12 au 21 octobre 1892 pour permettre à New York d'organiser son propre hommage à Colomb – un geste d'une surprenante mansuétude au regard des tombereaux de calomnies que cette ville avait précédemment déversés sur Chicago.

La lenteur dont faisaient preuve les entreprises de construction dans le parc était particulièrement frustrante pour Olmsted. Chaque fois que l'une d'elles prenait du retard, elle lui en faisait prendre à lui aussi. Cela avait aussi des conséquences sur ses travaux achevés. Les ouvriers piétinaient ses plantations, ravageaient ses allées. Le palais du Gouvernement des États-Unis en était l'exemple type. « Sur la totalité de son pourtour, raconta Rudolf Ulrich, le conducteur des travaux d'Olmsted, des matériaux de toutes sortes étaient entassés et éparpillés dans une telle profusion que seules des pressions répétées et insistantes sur les responsables permettaient d'accélérer un peu la réalisation des travaux ; et même ainsi, il n'était fait aucun cas de nos améliorations, aussi avancées fussent-elles. Ce qui avait été accompli un jour pouvait être gâché dès le lendemain. »

Si les retards et les dommages exaspéraient Olmsted, une autre question l'affligeait plus encore. Contre toute attente et malgré ses impérieuses sommations, Burnham considérait apparemment les navettes à vapeur comme un choix acceptable pour le transport du public de l'exposition. Et personne ne semblait partager sa conviction que l'Île boisée devait rester vierge de toute construction.

L'île faisait désormais l'objet d'assauts répétés, ce qui avait ravivé la vieille colère d'Olmsted contre la tendance de ses clients à remanier ses paysages. Tout le monde voulait une place sur l'île. Cela commença par Theodore Thomas, le chef d'orchestre du Symphonique de Chicago, qui voyait dans l'île le site idéal, le *seul* site, pour des concerts dignes de l'exposition. Olmsted ne voulut pas en entendre parler. Vint ensuite Theodore Roosevelt, le puissant président de la commission de recrutement dans la fonction publique des États-Unis, spécialiste du passage en force politique. L'île, affirma-t-il, serait parfaite pour accueillir le

« camp de chasse » de son Boone and Crockett Club. Comme il fallait s'y attendre au vu de son influence à Washington, les politiciens de la Commission nationale de l'Exposition apportèrent un vigoureux soutien à son projet. Burnham, en partie pour maintenir la paix, encouragea Olmsted à s'y rallier. « Vous opposeriez-vous à ce qu'il soit établi à la pointe nord de l'île, blotti parmi les arbres, uniquement en tant qu'exposition temporaire et à la condition qu'il soit assez dissimulé pour n'être visible que de ceux qui se trouveront sur l'île et pas du tout de la berge ? »

Olmsted s'y opposa. Il consentit toutefois à laisser Roosevelt installer son camp sur un îlot secondaire mais sans y accepter le moindre bâtiment, juste « quelques tentes, des chevaux, un feu de camp, etc. ». Il autorisa plus tard la construction d'une petite cabane de chasseur.

Il y eut ensuite le gouvernement des États-Unis, désireux d'installer un camp d'Indiens sur l'île, puis le professeur Putnam, l'ethnologue en chef de l'Expo, qui y voyait le site idéal de plusieurs villages exotiques. Le gouvernement du Japon la convoitait lui aussi. « Ils souhaitent une exposition en plein air de leurs temples et, comme cela devient l'habitude, ils souhaitent un emplacement sur l'Île boisée », écrivit Burnham en février 1892. Il lui semblait désormais inévitable que ce terrain-là ne resterait pas vierge. Le cadre était tout bonnement trop attrayant. Burnham pressa donc Olmsted d'accepter la proposition japonaise. « Il me semble évident que ce soit la chose la mieux adaptée au lieu et je ne vois pas en quoi elle pourrait porter préjudice aux caractéristiques qui vous tiennent à cœur. Ils se proposent de bâtir des monuments d'une beauté exquise et de

259

les laisser en cadeau à la ville de Chicago après la clôture de l'Exposition. »

Craignant que quelque chose de bien pire ne vienne défigurer l'île, Olmsted finit par céder.

Le fait d'apprendre, pendant qu'il se battait pour protéger l'Île boisée, que son cher Central Park était menacé par une nouvelle attaque, ne fit rien pour lui remonter le moral. À l'instigation d'un petit groupe de New-Yorkais fortunés, le corps législatif de l'État avait voté en catimini une loi autorisant l'aménagement d'une « piste de vitesse » sur le flanc ouest du parc, afin que les riches puissent s'y livrer à des courses attelées. L'opinion publique était outrée. Olmsted intervint avec une lettre décrivant la piste proposée comme « déraisonnable, injuste et immorale ». Le corps législatif fit machine arrière.

Ses insomnies, ses douleurs, son énorme charge de travail et sa frustration grandissante finirent par peser tellement sur son humeur que, à la fin du mois de mars, il se retrouva au bord de l'effondrement physique et nerveux. La dépression intermittente qui avait ponctué sa vie d'adulte était sur le point de l'envahir une nouvelle fois. « Quand Olmsted broie du noir, écrivit un jour un de ses amis, la logique de son abattement est implacable et terrible. »

Olmsted, pour sa part, estimait avoir juste besoin d'un bon repos. Conformément aux mœurs thérapeutiques de son temps, il décida d'effectuer sa convalescence en Europe, où les paysages lui fourniraient par ailleurs une excellente occasion d'enrichir son vocabulaire visuel. Il organisa son itinéraire de manière à visiter un certain nombre de parcs et de jardins publics, ainsi que l'ancien site de l'exposition parisienne.

Il plaça son fils aîné John à la tête de son agence de Brookline et chargea Harry Codman de rester à Chicago pour superviser le chantier de Jackson Park. À la dernière minute, il décida d'emmener avec lui deux de ses enfants, Marion et Rick, ainsi qu'un second jeune homme, Phil Codman, le frère cadet de Harry. Pour Marion et les garçons, ce voyage promettait d'être un rêve ; pour Olmsted, il s'avéra nettement plus sombre.

Ils appareillèrent le 2 avril 1892 et atteignirent Liverpool sous un déluge de grêle et de neige.

*

À Chicago, Sol Bloom reçut de France un câble qui le laissa pantois. Il le relut plusieurs fois pour s'assurer qu'il disait bien ce qu'il paraissait dire. Ses Algériens, plusieurs dizaines, ainsi que tous leurs animaux et tous leurs biens terrestres, étaient déjà en mer, voguant vers l'Amérique et l'Exposition universelle – un an trop tôt.

« Ils avaient choisi le bon mois, commenta Bloom, mais pas la bonne année. »

*

Olmsted trouva la campagne anglaise charmante mais le climat glacial et morbide. Après un bref séjour chez des parents à Chislehurt, les garçons et lui partirent pour Paris. Sa fille, Marion, resta sur place.

À Paris, Olmsted se rendit sur le site de l'Exposition de 1889. Les jardins étaient peu nombreux et asphyxiés par un long hiver, et les bâtiments n'avaient pas bien vieilli, mais il restait tout de même assez de vestiges pour lui donner « une idée tolérable » de ce qu'avait pu être l'événement. De toute évidence, le site était resté populaire. À l'occasion d'une visite dominicale, Olmsted et les garçons y découvrirent trois orchestres en train de jouer et quelques milliers de personnes qui arpentaient les allées. Une longue queue s'était formée au pied de la tour Eiffel.

Olmsted étudia chaque détail sans jamais perdre de vue la future exposition de Chicago. Les pelouses étaient « plutôt pauvrettes », les allées de gravier « aussi déplaisantes à l'œil que sous le pied ». Il jugea contestable la profusion de massifs de fleurs à la française. « J'ai trouvé, écrivit-il dans une lettre à John, resté à Brookline, qu'à tout le moins leur présence a dû paraître extrêmement troublante, criarde et puérile, pour ne pas dire brutale et insultante pour l'Exposition, dont elle perturbait à la fois la dignité, l'ampleur, l'unité et la composition. » Il en profita pour réaffirmer sa conviction que, à Chicago, « il faudrait pratiquer la simplicité et la retenue et éviter les effets mineurs et autres maniérismes ».

Cette visite raviva sa crainte que, dans leur combat pour surpasser Paris, Burnham et ses architectes n'aient perdu de vue ce que devait être une exposition universelle. Les palais parisiens, écrivit Olmsted, « ont beaucoup plus de couleur et d'ornements colorés, mais beaucoup moins de moulures et de sculptures que je ne m'y attendais. Ils sont je crois mieux adaptés à leur fonction, ils semblent avoir été plus conçus pour la circonstance et moins pour endosser le rôle de monuments architecturaux permanents auquel les nôtres aspirent. Je me demande d'ailleurs si les nôtres ne sont pas en faute sur ce plan, s'ils n'apparaîtront pas un peu trop majestueux sur le plan architectural et s'ils ne seront pas surchargés d'ornements sculpturaux et d'autres pompeux efforts de grandiosité ».

Olmsted appréciait de voyager en compagnie de gens aussi jeunes. Dans une lettre à sa femme, il écrit : « Je prends beaucoup de plaisir et j'espère me reconstituer une solide réserve de santé. » Hélas, peu après son retour à Chislehurt, sa santé se dégrada et l'insomnie reprit possession de ses nuits. Comme il l'écrivit à Harry Codman, qui souffrait lui-même d'une étrange maladie abdominale, « force m'est d'en conclure que je suis plus vieux et plus usé que je ne le supposais ».

Un médecin, le docteur Henry Rayner, vint en visite à Chislehurt pour rencontrer le célèbre paysagiste. Spécialisé dans le traitement des troubles nerveux, il fut tellement épouvanté par l'état d'Olmsted qu'il proposa de l'emmener chez lui, à Hampstead Heath, près de Londres, pour s'occuper en personne de son cas. Olmsted accepta.

Malgré tous les efforts de Rayner, toutefois, son état ne s'améliora pas, et ce séjour à Hampstead Heath finit par lui être pénible. « Vous savez que je suis pratiquement en prison ici, écrivit-il à Harry Codman le 16 juin 1892. Je suis chaque jour à l'affût de quelque amélioration tangible et, jusqu'ici, chaque jour m'apporte une nouvelle déception. » Le docteur Rayner lui-même était désemparé, d'après Olmsted. « Il déclare avec assurance, et après des examens répétés de toute mon anatomie, que je ne présente aucun trouble organique et que je puis raisonnablement espérer, si les circonstances sont favorables, poursuivre mon travail plusieurs années encore. Il considère mon mal actuel comme une variation formelle de celui qui m'a poussé à partir à l'étranger. »

Presque tous les jours, Olmsted se faisait transporter en voiture à travers la campagne, « à peu près chaque fois sur une route différente », pour voir des jardins, des cimetières d'église, des parcs et des paysages naturels. Les parterres de fleurs ornementaux l'offusquaient presque tous. Il les jugeait « puérils, vulgaires, prétentieux ou impertinents, incongrus et discordants ». Les paysages eux-mêmes, en revanche, le ravissaient : « Il n'y a rien en Amérique qui puisse soutenir la comparaison avec la beauté pastorale ou pittoresque qui est un bien commun en Angleterre. Je ne puis sortir sans être émerveillé. La vue qui s'offre à moi à l'instant où j'écris, avec son voile de pluie, est tout simplement enchanteresse. » Les plus beaux tableaux, constata-t-il, découlaient de la juxtaposition la plus simple et la plus naturelle de plantes natives. « La meilleure combinaison est celle des ajoncs, des églantiers, des mûriers, des aubépines et du lierre. Même en dehors de toute floraison, c'est ravissant. Et ces choses-là peuvent être acquises par centaines de milliers à très bas prix. »

Tantôt ces tableaux contestaient sa vision de Jackson Park, tantôt ils la confortaient. « Partout, les plus beaux parcs ornementaux qu'il nous soit donné de voir sont ceux où les plantes grimpantes et rampantes débordent le jardinier. Nous n'aurons jamais assez de lierre et de mauvaises herbes. » Il savait qu'il lui restait trop peu de temps pour laisser la nature seule produire de tels effets. « Il nous faudra autant que possible faire grimper des plantes et des branches d'arbres au-dessus des ponts, en ployant et en clouant ces dernières de manière à créer de l'ombre, des reflets de feuillage et un obscurcissement morcelé de l'eau. »

Par-dessus tout, ses sorties le renforçaient dans sa conviction que l'Île boisée, malgré son temple japonais, devrait rester aussi sauvage que possible. « Je crois plus que jamais à la valeur de l'île, écrivit-il à Harry Codman, et à la nécessité d'utiliser tous les moyens originaux possibles pour créer un paravent étanche, avec des amas de feuillages denses et massifs sur les bords ; avec une abondante variété de menus détails servilement subordonnés à l'effet général. (...) Il ne saurait y avoir assez de joncs, de cœurs saignants, de lianes de Madère, de salsepareilles, de clématites, de mûriers, de pois de senteur, de stramoines, de laiterons, de petits tournesols de l'Ouest et de belles-de-jour. »

Mais il reconnaissait aussi que le foisonnement recherché devrait être tempéré par un savant jardinage. Il redoutait que Chicago ne soit pas à la hauteur de la tâche. « Le degré d'exigence du manœuvre anglais, qu'il conduise un cheval ou un chariot, sur le plan de la propreté et de l'élégance des jardins, des parcs, des allées et des chemins est infiniment supérieur à celui d'un prince ou d'un virtuose du commerce de Chicago, écrivit-il à Codman, et nous serons déshonorés si nous échouons à dépasser nettement le niveau que nos maîtres estiment convenable. »

Dans l'ensemble, Olmsted persistait à croire au succès du paysage qu'il était en train de créer pour la foire mondiale. « Le seul nuage que je vois encore planer sur l'Exposition est le choléra, écrivit-il dans une lettre destinée à son agence de Brookline. Les nouvelles de ce matin en provenance de Russie et de Paris sont alarmantes. »

*

Pendant que les Algériens de Sol Bloom se rapprochaient du port de New York, des ouvriers construisirent pour eux des logements provisoires au Midway Plaisance. Bloom, lui, se rendit à New York pour accueillir le paquebot et réserva deux wagons afin de transporter les villageois et leur cargaison jusqu'à Chicago.

Une fois sur le quai, les Algériens s'égaillèrent dans toutes les directions à la fois. « Je les voyais déjà se perdre, se faire écraser ou atterrir en prison », dit Bloom. Personne ne semblait les commander. Bloom courut jusqu'à eux, hurlant des ordres en français et en anglais. Un géant au teint sombre vint à sa rencontre et, dans un anglais digne de la Chambre des lords, l'avertit : « Je vous suggère d'être plus poli. Sinon, je pourrais perdre mon sang-froid et vous jeter à l'eau. »

L'homme se présenta sous le nom d'Archie et, au fil de la conversation nettement plus paisible qui s'engagea alors, apprit à Bloom qu'il avait vécu une décennie à Londres en qualité de garde du corps d'un homme riche. « Présentement, ajouta-t-il, je suis responsable du transport de mes associés jusqu'à une ville dont le nom est Chicago. J'ai cru comprendre qu'elle se situait quelque part dans l'arrière-pays. »

Bloom lui proposa un cigare, plus un poste d'assistant et de garde du corps personnel.

« Votre offre, répondit Archie, est tout à fait satisfaisante. »

Les deux hommes allumèrent leur cigare et expulsèrent un jet de fumée dans l'odorante brouillasse qui coiffait le port de New York.

*

Burnham se démenait pour accélérer la construction des bâtiments – surtout celle du palais des Manufactures et des Arts libéraux, qui devait être achevé pour l'inauguration. En mars, alors qu'il restait à peine six mois avant la date prévue, il fit jouer la clause de son contrat avec les entreprises du bâtiment qui lui avait valu le titre de « tsar ». Il ordonna à celle qui était en charge du palais de l'Électricité de doubler ses effectifs et de faire travailler des hommes de nuit, sous éclairage électrique. Il menaça celle qui construisait le palais des Manufactures du même sort si elle n'augmentait pas la cadence.

Burnham avait à peu près fait une croix sur ses espoirs de surpasser la tour Eiffel. Il avait tout récemment encore rejeté une énième idée farfelue, présentée par un jeune ingénieur de Pittsburgh à la mine grave qui avait assisté à son discours au Saturday Afternoon Club. Si l'homme était lui-même assez crédible – sa société avait été choisie pour contrôler tout l'acier destiné aux bâtiments de l'exposition –, son projet semblait tout bonnement infaisable. « Trop fragile », avait répondu Burnham. Le public, selon lui, aurait peur.

Un printemps hostile se mit de la partie pour perturber un peu plus le chantier. Le mardi 5 avril 1892 à 6 h 50 du matin, une soudaine tempête ravagea la station de pompage tout juste terminée de l'exposition et abattit 20 mètres de mur du palais de l'État de l'Illinois. Trois semaines plus tard, une autre tempête détruisit sur 240 mètres la façade sud du palais des Manufactures et des Arts libéraux. « Le vent, observa le *Tribune*, semble en vouloir au site de l'Exposition universelle. »

Toujours en quête de solutions pour accélérer le rythme des travaux, Burnham fit revenir les architectes de l'Est à Chicago. Un épineux problème se profilait à l'horizon, le choix des couleurs extérieures des grands édifices de l'exposition, notamment en ce qui concernait les immenses palissades enduites de staff du palais des Manufactures et des Arts libéraux. Pendant la réunion, une idée fut émise pour obtenir à court terme un gain de temps spectaculaire, mais elle contribuerait surtout, en définitive, à inscrire dans l'imaginaire collectif l'Exposition universelle de Chicago comme un objet d'une beauté surnaturelle.

*

En toute justice, le domaine de la décoration extérieure aurait dû revenir à William Pretyman, qui portait le titre officiel de directeur des couleurs de l'Exposition. Burnham reconnaîtrait plus tard qu'il l'avait engagé « en grande partie à cause de sa profonde amitié pour John Root ». Pretyman n'était pas taillé pour cette tâche. Harriet Monroe, qui connaissait l'homme et son épouse, écrivit de lui que « son génie était trahi par un caractère hautain et indomptable qui refusait de se laisser fléchir ou de faire des compromis. Aussi mena-t-il une vie tragiquement inconséquente ».

Le jour de la réunion, Pretyman se trouvait sur la côte Est. Les architectes statuèrent donc sans lui. « Je harcelais tout le monde, conscient de livrer un affreux combat contre le temps, dit Burnham. Nous avons parlé des couleurs, et l'idée a fini par surgir : "Faisons tout en blanc." Je ne me souviens pas qui a fait cette suggestion. Ce fut peut-être une de ces choses qui naissent dans tous les esprits en même temps. Quoi qu'il en soit, j'ai décidé de l'adopter. »

Le palais des Mines, dessiné par l'architecte de Chicago Solon S. Beman, était quasi prêt. Il fut choisi comme bâtiment d'essai. Burnham ordonna qu'on le peigne en blanc crème. Pretyman revint « scandalisé », selon le souvenir de Burnham.

Pretyman affirma que le choix des couleurs était de son seul ressort.

« Je ne suis pas de votre avis, rétorqua Burnham. C'est moi qui décide.

— Fort bien, fit Pretyman. Je m'en vais. »

Il ne manqua pas à Burnham. « C'était un homme au caractère maussade et très grincheux, dit-il. Après l'avoir laissé partir, j'ai dit à Charles McKim que j'avais besoin d'un homme vraiment capable de prendre les choses en main et que je ne le choisirais plus sur la base de l'amitié. »

McKim lui recommanda le peintre new-yorkais Francis Millet, qui avait lui aussi assisté à la réunion sur les couleurs. Burnham l'engagea.

Millet prouva rapidement sa valeur. Après quelques expérimentations, il conclut qu'un « blanc de céruse à l'huile ordinaire » serait la meilleure peinture possible pour le staff, et il développa ensuite un procédé permettant de l'appliquer non pas à la brosse, mais en utilisant un tuyau flexible équipé d'un embout spécial dérivé d'un robinet de gaz – le tout premier pulvérisateur de peinture. Burnham surnomma Millet et son équipe de peintres « le gang des blanchisseurs ».

*

Pendant la première semaine de mai, un violent orage déversa sur Chicago des torrents de pluie qui inversèrent le cours de la Chicago River, dont les eaux polluées se répandirent une fois de plus dans le lac, mettant en péril l'alimentation en eau potable de la ville. La carcasse putréfiée d'un cheval fut aperçue flottant près d'une des bouches d'adduction du réseau.

Ce déluge souligna pour Burnham la nécessité de mettre en œuvre son projet d'amener l'eau des sources de Waukesha à Jackson Park par une canalisation avant l'ouverture de l'Expo. En juillet 1891, un contrat avait été signé en ce sens avec un producteur local d'eau minérale, la Hygeia Mineral Springs Company, dirigée par J. E. McElroy, mais il ne s'était pas passé grand-chose depuis. En mars, Burnham ordonna donc à Dion Geraldine, son conducteur de travaux, d'accélérer le processus « avec une extrême vigueur et de veiller à ce qu'il n'y ait plus aucun retard ».

Hygeia avait obtenu le droit de faire passer une conduite d'eau à travers le village de Waukesha mais n'avait pas évalué le degré d'opposition des habitants, qui craignaient que cette canalisation défigure leur paysage et tarisse leurs célèbres sources. Sous la pression croissante de Burnham, McElroy prit des mesures désespérées.

Le samedi 7 mai 1892, il s'embarqua avec 300 hommes à bord d'un train spécial chargé de conduites, de pioches et de pelles, et mit le cap sur Waukesha pour creuser sa canalisation à la faveur de l'obscurité.

La nouvelle de l'expédition arriva sur place avant le train. Au moment où celui-ci entrait en gare, quelqu'un fit sonner le tocsin du village, et une foule nombreuse d'hommes armés de bâtons, de pistolets et de fusils de chasse convergea sur le quai. Deux chariots de pompiers arrivèrent en crachant des jets de vapeur, prêts à asperger copieusement les hommes de McElroy. Un émissaire du village avertit celui-ci qu'ils ne quitteraient pas les lieux vivants s'il persistait dans ses intentions.

Un millier d'hommes supplémentaires vint grossir les rangs de la petite armée déjà déployée à la gare. Un canon de l'hôtel de ville fut déplacé et pointé sur l'usine d'embouteillage de Hygeia.

Après un certain flottement, McElroy et ses hommes repartirent à Chicago.

Burnham voulait toujours cette eau. Ses ouvriers avaient déjà posé dans Jackson Park les tuyaux destinés à alimenter quelque 200 points d'eau de source.

McElroy renonça à faire passer sa canalisation sur la commune de Waukesha. À la place, il acheta une source sur celle de Big Bend, à 19 kilomètres au sud de Waukesha et à l'extrême limite du comté du même nom. Les visiteurs de l'Exposition universelle auraient malgré tout la possibilité de boire de l'eau de source « de Waukesha ».

Que cette eau provînt du comté et non du célèbre village était une subtilité sur laquelle ni Burnham ni McElroy ne jugèrent bon de s'étendre.

*

À Jackson Park, tout le monde se retrouva pris à la gorge par l'emballement des travaux. À mesure que les bâtiments poussaient, les architectes repéraient des défauts dans leur conception mais s'aperçurent que le niveau d'urgence était tel que ces défauts risquaient de rester figés dans la pierre – ou plutôt dans le staff. Frank

Millet supervisait officieusement les chantiers des architectes de l'Est pendant les longues absences de ceux-ci, pour éviter que telle ou telle décision ponctuelle ne cause des dommages esthétiques irréversibles. Le 6 juin 1892, il écrivit à Charles McKim, le père du palais de l'Agriculture : « Vous feriez mieux de récapituler dans une lettre toutes les idées de changement que vous avez en tête, parce que avant que vous l'ayez vu venir ils vous tiendront par le nombril. Je les ai empêchés aujourd'hui même de cimenter le sol de la rotonde, en insistant sur le fait qu'il vous fallait de la brique. (...) Rattraper une erreur demande un temps et des efforts infinis, alors qu'il suffit d'une seconde pour que quelqu'un donne l'ordre de faire une bêtise. Je vous fais toutes ces remarques en stricte confidence, et je les formule ainsi pour vous inciter à être plus explicite et carré dans vos souhaits. »

Au palais des Manufactures et des Arts libéraux, les ouvriers de l'entreprise de Francis Agnew entamèrent un périlleux processus : la mise en place des énormes fermes métalliques qui devaient supporter la charpente de l'édifice et donner ainsi naissance au plus gigantesque volume intérieur jamais construit.

Il fallut d'abord poser trois voies ferrées parallèles sur toute la longueur du bâtiment. Et au-dessus de celles-ci, sur des wagons plats appelés *trucks*, on installa des *travelers*, des grues géantes constituées de trois hautes tours réunies dont le sommet soutenait une plate-forme commune. L'usage de ces *travelers* permettait aux ouvriers de hisser et de poser deux fermes simultanément. Le plan de George Post en comportait 22, et chacune d'elles pesait 200 tonnes. Le transport de leurs composants jusqu'au parc avait mobilisé à lui seul 600 wagons de chemin de fer.

Le mercredi 1er juin, Charles Arnold prit une photographie du chantier afin de conserver une trace de son évolution. Tous ceux qui eurent son cliché sous les yeux en tirèrent l'inévitable conclusion que le bâtiment n'avait aucune chance d'être prêt pour l'inauguration officielle, programmée quatre mois et demi plus tard. Les fermes étaient en place, mais pas la toiture. Les façades commençaient tout juste à s'élever. Au moment où Arnold réalisa son cliché, des centaines d'hommes étaient au travail, mais le chantier était si démesuré qu'aucun d'eux ne se voyait distinctement. Les échelles servant à relier les différents niveaux d'échafaudages, ténues comme des allumettes, conféraient à l'édifice une aura de fragilité. Au premier plan se dressaient des montagnes de matériaux résiduels.

Deux semaines plus tard, Arnold revint sur place pour immortaliser quelque chose de très différent – une scène de dévastation.

Le 13 juin au soir, peu après 21 heures, une tempête avait balayé le parc, s'acharnant une nouvelle fois sur le palais des Manufactures et des Arts libéraux. Une grande partie de la façade nord s'était effondrée, ce qui avait entraîné la destruction de la galerie aérienne censée ceinturer l'intérieur de l'édifice. Plus de 30 000 mètres cubes de bois de charpente s'étaient écrasés au sol. La photographie d'Arnold montrait un homme lilliputien – peut-être Burnham – immobile devant un énorme amas de bois et d'acier mêlés.

Comme par hasard ce bâtiment-là.

Le constructeur Francis Agnew reconnut que le mur avait été insuffisamment étançonné mais rejeta le blâme sur Burnham en lui reprochant d'avoir poussé ses hommes à travailler trop vite.

Burnham les poussa encore plus fort. Mettant sa menace à exécution, il doubla le nombre d'ouvriers affectés à l'édification de ce bâtiment. Ils travailleraient désormais de nuit, sous la pluie, par les plus fortes chaleurs. Pour le seul mois d'août, le chantier du palais fut le théâtre de trois accidents fatals. Ailleurs dans le parc, quatre hommes moururent et des dizaines furent victimes de toutes sortes de fractures, brûlures ou lacérations. Le site de la future exposition, comme le révélerait une évaluation ultérieure, était devenu un lieu de travail plus dangereux qu'une mine de charbon.

Burnham redoubla aussi d'efforts pour accroître son pouvoir. L'affrontement constant entre la Compagnie de l'Exposition et la Commission nationale était devenu presque insupportable. Les enquêteurs de la sous-commission parlementaire avaient eux-mêmes reconnu que cette autorité bicéphale était une source de discorde et de frais inutiles. Leur rapport recommandait que le salaire de Davis soit divisé par deux, signe évident d'une modification dans l'équilibre des pouvoirs. La Compagnie et la Commission parvinrent à une trêve. Le 24 août, le Comité exécutif nomma Burnham directeur des travaux. Chef de tout.

Peu après, Burnham adressa une circulaire à tous ses directeurs, y compris Olmsted. « J'ai personnellement pris le contrôle des chantiers actifs sur le site de l'Exposition universelle colombienne, écrivit-il. Dorénavant et jusqu'à nouvel ordre, c'est à moi que vous rendrez compte de votre travail et de moi que vous recevrez vos ordres, exclusivement. »

À Pittsburgh, le jeune ingénieur métallurgiste était plus convaincu que jamais de la viabilité de son projet de riposte à la tour Eiffel. Il demanda à l'un des associés de son entreprise de contrôle des métaux, W. F. Gronau, de calculer les forces jusque-là inconnues qui s'exerceraient sur les éléments de la structure en question. En jargon d'ingénieur, celle-ci ne comporterait que très peu de « charge morte », c'est-à-dire de poids statique associé à des masses inertes de brique et d'acier. Il n'y aurait quasiment que de la « charge vive », autrement dit des poids susceptibles de se déplacer au fil du temps, comme lors du passage d'un train sur un pont. « Je n'ai aucun précédent », répondit Gronau. Après trois semaines de travail intensif, il aboutit néanmoins à des spécifications détaillées. Les chiffres s'avérèrent convaincants, y compris pour Burnham. En juin, le Comité des moyens et finances admit que la structure pouvait être construite. Une concession fut accordée à Ferris.

Elle fut révoquée le lendemain même – après mûre réflexion et une nuit que les membres du comité passèrent à rêver de coups de vent imprévus, de hurlements d'acier et de 2 000 personnes tuées en quelques secondes. L'un d'eux alla jusqu'à qualifier le projet de « monstruosité ». Un chœur d'ingénieurs protesta que cette chose était impossible à construire, en tout cas avec une marge de sécurité acceptable.

Son jeune concepteur ne s'avoua pas vaincu pour autant. Il dépensa 25 000 dollars en dessins et calculs complémentaires, dont il se servit ensuite pour recruter un consortium d'investisseurs incluant deux ingénieurs de renom, Robert Hunt, qui dirigeait une importante entreprise de Chicago, et Andrew Onderdonk, célèbre pour avoir participé à la construction de la ligne transcontinentale de la Canadian Pacific Railway.

Il sentit bientôt que le vent tournait. Du jour au lendemain, le Midway Plaisance se retrouva sous les ordres d'un nouveau patron, Sol Bloom, qui semblait quasiment prêt à tout – *a fortiori* si on lui présentait quelque chose d'original et de saisissant. Et Burnham disposait désormais d'un pouvoir quasi illimité sur la construction et l'exploitation de la future foire mondiale.

*

Durant la première semaine de septembre 1892, Olmsted et ses jeunes accompagnateurs quittèrent Liverpool à bord du *City of New York* pour rentrer au pays. La traversée eut lieu sur un océan agité et s'avéra difficile. Le mal de mer cloua Marion sur son lit et infligea à Rick des nausées permanentes. La santé d'Olmsted déclina de plus belle. Ses insomnies revinrent à la charge. « J'étais plus mal en point à mon retour qu'à mon départ », écrivit-il. Il n'avait pourtant plus le temps de récupérer. L'inauguration devait avoir lieu dans un mois et Harry Codman était de nouveau malade, rattrapé par les douleurs abdominales qui l'avaient déjà immobilisé l'été précédent. Olmsted partit donc pour Chicago afin de superviser lui-même les travaux en attendant que Codman soit remis. « Je reste assez nettement torturé par mes névralgies et mes rages de dents, écrivit-il, je me sens fatigué et j'appréhende de plus en plus l'inquiétude et l'anxiété. »

À Chicago, il trouva Jackson Park transformé. Le palais des Mines était prêt, tout comme le palais de la

Pêche. La plupart des autres bâtiments étaient bien avancés, y compris, ô surprise, le colossal palais des Manufactures et des Arts libéraux, sur les échafaudages et la toiture duquel grouillaient des centaines d'ouvriers. Le plancher du bâtiment avait à lui seul consommé cinq wagonnées de clous.

Au milieu de tant de travaux, le paysage avait souffert. Le parc était sillonné de chemins provisoires. Le passage d'innombrables chariots avait creusé des entailles béantes dans les allées, les routes et les futures pelouses. Il y avait des ordures partout. Un visiteur non averti aurait pu se demander ce que les hommes d'Olmsted attendaient pour s'atteler à la tâche.

Olmsted mesurait naturellement l'étendue des progrès accomplis, mais la plupart d'entre eux échappaient au regard des profanes. Des lagunes s'étalaient à présent là où il n'y avait eu jadis que de la lande nue. Les buttes sur lesquelles se dressaient les palais n'existaient pas avant d'être créées par ses équipes de terrassiers. Ses jardiniers avaient planté au printemps presque tout ce qui avait poussé dans les pépinières de l'exposition et y avaient ajouté 200 000 arbres, plantes aquatiques et fougères, ainsi que 30 000 boutures de saule – tout cela sous la direction du jardinier en chef d'Olmsted, le bien nommé E. Dehn.

Dans le temps qui leur restait jusqu'à l'inauguration, Burnham voulait que les hommes d'Olmsted s'appliquent à nettoyer le parc et à l'habiller de fleurs et de pelouses en mottes provisoires, opérations dont Olmsted comprenait la nécessité mais qui allaient à l'encontre de l'ardeur avec laquelle il avait défendu toute sa vie la conception d'effets de paysage atteignables au bout de plusieurs décennies. « Il va de soi que mon travail d'ensemble en souffre », écrivit-il.

Une amélioration incontestable était toutefois survenue en son absence. Burnham avait finalement accordé la concession du transport fluvial de l'exposition à une entreprise, l'Electric Launch and Navigation Company, qui lui avait présenté une superbe navette électrique exactement conforme à ce que voulait Olmsted.

Le jour de l'inauguration, la presse elle-même eut la politesse de ne pas trop s'appesantir sur l'aspect dépouillé du parc et la sensation d'inachèvement qui se dégageait du palais des Manufactures et des Arts libéraux. Toute autre attitude aurait constitué un acte de déloyauté envers Chicago et la nation.

*

L'inauguration était attendue à l'échelle nationale. Francis J. Bellamy, le rédacteur en chef du *Youth's Companion*, trouva qu'il serait de bon ton que, ce jour-là, tous les écoliers d'Amérique prononcent à l'unisson un serment à la nation. Aussi composa-t-il un texte que les services de l'éducation s'empressèrent d'envoyer à la quasi-totalité des écoles. Sous sa forme originelle, il commençait ainsi : « Je fais serment d'allégeance à mon Drapeau et à la République qu'il représente[1]... »

*

---

1. Ce serment existe encore à ce jour, sous une forme légèrement modifiée.

Un gigantesque défilé accompagna Burnham et les autres dignitaires jusqu'au palais des Manufactures et des Arts libéraux, dont une « armée de métier » de 240 000 Chicagoans avait envahi les 12 hectares de surface intérieure. De larges faisceaux de soleil transperçaient la vapeur montante des souffles humains ; 5 000 chaises identiques étaient alignées sur le tapis rouge de l'estrade, occupées par des hommes d'affaires vêtus de noir, des émissaires étrangers et des ecclésiastiques chamarrés de pourpre, de violet, de vert et d'or. L'ex-maire Carter Harrison, qui briguait alors un cinquième mandat, circulait parmi la foule en serrant des mains, et la seule vision de son chapeau noir à larges bords soulevait des vivats chez ses partisans. À l'autre extrémité de l'édifice, une chorale de 5 000 personnes chantait l'*Alleluia* de Haendel, accompagnée par 500 musiciens. À un moment donné, selon le récit d'un spectateur, « 90 000 personnes se mirent soudain debout et agitèrent simultanément 90 000 mouchoirs de poche d'un blanc de neige ; l'air était vrillé de spirales de poussière qui vibraient jusqu'aux gigantesques nervures d'acier du plafond. (...) On avait un sentiment de vertige, comme si l'édifice entier tremblait ».

La salle était tellement grande qu'il fallait utiliser des signaux visuels pour avertir la chorale qu'un orateur avait fini son discours et qu'un nouveau chant pouvait être entonné. Les microphones n'existaient pas encore, et une infime minorité du public entendait les discours. Les autres, le visage souvent déformé par l'effort produit pour capter quelques mots, voyaient des hommes au loin gesticuler furieusement dans un brouhaha de murmures, de quintes de toux et de grincements de souliers. La poétesse Harriet Monroe, belle-sœur de feu John Root, était présente ; elle vit deux des plus grands tribuns de la nation, le colonel Henry Watterson du Kentucky et Chauncey M. Depew de New York, se succéder sur l'estrade, « projetant leurs mots ronflants en direction d'un public vaste, chuchotant et bruissant qui ne pouvait les entendre ».

Ce fut un grand jour pour Mlle Monroe. Ayant composé pour l'occasion un très long poème, son « Ode colombienne », elle avait harcelé ses nombreux amis influents afin de le faire inclure dans le programme du jour. Elle observa avec fierté une actrice le lire aux quelques milliers de personnes assez proches pour l'entendre. Contrairement à la majorité de son auditoire, Monroe tenait ce poème pour un chef-d'œuvre, au point qu'elle avait chargé un imprimeur de le tirer à 5 000 exemplaires destinés à être vendus au public. Les ventes furent mauvaises, et elle attribua cette débâcle à la désaffection croissante de l'Amérique pour la poésie.

Cet hiver-là, elle brûla les invendus pour se chauffer.

18

Prendergast

Le 28 novembre 1892, Patrick Eugene Joseph Prendergast, l'immigrant irlandais fou qui soutenait Harrison, choisit une de ses cartes postales. Il avait à présent 24 ans et, malgré la dégradation de plus en plus rapide de son état mental, il était toujours employé au service de distribution de l'*Inter Ocean*. Comme toutes les autres, cette carte de 10 centimètres par 13 était vierge d'un côté, tandis que l'autre portait le cachet de la poste et un timbre à 1 cent préimprimé. En un temps où la rédaction de longues lettres était une pratique quotidienne, les gens dotés d'une sensibilité normale considéraient les cartes postales comme le plus primaire de tous les moyens de communication, à peine supérieur au télégramme, mais dans l'esprit de Prendergast ce rectangle de papier était un véhicule permettant à sa voix de se faire entendre jusque dans les gratte-ciel et hôtels particuliers de la ville.

Cette carte-là se destinait à « A. S. Trude, Avocat », dont il traça le nom et l'adresse en grosses lettres cursives, comme s'il cherchait à se débarrasser au plus vite de ce fastidieux devoir pour en venir au contenu de son message.

Qu'il ait choisi d'ajouter Trude à la liste de ses correspondants n'avait rien de surprenant. Lecteur avide de la presse, Prendergast possédait une solide connaissance des accidents de tram, des meurtres et des machinations politiques dont les journaux de la ville se faisaient si ardemment l'écho. Il savait donc qu'Alfred S. Trude était un des meilleurs avocats criminels de Chicago et qu'il lui arrivait d'être engagé par l'État pour exercer les fonctions de procureur, une pratique répandue dans les affaires de grande importance.

Prendergast noircit sa carte postale de haut en bas et d'un côté à l'autre, sans se soucier de l'alignement de ses phrases et en serrant si fort sa plume qu'elle lui laissa des marques à l'extrémité du pouce et de l'index. « Mon cher monsieur Trude, commença-t-il. Avez-vous beaucoup souffert ? » La presse avait récemment fait état d'un accident ayant causé des blessures mineures à l'avocat. « Votre humble serviteur sollicite par la présente la permission de vous faire part de sa compassion sincère et espère que, même s'il n'apparaît pas en personne devant vous, vous n'aurez aucun doute sur la réalité de la compassion que lui inspire votre maheur – il vous souhaite un prompt rétablissement après l'accident que vous avez eu l'infortune de connaître. »

Le ton était presque familier, comme s'il s'attendait à ce que Trude le considère comme un pair. Au fil des phrases, son écriture se contracta jusqu'à ressembler finalement plus à une coulée de lave qu'à un texte. « Je suppose, monsieur Trude, que vous comprenez que la plus grande autorité sur le sujet de la loi est Jésus-Christ, et que vous savez aussi que l'entier respect de la loi dépend de l'observance de ces deux commandements : tu aimeras Dieu plus que tout et ton voisin comme toi-même – ce sont les plus grands commandements si vous le permettez, monsieur. »

Il sautait d'un thème à l'autre comme un train changerait de voie sur les rails du dépôt. « Avez-vous déjà vu l'image de ce gros homme qui cherchait son chien alors que le chien était à ses pieds et qui n'avait pas la présence d'esprit de voir ce qui se passait – avez-vous observé le chat ? »

Il n'ajouta ni conclusion ni signature. À court d'espace, il se contenta de poster sa carte.

Trude lut son message et y vit d'abord l'œuvre d'un farfelu. Le nombre d'hommes et de femmes dérangés semblait augmenter chaque année. Les prisons en étaient pleines, comme en témoignerait plus tard un gardien. Il était inévitable que certains d'entre eux deviennent dangereux, à l'instar de Charles Guiteau, l'homme qui avait assassiné le président Garfield à Washington onze ans plus tôt.

Sans trop savoir pourquoi, Trude conserva la carte de Prendergast.

19

« Je vous veux sur-le-champ »

Fin novembre, le jeune ingénieur de Pittsburgh présenta à nouveau devant le Comité des moyens et finances sa proposition visant à battre Eiffel. Cette fois, il joignit à ses dessins et calculs une liste d'investisseurs et d'éminents personnages siégeant à son conseil, ainsi que des preuves de ce qu'il avait levé des fonds suffisants pour mener le projet à son terme. Le 16 décembre 1892, le comité lui accorda l'autorisation d'installer son invention en plein Midway. Il s'agissait cette fois d'une décision ferme.

Le jeune ingénieur avait besoin d'un confrère pour en superviser la construction sur place et pensait connaître l'homme de la situation : Luther V. Rice, ingénieur assistant à l'Union Depot & Tunnel Company de Saint Louis. Sa lettre à Rice commençait par ces mots : « J'ai un grand projet pour l'Exposition universelle de Chicago. Je vais y construire une roue verticale, tournant sur son axe, de 75 mètres de diamètre. »

Nulle part dans sa lettre, cependant, il ne révéla la vraie dimension de sa vision : cette roue serait équipée de 36 cabines de 60 places à peu près de la taille d'un wagon Pullman et contenant chacune un comptoir où il serait possible de prendre une collation ; chargée à plein, elle pourrait propulser 2 160 personnes jusqu'à plus de 80 mètres d'altitude dans le ciel de Jackson Park, un tout petit peu plus haut que la couronne de la statue de la Liberté construite six ans plus tôt.

« Je vous veux sur-le-champ si vous pouvez venir », écrivit encore à Rice l'ingénieur de Pittsburgh, avant de signer : George Washington Gale Ferris.

20

Chappell, le retour

Un jour de la première semaine de décembre 1892, Emeline Cigrand se dirigea vers l'immeuble de Holmes, à Englewood, avec à la main un petit paquet soigneusement emballé. Elle était partie pleine d'entrain, car ce paquet contenait le cadeau de Noël qu'elle comptait offrir avec un peu d'avance à ses amis les Lawrence, mais son humeur s'assombrit à mesure qu'elle se rapprochait de l'angle de la 63e Rue et de Wallace. Elle qui avait quasiment considéré cet immeuble comme un palais – non pas pour des raisons de noblesse architecturale, mais pour ce qu'il semblait lui promettre – le trouvait désormais sinistre et défraîchi. Elle emprunta l'escalier jusqu'au premier étage et alla droit à l'appartement des Lawrence. La chaleur de leur accueil lui redonna le moral. Elle tendit son paquet à Mme Lawrence, qui l'ouvrit immédiatement et retira de l'emballage une assiette en étain sur laquelle Emeline avait peint une jolie forêt.

Le cadeau ravit Mme Lawrence et la déconcerta à la fois. Noël n'était que dans trois semaines, fit-elle gentiment remarquer : pourquoi Emeline n'avait-elle pas

attendu la bonne date pour lui offrir son assiette et recevoir elle aussi un cadeau ?

Le visage d'Emeline s'éclaira lorsqu'elle expliqua
qu'elle rentrait dans l'Indiana passer Noël avec sa famille.

« Elle semblait ravie à l'idée de les revoir, dit
Mme Lawrence. Elle parlait d'eux en termes très affectueux et semblait aussi heureuse qu'une enfant. » Mais
Mme Lawrence sentit aussi dans la voix de la jeune
femme une note de détermination tendant à suggérer
que son voyage répondait peut-être à un autre dessein.

« Vous n'allez pas nous quitter ? demanda-t-elle.

— Eh bien, répondit Emeline, je ne sais pas. Peut-
être que si. »

Mme Lawrence rit. « Ma foi, M. Holmes ne pourra
jamais se débrouiller sans vous. »

L'expression d'Emeline changea.

« Il y arriverait si besoin était. »

Cette réponse vint confirmer l'impression des
Lawrence. « Il me semblait depuis déjà quelque temps
sentir que les sentiments de Mlle Cigrand vis-à-vis du
docteur Holmes changeaient, déclara le docteur
Lawrence. À la lumière de ce qui est arrivé par la suite,
je pense aujourd'hui qu'elle avait découvert jusqu'à un
certain point la vraie nature de Holmes et qu'elle était
déterminée à le quitter. »

Peut-être commençait-elle à croire les histoires qui
circulaient dans le voisinage sur la fâcheuse tendance
qu'avait Holmes à acheter des choses à crédit et de ne
pas les payer ensuite – des histoires qu'elle entendait
depuis le début, car elles étaient légion, mais qu'elle
avait considérées jusque-là comme des ragots propagés
par des cœurs envieux. Le bruit courut ensuite qu'Eme-

line elle-même avait confié à Holmes ses 800 dollars d'économies, lesquels s'étaient volatilisés dans un brouillard de promesses sur leur rendement financier à venir. L'avertissement de Ned Conner résonnait à présent dans son esprit. Elle parlait depuis peu de repartir à Dwight travailler au service du docteur Keeley.

Emeline ne revint jamais chez les Lawrence. Ses visites cessèrent, un point c'est tout. Qu'elle ait pu partir sans un mot d'adieu était pour Mme Lawrence un comportement à mille lieues de son caractère. Ne sachant pas trop si elle devait s'en inquiéter ou se sentir blessée, elle demanda à Holmes ce qu'il savait de l'absence d'Emeline.

Holmes, dont les yeux fixaient d'ordinaire Mme Lawrence avec une insistance presque gênante, évita pour une fois son regard. « Oh ! elle est partie se marier », répondit-il, comme si c'était pour lui la chose la plus inintéressante du monde.

L'affaire était secrète, ajouta-t-il : Emeline et son fiancé n'avaient révélé leur projet de mariage qu'à lui seul.

Mais dans l'esprit de Mme Lawrence, cette explication ne fit que soulever d'autres questions. Pourquoi le couple aurait-il pu vouloir préserver à ce point sa vie privée ? Pourquoi Emeline ne lui avait-elle rien dit, elle qui lui avait déjà fait tant de confidences ?

Emeline et la façon dont son effervescence, son éclat – la beauté de ses traits, sa blondeur – illuminaient les couloirs sombres de l'immeuble de Holmes manquaient de plus en plus à Mme Lawrence. Toujours aussi perplexe, elle questionna de nouveau Holmes quelques jours après.

Il sortit de sa poche une enveloppe carrée. « Voilà qui vous donnera la réponse », dit-il.

L'enveloppe contenait un faire-part de mariage. Au lieu d'être gravées comme le voulait la tradition, les lettres étaient juste imprimées. Ce détail aussi surprit Mme Lawrence. Emeline n'aurait jamais accepté une nouvelle aussi capitale sur un support aussi grossier.

Le faire-part était rédigé comme suit :

M. Robert E. Phelps
Mlle Emeline G. Cigrand
Mariés
le mercredi 7 décembre
1892
CHICAGO

Holmes déclara à Mme Lawrence que ce faire-part lui avait été remis par Emeline en personne. « Quelques jours après son départ elle est revenue chercher son courrier, expliqua-t-il dans ses mémoires, et c'est alors qu'elle m'a remis ce faire-part de mariage ainsi que deux ou trois autres destinés à des habitants de l'immeuble qui ne se trouvaient pas chez eux à ce moment-là ; et m'étant récemment renseigné, j'ai appris que cinq personnes au moins résidant dans la région de Lafayette, Indiana, avaient reçu un faire-part similaire, le cachet de la poste et son écriture sur l'enveloppe qui le contenait montrant qu'elle devait l'avoir envoyé elle-même après avoir quitté mon service. »

Les parents et amis d'Emeline reçurent en effet par courrier des exemplaires dudit faire-part, lequel semblait avoir été envoyé par Emeline elle-même. Selon toute vraisemblance, Holmes imita son écriture sur les enveloppes ou réussit à persuader Emeline de les préparer en lui faisant accroire qu'elles serviraient à quelque chose de légitime, comme peut-être l'envoi de cartes de vœux.

Pour Mme Lawrence, ce faire-part n'expliquait rien. Emeline n'avait jamais fait la moindre allusion à ce Robert Phelps. Et si Emeline était revenue à l'immeuble distribuer des faire-part, elle lui aurait certainement apporté le sien.

Le lendemain, Mme Lawrence intercepta Holmes une fois de plus et lui demanda ce qu'il savait de Phelps. Toujours aussi évasif, il répondit : « Oh ! c'est un type que Mlle Cigrand a rencontré quelque part. Je ne sais rien de lui, sinon que c'est un voyageur. »

La nouvelle du mariage d'Emeline finit par atteindre le journal de sa ville natale, qui s'en fit l'écho le 8 décembre 1892 dans un entrefilet. L'auteur qualifiait Emeline de « dame de raffinement » dotée « d'un caractère fort et pur. Ses nombreux amis sont persuadés qu'elle a fait preuve d'un jugement sûr pour choisir un mari et la congratuleront de bon cœur ». Le journaliste apportait aussi quelques précisions biographiques, indiquant notamment qu'Emeline avait autrefois travaillé comme sténographe aux archives du comté. « De là, poursuivait-il, elle est allée à Dwight, et de là à Chicago, où elle a rencontré son destin. »

Le « destin » étant pour l'auteur de l'article une allusion euphémique au mariage.

*

Les jours suivants, Mme Lawrence posa à Holmes de nouvelles questions sur Emeline, auxquelles il ne répondit que par monosyllabes. Elle commença à envisager le départ de la jeune femme comme une disparition et se souvint que, peu après sa dernière visite, un événement inhabituel était venu rompre la routine de l'immeuble.

« Le lendemain de la disparition de Mlle Cigrand, ou le jour où nous l'avons vue pour la dernière fois, la porte du cabinet de M. Holmes est restée fermée à clé et personne d'autre n'y est entré que Holmes et Patrick Quinlan, raconta Mme Lawrence. Vers 7 heures du soir, Holmes est ressorti de son bureau et a demandé à deux hommes qui habitaient dans l'immeuble s'ils voulaient bien l'aider à descendre une malle. » La malle en question était neuve et de bonne taille, longue d'environ 1,20 mètre. Elle pesait de toute évidence un poids considérable, ce qui rendait son maniement délicat. Holmes exhorta plusieurs fois ses aides à redoubler de précautions. Une voiture de l'express arriva et l'emporta.

Mme Lawrence affirmerait plus tard que ce fut à ce moment-là qu'elle acquit la conviction que Holmes avait tué Emeline. Pourtant, son mari et elle ne se donnèrent pas la peine de déménager de l'immeuble et n'alertèrent pas la police. Personne ne le fit, d'ailleurs. Ni les époux Lawrence, ni M. et Mme Peter Cigrand, ni Ned Conner, ni M. et Mme Andrew Smythe, les parents de Julia. Comme si personne ne comptait sur les forces de l'ordre pour s'intéresser à une disparition parmi tant d'autres ou, si elles s'y intéressaient, pour mener une enquête efficace.

*

La malle d'Emeline, emplie d'affaires personnelles et de tous les vêtements qui la suivaient depuis qu'elle avait quitté le nid familial en 1891 pour travailler au service de Keeley, arriva peu après au dépôt de marchandises le plus proche de sa ville natale. Ses parents crurent d'abord – espérèrent – qu'elle l'avait renvoyée parce que, venant d'épouser un homme aisé, elle n'avait plus besoin de ses anciennes affaires. Mais les Cigrand ne reçurent ensuite plus aucune nouvelle d'Emeline, même à Noël. « Ceci, dit le docteur B. J. Cigrand, le dentiste du North Side, en dépit du fait qu'elle avait l'habitude d'écrire à ses parents deux ou trois fois par semaine. »

Les Cigrand étaient cependant bien loin de penser à un meurtre. Comme le dit Peter Cigrand, « j'avais fini par croire qu'elle devait être morte en Europe et que son mari soit n'avait pas notre adresse, soit avait omis de nous avertir ».

L'inquiétude des Cigrand et des Lawrence aurait grimpé en flèche s'ils avaient eu connaissance de quelques autres faits :

Que Phelps était le pseudonyme utilisé par l'assistant de Holmes, Benjamin Pitezel, lorsqu'il avait pour la première fois rencontré Emeline à l'institut Keeley ;

Que le 2 janvier 1893, Holmes fit une fois de plus appel aux services de Charles Chappell, l'articulateur, et lui envoya une malle contenant le cadavre d'une femme dont la partie supérieure était presque entièrement écorchée ;

Que le LaSalle Medical College de Chicago reçut livraison quelques semaines plus tard d'un squelette joliment articulé ;

Et qu'il s'était produit un phénomène bizarre dans la chambre forte de Holmes – un phénomène défiant l'entendement scientifique que la police de Chicago ne découvrirait que trois ans plus tard.

Une empreinte de pied s'était mystérieusement gravée dans la couche d'émail lisse qui revêtait l'intérieur de la porte étanche, à une soixantaine de centimètres au-dessus du sol. Les orteils, la plante et le talon étaient tellement distincts qu'il ne faisait aucun doute qu'elle avait été laissée par une femme. Le niveau de détail de cette empreinte suscita la perplexité des policiers, de même que sa résistance. Ils eurent beau tenter de la frotter à la main, puis avec un chiffon, de l'eau et du savon, elle conserva toute sa netteté.

Personne ne put expliquer sa présence avec certitude. L'hypothèse la plus plausible était que Holmes avait attiré une femme dans la chambre forte ; que cette femme était alors déchaussée, peut-être nue ; et que Holmes avait ensuite refermé la porte afin de l'emprisonner. La femme avait laissé cette empreinte dans un effort ultime et désespéré pour la rouvrir. Pour expliquer sa permanence, les enquêteurs élaborèrent une théorie selon laquelle Holmes, connu pour l'intérêt avide que lui inspirait la chimie, avait au préalable arrosé le sol d'acide afin d'accélérer par réaction chimique la consomption de l'oxygène dans la chambre forte. Selon cette théorie, Emeline avait marché dans l'acide puis placé un de ses pieds contre la porte, gravant littéralement son empreinte dans l'émail.

Mais là encore, cette découverte eut lieu bien plus tard. En ce début de 1893, l'année de l'Exposition universelle, personne, Holmes compris, n'avait remarqué l'empreinte inscrite sur la porte.

21

« La cruelle réalité »

Aux premiers jours de janvier 1893, le temps se refroidit nettement et durablement, avec des températures frisant les − 30 °C. Lors de ses tournées d'inspection aurorales, Burnham était confronté à un monde dur et blanc. Des tumulus de crottin de cheval gelé ponctuaient le paysage. Autour des berges de l'Île boisée, une couche de 60 centimètres de glace figeait en de cruelles contorsions les joncs et les roseaux d'Olmsted. Le retard pris par les paysagistes était considérable. Et voilà que l'homme d'Olmsted à Chicago, Harry Codman, de qui tout le monde dépendait à présent, venait d'être opéré à l'hôpital. Ses maux de ventre récurrents étaient dus à une appendicite. L'intervention, sous éther, s'était bien déroulée ; Codman se remettait, mais son rétablissement serait lent. Et il ne restait plus que quatre mois avant l'ouverture.

Ce froid polaire augmentait les risques d'incendie. À elles seules, les indispensables salamandres et marmites des étameurs avaient déjà provoqué des dizaines de petits départs de feu, certes facilement éteints, mais le gel accroissait la probabilité d'un drame bien pire. Il bloquait les voies fluviales et les bouches d'incendie, incitait les ouvriers à outrepasser la stricte interdiction de fumer et de faire du feu imposée par Burnham. Les hommes de la Garde colombienne redoublèrent donc de vigilance. Ce furent d'ailleurs eux qui souffrirent le plus du froid, obligés de surveiller nuit et jour des parties reculées du parc où aucun abri n'existait. « L'hiver 1892-1893 restera à jamais dans la mémoire de tous ceux qui servirent au sein de la Garde durant cette période », écrivit son chef, le colonel Rice. Ses hommes craignaient par-dessus tout d'être envoyés dans un secteur particulièrement glacial situé à l'extrême sud du parc, par-delà le palais de l'Agriculture. Ils l'appelaient la Sibérie. Le colonel Rice tira parti de cette crainte : « Tout garde affecté à la surveillance de la clôture sud comprenait qu'il s'était rendu coupable de quelque entorse mineure à la discipline, ou que son apparence personnelle le rendait indigne des parties plus fréquentées du site. »

George Ferris combattit le froid à la dynamite, seule méthode efficace pour éventrer la croûte de près d'un mètre de terre gelée qui recouvrait désormais Jackson Park. Une fois ouvert, le sol continuait à poser des problèmes. Juste sous cette croûte se trouvait une couche de 6 mètres de « sable mouvant » comme tous les constructeurs de Chicago en avaient déjà rencontré, sauf que sa température glaciale mettait maintenant les ouvriers à la torture. Les hommes utilisaient des jets de vapeur pour réchauffer le sol et empêcher le ciment fraîchement répandu de geler. Ils enfonçaient des pieux de fondation jusqu'à 10 mètres sous terre. Pour garder les parties excavées aussi sèches que possible, ils y faisaient tourner des pompes vingt-quatre heures sur vingt-quatre. Ils répétèrent le même fastidieux processus pour chacune des huit tours de 42 mètres appelées à supporter l'axe géant de la Grande Roue.

Au départ, le problème principal de Ferris fut d'acquérir une quantité d'acier suffisante pour construire sa machine. Il s'aperçut toutefois qu'il disposait d'un avantage sur tous ses concurrents désireux de passer des commandes. Par le biais de sa société d'inspection, il connaissait la plupart des patrons de la métallurgie du pays et les produits qu'ils fabriquaient. Cette position privilégiée lui permit de répartir ses commandes entre différentes compagnies. « Aucune n'aurait pu tout fabriquer de toute façon, aussi des contrats ont-ils été signés avec une dizaine d'entreprises différentes, chacune choisie en raison d'une adaptation particulière au travail qu'on lui confiait », disait un compte rendu de la société dirigée par Ferris. Ferris était par ailleurs à la tête d'un bataillon d'inspecteurs capables d'évaluer la qualité de chaque composant dès sa sortie de l'usine. Cela s'avéra être un avantage crucial : la roue était un assemblage complexe de 100 000 pièces allant du plus minuscule boulon à l'axe géant qui, à l'époque de sa fabrication par la Bethlehem Steel, devint la plus grosse pièce de métal jamais réalisée. « Une absolue précision était nécessaire, car peu de pièces pouvaient être assemblées au sol et le moindre millimètre d'erreur risquait d'être fatal. »

La roue de Ferris était en réalité formée de deux roues verticales espacées de 10 mètres et tournant sur un axe unique. Ce qui avait effrayé Burnham, dans un premier temps, c'était leur apparente insubstantialité. Chacune d'elles ressemblait dans son principe à une roue de bicyclette géante. Des rayons de métal longs de 24 mètres mais mesurant à peine plus de 6 centimètres d'épaisseur reliaient la jante à une « araignée » fixée sur l'axe. Un système d'entretoises et de barres diagonales placées entre les roues rigidifiait l'ensemble et lui conférait une résistance équivalente à celle d'un pont de chemin de fer. Une chaîne de 9 tonnes reliait le pignon de l'axe à deux autres pignons, actionnés par des moteurs à vapeur jumeaux d'une puissance de 1 000 chevaux. Pour des raisons esthétiques, il avait été décidé que les chaudières seraient installées à 200 mètres du Midway, et leur vapeur acheminée jusqu'aux moteurs par des conduites souterraines de 25 centimètres de section.

Voilà, en tout cas, comment se présentait la chose sur le papier. Le seul fait de creuser puis d'installer les fondations se révéla nettement plus compliqué que Ferris et Rice ne s'y attendaient, et ils savaient tous deux que des défis autrement difficiles se profilaient à l'horizon, en particulier l'installation de cet énorme axe sur son support, tout en haut des huit tours. En comptant tous ses accessoires, il pesait 64 424 kilos. Jamais aucun objet aussi lourd n'avait été soulevé de terre auparavant, et encore moins à une telle hauteur.

*

Olmsted, à Brookline, reçut la nouvelle par télégramme : Harry Codman venait de mourir. Codman, son protégé, qu'il aimait comme un fils. À peine âgé de 29 ans. « Vous devez avoir entendu parler de notre grande calamité, écrivit Olmsted à son ami Gifford Pinchot. Pour l'heure, je suis comme un naufragé sur une épave, incapable de voir quand nous serons remis à flot. »

Olmsted comprit qu'il allait devoir assumer directement la supervision du chantier, mais il se sentait moins que jamais à la hauteur de cette tâche. Lui et le frère de Harry, Phil, arrivèrent à Chicago début février en pleine vague de froid, par − 22 °C. Le 4 février, il s'assit pour la première fois derrière le bureau de Codman, qui croulait sous les factures et les notes de service. Son crâne vrombissait de douleur. Il avait mal à la gorge et était accablé de tristesse. Trier la montagne de papiers de Codman et endosser la charge des travaux de l'exposition lui semblait au-dessus de ses forces. Il pria l'un de ses anciens assistants, Charles Eliot, devenu un des meilleurs paysagistes de Boston, de venir l'aider. Après un temps d'hésitation, Eliot accepta. Dès son arrivée, il vit que son ancien patron était malade. Le 17 février 1893, tandis qu'un blizzard soufflait sur Chicago, Olmsted se retrouva confiné dans son hôtel, sous surveillance médicale. Ce soir-là, il écrivit à son fils John, resté à Brookline. Tout dans sa lettre transpirait l'épuisement et le chagrin. « On dirait que le temps est venu pour toi de ne plus devoir compter sur moi. » La tâche qui l'attendait encore à Chicago commençait à lui sembler impossible. « Il est très clair que, au point où nous en sommes, nous ne serons pas en mesure d'accomplir notre devoir ici. »

*

Lorsque Olmsted et Eliot regagnèrent Brookline début mars, ils étaient désormais officiellement associés, et l'agence venait d'être rebaptisée Olmsted &

Eliot. Les travaux de l'exposition, toujours très en retard, demeuraient une source d'inquiétude majeure, mais la santé d'Olmsted et la pression de leurs autres chantiers en cours avaient obligé le vieil homme à quitter Chicago. Malgré de profondes réticences, il avait laissé Jackson Park aux mains de son conducteur de travaux, Rudolf Ulrich, en qui il avait perdu confiance. Le 11 mars, il adressa d'ailleurs à celui-ci une longue lettre regorgeant d'instructions.

« Il ne m'est jamais arrivé, dans les nombreux chantiers dont j'ai assumé la responsabilité générale, de dépendre autant d'un assistant ou d'un collaborateur, écrivit-il. Et les résultats sont tels que, dans la situation difficile où nous mettent la mort de M. Codman, ma mauvaise santé, et la pression excessive découlant de mes autres obligations, je suis plus que jamais disposé à poursuivre cette politique et à l'accentuer. Mais je dois avouer que je ne le fais qu'avec une forte inquiétude. »

Il laissa clairement entendre que cette inquiétude était due spécifiquement à Ulrich lui-même, lequel avait une « propension constitutive » à perdre de vue le plan d'ensemble pour se laisser absorber par des tâches infimes qu'il aurait mieux valu déléguer à des subordonnés, un trait de caractère dont Olmsted craignait qu'il ne rende Ulrich vulnérable aux exigences des autres officiels, en particulier de Burnham. « Ne perdez jamais de vue le fait que notre responsabilité spécifique d'artistes du *paysage* porte avant tout sur le *décor* au sens large et général de l'exposition », écrivit Olmsted. (C'est lui qui soulignait.) « Notre devoir n'est pas de créer un jardin, ni de produire des effets de jardinage, mais d'unifier le décor de l'Exposition dans sa totalité ; d'abord et avant tout le décor, au sens large et général.

(...) Si, par manque de temps, de moyens ou de conditions climatiques favorables, nous n'atteignons pas la perfection sur le plan de la décoration détaillée, notre échec sera excusable. Si nous ne l'atteignons pas en ce qui concerne les effets généraux de paysage, nous aurons échoué dans notre mission première et essentielle. »

Il faisait ensuite part à Ulrich de ses principales inquiétudes, notamment le choix de couleur fait par Burnham et ses architectes. « Permettez-moi de vous rappeler que l'ensemble du site de l'Exposition est déjà communément appelé "LA VILLE BLANCHE". (...) Je crains que par rapport au bleu du ciel et à celui du lac, ces énormes masses de blanc, qui flamboieront sous l'ardent soleil estival de Chicago, associées aux reflets de l'eau que nous aurons à la fois à l'intérieur et à l'extérieur du site de l'Exposition, n'écrasent tout. » Ceci, écrivit-il, renforçait plus que jamais la nécessité d'offrir un contrepoids « de corps feuillus denses, amples, d'un vert luxuriant ».

De toute évidence, la possibilité d'un échec de l'Expo perturbait Olmsted. Le temps était compté, le climat exécrable. La saison des plantations printanières promettait d'être courte. Olmsted commençait à envisager des solutions de repli. « N'entreprenez rien sur le plan des plantations décoratives si vous n'êtes pas sûr et certain d'avoir largement le temps et les moyens de les mener à terme. Il n'est guère de défaut qu'on puisse trouver à une pelouse simple et bien entretenue. Ne craignez pas les surfaces uniformes, lisses et sans ornement. »

Il valait beaucoup mieux sous-décorer que surdécorer, sermonnait Olmsted. « Qu'on nous trouve excessivement simples et ordinaires, même dépouillés, plutôt que tapageurs, clinquants, vulgaires et ampoulés. Manifestons le bon goût des gentlemen. »

*

Il neigea, abondamment. La couche s'épaississait jour après jour, et des centaines de tonnes de neige finirent par s'amonceler sur les toits de Jackson Park. L'Exposition universelle était censée être une manifestation estivale, ouverte de mai à octobre. Personne n'avait pensé à concevoir des toitures capables de supporter des charges aussi extrêmes de neige.

En entendant la plainte stridente de l'acier, les ouvriers du palais des Manufactures et des Arts libéraux coururent se mettre à l'abri. Dans un épais brouillard de neige et de verre, le toit de l'édifice – cette merveille de démesure fin XIXe, qui recouvrait le plus vaste volume d'espace libre de l'histoire humaine – s'écrasa sur le sol.

*

Un reporter de San Francisco visita peu après Jackson Park. Venu admirer les grandioses réalisations de l'armée d'ouvriers de Burnham, il s'inquiéta de ce qu'il découvrit dans ce paysage gelé.

« Cela tient de l'impossible, écrivit-il. Bien sûr, les responsables proclament qu'ils seront prêts à temps. Néanmoins, la cruelle réalité qui s'offre à tous les regards est que seul le palais de la Femme est proche de l'achèvement intérieur et extérieur. »

L'exposition était pourtant censée ouvrir d'ici un peu plus de deux mois.

22

L'acquisition de Minnie

Pour Holmes, malgré le froid intense qui caractérisa les deux premiers mois de 1893, la situation n'avait jamais été meilleure. Emeline dûment expédiée, il pouvait désormais se concentrer sur son réseau croissant d'affaires, dont la diversité le réjouissait : il possédait des parts dans une société très sérieuse qui fabriquait une machine capable de dupliquer des documents ; il vendait par correspondance des onguents et autres élixirs ; il avait ouvert son propre centre de traitement de l'alcoolisme, le Silver Ash Institute, en réponse à la cure à l'or de Keeley ; il percevait chaque mois le loyer des Lawrence et des autres occupants de son immeuble, et il était propriétaire de deux maisons, l'une sur Honoré Street, l'autre à Wilmette où vivaient désormais sa femme Myrta et sa fille Lucy, dessinée par ses soins puis construite avec l'aide de 75 ouvriers en grande partie impayés. Et il recevrait très bientôt ses premiers clients attirés par l'Exposition universelle.

Il consacrait l'essentiel de son temps à l'aménagement de l'hôtel. Il acheta des meubles de premier choix à la Tobey Furniture Company, ainsi que du cristal et de la vaisselle à la French, Porter Crockery Company – le tout sans débourser un cent, même s'il s'attendait à ce que ces deux sociétés ne tardent pas à réclamer l'encaissement des billets à ordre qu'il leur avait remis. Cela ne l'inquiétait pas. Il savait d'expérience que les atermoiements et les remords sincères étaient des armes puissantes pour parer aux coups des créanciers pendant des mois ou des années, voire éternellement. Un combat de longue haleine ne serait d'ailleurs pas nécessaire, car Holmes sentait que son séjour à Chicago touchait à sa fin. Mme Lawrence lui posait des questions de plus en plus incisives, presque accusatrices. Et depuis quelque temps, certains de ses créanciers montraient un regain de détermination assez extraordinaire. L'un d'eux, la société Merchant & Co, qui lui avait fourni la fonte de son four et de sa chambre forte, était allé jusqu'à obtenir un commandement de saisie pour lui reprendre son métal. Au cours de leur inspection de l'immeuble, ses agents furent toutefois incapables de trouver la moindre pièce formellement identifiable comme un produit Merchant.

Il y avait nettement plus ennuyeux : les lettres de parents inquiets et les détectives privés qui commençaient à frapper à sa porte. Indépendamment l'une de l'autre, les familles Cigrand et Conner avaient engagé un « privé » pour rechercher leur fille disparue. Même si ces démarches firent d'abord peur à Holmes, il s'aperçut vite que ni les uns ni les autres ne le soupçonnaient d'avoir joué un rôle dans la disparition de leur fille respective. Les deux limiers ne firent aucune allusion à un éventuel crime. Ils souhaitaient juste des renseignements – des noms d'amis, des adresses de réexpédition, des idées de lieux de recherche.

Holmes, naturellement, ne demandait pas mieux que de rendre service. Il leur fit savoir à quel point cela le chagrinait, au plus profond de son cœur, de ne pouvoir leur fournir aucune information propre à soulager l'angoisse des parents. S'il recevait des nouvelles de l'une ou de l'autre de ces jeunes personnes, il ne manquerait évidemment pas de les en alerter sur-le-champ. Au moment de prendre congé, il leur serra la main et les encouragea chaleureusement à repasser le voir si d'aventure leur travail les ramenait à l'avenir du côté d'Englewood. Holmes et les détectives se séparèrent d'aussi joyeuse humeur que s'ils se connaissaient depuis toujours.

À cette époque – mars 1893 – le souci n° 1 de Holmes était le manque d'assistance. Il lui fallait une nouvelle secrétaire. Les femmes à la recherche d'un emploi ne manquaient pas : l'exposition en avait attiré des bataillons à Chicago. À l'école normale toute proche, par exemple, le nombre de candidates à une formation d'institutrice avait grimpé en flèche. L'astuce consistait plutôt pour lui à dénicher une personne ayant la sensibilité adéquate. Elle devrait certes posséder une certaine maîtrise de la dactylographie et de la sténographie, mais la qualité qu'il recherchait le plus et qu'il était extraordinairement apte à déceler consistait en un alléchant amalgame d'isolement, de faiblesse et de carence affective. Jack l'Éventreur l'avait trouvé chez les miséreuses putains de Whitechapel ; Holmes, lui, le voyait plutôt chez des jeunes femmes en transition – de fraîches et pures créatures libres pour la première fois de l'histoire mais au fond assez ignorantes de ce que signifiait cette liberté et des risques qu'elle comportait. Ce que recherchait avidement Holmes, c'était la possession et le pouvoir qu'elle lui donnait ; il puisait son plaisir dans l'anticipation de ce pouvoir – la lente acquisition de l'amour, puis de la vie, et enfin des secrets. L'élimination finale du matériau était secondaire, un simple loisir. Qu'il ait trouvé un moyen à la fois efficace et rentable de s'en débarrasser constituait juste une preuve supplémentaire de son pouvoir.

En mars, le destin lui offrit la cible idéale. Elle s'appelait Minnie R. Williams. Il avait fait sa connaissance des années plus tôt lors d'un séjour à Boston et envisagé dès cette époque-là de la conquérir, mais la distance était trop grande, les circonstances trop malaisées. Or elle venait de s'installer à Chicago. Holmes devina que sa propre présence à Englewood n'était pas étrangère à ce choix.

Elle devait maintenant avoir 25 ans. Contrairement à ses cibles habituelles, Minnie n'avait rien d'une beauté : elle était petite et surtout enrobée, entre 65 et 70 kilos. Elle possédait un nez d'homme, d'épais sourcils noirs et un cou presque inexistant. Elle avait le regard vide et les joues pleines – « une frimousse de bébé, selon l'expression d'un témoin. Elle paraissait ne pas savoir grand-chose ».

À Boston, Holmes lui avait toutefois découvert d'autres attraits.

*

Nées dans le Mississippi, Minnie Williams et sa sœur cadette Anna s'étaient retrouvées très tôt orphelines et avaient été placées chacune chez un oncle. Le parrain d'Anna était le docteur W. C. Black, un révérend méthodiste de Jackson, Mississippi, qui était aussi le rédacteur en chef de l'hebdomadaire *Christian Advocate*. Minnie, elle, partit pour le Texas, où son parrain faisait des affaires. Il s'occupa bien d'elle et l'inscrivit en 1886 à la Boston Academy of Elocution. Il mourut au milieu de la troisième année d'études de Minnie, à laquelle il légua un patrimoine estimé entre 50 000 et 100 000 dollars (entre 1,5 million et 3 millions de dollars actuels).

Anna, entre-temps, était devenue maîtresse d'école. Elle enseignait à la Midlothian Academy de Midlothian, Texas.

Holmes rencontra Minnie à l'occasion d'une invitation au domicile d'une des familles les plus en vue de Boston, pendant qu'il voyageait pour affaires sous le pseudonyme de Henry Gordon. À force de questions, il apprit que Minnie avait hérité et que cet héritage se composait essentiellement d'un terrain situé au cœur de Fort Worth, Texas.

Holmes prolongea son séjour à Boston. Minnie l'appelait Harry. Il l'emmena au théâtre et au concert, lui acheta des fleurs, des livres, des friandises. La séduire fut d'une simplicité pathétique. Chaque fois qu'il lui annonçait qu'il allait devoir rentrer à Chicago, elle semblait délicieusement anéantie. En 1889, il revint régulièrement à Boston et entraîna chaque fois Minnie dans un tourbillon de spectacles et de dîners, même s'il avait surtout hâte d'arriver aux tout derniers jours avant son départ, quand la dépendance affective de Minnie éclatait comme un incendie dans une forêt desséchée.

Au bout d'un temps, il se lassa de ce jeu. La distance était trop grande, les réticences de Minnie trop profondes. Ses visites à Boston s'espacèrent, même s'il répondait toujours à ses lettres avec une ardeur de soupirant.

*

L'absence de Holmes brisa le cœur de Minnie. Elle était amoureuse. Ses visites l'avaient transportée, leur fin la détruisit. Elle se sentait perdue – il avait donné l'impression de lui faire la cour et l'avait même pressée d'abandonner ses études pour s'enfuir avec lui à Chicago, et voici qu'il ne venait plus et que même ses lettres se raréfiaient. Elle aurait volontiers quitté Boston sous la bannière du mariage, mais pas dans les conditions indécentes qu'il proposait. Il aurait pourtant fait un excellent mari. Il lui témoignait une affection qu'elle avait rarement vue chez d'autres hommes et possédait un sens aigu des affaires. Sa bienveillance et ses caresses lui manquaient.

Les lettres cessèrent à leur tour.

Son diplôme de l'Academy of Elocution en poche, Minnie déménagea à Denver, où elle perdit 15 000 dollars en tentant de fonder une compagnie théâtrale. Harry Gordon continuait de hanter ses rêves. Quand sa compagnie s'effondra, elle se remit à penser à lui de plus belle. Elle rêvait aussi de Chicago, la ville dont tout le monde parlait et où tout le monde souhaitait s'établir. Entre la présence de Harry et l'ouverture imminente de l'Exposition universelle colombienne, son attrait ne tarda pas à devenir irrésistible.

Elle débarqua à Chicago en février 1893 et prit un emploi de sténographe dans un cabinet juridique. Elle écrivit à Harry pour l'informer de son arrivée.

Harry Gordon vint presque aussitôt lui rendre visite et l'accueillit les larmes aux yeux. Il déploya des trésors d'amabilité et de tendresse. On aurait dit qu'ils ne s'étaient jamais séparés. Il lui suggéra de devenir sa sténographe personnelle. Ils pourraient se voir tous les jours, sans plus avoir à redouter les immixtions de la logeuse de Minnie, qui les surveillait comme le lait sur le feu.

Cette perspective la ravit. Il n'avait pas encore parlé mariage, mais elle sentait bien qu'il l'aimait. Et ils étaient à Chicago. Tout semblait différent ici, moins rigide, moins conventionnel. Partout où elle allait, elle croisait des femmes de son âge indépendantes, ayant un emploi, vivant leur vie propre. Elle accepta l'offre de Harry. Il était aux anges.

Il lui imposa tout de même une curieuse condition. En public, elle devrait toujours l'appeler Henry Howard Holmes – un pseudonyme qu'il avait adopté pour raisons d'affaires, expliqua-t-il. Il ne faudrait jamais citer le nom de Gordon, ni paraître surprise d'entendre les gens l'appeler docteur Holmes. Elle pourrait en revanche continuer à lui donner du « Harry » autant qu'elle le voudrait.

Minnie prit en charge sa correspondance et la tenue de ses comptes, ce qui permit à Holmes de se concentrer sur l'aménagement de l'immeuble en vue de l'exposition. Ils dînaient ensemble dans son cabinet, partageant des plats venus du restaurant d'en bas. Minnie montra « une remarquable aptitude au travail, écrivit Holmes dans ses mémoires. Durant les premières semaines elle resta logée à distance, mais par la suite, du 1er mars au 15 mai 1895 environ, elle s'installa dans l'immeuble à côté de mon cabinet ».

Harry la touchait, la caressait, la contemplait les yeux luisants de larmes d'adoration. Enfin, il lui demanda sa main. Minnie trouva qu'elle avait une chance folle. Harry était si beau, si dynamique que, une fois mariés, elle le savait, ils partageraient une vie merveilleuse, pleine de voyages et de belles possessions. Elle confia ses espoirs à sa sœur Anna dans une lettre.

Ces dernières années, les deux sœurs étaient redevenues proches après une longue brouille. Elles s'écrivaient souvent. Minnie truffa sa lettre de descriptions des fulgurants progrès de son idylle, s'extasiant au passage de ce qu'un homme aussi séduisant puisse vouloir la prendre pour épouse.

Anna était sceptique. Cette relation avait un peu vite évolué vers un degré d'intimité bafouant toutes les subtiles règles des fiançailles traditionnelles. Minnie avait beau être gentille, ce n'était pas une beauté.

Si ce Harry Gordon était un tel parangon de charme et d'esprit d'entreprise, pourquoi l'avait-il choisie ?

*

Mi-mars, Holmes reçut une lettre de Peter Cigrand, le père d'Emeline, qui lui demandait de nouveau de l'aider à retrouver sa fille. Ce courrier était daté du 16 mars. Holmes s'empressa d'y répondre, le 18 mars, par une lettre dactylographiée dans laquelle il déclarait à Cigrand que sa fille avait quitté son emploi le 1er décembre 1892. Il est fort possible que Minnie, en tant que secrétaire personnelle de Holmes, se soit chargée de taper cette lettre à la machine.

« J'ai reçu son faire-part de mariage autour du 10 déc. », écrivait aussi Holmes. Emeline était revenue le voir deux fois après ses noces, sa toute dernière visite remontant au 1er janvier 1893, « moment où elle a été déçue de ne trouver ici aucun courrier pour elle, mon impression étant qu'elle a parlé d'une lettre qu'elle vous aurait écrite au préalable. Avant son départ en décembre, elle m'a personnellement annoncé que son époux et elle avaient l'intention de partir en Angleterre pour des affaires dont il s'occupait, mais à son dernier passage j'ai cru comprendre que ce projet de voyage était abandonné. Je vous prierai de me faire savoir sous quelques jours si vous n'avez toujours pas de nouvelles d'elle et de me donner l'adresse de l'oncle qu'elle a ici en ville, et que j'irai personnellement trouver pour lui demander si elle est revenue le voir, car je sais qu'elle avait l'habitude de lui rendre très souvent visite ».

Il ajouta à l'encre le post-scriptum suivant : « Avez-vous écrit à ses amis de Lafayette pour leur demander s'ils ont des nouvelles d'elle ? Sinon, je pense qu'il serait bien de le faire. Tenez-moi informé quoi qu'il arrive. »

*

Holmes promit à Minnie un voyage en Europe, des cours de dessin, une belle maison et bien sûr des enfants – il adorait les enfants – mais il fallait d'abord régler certains aspects financiers qui méritaient leur attention commune. Après lui avoir garanti que le plan échafaudé par lui produirait forcément de généreux profits, Holmes la persuada de transférer l'acte de propriété de son terrain de Fort Worth au nom d'un certain Alexander Bond. Ce qu'elle fit le 18 avril 1893, avec Holmes lui-même dans le rôle du notaire de Bond. À son tour, Bond transféra l'acte à un troisième personnage, du nom de Benton T. Lyman. Là encore, Holmes fit office de notaire.

Minnie adorait son futur mari et lui faisait confiance ; elle ne savait naturellement pas qu'« Alexander Bond » était un pseudonyme de Holmes lui-même ni que Benton Lyman n'était autre que son assistant Benjamin Pitezel – ni qu'en quelques traits de plume son Harry adoré venait de faire main basse sur la majeure partie du patrimoine qu'elle avait hérité de son défunt oncle. Elle ignorait aussi que, sur le papier, Harry était encore marié à deux autres femmes, Clara Lovering et Myrta Belknap, qui avaient toutes deux eu un enfant de lui.

Profitant de l'adoration grandissante de Minnie, Holmes se livra à une seconde manœuvre financière. Il fonda la Campbell-Yates Manufacturing Company, qu'il enregistra comme entreprise de commerce général. Sur sa déclaration officielle, il inscrivit cinq noms de gérants : H. H. Holmes, M. R. Williams, A. S. Yates, Hiram S. Campbell et Henry Owens. Owens était le portier de Holmes. Hiram S. Campbell, le propriétaire fictif de l'immeuble d'Englewood. Quant à Yates, un soi-disant homme d'affaires vivant à New York, il n'avait pas plus de réalité que Campbell. Et M. R. Williams était tout simplement Minnie. La société ne produisait rien, ne vendait rien : elle n'existait que pour son capital, censé servir de référence pour quiconque aurait des doutes sur les billets à ordre de Holmes.

Plus tard, quand surgirent des questions sur l'exactitude de cette déclaration, Holmes persuada Henry Owens, son portier, de signer sur l'honneur une attestation certifiant non seulement qu'il était bel et bien le secrétaire de la société, mais aussi qu'il avait rencontré Yates et Campbell et que Yates lui avait personnellement remis les titres représentant sa participation dans l'entreprise. Owens dirait plus tard de Holmes : « Il m'a persuadé de faire ces affirmations en me promettant mes arriérés de salaire et en usant de ses méthodes hypnotiques, et je crois sincèrement qu'il avait une vraie influence sur moi. Face à lui, je me retrouvais toujours sous son emprise. »

Ce à quoi il ajouta : « Je n'ai jamais reçu mes arriérés de salaire. »

*

Holmes – Harry – souhaitait un mariage rapide et dans l'intimité, juste Minnie, le pasteur et lui. Il organisa tout. Aux yeux de Minnie, ce fut une petite cérémonie légale et même très romantique dans sa discrétion mais, dans les faits, aucune mention de leur union ne fut jamais inscrite au registre des mariages du comté de Cook.

23

« Ces choses horribles que faisaient
certaines filles »

Tout au long du printemps 1893, les rues de Chicago connurent un nouvel afflux de chômeurs venus d'ailleurs, mais la ville semblait en dehors de cela immunisée contre les difficultés financières de la nation. Les préparatifs de l'exposition lui avaient permis de conserver une économie robuste, même si c'était artificiel. L'extension de l'Alley L jusqu'à Jackson Park continuait de fournir du travail à des centaines d'hommes. À Pullman, la « ville-usine » fondée par l'industriel du même nom à la périphérie sud de Chicago, les équipes d'ouvriers se relayaient vingt-quatre heures sur vingt-quatre pour honorer les commandes en retard de wagons supplémentaires destinés à transporter les visiteurs de l'Expo, même si le rythme de ces commandes avait brutalement chuté. La direction des Union Stock Yards confia à l'agence de Burnham la construction d'une gare de passagers à la porte des abattoirs, afin de faire face à la ruée attendue de curieux avides d'une récréation écarlate après la Ville blanche. Dans le centre de Chicago, Montgomery Ward ouvrit un « Salon de la clientèle » flambant neuf censé permettre aux visiteurs échappés de l'exposition de feuilleter en se délassant sur de moelleuses banquettes le catalogue de 500 pages de sa société de vente par correspondance. De nouveaux hôtels fleurissaient un peu partout. Le patron de l'un d'eux, Charles Kilner, était persuadé que, dès l'ouverture de son établissement, « l'argent coulerait tellement à flots qu'il passerait par-dessus les collines pour tomber dans nos caisses ».

À Jackson Park, les futurs exposants affluaient jour après jour, en rangs de plus en plus serrés. Il y avait de la fumée, du tintamarre, de la boue et du désordre, comme si une armée se massait aux portes de Chicago avant l'assaut. Des caravanes de chariots de la Wells Fargo et de l'Adams Express sillonnaient lentement le parc, tractées par de gigantesques chevaux. Toute la nuit, des trains de marchandises arrivaient en soufflant. Des locomotives de manœuvre guidaient ensuite les wagons jusqu'à leur destination finale à travers le labyrinthe de voies ferrées provisoires. Les cargos venus du lac vomissaient toutes sortes de caisses en bois clair frappées d'inscriptions dans d'étranges alphabets. L'acier de George Ferris arriva à bord de 5 trains de 30 voitures chacun. La compagnie maritime Inman livra une coupe grandeur nature d'un de ses paquebots transatlantiques. La Bethlehem Steel apporta des lingots géants et d'énormes feuilles de blindage militaire, dont une tourelle épaisse de 43 centimètres destinée aux canons du cuirassé d'escadre *Indiana*. La Grande-Bretagne envoya des locomotives et des maquettes de navires, parmi lesquelles une extraordinaire réplique de 75 centimètres de son plus récent vaisseau de guerre, le *Vic-*

toria, tellement précise que même les maillons de chaîne de ses bastingages étaient à l'échelle.

De Baltimore arriva un long train sombre dont la vue glaça le cœur des hommes et des femmes qui le virent cheminer lentement à travers la prairie, mais ravit la nuée de petits garçons qui l'accompagnèrent en galopant bouche bée au bord des rails. Ce train transportait des canons sortis des usines d'Essen de Fritz Krupp, le baron des armes allemand, et en particulier la plus grosse pièce d'artillerie jamais construite jusque-là, qui tirait des obus de 1 tonne capables de transpercer une plaque de fonte de 90 centimètres. Le fût avait dû être chargé sur un wagon spécial, constitué d'un immense plateau d'acier à cheval sur deux wagons plats extra-longs mis bout à bout. Les wagons ordinaires roulaient sur 8 roues ; cet ensemble-là en possédait 32. Pour vérifier que les ponts de la Pennsylvania's Railroad pourraient supporter les 114 tonnes de leur canon, deux ingénieurs de Krupp étaient venus en Amérique en juillet de l'année précédente pour repérer l'ensemble du trajet. Le canon ne tarda pas à recevoir le sobriquet de « bébé de Krupp », même si un commentateur préféra le surnommer le « monstre apprivoisé de Krupp ».

Un train transportant une plus allègre cargaison mit aussi le cap sur Chicago, affrété par Buffalo Bill pour son Wild West Show. Une véritable petite armée avait pris place à son bord : 100 anciens soldats de la cavalerie des États-Unis, 97 Indiens cheyennes, kiowas, pawnees ou sioux, 50 cosaques et hussards, 180 chevaux, 18 bisons, 10 élans, 10 mules, et une dizaine d'animaux divers. Ce train transportait aussi Phoebe Anne Moses de Tiffin, Ohio, une jeune femme fortement attirée par les armes à feu et dotée d'un sens aigu de la visée. Bill l'appelait Annie, la presse « Miss Oakley ».

Le soir, Indiens et soldats jouaient ensemble aux cartes.

Des navires venus du monde entier convergeaient sur les ports américains, chargés de toutes sortes d'objets insolites. Des sphinx. Des momies. Des caféiers, des autruches. Mais les cargaisons les plus exotiques, et de loin, étaient humaines. Des soi-disant cannibales du Dahomey. Des Lapons de Laponie. Des cavaliers syriens. Le 9 mars, le paquebot *Guildhall* quitta Alexandrie en Égypte à destination de New York avec à son bord 175 authentiques habitants du Caire recrutés par un entrepreneur nommé George Pangalos pour peupler la « rue du Caire » du Midway. Les cales du *Guildhall* renfermaient également 20 ânes, 7 chameaux, ainsi qu'un assortiment de singes et de serpents venimeux. La liste de passagers de Pangalos comprenait l'une des plus éminentes spécialistes de la *danse du ventre*[1], la jeune et pulpeuse Farida Mazhar, appelée à devenir une légende en Amérique sous son nom de scène, « Little Egypt ». Pangalos avait obtenu un emplacement de choix en plein cœur du Midway, juste à côté de la Grande Roue de Ferris et au milieu d'une diaspora musulmane incluant une concession persane, un palais mauresque, et le Village algérien de Sol Bloom, dont l'arrivée prématurée avait été transformée par ce dernier en aubaine financière.

Bloom avait en effet réussi à ouvrir son village dès le mois d'août 1892, bien avant l'inauguration, ce qui lui permit en l'espace d'un mois d'amortir ses frais et

---

1. En français dans le texte.

de commencer à engranger de juteux bénéfices. La version algérienne de la *danse du ventre* se révéla d'un attrait particulièrement puissant. Le bruit se répandit qu'elle consistait en lascifs frétillements de femmes à demi nues, alors qu'il s'agissait en fait d'une danse stylisée, élégante et plutôt chaste. « Les foules se bousculaient, dit Bloom. J'avais là une mine d'or. »

Grâce à son sens habituel de l'improvisation, Sol Bloom contribua d'une autre façon à colorer pour toujours la perception américaine du Proche-Orient. Le Press Club de Chicago l'invita à présenter en avant-première la *danse du ventre* à ses membres. Bloom, qui n'était pas homme à fuir une occasion de réclame gratuite, accepta sur-le-champ et se déplaça avec une dizaine de ses danseuses. À son arrivée au club, il constata toutefois que les organisateurs n'avaient prévu qu'un pianiste solitaire n'ayant aucune idée du style de morceau qu'il fallait pour accompagner une danse aussi exotique.

Après quelques instants de réflexion, Bloom se mit à fredonner un air et l'égrena ensuite sur le clavier, note par note :

Tout au long du siècle suivant, cette mélodie serait reprise sous diverses formes dans une succession de films tirant en général sur le navet, le plus souvent pour accompagner le déploiement ondulant d'un cobra surgi de son panier. Elle servirait aussi de support à une chanson de cour d'école dont les paroles disaient : « *And*

they wear no pants in the southern part of France. »
(« Et ils ne portent pas de culotte dans le sud de la France. »)

Bloom regretta de ne pas avoir déposé sa mélodie. Il aurait touché des millions en droits d'auteur.

*

Une triste nouvelle arriva de Zanzibar : il n'y aurait pas de Pygmées. Le lieutenant Schufeldt était mort dans des circonstances peu claires.

*

Les conseils allaient bon train, évidemment venus pour la plupart de New York. L'un des plus durs à digérer fut émis par Ward McAllister, factotum et flagorneur en chef de Mme William Astor, l'impératrice du grand monde new-yorkais. Effaré par le spectacle de la cérémonie d'inauguration, où la fine fleur de l'élite s'était retrouvée mêlée à une plèbe trop nombreuse dans une promiscuité totalement inconvenante, McAllister avertit dans les colonnes du *New York World* : « Ce n'est pas la quantité mais la qualité que le monde d'ici recherche. Une hospitalité incluant toute l'espèce humaine n'est pas désirable. »

Il enjoignit aux maîtresses de maison de Chicago d'engager des chefs français pour améliorer leur style culinaire. « En cette époque moderne, le monde ne peut pas se passer des chefs français, écrivit-il. L'homme habitué à la délicatesse du filet de bœuf, du pâté de foie gras, de la dinde aux truffes et d'autres mets de cette sorte n'aimerait pas s'attabler devant un dîner à base de gigot de mouton bouilli et de navets. » Et McAllister ne plaisantait pas.

Ses recommandations ne s'arrêtaient pas là. « Je leur conseillerais aussi de ne pas trop frapper leurs vins. Qu'elles placent la bouteille dans le seau en prenant soin de maintenir le goulot hors de la glace. Car la quantité de vin contenue y étant plus petite, elle serait la première à en subir l'effet. Vingt-cinq minutes après avoir été déposé dans le seau, le vin sera en parfaite condition d'être servi immédiatement. J'entends par là que, en s'écoulant de la bouteille, il devra contenir de tout petits flocons de glace. Voilà ce qu'est le vrai frappé. »

Ce à quoi le *Chicago Journal* répliqua : « Le maire ne frappera pas trop son vin. Il le frappera juste assez pour que ses invités puissent souffler la mousse à la surface du verre sans avoir à exhiber vulgairement la puissance de leurs poumons et de leurs lèvres. Ses sandwichs au jambon, ses beignets et ses cailles irlandaises, plus connues dans la langue vernaculaire de Bridgeport sous le nom de pieds de cochon, seront des triomphes de l'art gastronomique. » Un journal de Chicago traita McAllister d'« âne gris souris ».

Chicago adora cette repartie – dans l'ensemble. En un sens, toutefois, les critiques de McAllister firent mouche. Malgré l'extrême snobisme de celui-ci, il était clair pour tout le monde qu'il s'exprimait avec le blanc-seing du sang bleu de New York. L'élite de Chicago restait hantée par la peur profonde d'appartenir à une sorte de deuxième classe. Personne ne rivalisait avec elle sur le plan du dynamisme et du sens des affaires, mais au sein des échelons supérieurs de la ville continuait de régner une angoisse larvée : Chicago avait peut-être omis pendant son développement commercial de cultiver certaines des caractéristiques les plus raffinées de l'homme et de la femme. Il fallait donc que l'Exposition universelle soit une bannière blanche géante agitée sous le nez de Mme Astor. Avec ses somptueux édifices classiques regorgeant d'œuvres d'art, son eau pure, ses lampes électriques et sa police en sureffectif, l'Expo deviendrait la conscience de Chicago, son avenir rêvé.

Burnham incarnait tout particulièrement ce sentiment d'infériorité. Recalé à Harvard et à Yale, privé du début « qu'il fallait », il avait découvert en autodidacte les raffinements de ce monde. Il organisait des récitals dans sa maison et à son agence, il était membre des meilleurs clubs, il collectionnait les meilleurs vins et menait à présent la plus vaste campagne non militaire de l'histoire de la nation. Et pourtant, les chroniqueurs mondains persistaient à ignorer les robes de son épouse quand elle et lui allaient à l'opéra, alors qu'ils décrivaient abondamment les tenues haute couture de *mesdames*[1] Palmer, Pullman et Armour. L'exposition serait la rédemption de Burnham et celle de Chicago. « Les peuples étrangers reconnaissent d'ores et déjà notre grandeur matérielle et le fait que nous sommes tout près de la suprématie en termes de production et de commerce, écrivit-il. Ils soutiennent en revanche que nous n'en sommes pas au même stade de la culture et du raffinement. Effacer cette impression mobilise la pensée et le travail de nos bureaux depuis le début. »

*

---

1. En français dans le texte.

Les conseils arrivaient aussi sous forme livresque. Adelaide Hollingsworth choisit de faire honneur à l'exposition en se fendant d'un pavé de plus de 700 pages qu'elle publia en début d'année sous le titre *The Columbia Cook Book*. Même s'il contenait de fascinantes recettes de fromage de tête, de joue de bœuf, de tête de veau au four ainsi que des suggestions pour la préparation du raton laveur, de l'opossum, de la bécassine, du pluvier, du merle (pour la tarte au merle) et « la meilleure façon de griller, fricasser, cuire en civet ou frire un écureuil », c'était bien plus qu'un simple livre de cuisine. Hollingsworth le définissait comme un manuel général destiné à aider les jeunes épouses des temps modernes à créer un foyer paisible, optimiste et hygiénique. La maîtresse de maison était censée donner le ton de la journée. « La table du petit déjeuner ne devrait pas être un tableau d'affichage voué à la guérison d'horribles rêves ou de symptômes déprimants, mais le lieu où résonne la joyeuse note clé du jour. » Par moments, les conseils de Hollingsworth dénotaient, par réfraction, une indéniable hardiesse victorienne. Dans un passage sur la meilleure façon de laver les dessous en soie, elle donnait à ses lectrices le conseil suivant : « Si l'article est noir, versez un peu d'ammoniaque à la place de l'acide dans l'eau de rinçage. »

Un des problèmes les plus courants de l'époque était celui des « pieds rebutants », dû à l'habitude largement répandue de ne laver ceux-ci qu'une fois par semaine. Pour le combattre, écrivait Hollingsworth, « versez une mesure d'acide muriatique dans dix mesures d'eau ; frictionnez vos pieds chaque soir à l'aide de cette mixture avant de vous retirer au lit ». Pour éliminer de sa bouche une mauvaise odeur d'oignons, il fallait boire du café fort. Il n'y avait pas de meilleur appât que les huîtres pour les pièges à rats. Pour faire monter la crème fouettée, on devait y ajouter un grain de sel. Pour conserver le lait plus longtemps, on devait y ajouter du raifort.

Hollingsworth donnait aussi de sages conseils médicaux – « Ne vous asseyez pas entre un patient fiévreux et un feu » – et fournissait diverses techniques pour faire face aux urgences médicales telles que l'empoisonnement accidentel. Dans une liste de mesures efficaces pour provoquer le vomissement, elle citait celle-ci : « Injections de tabac dans l'anus au moyen d'un tuyau de pipe. »

*

Jacob Riis, le journaliste new-yorkais qui s'était donné pour mission de révéler les sordides conditions de vie dans les bas-fonds de l'Amérique, vint à Chicago parler de choses nettement plus graves. Il donna en mars un discours à Hull House, la maison pour les pauvres fondée par Jane Addams, qu'on surnommait « sainte Jane ». Hull House était devenue un bastion de la pensée progressiste où vivaient des jeunes femmes farouchement déterminées, « saupoudrées, selon l'expression d'un témoin, d'hommes soumis, à la mine grave et aux manières douces qui glissaient de pièce en pièce d'un air de s'excuser ». Clarence Darrow parcourait fréquemment à pied la brève distance qui séparait son bureau du Rookery à Hull House, où il était admiré pour son intelligence et ses préoccupations sociales mais décrié, quand il avait le dos tourné, pour sa mise négligée et son hygiène pas franchement exemplaire.

Riis et Addams faisaient tous deux partie à l'époque des personnalités les plus connues d'Amérique. Riis, qui venait de se rendre dans les quartiers les plus abjects de Chicago, les déclara pires que tout ce qu'il avait pu voir à New York. Dans son discours, il mit l'accent sur l'ouverture imminente de l'exposition et avertit son auditoire en ces termes : « Vous feriez bien de commencer à faire le ménage, si l'on peut dire, afin d'améliorer l'état de vos ruelles et de vos rues ; jamais, en notre pire saison, nous n'avons eu autant d'immondices dans la ville de New York. »

En vérité, Chicago tentait depuis quelque temps de soigner son apparence et avait conscience que le défi était monumental. La ville redoubla d'efforts en matière de collecte de déchets et entreprit de repaver nombre de rues et de ruelles. Des inspecteurs furent déployés pour faire respecter le dernier arrêté antifumée. Les journaux se lancèrent dans une croisade contre la puanteur et l'excès de fumée en citant les plus gros pollueurs noir sur blanc – dont le Temple maçonnique de Burnham, ouvert depuis peu, que le *Chicago Tribune* compara au Vésuve.

Carrie Watson, la plus célèbre mère maquerelle de Chicago, décida que son établissement méritait d'être un peu embelli. L'endroit était déjà luxueux avec sa piste de bowling où des bouteilles de champagne frais faisaient office de quilles, mais elle décida d'accroître le nombre de chambres et de doubler ses effectifs. Comme les autres tenancières de maisons closes, elle anticipait une montée en flèche de la demande. Elle ne fut pas déçue. Ses clients non plus, apparemment. Plus tard, une concurrente surnommée Chicago May évoquerait avec dégoût la tumultueuse année de l'exposition :

« Ces choses horribles que faisaient certaines filles ! Cela me rend malade rien que d'y penser. La moindre évocation des détails de leurs "cirques" serait impubliable. Je crois que Rome à ses pires heures ne serait pas arrivée à la cheville de Chicago pendant cette période scabreuse. »

*

Un homme avait tout particulièrement contribué à rendre la ville aussi hospitalière pour Carrie Watson et Chicago May que pour Mickey Finn, « Bathhouse » John Coughlin et quelques milliers d'autres tenanciers de saloon ou de tripot : Carter Henry Harrison, dont les quatre mandats de maire avaient beaucoup fait pour que Chicago devienne un lieu de tolérance à la fois pour les faiblesses humaines et les grandes ambitions. Après sa défaite de 1891, Harrison avait acquis un journal, le *Chicago Times*, dont il était devenu le directeur de la rédaction. Fin 1892, toutefois, il ne s'était pas caché de son désir de devenir le « maire de l'Exposition » et de diriger la ville dans sa période de plus grande gloire, tout en affirmant que seul un signal clair d'adhésion populaire le pousserait à entrer activement en campagne. Il l'obtint. Des comités de soutien à Carter H. Harrison avaient immédiatement fleuri aux quatre coins de la ville et à présent, en ce début de 1893, Carter était l'un des deux candidats à l'investiture démocrate ; l'autre était Washington Hesing, le patron du *Staats-Zeitung,* un puissant quotidien en langue allemande.

Tous les journaux de la ville, à l'exception du sien, étaient contre Harrison, de même que Burnham et la plupart des membres de l'élite de Chicago. À leurs yeux, la nouvelle Chicago, symbolisée par la Ville blanche qui était en train de voir le jour dans Jackson Park, avait besoin de nouveaux dirigeants – et sûrement pas de quelqu'un comme Harrison.

Les cohortes d'ouvriers de la ville n'étaient pas du même avis. Ils avaient toujours considéré Harrison comme un des leurs, « notre Carter », même si celui-ci avait grandi dans une plantation du Kentucky et fait ses études à Yale, parlait couramment le français et l'allemand, et connaissait par cœur de longs passages de Shakespeare. Il avait déjà exercé quatre mandats ; qu'il en exerce un cinquième l'année de l'Exposition universelle leur semblait logique, et une vague de nostalgie s'empara des sections électorales de la ville.

Ses opposants eux-mêmes reconnaissaient que, en dépit de ses racines privilégiées, Harrison était un candidat extraordinairement séduisant pour les couches défavorisées de la population. Il possédait une sorte de magnétisme. Il était toujours prêt à discuter avec n'importe qui de n'importe quoi et avait une technique très au point pour devenir le centre de n'importe quelle conversation. « Ses amis l'avaient tous remarqué, selon Joseph Medill, ancien allié de Harrison devenu son plus farouche adversaire, ils en riaient ou en souriaient, et appelaient cela la "Carter Harrisonite". » Malgré ses 68 printemps, Harrison respirait la force et l'énergie, et les femmes reconnaissaient en général qu'il était plus bel homme maintenant qu'à 50 ans. Deux fois veuf, on lui prêtait une liaison avec une femme beaucoup plus jeune que lui. Il avait des yeux d'un bleu profond, aux pupilles larges, et un visage à peu près dépourvu de rides. Il attribuait son allure juvénile à une forte dose de café matinal. Ses excentricités le rendaient attachant.

Il adorait la pastèque ; en toute saison, il en mangeait aux trois repas. Il avait une passion pour les chaussures – il en portait une paire différente pour chaque jour de la semaine – et pour les caleçons en soie. Quasiment tout le monde l'avait déjà vu circuler dans les rues de la ville sur sa jument blanche du Kentucky, coiffé de son chapeau noir à larges bords, laissant dans son sillage un panache de fumée de cigare. Pendant ses discours de campagne, il adressait souvent des remarques à un aigle empaillé qui lui servait de faire-valoir. Medill lui reprochait de flatter les plus bas instincts de Chicago mais l'appelait aussi « l'homme le plus remarquable que notre ville ait jamais produit ».

À la stupeur de la classe dirigeante, 78 % des 681 délégués de la convention démocrate votèrent pour Harrison au premier tour. L'élite démocrate, prête à tout pour empêcher Harrison de reprendre la mairie, implora alors les républicains de désigner un candidat qu'elle puisse également soutenir. Les républicains choisirent Samuel W. Allerton, un riche industriel de la conserve alimentaire qui vivait sur Prairie Avenue. Les journaux les plus lus et les plus puissants s'allièrent explicitement pour soutenir Allerton et saper la candidature de Harrison.

L'ex-maire contra leurs attaques avec humour. Pendant un discours devant une nombreuse assemblée de partisans à l'Auditorium, Harrison qualifia Allerton de « gardien et massacreur de porcs tout à fait admirable. Je l'admets, et je ne le traînerai pas en justice bien qu'il massacre aussi l'anglais de la reine : c'est plus fort que lui ».

Harrison gagna rapidement du terrain.

Patrick Prendergast, le jeune immigrant irlandais fou, n'était pas peu fier du regain de popularité de Harrison ; il estimait que ses propres efforts pour soutenir la candidature de l'ex-maire n'étaient pas pour rien dans le nouvel élan de la campagne. Une idée lui vint. À quel moment précis elle s'insinua dans son cerveau, il n'aurait su le dire, mais elle était là et lui donnait satisfaction. Ayant lu une pléthore de textes juridiques et politiques, il avait fini par comprendre que les machines politiques respectaient un principe de pouvoir fondamental : si on contribuait à faire avancer les intérêts de la machine, la machine vous le revalait. Harrison était donc son débiteur.

Cette idée apparut tout d'abord à Prendergast sous la forme d'une lueur ténue, un peu comme le premier rayon de soleil qui frappait chaque matin le Temple maçonnique, mais elle revenait maintenant le titiller mille fois par jour. C'était son trésor, ce qui lui permettait de redresser les épaules et de lever le menton. Si Harrison gagnait, les choses changeraient. Et Harrison *allait* gagner. La formidable poussée d'enthousiasme dans les sections électorales semblait lui promettre la victoire. Une fois élu, Prendergast n'en doutait pas, Harrison lui offrirait un poste. C'était son devoir. C'était la loi de la machine, aussi immuable que les forces qui propulsaient le Chicago Limited à travers la prairie. Prendergast voulait devenir conseiller juridique de la municipalité. Plus besoin de se colleter des crieurs de journaux qui ne savaient pas rester à leur place ; plus besoin de fouler la bourbe jaunâtre qui suintait entre les dalles des trottoirs ; plus besoin de respirer le parfum infâme des chevaux morts abandonnés au milieu de la rue. Quand Harrison prendrait ses fonctions, l'heure du salut sonnerait pour Patrick Prendergast.

Son idée lui valait des moments d'exultation. Prendergast s'acheta un nouveau lot de cartes postales et écrivit des messages exubérants aux hommes qui seraient bientôt ses associés et camarades de club – les juges, les avocats, les princes du commerce de Chicago. Il en envoya naturellement un à son bon ami Alfred S. Trude, l'avocat criminel.

« Mon cher Monsieur Trude », commençait-il. Il voulut enchaîner par un « Alléluia ! », mais certains mots lui donnaient du fil à retordre. Tout à sa fièvre d'écriture, il se jeta à l'eau.

« Allielliuia ! écrivit-il. Les tentatives de la bande du *Herald* pour empêcher la volonté populaire de se manifester sont vouées à l'échec – et Carter Harrison, le choix du peuple, sera notre prochain maire. Le cartel des journaux s'est fait clouer le bec sans gloire. Que sais-je de la candidature de ce pauvre bougre de Washington Hesing – je lui accorde les miettes de ma compassion. Dans ses difficultés présentes j'espère qu'il ne se laissera pas submerger – ni le noble cartel des journaux. Gloire au Père, au Fils et au Saint-Esprit ! » Il poursuivait ses divagations sur quelques lignes avant de conclure :

« L'amitié est après tout ce qui permet le mieux d'éprouver le caractère,

« Sincèrement,

« P. E. J. Prendergast. »

Une fois de plus, quelque chose dans ce galimatias capta l'attention de Trude. Beaucoup d'autres destinataires des cartes de Prendergast étaient eux aussi intrigués, malgré les montagnes de courrier que chacun d'eux recevait de son véritable entourage. Dans ce glacier de mots qui rampait tout doucement vers le XXe siècle, le message de Prendergast était comme un fragment de mica étincelant de folie, ne demandant qu'à être ramassé et empoché.

Cette carte aussi, Trude la garda.

*

En avril 1893, les citoyens de Chicago élurent Carter Henry Harrison pour un cinquième mandat. Afin de bien préparer l'exposition, le nouveau maire commanda 200 tonneaux de whisky destinés aux dignitaires que son cabinet serait amené à recevoir.

Pas un instant il ne pensa à Patrick Eugene Joseph Prendergast.

24

L'invitation

Pour l'heure, Holmes se gardait de toute nouvelle intervention sur le patrimoine de Minnie. Celle-ci avait parlé à sa sœur du transfert de l'acte de propriété de Fort Worth, et Holmes sentait désormais chez Anna une méfiance vis-à-vis de ses réelles intentions. Cela ne l'inquiétait pas outre mesure. La solution était d'une simplicité biblique.

Par une belle et odorante journée printanière, comme sous l'effet d'une soudaine lubie, Holmes proposa à Minnie d'héberger sa sœur à Chicago pendant l'Exposition universelle, à ses frais.

Minnie, ravie, transmit l'invitation à Anna, qui accepta sur-le-champ. Holmes s'y attendait – comment aurait-elle pu réagir autrement ? L'occasion de revoir sa sœur était en soi tentante. Si on ajoutait à cela la perspective de découvrir Chicago et la foire mondiale, l'offre devenait trop irrésistible pour être déclinée, quels que fussent les soupçons d'Anna sur ses relations avec Minnie.

Il ne restait plus à Minnie qu'à attendre la fin de l'année scolaire, quand sa sœur serait libérée de ses devoirs à la Midlothian Academy. Elle comptait bien lui montrer toutes les merveilles de Chicago – les gratte-ciel, le grand magasin Marshall Field's, l'Auditorium et bien sûr l'Exposition universelle – mais, par-dessus tout, elle avait hâte de présenter sa sœur à sa merveille personnelle, M. Henry Gordon. Son Harry.

Anna comprendrait enfin que ses soupçons n'avaient pas lieu d'être.

25

Ultimes préparatifs

Malgré le temps radieux qu'il fit pendant les deux premières semaines d'avril 1893, les drames ne manquèrent pas. Quatre ouvriers de l'exposition perdirent la vie, deux suite à une fracture du crâne, deux par électrocution. Les charpentiers syndiqués qui travaillaient sur le chantier, conscients de leur rôle clé durant cette phase finale de la construction, sautèrent sur l'occasion pour se mettre en grève en exigeant un salaire minimum syndical et un certain nombre de concessions revendiquées depuis longtemps. Une seule des huit tours de la Grande Roue était en place, et les ouvriers n'avaient toujours pas achevé les réparations du palais des Manufactures et des Arts libéraux. Chaque matin, des centaines d'hommes escaladaient sa toiture ; chaque soir, ils en redescendaient avec prudence, en une longue et dense procession qui vue de loin ressemblait à une colonne de fourmis. Le « gang des blanchisseurs » de Frank Millet barbouillait furieusement les édifices de la cour d'honneur. Par endroits, la couche de staff commençait déjà à s'écailler. Des équipes d'enduiseurs allaient d'un chantier à l'autre. L'ambiance d'« effort inquiet » qui émanait du parc évoqua à Candace Wheeler – la décoratrice en charge du palais de la Femme – « une maisonnée insuffisamment pourvue sur le point de recevoir des visiteurs ».

Malgré la grève des charpentiers et le travail considérable qu'il restait à accomplir, Burnham était d'humeur optimiste, revigoré par le beau temps. L'hiver avait été long et rude, mais l'air, enfin, sentait bon les premières floraisons et la terre en dégel. Et il se sentait aimé. Fin mars, il avait été fêté lors d'un banquet en grande partie organisé par Charles McKim au Madison Square Garden de New York – le Garden d'origine, sorte d'élégant palais de style mauresque conçu par Stanford White, l'associé de McKim. McKim chargea Frank Millet d'y convier les plus grands peintres de la nation, qui s'attablèrent avec des écrivains et architectes célèbres et des mécènes comme Marshall Field et Henry Willard ; ensemble, tous passèrent la nuit à féliciter Burnham – prématurément – d'avoir accompli l'impossible. Bien entendu, ils festoyèrent comme des dieux. Le menu :

Huîtres de Blue Point à l'Alaska
Sauternes
POTAGE
Consommé printanier, crème de céleri
Amontillado
HORS-D'ŒUVRE
Rissoles Chateaubriand, amandes salées, olives, etc.

POISSON

Bar rayé, sauce hollandaise, pommes parisiennes

Miersfeiner, moët-et-chandon,

Perrier-jouët extra brut spécial

VIANDE

Filet de bœuf aux champignons, haricots verts,
pommes duchesse

Ris de veau en côtelettes, petits pois

SORBET

Fantaisie romaine, cigarettes

RÔTI

Canard à tête rouge, salade de laitue

Pontet-canet

DESSERT

Petits moules fantaisie, gâteaux assortis, bonbons,
Petits-fours, fruits assortis

FROMAGES

Roquefort et camembert

Café

Eau Apollinaris

Cognac, alcools, cigares

Certains journaux firent état de la participation
d'Olmsted alors que celui-ci se trouvait en réalité à
Asheville, en Caroline du Nord, retenu par son travail
sur Biltmore, le domaine des Vanderbilt. Son absence
alimenta l'hypothèse selon laquelle il avait ignoré l'événement par dépit de ne pas avoir été invité à la tribune
et parce que le carton d'invitation ne citait au rang des
arts majeurs que la peinture, l'architecture et la sculpture, sans un mot pour l'architecture paysagère. Même
s'il est vrai qu'Olmsted s'était battu toute sa carrière

pour que l'architecture paysagère soit reconnue comme une branche à part entière des beaux-arts, il n'aurait pas été dans son caractère d'esquiver ce banquet pour une question d'amour-propre. L'explication la plus simple semble ici la meilleure : Olmsted était souffrant, tous ses chantiers étaient en retard, les cérémonies ne l'attiraient pas, et il abhorrait par-dessus tout les longs voyages en train, en particulier pendant ces mois de transition où il faisait presque toujours trop chaud ou trop froid dans les wagons, y compris les luxueux Pullman Palace. S'il avait fait le déplacement, il aurait pu entendre Burnham déclarer aux convives : « Chacun de vous connaît le nom et le génie de celui qui occupe le premier rang dans le cœur et l'estime des artistes américains, créateur de nombreux parcs dont celui de votre ville. Il a été notre meilleur conseiller et notre constant mentor. Au sens le plus élevé, c'est lui le grand planificateur de l'Exposition, Frederick Law Olmsted. (...) Artiste, il peint à l'aide de lacs et de pentes boisées ; de pelouses et de collines recouvertes de forêt ; de flancs montagneux et de vues océanes. C'est lui qui devrait être à la place que j'occupe ce soir... »

Il ne faudrait pas en conclure que Burnham avait envie de se rasseoir. Il se régala au contraire de l'attention dont il était l'objet et adora la « coupe de l'amitié » en argent gravé qui fut emplie de vin puis portée aux lèvres de chacun des hommes présents à la table – malgré l'abondance des cas de typhoïde, de diphtérie, de tuberculose et de pneumonie que l'on comptait en ville. Il avait beau savoir que ces louanges venaient un peu tôt, le banquet était un avant-goût de la gloire encore plus grande dont il jouirait à la fin de l'exposition, à condition bien sûr que celle-ci corresponde aux complexes attentes du monde.

Sans l'ombre d'un doute, d'immenses progrès avaient été accomplis. Les six plus majestueux édifices de l'exposition, ceux qui se dressaient autour de la cour centrale, étaient d'un effet encore plus spectaculaire que Burnham ne l'avait imaginé. La « Statue de la République » de Daniel Chester French – déjà surnommée « Big Mary » – se dressait au centre du bassin, fin prête, dorée sur toute sa surface. Piédestal compris, cette République mesurait 34 mètres. Plus de 200 autres bâtiments érigés par des États, communes, corporations et gouvernements étrangers parsemaient le parc. La compagnie maritime White Star avait construit sur la rive nord-ouest de la lagune, en face de l'Île boisée, un charmant petit temple dont les marches descendaient jusqu'à l'eau. Les monstrueux canons de Krupp étaient en place dans un pavillon sur le lac, au sud de la cour d'honneur.

« L'échelle de l'ensemble apparaît de plus en plus formidable à mesure que les travaux avancent », écrivit McKim à Richard Hunt. Un peu trop formidable, ajouta-t-il perfidement, du moins dans le cas du palais des Manufactures et des Arts libéraux. Son propre palais, celui de l'Agriculture, risquait de « souffrir de la comparaison avec son énorme vis-à-vis, dont le volume – 65 mètres dans sa plus grande hauteur, décentrée par rapport à l'axe central – est appelé à nous écraser comme tout ce qui l'entoure ». Il confia à Hunt qu'il venait de passer deux jours avec Burnham, ainsi que deux nuits à la cabane. « Il est à la hauteur de ses responsabilités et a plutôt bonne mine ; nous lui sommes tous grandement redevables de sa vigilance et de l'attention constante qu'il accorde à nos moindres souhaits. »

Même la grève ne réussit pas à perturber Burnham. Les charpentiers non syndiqués au chômage et prêts à prendre la place des grévistes ne manquaient apparemment pas. « Je ne crains rien du tout de cette source-là », écrivit-il le 6 avril dans une lettre à Margaret. Il faisait froid mais le ciel était « clair et radieux, une splendide journée pour vivre et travailler ». Les ouvriers étaient en train d'installer « les ornements, écrivit-il. De nombreux canards ont été introduits sur les lagunes hier, et ils y nagent ce matin, contents et avec beaucoup de naturel ». Olmsted avait en effet commandé plus de 800 canards et oies, 7 000 pigeons, et pour couronner le tout un assortiment d'oiseaux exotiques, dont quatre aigrettes neigeuses, quatre cigognes, deux pélicans bruns et deux flamants roses. Seuls des canards blancs avaient été lâchés jusque-là. « D'ici deux ou trois jours, écrivit Burnham, tous les oiseaux seront sur l'eau, qui commence à être encore plus belle que l'année dernière. » Le climat restait favorable : vivifiant, ensoleillé et sec. « Je suis très heureux », écrivit-il le lundi 10 avril à Margaret.

Son humeur se dégrada néanmoins au fil des jours suivants. Il était question que d'autres syndicats se rallient à la grève des charpentiers et provoquent un arrêt total des travaux à Jackson Park. L'exposition lui semblait tout à coup dangereusement loin d'être prête à ouvrir ses portes. La construction des étables censées accueillir le bétail des exposants aux confins sud du parc n'avait pas encore commencé. Où que Burnham portât le regard, ce n'étaient que voies ferrées et routes provisoires, wagons et caisses vides. Des boules d'amarante et des copeaux voletaient un peu partout. Déçu par la patente incomplétude du parc, il s'emporta contre sa femme.

« Pourquoi ne m'écris-tu pas tous les jours ? interrogea-t-il le jeudi. J'attends en vain tes lettres. »

Il gardait une photographie de Margaret dans son bureau. Chaque fois qu'il passait devant, il soulevait le cadre et l'observait avec nostalgie. Ce jour-là, écrivit-il, il l'avait déjà contemplée dix fois. Il avait cru pouvoir se reposer après le 1er mai mais se rendait maintenant compte que la frénésie se prolongerait largement au-delà. « Le public considérera le travail comme entièrement achevé, et j'aimerais qu'il le soit en ce qui me concerne. Je suppose que tous ceux qui disputent une course ont des moments de semi-désespoir vers la fin ; mais ils ne doivent jamais fléchir. »

Margaret lui envoya un trèfle à quatre feuilles.

*

Si une certaine confusion régnait dans le parc, ce n'était pas le cas juste à côté, sur le vaste terrain loué par Buffalo Bill pour son spectacle, lequel s'intitulait désormais officiellement « Buffalo Bill's Wild West and Congress of Rough Riders of the World » (« l'Ouest sauvage de Buffalo Bill et son congrès de rudes cavaliers du monde »). Il réussit à donner la première représentation dès le 3 avril et emplit sur-le-champ son arène de 18 000 sièges. Les visiteurs entraient en franchissant un portail représentant d'un côté Colomb, qualifié de « PILOTE DE L'OCÉAN, LE PREMIER PIONNIER », et de l'autre Buffalo Bill, présenté comme « PILOTE DE LA PRAIRIE, LE DERNIER PIONNIER ».

L'arène et le campement occupaient 6 hectares. Les centaines d'Indiens, de soldats et d'employés dormaient sous des tentes. Annie Oakley veillait à ce que la sienne soit toujours très coquette, avec à l'extérieur un jardinet de primevères, de géraniums et de roses trémières. À l'intérieur, elle avait installé une banquette, des peaux de cougar, un tapis d'Axminster, des fauteuils à bascule, et un certain nombre d'accessoires de la vie domestique. Sans compter, bien sûr, sa riche collection d'armes à feu.

Le show de Buffalo Bill s'ouvrait toujours sur « The Star-Splangled Banner », exécuté par son Cow-Boy Band. Venait ensuite « La Grande Revue », pendant laquelle des soldats venus d'Amérique, d'Angleterre, de France, d'Allemagne et de Russie paradaient sur leur cheval à travers l'arène. Annie Oakley leur succédait, canardant des cibles toutes plus impossibles les unes que les autres. Elle les atteignait. Un des autres morceaux de bravoure du spectacle était l'attaque par les Indiens d'une diligence de l'ancien temps, la Deadwood Mail Coach, sauvée *in extremis* par l'intervention de Buffalo Bill et de ses hommes. (Pendant le récent séjour de la troupe à Londres, les Indiens avaient attaqué cette même diligence dans le parc du palais de Windsor, avec quatre rois et le prince de Galles à son bord. Buffalo Bill tenait les rênes.) À un stade ultérieur du programme, Cody lui-même faisait la démonstration de son hallucinante adresse au tir, galopant à travers l'arène et explosant à coups de Winchester les boules de verre que ses assistants lançaient en l'air. Le point d'orgue du show était « L'Attaque d'une cabane de colons » pendant laquelle de vrais Indiens ayant jadis massacré sans distinction des soldats comme des civils se livraient à un simulacre d'assaut sur une cabane peuplée de colons blancs, avant d'être une fois de plus mis en déroute par les balles à blanc de Buffalo Bill et d'une troupe de valeureux cow-boys. En cours de saison, Cody remplaça cette attaque par une scène encore plus spectaculaire, « la Bataille de Little Big Horn (...) montrant avec une grande exactitude historique l'épisode de la dernière charge de Custer ».

L'exposition ne fit rien pour arranger la vie de couple du colonel Cody. Son spectacle le maintenait en permanence loin de ses foyers de North Platte, dans le Nebraska, mais ce n'était pas le problème principal. Bill plaisait aux femmes, et les femmes plaisaient à Bill. Un jour, son épouse Louisa – « Lulu » – fit le voyage jusqu'à Chicago pour lui rendre une visite impromptue... et découvrit que la femme de Bill était déjà sur place. À la réception de l'hôtel, un employé l'informa qu'elle allait être conduite à « la suite de M. et Mme Cody ».

*

De peur qu'une grève élargie ne perturbe – voire n'anéantisse – l'Exposition universelle, Burnham ouvrit des négociations avec les charpentiers et soudeurs ; il consentit enfin à fixer un salaire minimum et à l'augmenter de 50 % pour les heures supplémentaires et de 100 % pour les heures effectuées le dimanche et les principaux jours fériés, dont, significativement, la fête du Travail. Les syndicats, de leur côté, s'engagèrent par écrit à travailler jusqu'à la fin de l'exposition. Le net soulagement de Burnham tendit à suggérer que son assurance antérieure n'avait été qu'une façade. « Tu t'imagines bien que, malgré la fatigue, je rejoins mon lit heureux », écrivit-il à sa femme. Les contorsions syntaxiques qu'il s'efforçait en général de supprimer refirent surface, donnant la mesure de son épuisement. « Nous sommes restés assis du début de l'après-midi jusqu'à 9 heures. Jusqu'à la fin de l'exposition cette épreuve ne se reproduira pas, je pense, donc ton portrait devant moi est exceptionnellement beau quand il me regarde depuis mon bureau. »

Burnham eut beau clamer que l'accord était une victoire pour l'exposition, les concessions faites constituèrent en réalité une avancée décisive pour le syndicalisme, et les contrats de travail qui en résultèrent devinrent presque aussitôt des modèles à suivre pour les autres syndicats. La capitulation des directeurs de l'Exposition fit encore grimper la température de la chaudière déjà fumante du mouvement ouvrier à Chicago – et en Amérique.

*

Quand Olmsted revint à Chicago, affligé de son habituelle troïka de tourments, il trouva la ville en ébullition et Burnham partout à la fois. Le jeudi 13 avril, il écrivit à son fils John : « Tout le monde ici se presse avec enthousiasme, dans la plus grande confusion apparente que l'on puisse imaginer. » Le vent qui balayait les landes du parc déclenchait des blizzards de poussière. Des trains arrivaient constamment, chargés de collections qui auraient dû être installées depuis longtemps. Ces retards obligeaient à maintenir en place les routes et voies ferrées provisoires. Deux jours plus tard, Olmsted écrivit : « Nous allons devoir supporter la responsabilité du retard pris par tous les autres, car leurs activités nous barrent désormais partout le passage. Au mieux, la partie la plus importante de notre travail devra être terminée de nuit après l'ouverture de l'Exposition. Je n'entrevois aucune solution dans un tel désordre, mais il y a des milliers d'hommes au travail sous les ordres de chefs variés, et je suppose que cet immense effort commun commencera bientôt à se faire sentir. »

Il se considérait lui-même en partie responsable de l'état d'inachèvement des paysages, ayant échoué à installer à Chicago un chef d'équipe digne de confiance après la mort de Harry Codman. Le 15 avril 1893, il écrivit à John : « Je crains que nous n'ayons eu tort de laisser autant de liberté à Ulrich & Phil. Ulrich n'est pas je l'espère intentionnellement malhonnête, mais il est têtu au point de nous duper et de nous induire en erreur, et l'on ne peut se fier à lui. Son énergie s'épuise largement sur des questions dont il ne devrait même pas se préoccuper (...) Il m'est impossible de compter sur lui au jour le jour. »

Sa frustration vis-à-vis d'Ulrich ne fit qu'augmenter par la suite, et sa défiance s'accentua. Comme il l'expliqua ultérieurement dans un autre message à John : « Ulrich nous est involontairement fidèle. La difficulté est qu'il est avide d'honneurs issus de sa propre initiative ; se soucie plus d'être extraordinairement actif, industrieux, zélé et généralement utile que de l'excellence des résultats obtenus en AP [architecture paysagère]. » Olmsted se méfiait tout particulièrement des prévenances serviles d'Ulrich envers Burnham. « Il est partout dans le parc, à s'occuper de toutes sortes d'affaires, et M. Burnham et tous les chefs de service passent leur temps à appeler : "Ulrich !" En visitant le chantier avec Burnham, je l'entends constamment répéter à sa secrétaire : "Dites à Ulrich de..." faire ci ou ça. J'ai beau protester, cela n'a que peu d'effet. Je ne parviens jamais à le trouver au travail, sinon en lui fixant expressément rendez-vous, et dans ces cas-là il a hâte de s'échapper. »

Au fond de lui-même, Olmsted redoutait que Burnham n'ait accordé toute sa loyauté à Ulrich. « Je suppose que notre temps est révolu – que notre engagement arrive à son terme, et je crains que Burnham ne soit disposé à nous laisser partir et à se reposer sur Ulrich – car il n'est pas compétent pour voir l'incompétence d'Ulrich et la nécessité d'une réflexion approfondie. Je dois faire attention à ne pas assommer Burnham, qui est, bien sûr, énormément surchargé. »

D'autres obstacles ne tardèrent pas à surgir. Une importante cargaison de plantes venues de Californie ne fut pas livrée, ce qui aggrava la pénurie déjà critique de végétaux. Le beau temps qui caractérisa les deux premières semaines d'avril fut lui-même une source de retards. Le manque de pluie et le fait que le réseau hydraulique n'était pas encore prêt empêchaient Olmsted de planter les parties les plus exposées du parc. Les rafales continuelles de poussière – une « poussière effrayante, disait-il, de vraies tempêtes de sable du désert » – lui piquaient les yeux et criblaient sa bouche en feu de particules. « Je m'efforce de suggérer pourquoi je donne l'impression d'accomplir si peu, écrivit-il. Je pense que le public sera dans un premier temps affreusement déçu – mécontent – de notre travail et qu'une main vigoureuse sera requise ici pendant plusieurs semaines pour empêcher les énergies d'Ulrich d'être mal dirigées. »

Le 21 avril, Olmsted fut de nouveau cloué au lit « par une inflammation de la gorge, un abcès dentaire, et de fortes douleurs m'empêchant de dormir ».

En dépit de tout cela, son moral revint progressivement. Chaque fois qu'il faisait abstraction des retards ponctuels et de la duplicité d'Ulrich, il voyait du progrès. La rive de l'Île boisée commençait tout juste à exploser en une dense profusion de feuilles et de fleurs nouvelles dont le temple nippon, le Ho-o-den, fabriqué au Japon et récemment monté par des artisans japonais, n'atténuait que très peu l'effet sylvestre. Les navettes électriques récemment livrées étaient magnifiques, exactement conformes aux espérances d'Olmsted, et les oiseaux d'eau des lagunes offraient des étincelles enchanteresses de couleur et d'énergie en parfait contre-point de l'immensité blanche et statique de la cour d'honneur. Olmsted comprit que les bataillons de Burnham ne pourraient pas avoir fini d'enduire et de peindre d'ici le 1er mai et que son propre chantier serait loin d'être achevé, mais l'avancement sautait tout de même aux yeux. « Les forces mobilisées sont plus nombreuses, écrivit-il, et leur travail porte tous les jours ses fruits. »

Ce regain d'optimisme n'allait toutefois pas durer : une puissante perturbation atmosphérique se déplaçait au-dessus de la prairie, prête à fondre sur Chicago.

*

Vers la même époque, quoique à une date incertaine, un laitier de Chicago nommé Joseph McCarthy arrêta son chariot au bord de Humboldt Park. Il était à peu près 11 heures du matin. Un homme, dans le parc, venait d'attirer son attention. McCarthy s'aperçut qu'il le connaissait : c'était Patrick Prendergast, un distributeur de journaux employé par l'*Inter Ocean*.

Ce qu'il y avait de bizarre, c'est que Prendergast tournait en rond. Et plus bizarre encore, il marchait la tête rejetée en arrière et le chapeau tellement enfoncé qu'il lui couvrait les yeux.

Sous le regard incrédule de McCarthy, Prendergast percuta un arbre de plein fouet.

*

Il se mit à pleuvoir. Au début, cela ne gêna pas Burnham. La pluie allait éliminer la poussière qui montait des parties encore non aménagées du parc – hélas beaucoup trop nombreuses à son goût – et toutes les toitures étaient désormais achevées, y compris celle du palais des Manufactures et des Arts libéraux.

« Il pleut, écrivit Burnham à Margaret le mardi 18 avril, et pour la première fois je me dis : peu importe. Mes toitures sont enfin en ordre, et pour ce qui est des fuites nous ne les craignons guère. »

Sauf que cette pluie continua, redoubla. La nuit, elle tendait devant les lampes électriques un rideau tellement dense qu'il les opacifiait presque. Elle transformait la poussière en une boue dans laquelle les chevaux titubaient, les chariots s'enlisaient. Et elle finit par trouver des points de fuite. Le mercredi soir, une averse particulièrement violente s'abattit sur Jackson Park, et plusieurs cataractes se mirent à dégringoler de la verrière du palais des Manufactures et des Arts libéraux sur les collections installées 60 mètres plus bas. Une armée d'ouvriers et de gardes convergèrent aussitôt sur le bâtiment avec Burnham et ils passèrent la nuit ensemble à combattre l'inondation.

« La nuit dernière a donné lieu au déluge le plus terrible que nous ayons eu à Jackson Park, écrivit Burnham à Margaret le jeudi. Les édifices du site n'ont subi aucun dommage, sinon que la toiture du palais des Manufactures et des Arts libéraux a fui côté est et que nous sommes restés sur place jusqu'à minuit pour protéger les collections. Un des journaux de ce matin affirme que ce cher Davis était là, qu'il a participé et qu'il n'a jamais quitté les lieux avant que tout soit protégé. Bien entendu, monsieur D. n'a strictement rien eu à voir là-dedans. »

La pluie permit de mettre en évidence l'ampleur des travaux encore à accomplir. Ce même jeudi, Burnham écrivit une seconde lettre à Margaret. « Le temps est très mauvais ici et cela dure depuis mardi, mais je continue d'aller de l'avant bien qu'un effort gigantesque nous attende. (...) L'intensité de ce dernier mois est vraiment très, très forte. Tu aurais du mal à te l'imaginer. Je suis surpris de mon propre calme face à tout cela. » Le défi, ajoutait-il, avait éprouvé ses lieutenants. « La tension qu'ils subissent révèle de quel métal ils sont faits. Je puis te dire qu'ils sont très peu nombreux à se montrer à la hauteur dans ces conditions, mais il y en a certains sur qui l'on peut compter. Les autres doivent être harcelés à chaque heure de la journée et sont la cause de ma fatigue. »

Comme toujours, Margaret lui manquait. Elle était absente de la ville mais devait revenir pour la cérémonie d'ouverture. « Je t'attendrai de pied ferme, ma chère fille, écrivit-il. Prépare-toi à t'abandonner en arrivant. »

346

À une époque aussi prude, et en particulier pour Burnham, c'était une lettre assez brûlante pour se décacheter d'elle-même, sans intervention de la vapeur.

*

Jour après jour le même spectacle : les vitres embuées, le papier gondolé par l'humidité ambiante, les applaudissements démoniaques de la pluie sur les toits, et partout une puanteur de sueur et de laine mouillée, notamment au réfectoire des ouvriers à l'heure des repas. La pluie noyait les gaines d'électricité et provoquait des courts-circuits. Du côté de la Grande Roue, les pompes censées assécher les excavations destinées aux tours fonctionnaient vingt-quatre heures sur vingt-quatre sans parvenir à venir à bout du volume d'eau. La pluie finit par s'insinuer à travers la toiture du palais de la Femme, ce qui interrompit l'installation des collections. Du côté du Midway, les Égyptiens, les Algériens et les Dahoméens à demi nus commençaient à souffrir. Il n'y avait guère que les Irlandais – ceux du Village irlandais de Mme Hart – pour sembler à leur affaire.

*

Ces pluies furent particulièrement démoralisantes pour Olmsted. Elles s'abattaient sur des sols déjà gorgés d'eau, inondaient les moindres ornières. Les flaques devenaient des mares. Les jantes des chariots surchargés s'enfonçaient profondément dans la boue et y laissaient des plaies béantes, qui venaient allonger la liste des blessures à combler, aplanir et gazonner.

Le rythme des travaux s'accéléra malgré tout. Olmsted était impressionné par le nombre d'ouvriers engagés. Le 27 avril, trois jours avant l'ouverture, il adressa à son agence une note disant : « Je vous ai écrit qu'il y avait 2 000 employés – *stupidement*. Il y avait 2 000 hommes employés *directement* par M. Burnham. Cette semaine, il y en a plus du double, *sans compter* les effectifs des constructeurs. Si l'on y ajoute ceux-ci et leurs sous-traitants, il y a maintenant 10 000 hommes au travail sur le site, et il y en aurait davantage si la main-d'œuvre ne manquait pas dans certains corps de métier. Notre travail est gravement retardé par l'impossibilité de recruter des équipes en nombre suffisant. » (L'estimation était basse : pendant ces ultimes semaines, le nombre total d'ouvriers dans le parc s'éleva à près de 20 000.) Olmsted se plaignait par ailleurs d'être toujours désespérément à court de plantes. « Il me semble que toutes les ressources ont échoué en la matière et que leur manque se fera donc sérieusement sentir. »

Du moins son abcès dentaire donnait-il quelques signes d'amélioration, et il n'était plus confiné au lit. « Mon ulcère s'est résorbé, écrivit-il. Je reste obligé de vivre de pain et de lait mais je circule désormais sous la pluie et je vais mieux. »

Le même jour, toutefois, il écrivit à John une lettre au ton nettement plus sombre. « Nous jouons de malchance. Forte pluie aujourd'hui encore. » Burnham le pressait d'user de tous les raccourcis possibles pour rendre la cour d'honneur présentable, par exemple en ordonnant à ses hommes d'en orner les terrasses de rhododendrons et de palmiers en pot, exactement le style de mesures transitoires et tape-à-l'œil qu'Olmsted dédaignait. « Je n'aime pas cela du tout », écrivit-il. L'idée de « recourir à des expédients temporaires à seule fin de créer un pauvre spectacle pour l'ouverture » lui était odieuse. Il savait que, aussitôt après celle-ci, tout cet ouvrage-là devrait être refait. Ses douleurs, sa frustration et l'intensité croissante du travail mettaient son moral à rude épreuve et lui donnaient l'impression d'être plus vieux que son âge. « Le régime de la cantine provisoire, le bruit et la bousculade ainsi que les flaques et la pluie ne laissent guère de confort à un vieil homme délabré, et ma gorge et ma bouche sont toujours dans un état tel que je dois me contenter d'aliments liquides. »

Il ne baissa pas les bras pour autant. Malgré la pluie, il sillonnait le parc cahin-caha pour diriger les plantations et l'engazonnement, participait chaque matin à l'aube à l'incontournable réunion des hommes clés de Burnham. Ces efforts et les intempéries inversèrent de nouveau l'évolution de sa santé. « J'ai pris froid et mes problèmes osseux m'ont maintenu debout toute la nuit et je vis de tartines et de thé, écrivit-il le vendredi 28 avril. Une forte pluie quasi constante pendant la journée a tristement retardé nos travaux. » Et pourtant, la frénésie des préparatifs en vue de la cérémonie du lundi se poursuivait sans relâche. « Il est étrange de voir les peintres au travail sur leurs échelles et échafaudages sous cette pluie battante, écrivit Olmsted, beaucoup d'entre eux sont complètement trempés et j'aurais tendance à penser que des traînées se forment sur leur peinture. » Il constata que l'énorme fontaine colombienne n'était toujours pas terminée à l'extrémité ouest du bassin central, elle qui devait jouer un rôle essentiel lors de la cérémonie d'ouverture. Un essai avait été programmé pour le lendemain, samedi. « Elle me semble loin d'être prête, écrivit Olmsted, mais on compte sur elle pour jaillir devant le président lundi prochain. »

Quant aux travaux relevant de son domaine propre, Olmsted ne pouvait qu'être déçu. Il s'attendait à avoir accompli bien davantage à ce stade et se rendait compte que d'autres partageaient sa déception. « J'entends beaucoup de critiques déplacées, émises par des hommes aussi intelligents que Burnham lui-même, en raison d'impressions produites par un travail inachevé et des compositions encore inabouties », écrivit-il. Il savait qu'en de nombreux endroits le parc présentait un aspect clairsemé, négligé, et qu'il restait beaucoup à faire – cela sautait aux yeux –, mais entendre ces critiques dans la bouche de certains, en particulier dans celle d'un homme qu'il respectait et admirait, avait pour lui quelque chose de profondément déprimant.

*

La date butoir était inamovible. Les choses étaient beaucoup trop avancées pour qu'un report puisse être envisageable. La cérémonie d'ouverture devait avoir lieu, *aurait* lieu le lundi matin, avec un défilé entre le Loop et Jackson Park emmené par le nouveau président des États-Unis, Grover Cleveland. Une multitude de trains convergeaient en ce moment même sur Chicago avec à leur bord des hommes d'État, des princes et des magnats du monde entier. Le président Cleveland arriva avec son vice-président et une cohorte de ministres, de sénateurs et de responsables militaires accompagnés de leurs femmes, enfants et amis. La pluie fumait sur les locomotives noires. Des porteurs sortaient d'énormes malles des fourgons à bagages. Des caravanes d'attelages noirs scintillant de gouttes d'eau attendaient devant les gares de la ville, leur falot rouge nimbé de pluie. Les heures s'égrenaient.

Le 30 avril au soir, à la veille de la cérémonie d'ouverture, le reporter britannique F. Herbert Stead visita le site de l'exposition. Son nom était connu en Amérique du fait de son célèbre frère William, ancien patron de la *Pall Mall Gazette* de Londres et fondateur de *The Review of Reviews*. Chargé de couvrir la cérémonie, Herbert décida d'aller explorer les lieux en éclaireur pour se faire une idée plus précise de leur topographie.

Il pleuvait dru lorsqu'il descendit de sa voiture et pénétra dans Jackson Park. Les mares qui s'étaient substituées aux élégantes allées d'Olmsted frissonnaient sous l'impact de milliards de gouttelettes. Des centaines de chariots de fret se découpaient en ombres chinoises dans la clarté des lampes. On voyait partout du bois de charpente, des caisses vides et des détritus laissés par les ouvriers.

Outre son côté déchirant, le tableau d'ensemble avait de quoi laisser perplexe. La cérémonie d'ouverture de l'exposition était prévue pour le lendemain matin, et pourtant le site était jonché de débris et d'ordures – dans un état, écrivit Stead, d'« incomplétude flagrante ».

Il plut toute la nuit.

*

Encore plus tard ce dimanche soir-là, tandis que la pluie tambourinait contre leurs fenêtres, les rédacteurs en chef de tous les quotidiens du matin de Chicago concoctèrent des manchettes ronflantes pour l'édition historique du lundi. Jamais depuis l'incendie de 1871 la presse de la ville n'avait été autant galvanisée par un seul et même événement. Mais il restait aussi un certain nombre de tâches de routine à effectuer. Les typographes subalternes étaient en train de composer et de mettre en pages les petites annonces, les avis de faire-part et les réclames des pages intérieures. L'un d'eux travailla ce soir-là sur un encart consacré à l'ouverture d'un nouvel hôtel, visiblement un de ces établissements créés à la va-vite pour profiter de la ruée de visiteurs annoncée. Du moins celui-là était-il bien situé – à Engle-wood, sur la 63e Rue et Wallace Street, avec accès direct à une des entrées de l'Expo grâce au récent prolongement de l'Alley L.

Son propriétaire avait choisi de le baptiser World's Fair Hotel – Hôtel de la Foire mondiale.

TROISIÈME PARTIE

Dans la Ville blanche

Mai-octobre 1893

La cour d'honneur.

26

Cérémonie d'ouverture

Vingt-trois attelages d'un noir étincelant stationnaient dans la boue jaune de Michigan Avenue devant l'hôtel Lexington. Le président Cleveland prit place à bord de la septième voiture, un landau. Burnham et Davis se partagèrent la sixième. Les deux hommes surent se tenir, même s'ils n'avaient ni perdu leur défiance mutuelle ni renoncé au pouvoir suprême sur l'exposition. Le duc de Veragua, descendant direct de Colomb, s'embarqua dans la quatorzième voiture ; la duchesse dans la quinzième avec Bertha Palmer, dont les diamants dégageaient une chaleur presque palpable. Le maire Harrison s'installa dans le tout dernier attelage et eut droit à la plus bruyante des ovations. Divers autres dignitaires montèrent dans les véhicules restants. La procession s'ébranla en grondant vers le sud de Michigan Avenue pour rejoindre Jackson Park, et la chaussée dans son sillage fut envahie par une mer de 200 000 Chicagoans à pied ou à cheval, en phaéton, en victoria ou en spider, en omnibus ou en tram. Des milliers d'autres choisirent de prendre le train et se retrouvèrent entassés dans les wagons jaune vif, surnommés « wagons à bestiaux », mis en service par l'Illinois Central pour transporter le plus de monde possible à l'Exposition universelle. Tous ceux qui disposaient d'un mouchoir blanc l'agitaient joyeusement, et un drapeau blanc était accroché à chaque potence de réverbère. Des banderoles détrempées ornaient les façades d'immeubles. À l'entrée du parc, 1 500 membres de la Garde colombienne vêtus d'un uniforme neuf en grosse toile bleu ciel, de gants blancs et d'une cape noire à liseré jaune accueillirent la multitude et orientèrent aimablement tout ce joli monde vers le palais de l'Administration, reconnaissable à son imposant dôme doré.

La procession atteignit l'exposition par l'ouest, en traversant le Midway Plaisance. Au moment où le phaéton présidentiel s'engageait dans l'« avenue des Nations », qui courait sur les 13 blocs du Midway, le soleil se leva ; il y eut un tonnerre d'approbation parmi les badauds quand ses premiers rayons illuminèrent les 40 concessions qui bordaient l'avenue, certaines aussi grandes qu'un petit bourg. Les attelages défilèrent devant la cabane de Sitting Bull, le Village lapon, le territoire des Dahoméens prétendument cannibales et, juste en face, la ferme aux Autruches de Californie, qui sentait bon l'œuf et le beurre chaud. On y proposait des omelettes d'œuf d'autruche, même si les œufs en question avaient en réalité été pondus par des poules d'élevage. La procession passa ensuite devant le Village autrichien et le parc du Ballon captif, où un aérostat à hydrogène était arrimé au sol, n'attendant plus que d'envoyer ses premiers visiteurs vers le ciel. Au centre du Midway, elle contourna la Grande Roue de Ferris, terriblement inachevée, que Burnham observa avec chagrin : on aurait dit une demi-lune d'acier emprisonnée dans un gratte-ciel d'échafaudages en bois.

Lorsque la voiture du président Cleveland arriva à hauteur de la concession algérienne, les femmes du village retirèrent leur voile sur un signe de tête de Sol Bloom. Celui-ci jura par la suite qu'il s'agissait d'une marque coutumière de respect, mais avec lui on ne pouvait jurer de rien. Le cortège évita la rue du Caire – pas encore ouverte, une autre déception – et passa devant le Village turc et le Restaurant javanais. À l'extérieur du Hagenback's Animal Show, le plus célèbre zoo itinérant de l'époque, des dompteurs firent rugir quatre lions dressés. Assez loin sur la droite, dans l'air enfumé, le président vit flotter les bannières du Wild West de Buffalo Bill au-dessus de l'arène édifiée par le colonel Cody sur la 62e Rue.

Enfin, le cortège entra dans Jackson Park.

*

Il y aurait certes des miracles pendant l'exposition – la Vénus de Milo en chocolat qui refusait de fondre, le fromage de 10 000 kilos du pavillon du Wisconsin qui refusait de moisir – mais le plus grand de tous fut sans doute la transformation du parc pendant la longue nuit de déluge qui précéda l'arrivée de Cleveland. Lorsque Herbert Stead revint sur les lieux le lendemain matin, certains secteurs étaient encore recouverts d'une morne étendue d'eau ridée par le vent, mais on ne voyait plus aucune trace de chariots ni de caisses vides. Dix mille hommes avaient travaillé d'arrache-pied toute la nuit pour retoucher la peinture et le staff, planter des pensées et du gazon en mottes, tandis qu'un millier de femmes de ménage briquaient, ciraient et lustraient le sol des grands palais. Au fil de la matinée, le soleil s'affirma de plus en plus nettement. Sous le ciel lavé par les pluies, les parties du paysage d'où l'eau s'était retirée semblaient joyeuses, coquettes et bien tenues. « Quand l'Expo a ouvert ses portes, écrivit Paul Starrett, alors dessinateur de Burnham, les pelouses d'Olmsted ont été la première sensation. »

À 11 heures, le président Cleveland gravit les marches menant à la tribune des orateurs, dressée en plein air devant l'extrémité est du palais de l'Administration, puis s'assit sur son siège, signe que la cérémonie pouvait commencer. La foule continuait d'affluer par vagues. Une vingtaine de femmes s'évanouirent. Des journalistes assez chanceux pour être aux premières loges secoururent une dame âgée en la hissant par-dessus une balustrade puis en l'allongeant sur une table. Des membres de la Garde intervinrent, l'épée brandie. Le tumulte régna jusqu'à ce que le directeur général Davis fasse signe à l'orchestre d'attaquer la « Marche colombienne ».

Douchés par les critiques sur la longueur ahurissante de la cérémonie inaugurale d'octobre, les organisateurs de l'Exposition universelle s'étaient astreints à un programme court pour la cérémonie d'ouverture et juraient de le respecter à tout prix. Il y eut d'abord une bénédiction, prononcée par un chapelain aveugle devant un auditoire assourdi par la distance et le volume. Vint ensuite une ode poétique à Colomb, à peu près aussi longue et aussi pénible qu'avait dû l'être la traversée des caravelles de l'amiral en 1492. « Puis de la vigie de la *Pinta* tomba un cri, un chant de trompette, "Lumière, ho ! Lumière, ho ! Lumière !" »

Et cætera.

Le directeur général Davis prit ensuite la parole et présenta à l'assistance une version copieusement distordue de la réalité en louant la façon dont la Commission nationale, la Compagnie de l'Exposition et le Comité des dames gestionnaires avaient œuvré main dans la main et sans querelle pour organiser cet extraordinaire événement. Ceux qui étaient dans le secret de la guerre qui se livrait entre ces entités et en leur sein étudièrent avec intérêt Burnham, sans déceler le moindre changement dans son expression. Davis laissa la place au président.

Cleveland, immense dans son habit noir, prit le temps d'examiner sobrement la foule massée qui lui faisait face. Sur la table recouverte du drapeau des États-Unis dressée à côté de lui était posé un coussin en velours bleu et rouge supportant un manipulateur de morse en or.

Il n'y avait pas un centimètre carré de terrasse, de pelouse ou de balustrade qui ne fût occupé ; les messieurs étaient en noir et en gris, les dames souvent vêtues de robes aux teintes extravagantes – violettes, écarlates, émeraude – et coiffées de chapeaux à rubans, agrémentés de verdure ou de plumes. Un homme de haute taille, arborant un énorme chapeau blanc et une veste en peau de daim blanche, dominait d'une tête son entourage : Buffalo Bill. Les femmes le regardaient. Les rayons de soleil qui transperçaient les troupeaux de nuages en voie de désagrégation illuminaient les panamas blancs dont la foule était parsemée. Du point de vue du président, la scène était festive et fraîche, mais au niveau du sol il y avait de l'eau, de la boue et des bruits de succion au moindre changement de position. La seule figure humaine à avoir les pieds au sec était la statue de la République de Daniel Chester French – Big Mary – qui patientait cachée sous un silo de toile.

Le discours de Cleveland fut le plus bref de tous. Au moment de conclure, il s'approcha de la table au drapeau. « De même qu'il va me suffire d'une simple pression pour mettre en branle la machinerie qui éclaire cette vaste Exposition, dit-il, puissent nos espérances et nos aspirations éveiller au même moment des forces qui influeront à tout jamais sur le bien-être, la dignité et la liberté de l'espèce humaine. »

À 12 h 08 précises, le président abaissa la poignée d'or du manipulateur. Une clameur parcourut la foule en ondes centrifuges à mesure que se propageait la nouvelle de son geste. Des ouvriers postés sur les toits lancèrent immédiatement des signaux à leurs collègues stationnés un peu partout dans le parc, ainsi qu'aux marins du navire de guerre *Michigan*, ancré sur le lac. L'abaissement de la poignée ferma un circuit électrique qui activa le démarreur d'un moteur électroautomatique alimenté par les 3 000 chevaux-vapeur de la gigantesque chaudière Allis du palais des Machines. Le gong revêtu d'argent du démarreur sonna, un pignon tourna, une valve s'ouvrit et le moteur démarra, avec ses engrenages et ses arbres de transmission merveilleusement usinés. Aussitôt, 30 autres moteurs commencèrent à gronder à travers le bâtiment. À la station hydraulique, les trois énormes pompes Worthington mirent en mouvement leurs bielles et pistons, telles des mantes religieuses cherchant à se débarrasser du froid. Des millions de litres d'eau s'engouffrèrent dans les conduites maîtresses du parc. Un peu partout des moteurs renaissaient à la vie, faisant trembler le sol. Un drapeau américain de la taille d'une grand-voile se déroula depuis le sommet du plus haut mât de la cour d'honneur, pendant que deux autres de dimensions à peu près similaires tombaient des deux mâts attenants, l'un représentant l'Espagne, l'autre Colomb. L'eau mise sous pression par les pompes Worthington jaillit tel un geyser de la fontaine de Frederick MacMonnies et s'éleva à une trentaine de mètres de hauteur, créant un arc-en-ciel artificiel et obligeant les spectateurs les plus proches à ouvrir leur parapluie pour se protéger des embruns. Des bannières, des drapeaux, des gonfalons se mirent soudain à flotter sur toutes les corniches, une énorme bannière rouge dévala jusqu'en bas de la façade du palais des Machines, la bâche glissa des épaules dorées de Big Mary. Le flamboiement du soleil sur sa peau poussa les hommes et les femmes à mettre une main en visière au-dessus de leurs yeux. Deux cents colombes blanches prirent leur envol pour la journée. Les canons du *Michigan* s'étaient mis à tonner. Des sifflets à vapeur stridulaient. Spontanément, la multitude entonna « My Country 'Tis of Thee », à l'époque considéré par beaucoup comme l'hymne national alors qu'aucun chant n'avait encore reçu cette distinction. Pendant que la foule s'époumonait, un homme se faufila à côté d'une femme maigre et pâle, au cou de travers. L'instant suivant, Jane Addams s'aperçut que son porte-monnaie avait disparu.

La grande foire avait commencé.

*

Même si Burnham était conscient de l'étendue des travaux restant à accomplir – Olmsted allait devoir mettre les bouchées doubles, et il fallait absolument que

Ferris termine cette maudite roue –, le succès de l'exposition semblait garanti. Les félicitations affluèrent par télégramme et par courrier. « La scène m'est apparue aussi belle qu'une rose pleinement épanouie », confia un ami à Burnham. Officiellement, Jackson Park fut envahi par un quart de million de personnes le jour de l'ouverture. Deux autres estimations avancent respectivement le chiffre de 500 000 et de 620 000 participants. À la fin de la journée, tout semblait indiquer que l'Exposition universelle de Chicago allait battre tous les records mondiaux en termes de fréquentation.

Cet optimisme dura vingt-quatre heures.

Le mardi 2 mai, 10 000 personnes seulement se déplacèrent à Jackson Park, un taux de fréquentation qui, s'il se maintenait, promettait à l'exposition une place de choix dans la liste des bides les plus retentissants de tous les temps. Les « wagons à bestiaux » jaunes arrivaient quasi vides, tout comme les rames de l'Alley L qui longeaient la 63e Rue. Tous les espoirs de ceux qui croyaient à une anomalie passagère s'envolèrent le lendemain, quand les forces qui minaient depuis un certain temps l'économie de la nation dégénérèrent à Wall Street en un véritable vent de panique qui fit s'effondrer le cours des actions. Des nouvelles de plus en plus alarmantes se succédèrent tout au long de la semaine.

Le jeudi 5 mai au soir, la National Cordage Company, un cartel contrôlant 80 % de la production états-unienne de cordes, fut placée en redressement judiciaire. Dans la foulée, la Chicago's Chemical National Bank cessa ses activités, une fermeture particulièrement inquiétante pour les responsables de l'exposition dans la mesure où cette banque était la seule à avoir été autorisée par le

Congrès à ouvrir une agence à Jackson Park, dans un lieu on ne pouvait plus central puisqu'il n'était autre que le palais de l'Administration. Trois jours après, une autre grande banque de Chicago fit faillite, suivie de peu par une troisième dans la ville de Burnham, l'Evanston National Bank. Des dizaines d'autres faillites survinrent dans le pays. À Brunswick, Géorgie, les présidents de deux banques nationales se rencontrèrent. L'un d'eux s'excusa calmement, se retira dans son bureau particulier et se tira une balle dans la tête. Les deux institutions firent faillite. À Lincoln, dans le Nebraska, la Nebraska Savings Bank occupait une place de choix dans le cœur des écoliers : les instituteurs y étaient en quelque sorte devenus ses agents, car ils collectaient en son nom chaque semaine quelques cents auprès de leurs élèves qu'ils déposaient ensuite sur le compte de livret de chacun d'eux. Le bruit ayant couru que la banque allait mettre la clé sous la porte, les enfants descendirent dans la rue et allèrent réclamer leur argent devant l'agence. D'autres banques vinrent à la rescousse de la Nebraska Savings, mettant fin à ce qu'on appela la « ruée des enfants ».

Des gens qui en d'autres circonstances auraient fait le voyage jusqu'à Chicago pour visiter l'exposition décidaient de rester chez eux. Non seulement l'état effroyable de l'économie avait de quoi les décourager, mais il se disait beaucoup de choses sur l'inachèvement de la foire mondiale. Ceux qui ne pouvaient s'y rendre qu'une seule fois préféraient attendre que tous les exposants soient en place et que toutes les attractions fonctionnent, en particulier la Grande Roue, qu'on annonçait comme une merveille d'ingénierie capable de ravaler la tour Eiffel au rang de sculpture enfantine – à condition qu'elle tourne un jour et ne s'effondre pas à la première bourrasque.

Trop d'éléments manquaient encore, Burnham le reconnaissait volontiers. Lui et sa brigade d'architectes, de dessinateurs, d'ingénieurs et d'entrepreneurs avaient accompli des prodiges dans un délai impossible, mais cela ne suffisait manifestement pas à faire oublier le coup de frein provoqué par la brusque dégradation de l'économie. Les ascenseurs du palais des Manufactures et des Arts libéraux, présentés comme un des fleurons techniques de l'exposition, n'étaient toujours pas en service. La Grande Roue était à moitié construite. Olmsted n'avait pas encore fini de niveler et de planter le parc autour du pavillon Krupp, du bâtiment du Cuir et du palais de la Conservation à froid ; il n'avait encore ni posé le carrelage en brique de la gare de l'exposition, ni engazonné les concessions de la New York Central, de la Pennsylvania Railroad, du Choral Hall et du palais de l'Illinois, qui pour de nombreux Chicagoans était de loin le plus important édifice de l'Expo. L'installation des collections et des pavillons corporatifs à l'intérieur du palais de l'Électricité était tragiquement en retard : Westinghouse n'entama le montage du sien que le mardi 2 mai.

Burnham adressa de sévères directives à Olmsted, à Ferris et à tous les entrepreneurs encore actifs sur le chantier. Olmsted fut particulièrement sensible à ces pressions mais s'estimait handicapé par les retards successifs dans l'installation des collections et les dégâts causés par les allées et venues répétées des fardiers et autres véhicules de fret. Pour la seule General Electric, 15 chariots emplis de pièces à exposer attendaient sur le site. Les préparatifs de la cérémonie d'ouverture firent par ailleurs perdre un temps précieux aux hommes d'Olmsted, de même que les plantations et remises à niveau rendues nécessaires par le passage d'une foule aussi considérable dans le parc. Une bonne partie des 91 kilomètres de routes du parc était encore soit inondée, soit gorgée de boue, et le reste avait souvent été transformé en tranchées par les chariots qui avaient recommencé à rouler dessus sans attendre que ces routes soient redevenues praticables. L'entrepreneur d'Olmsted chargé des ponts et chaussées déploya une force de 800 hommes et de 100 équipes de chevaux pour les damer et les gravillonner. « Je vais toujours assez bien, écrivit Olmsted à son fils le 15 mai, mais je me sens horriblement fatigué chaque jour. Il est bien dur de faire faire les choses ; mon corps est tellement surmené que j'échoue constamment à accomplir ce que j'espérais. »

D'abord et avant tout, Burnham le savait, la construction de l'exposition devait être *terminée*, mais il allait falloir entre-temps lancer quelques appâts pour encourager les visiteurs à laisser de côté leur crainte de la ruine financière et venir à Chicago. Il créa donc un poste inédit, celui de directeur des fonctions, et le confia à Frank Millet, en lui laissant carte blanche pour trouver des solutions permettant d'accroître la fréquentation. Millet programma des feux d'artifice et des parades. Il instaura des journées spéciales visant à honorer tel ou tel État ou nation ou encore à fêter tel ou tel corps de métier, notamment les cordonniers, les meuniers, les pâtissiers, les sténographes. Les Chevaliers de Pythias eurent eux aussi droit à leur journée, de même que les Chevaliers catholiques d'Amérique. Millet décréta que le 25 août serait la fête des Gens de couleur et le 9 octobre la journée de Chicago. La fréquentation remonta peu à peu, mais pas assez. À la fin du mois de mai, le nombre moyen de visiteurs par jour n'était que de 33 000, toujours très en deçà des espérances de Burnham et de tous les autres mais surtout, plus concrètement, très en deçà du seuil requis pour que l'exposition devienne rentable. Pire encore, le Congrès et la Commission nationale, cédant aux pressions de l'Église de Dieu, avaient ordonné que l'exposition reste fermée le dimanche, interdisant ainsi la découverte de ses merveilles aux quelques millions de salariés pour lesquels le dimanche restait l'unique jour de repos.

Burnham espérait que la nation se remettrait rapidement de son malaise financier, mais l'économie refusa de lui rendre ce service. D'autres banques firent faillite, les licenciements augmentèrent, la production industrielle continua de fléchir et les grèves gagnèrent en violence. Le 5 juin, huit banques de Chicago furent assaillies par des hordes de déposants inquiets. Burnham lui-même vit se tarir le flot des commandes de son agence.

27

Le World's Fair Hotel

Les premiers clients commencèrent à pousser la porte de l'hôtel de Holmes, mais pas en rangs aussi serrés que lui et tous les autres hôteliers du South Side l'espéraient. Ils étaient surtout attirés par la situation de l'établissement, qui assurait un accès aisé à Jackson Park grâce au prolongement de l'Alley L sur la 63e Rue. Même si la plupart des chambres restaient vides, les arrivants de sexe masculin s'entendaient régulièrement répondre par un Holmes navré que tout était complet et se faisaient poliment aiguiller vers d'autres hôtels du quartier. Le World's Fair s'emplit donc peu à peu de femmes, en général très jeunes et visiblement peu accoutumées à vivre seules. Holmes les trouvait enivrantes.

La présence constante de Minnie Williams le gênait de plus en plus. L'arrivée de chaque nouvelle ingénue augmentait sa jalousie et sa propension à le serrer de près. Cette jalousie n'irrita pas spécialement Holmes. Il la trouva juste inopportune. Minnie constituait désormais un actif, une acquisition à garder en réserve jusqu'au jour où il en aurait besoin, telle une proie emprisonnée dans son cocon.

Holmes consulta les petites annonces de la presse en quête d'un appartement assez éloigné de l'hôtel pour rendre improbables les visites surprises de sa moitié. Il en trouva un dans le North Side, au 1220 Wrightwood Avenue, à une dizaine de blocs à l'ouest de Lincoln Park. Le quartier était joli et ombragé, mais ces qualités ne représentaient pour Holmes qu'un élément secondaire à intégrer dans ses calculs. L'appartement en question occupait le dernier étage d'une vaste maison particulière et avait été mis en location par les filles du propriétaire, John Oker. Leur première annonce était parue en avril 1893.

Holmes alla visiter seul l'appartement et rencontra Oker. Il se présenta sous le nom de Henry Gordon et expliqua qu'il travaillait dans l'immobilier.

Oker fut impressionné par ce candidat locataire. Il était d'aspect soigné – le mot « délicat » aurait peut-être mieux convenu – et tout, dans sa mise comme dans son attitude, suggérait l'aisance financière. Oker fut ravi de l'entendre déclarer qu'il prenait l'appartement, et plus ravi encore lorsque Henry Gordon lui versa une avance de 40 dollars, en espèces. Gordon annonça à Oker que son épouse et lui s'installeraient d'ici quelques semaines.

Holmes présenta ce déménagement à Minnie comme une nécessité trop longtemps retardée. À présent qu'ils étaient mariés, il leur fallait un domicile plus spacieux, plus élégant que celui qu'ils occupaient présentement dans l'immeuble, lequel serait bientôt envahi de visiteurs de l'exposition. Visiteurs ou non, d'ailleurs, ce n'était pas un endroit pour élever des enfants.

L'idée d'un grand appartement ensoleillé séduisit Minnie. En vérité, le « château » lui paraissait quelquefois sinistre. Et même en permanence. Et Minnie tenait à ce que tout soit aussi parfait que possible pour la visite d'Anna. Elle peinait en revanche à s'expliquer pourquoi Harry avait choisi une adresse aussi lointaine, dans le North Side, alors qu'il y avait tant de jolies maisons à Englewood. Peut-être supposa-t-elle qu'il n'avait pas envie de payer les loyers exorbitants que tout le monde exigeait dans le quartier depuis que l'Exposition universelle était ouverte.

Holmes et Minnie prirent possession de leur nouveau logis le 1er juin 1893. Selon Lora Oker, une des filles du propriétaire, Gordon « semblait très attentif à sa femme ». Le couple faisait des promenades à bicyclette et prit pendant un temps une bonne à tout faire. « Je peux seulement dire que sa conduite a été en tout point conforme à ce que l'on pouvait souhaiter pendant son séjour chez nous, déclara Mlle Oker. Il nous a présenté Minnie Williams comme son épouse et nous l'avons toujours appelée "Mme Gordon". Elle l'appelait "Henry". »

*

Une fois Minnie logée dans le North Side, Holmes eut enfin les mains libres pour profiter de son World's Fair Hotel.

Ses clientes passaient le plus clair de leur temps à Jackson Park ou au Midway et ne rentraient souvent qu'après minuit. Quand elles étaient présentes, elles avaient tendance à garder la chambre, Holmes n'ayant prévu aucune des pièces communes – bibliothèques, salles de jeu et salons d'écriture – que les grands hôtels comme le Richelieu, le Metropole et le New Julien tout proche mettaient systématiquement à la disposition de leur clientèle. Il n'avait pas davantage songé à aménager une de ces chambres noires que ses concurrents les plus proches de Jackson Park commençaient à proposer pour satisfaire le nombre croissant de photographes amateurs, ces « fous de Kodak » équipés d'un tout nouveau modèle d'appareil portatif.

Les femmes trouvaient l'hôtel plutôt glauque, surtout de nuit, mais la présence de son beau et prospère propriétaire les aidait à dissiper en partie cette pénible impression. À la différence des hommes qu'elles avaient pu connaître à Minneapolis, Des Moines ou Sioux Falls, Holmes était affable, charmant, loquace ; il les touchait avec une familiarité qui aurait peut-être été jugée choquante dans leur ville d'origine, mais qui semblait plus ou moins normale dans ce nouveau monde qu'était Chicago – un aspect parmi d'autres de la grande aventure dans laquelle elles étaient engagées. Et quel intérêt pouvait avoir une aventure si elle ne s'accompagnait pas d'une légère sensation de danger ?

Pour autant qu'on puisse en juger, le propriétaire était aussi quelqu'un d'indulgent. Il ne paraissait pas peiné le moins du monde lorsqu'une de ses clientes, de temps à autre, quittait l'hôtel sans préavis, en laissant sa note impayée. La vague odeur de chimie qui l'accompagnait souvent – il arrivait d'ailleurs que l'immeuble entier soit envahi d'effluves médicinaux – ne troublait personne. Après tout, il était médecin et possédait une pharmacie au rez-de-chaussée.

28

Prendergast

Patrick Prendergast croyait à l'imminence de sa nomination en tant que conseiller juridique de la municipalité. Aussi entreprit-il de réfléchir à la composition de son équipe afin d'être prêt le jour où cette décision tomberait. Le 9 mai 1893, il adressa une de ses fameuses cartes postales à un certain W. F. Cooling, du *Staats-Zeitung*. Après un sermon sur le fait que Jésus était l'autorité juridique suprême, Prendergast annonça la bonne nouvelle à son correspondant.

« Je suis candidat au poste de conseiller juridique de la municipalité, écrivit-il. Si je l'obtiens, vous serez mon assistant. »

29

La nuit est la magicienne

Malgré ses attractions incomplètes, ses allées cahoteuses et ses étendues non plantées, l'exposition révéla à ses visiteurs initiaux une vision de ce qu'une ville pouvait et devait être. Tandis qu'au nord la Ville noire continuait de croupir dans sa fumée et ses ordures, les visiteurs découvrirent à la Ville blanche des toilettes publiques propres, de l'eau pure, un service d'ambulances, un éclairage public électrique, ainsi qu'un système de traitement des eaux d'égout capable de fournir des hectares d'engrais aux fermiers. Il y avait aussi une garderie pour la progéniture des visiteurs – et le reçu auquel on avait droit lorsqu'on laissait son rejeton au palais des Enfants prêta beaucoup à rire. Les censeurs de Chicago, peu nombreux mais bruyants, craignaient que des parents pauvres n'y laissent définitivement leurs enfants indésirables. Un seul, l'infortuné Charlie Johnson, fut abandonné de la sorte, même si l'angoisse avait tendance à monter dans les dernières heures de chaque journée d'ouverture.

À l'intérieur des bâtiments de l'exposition, les visiteurs furent confrontés à des dispositifs et à des concepts nouveaux pour eux comme pour le reste du monde. Ils entendirent de la musique jouée en direct par un orchestre de New York et retransmise jusqu'à Chicago par une ligne téléphonique de longue distance. Ils regardèrent les premières images animées grâce au kinétoscope d'Edison et virent, ébahis, des éclairs de plus de 40 mètres jaillir du corps de Nikola Tesla. Ils découvrirent des choses encore plus invraisemblables : la première fermeture à glissière ; la première cuisine entièrement électrique, comprenant un lave-vaisselle automatique ; et aussi une boîte de farine censée contenir tous les ingrédients nécessaires pour confectionner des crêpes, vendue sous la marque Aunt Jemima[1]. Ils goûtèrent une gomme à mâcher étrangement parfumée portant le nom de Juicy Fruit, ainsi que des pop-corn enrobés de caramel, le Cracker Jack. Une nouvelle forme de céréales semblait promise à l'échec : le Shredded Wheat, traité par certains de « paillasson en flocons », contrairement à une nouvelle bière qui remporta le prix de la meilleure bière de l'exposition, symbolisé par un ruban bleu. La compagnie qui la produisait décida de la rebaptiser définitivement Pabst Blue Ribbon. Les visiteurs découvrirent aussi la dernière et sans doute la plus importante invention du siècle sur le plan organisationnel, le classeur vertical, créé par Melvil Dewey – l'inventeur du système décimal Dewey, qu'utilisent aujourd'hui encore la plupart des bibliothèques publiques. Des curiosités de toutes sortes émaillaient leur parcours. Une locomotive en bobines de soie. Un

---

1. Qui existe encore à ce jour.

pont suspendu à base de savon Kirk. Une carte géante des États-Unis en pickles. Des producteurs de pruneaux avaient envoyé un chevalier grandeur nature composé de pruneaux, et les mines de sel d'Avery, en Louisiane, présentaient une copie de la statue de la Liberté taillée dans un bloc de sel. Les visiteurs eurent tôt fait de la surnommer « la femme de Lot ».

Une des attractions les plus fascinantes – et les plus glaçantes – du site était le pavillon Krupp, où le « monstre apprivoisé » de Fritz Krupp trônait au centre d'un déploiement de canons lourds. Le *Time-Saver*, un des guides les plus populaires de l'Exposition universelle, notait chaque attraction de 1 à 3, le 1 étant synonyme d'« intéressant » et le 3 de « remarquablement intéressant » ; le pavillon Krupp bénéficiait de la note maximale. Beaucoup de visiteurs furent toutefois perturbés par la présence de telles armes. Mme D. C. Taylor, visiteuse assidue de la foire mondiale, qualifia le canon géant de Krupp de « chose effrayante et hideuse, respirant le sang et le carnage, un triomphe de la barbarie tapi au milieu des triomphes de la civilisation ».

Mme Taylor adora en revanche la cour d'honneur et fut frappée par la solennité avec laquelle les gens arpentaient ses palais. « Tout le monde autour de nous se déplaçait en douceur et parlait à mi-voix. Personne ne semblait pressé ni impatient ; tous étaient sous le charme, un charme sous lequel nous restâmes du premier au dernier jour de l'Expo. »

Elle trouva au Midway une ambiance bien différente. Mme Taylor s'aventura dans la rue du Caire, enfin ouverte, et assista à sa première danse du ventre. « Elle esquisse quelques pas légers d'un côté, marque une pause, fait claquer ses castagnettes, et recommence de l'autre côté ; s'avance de quelques pas, marque une pause, puis soulève et fait redescendre plusieurs fois son abdomen au rythme exact de la musique, sans bouger un seul autre muscle ni aucune autre partie du corps, avec une incroyable célérité, tout en gardant la tête et les pieds parfaitement rigides. »

En quittant la rue du Caire avec les amis qui l'accompagnaient, Mme Taylor se prit à fredonner « My Country 'Tis of Thee » pour elle-même, telle une fillette apeurée longeant un cimetière.

L'exposition était tellement vaste, tellement démesurée, que les gardes colombiens étaient assaillis de questions. C'était comme une maladie contagieuse, une petite vérole rhétorique, dont chaque visiteur souffrait à des degrés divers. Les gardes devaient répéter sans cesse les mêmes réponses à des questions qui fusaient vite, souvent avec une pointe d'accusation. Certaines étaient franchement bizarres. Ainsi la journaliste Teresa Dean, qui écrivait une chronique quotidienne sur l'exposition, entendit-elle une femme demander à l'un d'eux :

« Dans quel palais est le pape ?

— Le pape n'est pas là, madame, dit le garde.

— Où est-il ?

— En Italie, madame. »

La femme fronça les sourcils. « C'est de quel côté ? »

Persuadé que son interlocutrice plaisantait, le garde répondit malicieusement : « Troisième allée après la lagune.

— Et comment fait-on pour y aller ? » demanda la femme.

Une autre visiteuse, à la recherche d'une collection de statues de cire, demanda à un autre garde : « Pouvez-vous m'indiquer le bâtiment où sont les humains artificiels ? »

Le garde allait répondre qu'il n'en avait aucune idée quand un homme intervint. « J'en ai entendu parler, dit-il. Ils sont au palais de la Femme. Vous n'aurez qu'à demander les dames gestionnaires. »

Un visiteur cul-de-jatte, qui circulait à travers l'exposition avec des jambes de bois et des béquilles, devait être particulièrement bien informé, car un autre visiteur le bombarda d'un feu incessant de questions, au point que l'amputé finit par se plaindre que l'effort d'y répondre l'épuisait.

« Il y a encore une chose que j'aimerais savoir, demanda l'autre, et je ne vous dérangerai plus.

— Eh bien, qu'est-ce donc ?

— J'aimerais savoir comment vous avez perdu vos jambes. »

L'amputé dit qu'il allait répondre à la stricte condition que ce soit bel et bien la dernière question. Il n'en tolérerait aucune autre. Était-ce clair ?

Son persécuteur accepta.

L'amputé, parfaitement conscient que sa réponse soulèverait une question corollaire immédiate, déclara : « On me les a arrachées avec les dents.

— Avec les dents ? Comment est-ce... ? »

Mais un marché était un marché. L'amputé s'éloigna en pouffant de rire.

*

Pendant que l'exposition se démenait pour attirer du monde, le Wild West de Buffalo Bill ravissait des dizaines de milliers de spectateurs. Si Cody s'était vu accorder la concession qu'il demandait, tous ces gens auraient dû d'abord payer leur billet d'entrée aux portes de Jackson Park, ce qui aurait sérieusement augmenté la fréquentation et les recettes de la foire mondiale. Cody avait par ailleurs le droit de se produire le dimanche et, comme il se produisait en dehors du site, il n'était pas tenu de reverser la moitié de ses recettes à la Compagnie de l'Exposition. Pendant les six mois que dura l'événement, 12 000 personnes en moyenne assistèrent aux 318 représentations de Cody, soit un total de près de 4 millions.

Le Wild West souffla plus d'une fois la vedette à son illustre voisine. L'entrée principale de l'arène était si proche d'un des portails les plus passants de Jackson Park que certains visiteurs confondaient son spectacle avec l'Exposition universelle elle-même et, paraît-il, rentraient chez eux ravis après l'avoir vu. En juin, un groupe de cow-boys organisa en l'honneur de l'Expo une course à cheval de 1 000 milles entre Chadron, Nebraska et Chicago. L'arrivée était prévue à Jackson Park et le prix promis au vainqueur conséquent : 1 000 dollars. Cody y ajouta 500 dollars et une selle tarabiscotée à condition que la course se termine dans son arène. Les organisateurs acceptèrent.

Dix cavaliers, dont le chasseur de serpents « Rattlesnake » Pete et un bandit du Nebraska vraisemblablement repenti nommé Doc Middleton, prirent le départ devant le Baline Hotel de Chadron au matin du 14 juin 1893. Le règlement de la course autorisait les concurrents à prendre le départ avec deux chevaux chacun et les obligeait à passer par un certain nombre de points de contrôle en cours de route. La ligne d'arrivée devait absolument être franchie sur une des deux montures alignées au départ.

La course fut effrénée, riche en tricheries et blessures. Middleton abandonna peu de temps après avoir atteint l'Illinois. Quatre autres cavaliers ne finirent pas l'épreuve. Le premier à passer la ligne fut un cheminot nommé John Berry, qui s'engouffra au galop dans l'arène du Wild West le 27 juin à 9 h 30 du matin. Buffalo Bill, resplendissant dans son costume en daim blanc chamarré d'argent, l'accueillit en grande pompe avec le reste de sa troupe et environ 10 000 habitants de Chicago. John Berry ne repartirait cependant qu'avec la selle, une enquête ayant révélé que, juste après le départ de la course, il avait chargé ses deux chevaux à bord d'un train à destination de l'est où il avait lui-même pris place afin de parcourir les 150 premiers kilomètres en tout confort.

Cody devança de nouveau l'exposition en juillet, quand les responsables de celle-ci rejetèrent la demande du maire Carter Harrison de dédier une journée aux enfants pauvres de Chicago en les laissant entrer gratuitement. Les directeurs estimèrent que c'était trop demander, vu leur combat pour accroître le nombre de visiteurs payants. Chaque billet comptait, même les billets à demi-tarif pour les enfants. Buffalo Bill s'empressa d'instaurer une Journée des petits indigents au Wild West et offrit à tous les enfants de Chicago un billet de train gratuit, une entrée gratuite à son spectacle, un accès gratuit à la totalité du campement, plus tous les bonbons et glaces qu'ils seraient capables de manger.

Ils furent 15 000 à venir.

Le Wild West de Buffalo Bill était peut-être une « incongruité », comme l'avaient déclaré les directeurs en rejetant sa demande de concession dans l'enceinte de

Jackson Park, mais les citoyens de Chicago en étaient tombés amoureux.

*

Le ciel se dégagea et resta bleu. Les routes séchèrent, les fleurs fraîches écloses parfumaient l'air. Les exposants complétèrent peu à peu leurs installations, et des électriciens éliminèrent les derniers branchements défectueux des circuits complexes qui reliaient les 200 000 ampoules à incandescence de l'Expo. Partout dans le parc, sur ordre de Burnham, les travaux de nettoyage s'intensifièrent. Le 1er juin 1893, des ouvriers retirèrent les voies ferrées provisoires qui balafraient jusque-là les pelouses à proximité de la lagune et au sud du palais de l'Électricité et des Mines. « Un des changements les plus frappants dans l'état général des choses est la disparition des grosses piles de caisses qui encombraient jusque-là le pourtour extérieur du palais des Manufactures, de l'Agriculture, des Machines et autres grands édifices », commenta le *Tribune* le 2 juin. Les caisses non ouvertes et les déchets qui à peine une semaine plus tôt jonchaient encore l'intérieur du palais des Manufactures et des Arts libéraux, en particulier autour des pavillons intérieurs érigés par la Russie, la Norvège, le Danemark et le Canada, avaient aussi disparu, et ces espaces présentaient « une apparence tout à fait différente et considérablement améliorée ».

Malgré le côté fascinant de ces collections intérieures, les premiers visiteurs de Jackson Park virent immédiatement que le pouvoir de l'exposition provenait avant tout de l'étrange solennité des bâtiments eux-mêmes. La cour d'honneur produisait un effet de majesté et de beauté qui dépassait de loin le rêve né dans la bibliothèque du Rookery. Certains visiteurs en étaient même tellement émus qu'ils fondaient en larmes à peine entrés.

Aucune de ses parties prise isolément n'aurait suffi à expliquer un tel phénomène. Si chaque palais était en soi gigantesque, l'impression de masse était encore amplifiée par leur dessin néoclassique commun, leurs corniches exactement à la même hauteur, la peinture du même blanc crème qui les revêtait tous et la façon splendidement radicale dont ils se différenciaient de tout ce que la grande majorité des visiteurs avaient pu voir jusque-là dans leur poussiéreuse ville d'origine. « Jamais aucun décor produit de main d'homme ne m'a semblé aussi parfait que cette cour d'honneur », écrivit James Fullarton Muirhead, auteur et éditeur d'un guide touristique des États-Unis. Une cour, ajoutait-il, « pratiquement sans défaut ; le sens esthétique du spectateur y était aussi pleinement satisfait que face à un chef-d'œuvre de la peinture ou de la sculpture, et en même temps flatté, élevé par une impression d'amplitude et de grandeur telle qu'aucune œuvre d'art individuelle ne pouvait en produire ». Edgar Lee Masters, avocat et poète émergent de Chicago, qualifia la cour de « rêve inépuisable de beauté ».

La couleur commune à toutes les façades, ou plus exactement leur absence commune de couleur, produisait une palette d'effets singulièrement séduisants au fur et à mesure que le soleil traversait le ciel. En début de matinée, à l'heure où Burnham conduisait ses inspections, les palais étaient bleu pâle et flottaient sur une nappe spectrale de brume au sol. Certains soirs, le soleil les teintait d'ocre et illuminait les atomes de poussière soulevés par la brise, au point de donner à l'air lui-même l'aspect d'un léger voile orangé.

Un de ces soirs, Burnham proposa une visite de l'exposition à bord d'une navette électrique à la veuve de John Root, Dora, ainsi qu'à un certain nombre d'émissaires étrangers. Burnham adorait exhiber son œuvre à des amis et dignitaires mais cherchait systématiquement à orchestrer le trajet de manière à ce que ses hôtes voient l'exposition comme il jugeait qu'elle devait être vue, avec les palais présentés selon une certaine perspective et dans un certain ordre, comme s'il était encore dans sa bibliothèque à montrer des dessins plutôt que des constructions achevées. Il avait d'ailleurs tenté d'imposer sa volonté esthétique à l'ensemble des visiteurs en insistant tout au long de la première année de planification pour que le nombre d'entrées de Jackson Park soit le plus limité possible et pour qu'elles soient situées de façon à ce que les gens arrivent tous en premier lieu dans la cour d'honneur, soit par un grand portail attenant à la gare sur le flanc ouest du parc, soit à l'est par le débarcadère de l'exposition. Sa recherche d'une puissante première impression témoignait certes d'un solide sens de la mise en scène, mais révélait aussi le despote esthétique qu'il était. Il n'obtint pas gain de cause. Les directeurs s'arc-boutèrent à la création de nombreux portails, et les compagnies ferroviaires refusèrent d'acheminer tous les visiteurs de l'Expo vers une seule et même gare. Burnham ne rendit jamais tout à fait les armes. D'un bout à l'autre de l'exposition, affirma-t-il, « nous avons tenu à faire entrer *nos* invités, ceux dont nous estimions particulièrement l'opinion, par la cour d'honneur en premier ».

La navette électrique transportant Burnham, Dora Root et les dignitaires étrangers traversa sans bruit la lagune, émiettant les reflets de la Ville blanche à la surface de l'onde. Le coucher du soleil dorait les terrasses de la rive est mais la rive ouest sombrait déjà dans une pénombre bleu nuit. Des femmes en robe cramoisie ou aigue-marine arpentaient lentement les berges. L'eau portait jusqu'à eux des voix ponctuées çà et là d'éclats de rire qui tintaient comme des verres en cristal entrechoqués pour un toast.

Le lendemain, après ce qui avait certainement dû être une nuit difficile, Dora Root écrivit à Burnham pour le remercier de cette visite et tenter d'exprimer la complexité de ses sentiments.

« Notre heure sur la lagune hier soir a été le couronnement d'une journée charmante, écrivit-elle. J'en ai bien peur, nous nous y serions attardés indéfiniment si nos amis étrangers ne nous avaient préparé un divertissement plus épicé. Je crois que de mon plein gré je n'aurais jamais cessé de dériver dans ce pays de rêve. » Les lieux lui avaient inspiré des émotions conflictuelles. « Je trouve tout cela d'une tristesse infinie, écrivit-elle, mais en même temps tellement enchanteur que j'ai souvent l'impression que la voie de la sagesse serait de fuir sur-le-champ vers les bois ou les montagnes où l'on peut toujours trouver la paix. Il y a bien des choses que j'aimerais vous dire sur votre travail de ces deux dernières années – qui a permis cette superbe réalisation de la vision de la beauté de John – mais je ne puis me fier à moi-même. Tout cela signifie trop pour moi et je pense, j'espère que vous me comprendrez. Pendant des années ses espérances, ses ambitions ont été miennes, et malgré tous mes efforts les vieux centres d'intérêt se maintiennent. C'est un soulagement pour moi que de vous écrire cela. Je compte sur vous pour ne pas m'en tenir rigueur. »

*

Si l'exposition avait de quoi séduire au coucher du soleil, ses nuits étaient un enchantement. Les lampes qui pointillaient chaque édifice et chaque allée représentaient la mise en œuvre la plus complexe jamais tentée de l'éclairage électrique et le tout premier essai à grande échelle d'usage du courant alternatif. L'Expo consommait à elle seule trois fois plus d'électricité que toute la ville de Chicago. Il s'agissait bien entendu d'une prouesse technique considérable, mais ce que les visiteurs adoraient par-dessus tout, c'était la beauté d'un aussi grand nombre de lumières brillant en même temps au même endroit. Chaque édifice, y compris le palais des Manufactures et des Arts libéraux, était piqueté d'ampoules blanches sur l'ensemble de son pourtour. Des projecteurs géants – les plus grands jamais construits, que l'on disait visibles à 100 kilomètres – installés dans la verrière du palais des Manufactures balayaient le parc et les quartiers avoisinants. D'énormes ampoules colorées éclairaient les jets d'eau de 30 mètres jaillis de la fontaine de MacMonnies.

Pour beaucoup de visiteurs, ces illuminations nocturnes constituaient une première rencontre avec l'électricité. Hilda Satt, une jeune fille récemment arrivée de Pologne, alla à l'exposition avec son père. « Tandis que la clarté faiblissait dans le ciel, des millions de lampes s'allumèrent soudainement, toutes en même temps, raconta-t-elle des années plus tard. N'ayant jamais rien vu d'autre que des lampes à pétrole, ce fut comme si le paradis m'apparaissait d'un coup. »

Son père lui expliqua que ces lampes étaient commandées par des boutons électriques.

« Sans allumettes ? » demanda-t-elle.

Entre l'éclairage et les omniprésents spectres bleus de la Garde colombienne, l'exposition réussit une autre prouesse : pour la première fois, les Chicagoans pouvaient flâner en toute sécurité après la tombée de la nuit. Ce seul fait ne tarda pas à attirer une catégorie supplémentaire de visiteurs, surtout des jeunes couples en quête d'un peu d'intimité dans la pénombre pour échapper un moment au strict carcan victorien des règles de cour.

De nuit, les lumières et les zones d'ombre permettaient de masquer les nombreuses imperfections de l'exposition – parmi lesquelles, écrivit John Ingalls dans *Cosmopolitan*, les « innommables déchets d'une multitude de paniers-repas » – et de créer l'espace de quelques heures la ville parfaite issue des rêves de Daniel Burnham.

« La nuit, concluait Ingalls, est la magicienne de l'Expo. »

*

Les premiers visiteurs rentrèrent à la maison et contèrent à leurs amis et parents que l'exposition, même inachevée, était cent fois plus magnifique et impressionnante qu'on ne les avait incités à le croire. Comme l'écrivit Montgomery Schuyler, le critique architectural le plus influent de l'époque : « C'était un commentaire fréquent des visiteurs venant à l'Exposition pour la première fois que rien de ce qu'ils avaient lu ou vu en image ne leur avait donné une vraie idée de la chose, ni ne les avait préparés à ce qu'ils découvraient. » Des journalistes venus de villes lointaines câblèrent ce genre d'observations à leur rédacteur en chef, et des articles empreints de ravissement et de sidération finirent par se frayer un chemin jusqu'aux territoires les plus reculés. Dans les champs, les vallons et les collines, des familles effarées par ce qu'elles lisaient chaque jour dans la presse sur l'effondrement de l'économie nationale recommençaient malgré tout à s'intéresser à Chicago. Le voyage coûtait certes cher, mais il semblait de plus en plus digne d'intérêt. Pour ne pas dire indispensable.

À condition que M. Ferris se hâte enfin de terminer sa Grande Roue.

30

Modus operandi

C'était parti. Une serveuse disparut du restaurant où les hôtes de Holmes prenaient leurs repas. Elle se volatilisa du jour au lendemain, sans qu'il y ait d'explication claire à ce départ soudain. Holmes parut aussi décontenancé que tout le monde. Puis ce fut le tour d'une sténographe nommée Jennie Thompson, puis d'une certaine Evelyn Stewart, qui était soit employée de Holmes soit cliente de l'hôtel. Il y eut aussi le cas de ce médecin, qui avait loué pendant un temps un cabinet dans le château et s'était lié d'amitié avec Holmes – on les voyait souvent ensemble : il décampa sans en souffler mot à quiconque.

À l'intérieur de l'hôtel, les effluves de chimie montaient et descendaient telle une marée atmosphérique. Il flottait certains jours dans les couloirs une odeur caustique de produit détergent trop abondamment répandu, et d'autres jours une odeur médicinale entêtante, comme si un dentiste, quelque part dans l'immeuble, était en train de plonger son patient dans un sommeil profond. Il semblait y avoir aussi des fuites de gaz.

Des parents, des amis vinrent poser des questions. Comme toujours, Holmes fit preuve de compassion et d'obligeance. La police ne s'en mêlait toujours pas. Apparemment, elle avait trop à faire avec les riches visiteurs et les dignitaires étrangers qui arrivaient sans cesse plus nombreux, suivis par un essaim de pickpockets, de voyous et d'aigrefins.

*

Si Holmes ne tuait pas en face à face, à la différence d'un Jack l'Éventreur avide de chaleur humaine et de viscères, il appréciait la proximité. Il aimait être assez près pour entendre l'approche de la mort dans la panique montante de ses victimes. C'était à ce stade-là que sa quête de possession entrait dans sa phase la plus satisfaisante. La chambre forte étouffait la plupart des cris et des martèlements, mais pas tous. Quand son hôtel grouillait de clientes, il recourait à des méthodes plus silencieuses. Il emplissait une chambre de gaz et laissait son occupante expirer dans son sommeil, ou alors il s'y introduisait à l'aide de son passe-partout et lui collait devant le visage un chiffon imbibé de chloroforme. Il avait le choix, encore un signe de son pouvoir.

Indépendamment de l'approche utilisée, l'acte le mettait chaque fois en possession d'un arrivage de matériau frais, qu'il pouvait ensuite exploiter à sa guise.

L'articulation réalisée ensuite par son très talentueux ami Chappell constituait la phase ultime d'acquisition, la phase triomphale, même s'il ne faisait appel aux services de celui-ci qu'avec parcimonie. Le matériau résiduel était éliminé dans son four ou dans des fosses emplies de chaux vive. Holmes n'osait pas garder trop longtemps par-devers lui les assemblages de Chappell. Il s'était fixé très tôt pour règle de ne pas conserver de trophées. La possession dont il avait soif était quelque chose d'éphémère, comme le parfum d'une jacinthe tout juste cueillie. Une fois dissoute, seule une nouvelle acquisition pouvait la restaurer.

31

Un petit tour

Durant la première semaine de juin 1893, les hommes de Ferris démontèrent les dernières poutres et planches de l'échafaudage qui avait soutenu la roue géante tout au long de son assemblage. L'arc de la jante culminait à 67 mètres, c'est-à-dire aussi haut que le dernier étage utile du Temple maçonnique de Burnham, le gratte-ciel le plus élevé de la ville. Aucune des 36 cabines n'avait encore été fixée – elles attendaient au sol tels les wagons d'un train déraillé – mais la roue proprement dite était prête pour sa première rotation. Dépouillée de ses étais, elle semblait tout à coup dangereusement fragile. « Il est impossible à l'esprit non mécanicien de comprendre comment une chose aussi cyclopéenne peut tenir debout, écrivit Julian Hawthorne, le fils de Nathaniel ; elle n'a aucun support visible – aucun qui paraisse adéquat. Les rayons ressemblent à une toile d'araignée ; ils sont dans le style de ceux qui équipent les plus récents modèles de bicyclettes. »

Le jeudi 8 juin, Luther Rice fit signe aux chauffeurs des puissantes chaudières installées à 200 mètres de là sur Lexington Avenue – en dehors du Midway – d'envoyer la vapeur dans les grosses conduites de 25 centimètres. Dès que la pression fut suffisante, Rice hocha la tête à l'intention du mécanicien posté dans une fosse sous la roue, et la vapeur s'engouffra bruyamment dans les pistons de ses deux moteurs couplés de 1 000 chevaux. Les pignons d'entraînement se mirent à tourner en douceur et sans bruit. Rice fit éteindre les moteurs. Ses hommes accrochèrent ensuite la chaîne de 10 tonnes à ces pignons, puis au pignon récepteur de la roue. Rice envoya un télégramme à Ferris, resté à son bureau du Hamilton Building de Pittsburgh : « Moteurs alimentés en vapeur, fonctionnement satisfaisant. Chaîne de transmission en place, sommes prêts à faire tourner roue. »

Dans l'impossibilité de se rendre à Chicago en personne, Ferris avait envoyé son associé W. F. Gronau superviser l'essai. Au petit matin du vendredi 9 juin, tandis que son train traversait le South Side, Gronau eut tout loisir de voir à quel point la Grande Roue dominait tout ce qui se trouvait dans ses environs, à l'instar de l'œuvre d'Eiffel à Paris. Les exclamations des autres passagers sur sa taille et son apparente fragilité l'emplirent d'un mélange de fierté et d'angoisse. Ferris, lui-même exaspéré par les retards de construction et le harcèlement de Burnham, lui avait dit que soit cette roue tournait, soit il la retirait de son support.

Les réglages et vérifications de dernière minute durèrent une bonne partie du vendredi, mais juste avant le crépuscule Rice annonça à Gronau que tout semblait prêt.

« Craignant que ma voix ne me trahisse, dit Gronau, je hochai simplement la tête pour donner le signal du départ. » Tout en étant impatient de voir si la roue fonctionnait, il aurait « volontiers accepté de reporter cette épreuve ».

Il ne restait plus qu'à envoyer la vapeur et à voir ce qui se passerait. Jamais personne n'avait construit de roue aussi gigantesque. Qu'elle puisse tourner sans écraser son support ni dévier de son axe était un pur pari d'ingénieur, uniquement fondé sur des calculs intégrant les qualités connues du fer et de l'acier. Aucune structure n'avait jamais été soumise aux forces uniques qui allaient s'exercer sur et à partir de cette roue une fois qu'elle serait en mouvement.

La jolie épouse de Ferris, Margaret, se tenait non loin de là, rose d'excitation. Gronau songea qu'elle devait être en proie à une tension intérieure aussi violente que la sienne.

« Je fus soudain tiré de ces pensées par un fracas épouvantable », dit-il. Un grondement venait d'éclater dans le ciel, et ceux qui se trouvaient dans les parages – les Algériens du village de Bloom, les Égyptiens, les Persans et tous les visiteurs dans un rayon d'une centaine de mètres – s'arrêtèrent pour regarder fixement la roue.

« En levant les yeux, dit Gronau, je vis la roue bouger lentement. Que peut-il bien se passer ? D'où vient cet horrible bruit ? »

Gronau courut jusqu'à la fosse, où Rice était en train de contrôler la pression et le fonctionnement des bielles et des circuits. Gronau s'attendait à le voir se démener fébrilement pour couper les moteurs, mais il semblait tout à fait insouciant.

Rice lui expliqua qu'il venait de tester le système de freinage de la roue, lequel consistait en un cerclage d'acier entourant l'axe. À lui seul, cet essai avait fait parcourir un huitième de tour à la roue. Le bruit, dit Rice, n'était dû qu'au grincement de la rouille que le coup de frein avait arrachée au cerclage.

Le mécanicien desserra le frein et enclencha l'embrayage. Les pignons se remirent à tourner, la chaîne à avancer.

À ce stade, une bonne partie des Algériens, Égyptiens et Persans – peut-être même quelques danseuses du ventre – avaient pris place sur les quais d'embarquement, construits en escalier de manière à pouvoir emplir six cabines en même temps une fois la Grande Roue en service. Tout le monde se taisait.

Tandis que la roue entamait sa toute première révolution, des écrous, des boulons et deux ou trois clés de serrage dégringolèrent bruyamment du moyeu et des rayons. L'assemblage avait consommé 12 889 kilos de boulons ; il fallait bien s'attendre à ce qu'il y ait eu quelques oublis.

Indifférents à cette averse de métal, les villageois lancèrent des acclamations et dansèrent sur les quais. Certains se mirent à jouer de leurs instruments. Des ouvriers qui avaient risqué leur vie pour assembler la roue la risquèrent une fois de plus en la prenant en marche. « Aucune cabine n'était encore en place, dit Gronau, mais cela ne découragea pas ces hommes, qui escaladèrent les rayons et s'assirent au sommet de la roue avec autant d'aisance que moi dans ce fauteuil. »

La roue avait besoin de vingt minutes pour effectuer une rotation complète. Ce ne fut que lorsque celle-ci fut achevée que Gronau sentit vraiment que l'essai avait réussi. « J'en aurais hurlé de joie », confia-t-il.

Mme Ferris lui serra la main. La foule applaudissait. Rice télégraphia à Ferris, qui avait passé toute la journée à attendre des nouvelles de l'essai et dont l'anxiété montait à chaque heure. Le bureau de Pittsburgh de la Western Union reçut le câble à 21 h 10, et un messager en uniforme bleu s'élança dans la douceur de cette soirée printanière pour l'apporter à Ferris. Rice avait écrit : « Après les derniers assemblages et les réglages définitifs la vapeur a été envoyée à 18 heures. Une révolution complète de la Grande Roue a été effectuée. Tout marche bien. La révolution a pris vingt minutes de temps. Je vous félicite pour ce succès complet. Midway follement enthousiaste. »

Le lendemain, samedi 10 juin, Ferris câbla à Rice : « Votre télégramme annonçant que la première révolution de la roue a eu lieu hier soir à 18 heures et s'est conclue par un succès complet a causé une grande joie à tout le monde d'ici. Je souhaite vous féliciter à tous niveaux pour cette affaire et vous demande d'accélérer l'installation des cabines en travaillant nuit et jour – si vous ne pouvez pas les installer de nuit, babbittez au moins les galets pour prendre de l'avance. » Le verbe « babbitter » signifiait sans doute enduire d'alliage antifriction Babbitt les paliers métalliques où viendraient se loger les tourillons.

La Grande Roue avait tourné, mais Ferris, Gronau et Rice savaient tous que des essais bien plus importants les attendaient encore. Les ouvriers allaient commencer dès ce samedi-là à mettre en place les cabines, imposant à la structure ses premières charges sérieuses. Il y en avait 36. Chacune pesait 13 tonnes, soit un total avoisinant les 500 tonnes. Sans compter la charge vivante de 90 tonnes qui s'y ajouterait quand ces cabines auraient fait le plein de passagers.

Le samedi, peu après avoir reçu les félicitations de son chef, Rice lui répondit par câble que la première cabine était déjà en place.

*

En dehors de Jackson Park, curieusement, le premier tour de la Grande Roue n'attira que peu d'attention. La ville, surtout dans les milieux adeptes du *frappé*, focalisait son intérêt sur un autre événement en cours à Jackson Park : la première visite de l'envoyée officielle de l'Espagne à l'Exposition universelle – l'infante Eulalie, sœur benjamine du défunt roi d'Espagne Alphonse XII et fille de la reine en exil Isabelle II.

Cette visite ne se déroulait pas au mieux.

L'infante avait 29 ans et était, selon les mots d'un officiel du Département d'État, « plutôt jolie, gracieuse et vive ». Arrivée en train de New York deux jours plus tôt, elle avait été sur-le-champ transportée au Palmer House, dont elle occupait la plus somptueuse suite. Les apôtres de Chicago voyaient dans sa visite la première véritable occasion de démontrer le raffinement tout neuf de la ville et de prouver au monde, ou du moins à New York, qu'elle était aussi apte à recevoir les têtes couronnées qu'à transformer les soies de porc en pinceaux. Le premier avertissement suggérant que les choses risquaient de ne pas se dérouler comme prévu aurait peut-être dû se lire dans une dépêche télégraphique venue de New York pour informer la nation d'une nouvelle tout à fait scandaleuse : la jeune femme fumait des cigarettes.

Dans l'après-midi de son premier jour à Chicago, le

mardi 6 juin, l'infante s'éclipsa de l'hôtel incognito, accompagnée de sa dame d'honneur et d'un aide désigné par le président Cleveland. Elle prit un grand plaisir à se déplacer en ville sans être reconnue par les habitants. « Rien n'aurait pu être plus divertissant, en vérité, que de marcher parmi ces foules mouvantes de gens occupés à lire ce qu'on disait de moi dans les journaux, en ayant sous les yeux une image qui me ressemblait plus ou moins », écrivit-elle.

Elle visita Jackson Park pour la première fois le jeudi 8 juin, le jour du tour inaugural de la Grande Roue. Le maire Harrison l'accompagnait. Des multitudes d'inconnus l'applaudissaient sur son passage, sans autre motif que son royal lignage. Des journaux l'intronisèrent « reine de l'Expo » et mirent sa visite à la une. Pour elle, en revanche, tout cela devint vite très lassant. Elle enviait la liberté qu'elle avait devinée chez les femmes de Chicago. « Je m'aperçois avec quelque amertume, écrivit-elle à sa mère, que si ce progrès touche un jour l'Espagne, il sera trop tard pour que je puisse en profiter. »

Le lendemain matin, vendredi, elle jugea qu'elle avait rempli ses devoirs officiels et que le moment était venu pour elle de s'amuser un peu. Elle rejeta par exemple une invitation du comité des cérémonies et à la place, sur un coup de tête, s'en alla déjeuner au Village allemand.

Le gratin de Chicago, en revanche, commençait à peine à s'échauffer. L'infante était une altesse royale, nom d'un chien, et elle aurait le droit à un traitement royal. Ce soir-là, il était prévu qu'elle assiste à une réception donnée par Bertha Palmer en son hôtel particulier de Lake Shore Drive. En prévision de l'événement,

Mme Palmer avait fait construire un trône sur une plate-forme surélevée.

Frappée par la similarité entre le nom de son hôtesse et celui de l'hôtel où elle descendait, l'infante se renseigna. En découvrant que Bertha Palmer était l'épouse du propriétaire de l'établissement, elle infligea à Chicago un camouflet que la ville n'oublierait ni ne lui pardonnerait jamais. Elle déclara qu'en aucune circonstance elle ne serait reçue par « la femme d'un aubergiste ».

La diplomatie finit toutefois par prévaloir, et elle consentit à se rendre à la réception. Cela ne fit qu'assombrir son humeur. Depuis le crépuscule, la chaleur du jour avait cédé la place à une pluie battante. Le temps pour Eulalie de s'avancer jusqu'à la porte d'entrée de Mme Palmer, ses chaussons de satin blanc étaient trempés, et elle avait perdu son peu de patience pour ce qui était des cérémonies. Elle resta une petite heure et mit les voiles.

Le lendemain, elle fit l'impasse sur un banquet officiel au palais de l'Administration pour retourner déjeuner à l'improviste au Village allemand. Ce soir-là, elle arriva avec une heure de retard à un concert donné en son honneur à la salle des fêtes de l'Exposition. La salle était pleine à craquer de membres des plus éminentes familles de Chicago. Elle resta cinq minutes.

Un certain ressentiment finit par transpirer dans la façon dont la presse couvrait sa visite. Ainsi put-on lire le samedi 10 juin dans le *Tribune* : « Son Altesse (...) est encline à ignorer les programmes et à suivre spontanément le sens de son inclination. » Les journaux de la ville firent des allusions répétées à sa tendance à agir selon « son bon vouloir ».

En réalité, l'infante se plaisait à Chicago. Elle avait adoré passer du temps à l'Expo et semblait tout particulièrement apprécier Carter Harrison, à qui elle offrit un étui à cigarettes en or incrusté de diamants. Peu avant son départ, prévu le mercredi 14 juin, elle écrivit à sa mère : « Je quitterai vraiment Chicago à regret. »

Chicago ne regretta pas son départ. Si l'infante avait eu l'occasion de lire le numéro du *Chicago Tribune* de ce mercredi-là, elle y aurait trouvé un éditorial plutôt acerbe qui affirmait, entre autres, que « les altesses royales sont au mieux une clientèle problématique pour les républicains, et les altesses royales de type espagnol sont les plus problématiques de toutes. (...) Elles ont coutume d'arriver tard et de repartir tôt, laissant dans leur sillage l'impression générale qu'elles auraient mieux fait de venir encore plus tard et de s'en aller encore plus tôt, voire de ne pas venir du tout ».

Ce style de prose portait la marque caractéristique de l'orgueil blessé. Chicago avait mis les petits plats dans les grands – non par admiration de la royauté mais pour montrer au monde sa capacité à recevoir avec le plus grand raffinement –, tout cela pour voir son invitée d'honneur déserter le festin pour un repas de saucisses, de choucroute et de bière.

32

Nannie

Anna Williams – « Nannie » – arriva de Midlothian
à la mi-juin 1893, troquant un Texas torride et poussiéreux contre une ville encombrée de trains et de vacarme,
où l'air était aussi frais qu'enfumé. Les deux sœurs
s'embrassèrent les larmes aux yeux et se félicitèrent
mutuellement de leur bonne mine, puis Minnie présenta
à Anna son mari, Henry Gordon – Harry. S'il était moins
grand que ses lettres n'avaient incité sa sœur à le croire,
il avait cependant quelque chose que même les phrases
les plus élogieuses n'avaient pas su saisir. Il rayonnait
de chaleur et de charme. Il s'exprimait d'une voix douce.
Il avait une façon de vous toucher qui poussa plus d'une
fois Anna à s'excuser du regard auprès de Minnie. Harry
l'écouta relater son voyage avec une attention qui lui
donna l'impression d'être seule avec lui dans la voiture.
Anna ne le quittait quasiment pas des yeux.

Cette cordialité, ses sourires et son évidente affection
pour Minnie eurent tôt fait de dissiper les soupçons
d'Anna. Il semblait bel et bien amoureux de sa sœur. Il
était tendre et infatigable dans ses efforts pour lui plaire

– et aussi pour plaire à Anna. Il faisait des cadeaux. Il offrit à Minnie une montre et une chaîne en or spécialement fabriquée pour elle par le bijoutier du drugstore, au rez-de-chaussée. Sans même y penser, Anna en vint à l'appeler son « frère Harry ».

Minnie et Harry lui montrèrent d'abord Chicago. Autant les gratte-ciel et les somptueux hôtels particuliers de la ville l'impressionnèrent, autant la fumée, la pénombre et l'odeur omniprésente d'ordures pourries la dégoûtèrent. Holmes emmena les sœurs aux Union Stock Yards, où un guide spécialisé les mena au cœur même du système d'abattage, non sans les avoir avertis de prendre garde où ils mettaient les pieds pour éviter de déraper dans le sang. Ils virent une file continuelle de porcs suspendus la tête en bas avancer en hurlant sous le câble qui descendait jusqu'aux salles d'équarrissage, où des hommes munis d'un couteau écarlate les égorgeaient d'un geste expert. Les animaux, certains encore en vie, étaient alors plongés dans une cuve d'eau bouillante et débourrés – leurs soies étant récupérées dans des caisses placées sous les tables d'écorchement. Les porcs encore fumants passaient ensuite de poste en poste, où des équarrisseurs maculés de sang pratiquaient à la chaîne des incisions toujours identiques, jusqu'à ce que des jambons et autres quartiers de viande giflent bruyamment les tables. Holmes resta de marbre. Minnie et Anna étaient horrifiées, mais en même temps étrangement électrisées par l'efficacité du carnage. Les abattoirs incarnaient tout ce qu'Anna avait entendu dire de Chicago et de son élan irrésistible, pour ne pas dire sauvage, vers la prospérité et le pouvoir.

Vint ensuite la grande Exposition universelle. Ils remontèrent la 63ᵉ Rue par l'Alley L. Juste avant de pénétrer sur le site, leur train longea l'arène du Wild West de Buffalo Bill. Leur position dominante leur permit de voir la terre de l'arène et l'amphithéâtre qui l'entourait. Ils virent les chevaux, les bisons, une authentique diligence. Le train s'éleva au-dessus de la clôture de l'exposition puis redescendit jusqu'à la grande gare aménagée à l'arrière du palais des Transports. Le nouveau « frère » d'Anna acheta les trois tickets d'entrée à 50 cents l'unité. Devant les tourniquets de l'Expo, même Holmes était obligé de payer cash.

Ils commencèrent tout naturellement par le palais des Transports. Ils visitèrent le pavillon « idéal de l'Industrie » de la Pullman Company, avec sa maquette détaillée de la ville-usine de Pullman, propriété de l'entreprise et présentée comme un paradis pour les ouvriers. Dans une annexe du bâtiment où s'entassaient wagons et locomotives, ils arpentèrent toute la longueur d'une réplique exacte d'un train de luxe, le New York & Chicago Limited « tout Pullman », avec ses lambris de bois verni, son épaisse moquette et ses somptueuses banquettes. Au pavillon de la compagnie de navigation Inman, la coupe grandeur nature d'un paquebot transatlantique les toisait de toute sa hauteur. Ils quittèrent le palais par la monumentale Porte dorée, dont les arches successives formaient dans la façade rouge clair une espèce d'arc-en-ciel scintillant.

Ce fut à ce stade que, pour la première fois, Anna prit réellement conscience de l'échelle de l'exposition. Devant eux s'étirait un ample boulevard que bordaient côté gauche la lagune et l'Île boisée, côté droit les hautes façades des palais des Mines et de l'Électricité. Au loin, elle vit un train tout électrique glisser sur la ligne aérienne qui bordait le parc. Plus près, des navettes électriques striaient la lagune en silence. À l'autre extrémité du boulevard, aussi massif qu'un escarpement des Rocheuses, le palais des Manufactures et des Arts libéraux semblait barrer l'horizon. Des mouettes blanches planaient devant sa façade. Le gigantisme de ce bâtiment exerçant un attrait irrésistible, Holmes et Minnie l'y conduisirent sans tarder. Une fois à l'intérieur, Anna constata que le palais était encore plus colossal que ne le suggérait son aspect extérieur.

Un halo bleuté, mélange de souffles humains et de volutes de poussière, voilait l'entrelacs complexe de la charpente, à 74 mètres de hauteur. Cinq lustres électriques géants apparemment suspendus dans le vide brillaient à mi-hauteur, les plus énormes jamais fabriqués : chacun mesurait 22,5 mètres de diamètre et possédait une luminosité équivalente à 828 000 bougies. Ces lustres éclairaient une cité couverte de « dômes dorés, de flamboyants minarets, de mosquées, de palais, de kiosques et de pavillons multicolores », selon le célèbre *Guide de l'Exposition universelle colombienne* de Rand & McNally & Co. Au centre du hall se dressait une tour d'horloge qui du haut de ses 36 mètres dominait toutes les autres structures intérieures du palais. Un mécanisme à remontage automatique lui permettait d'indiquer les jours, les heures, les minutes et les secondes sur un cadran large de 2,10 mètres. En dépit de ses imposantes dimensions, 38 mètres de vide la séparaient du plafond.

Rayonnante de fierté, Minnie laissa le regard de sa sœur embrasser la cité intérieure et s'élever jusqu'à son ciel d'acier. Des milliers de collections étaient exposées là. La perspective d'en regarder ne fût-ce qu'une petite part pouvait sembler décourageante. Ils admirèrent les tapisseries des Gobelins du pavillon français, puis le masque mortuaire d'Abraham Lincoln au pavillon de l'American Bronze Company. D'autres entreprises présentaient leurs derniers modèles de jouets, d'armes, de cannes, de malles et à peu près tous les produits manufacturés concevables – dont un important assortiment de matériel d'inhumation : monuments en marbre ou en pierre, mausolées, tablettes, bières, cercueils et autres objets liés à l'industrie des pompes funèbres.

Minnie et Anna se lassèrent vite. Elles ressortirent, non sans soulagement, sur la terrasse donnant sur le canal nord et se retrouvèrent dans la cour d'honneur. Là encore, l'émotion fut à deux doigts de submerger Anna. Il était midi et le soleil avait atteint son zénith. La silhouette d'or de la statue de la République, Big Mary, brasillait telle une torche en flammes. Les ridules du bassin d'où surgissait son piédestal semblaient constellées de diamants. De l'autre côté se dressaient les 13 hautes colonnes blanches du Péristyle, qui découpaient l'eau du lac en tranches bleu marine. La lumière qui inondait cette cour était si abondante et si intense qu'elle leur fit mal aux yeux. Beaucoup de gens autour d'eux portaient des lunettes à verres bleus.

Ils décidèrent d'aller déjeuner. Le choix était infini. Des comptoirs permettant de manger sur le pouce fonctionnaient dans la plupart des grands bâtiments. Le palais des Manufactures et des Arts libéraux à lui seul en contenait dix – en plus de deux grands restaurants, l'un allemand, l'autre français. Le café du palais des Transports, avec sa terrasse aménagée au-dessus de la Porte dorée, était très apprécié pour sa vue spectaculaire sur la lagune. Au fil de la journée, Holmes acheta aux sœurs du chocolat, de la limonade et aussi une boisson gazeuse aromatisée aux baies et aux racines de sassafras, la *root beer*, vendue dans les nombreuses « oasis » Hires Root Beer qui ponctuaient le parc.

Ils revinrent à l'exposition presque tous les jours, l'avis général étant qu'il fallait au minimum deux semaines pour la couvrir de façon convenable. Un des bâtiments les plus fascinants, pour l'époque, était le palais de l'Électricité. Dans son « théâtorium », ils entendirent un orchestre qui jouait au même moment à New York. Ils observèrent les images animées du kinétoscope d'Edison. Edison présentait par ailleurs un étrange cylindre métallique capable de conserver et reproduire les voix. « Un homme en Europe parle à sa femme restée en Amérique en lui envoyant par l'express un cylindre empli de conversation, expliquait le guide Rand & McNally. Un amoureux parle une heure dans ce cylindre, et sa dulcinée l'entend comme si mille lieues n'étaient qu'un mètre. »

Ils virent aussi la première chaise électrique.

Ils réservèrent une journée à part pour le Midway Plaisance. Rien dans le Mississippi ni au Texas n'avait préparé Anna à ce qu'elle y découvrit. Des danseuses du ventre. Des dromadaires. Un ballon gonflé à l'hydrogène qui emmenait les visiteurs à plus de 300 mètres au-dessus du sol. Des aboyeurs qui la hélaient du haut de leur estrade pour l'inciter à pousser la porte du palais mauresque – avec sa salle des miroirs, ses illusions d'optique, et son éclectique musée de cire où les visiteurs se retrouvaient face à des personnages aussi divers que le Petit Chaperon rouge et Marie-Antoinette au pied de l'échafaud. Il y avait de la couleur partout. La rue du Caire était un chatoiement de jaunes, de roses et de violets. Les tickets donnant accès aux diverses concessions participaient eux-mêmes au festival de couleurs

– bleu vif pour le théâtre turc, rose pour le Village lapon, mauve pour les gondoles vénitiennes.

Seule ombre au tableau, la Grande Roue n'était pas encore prête.

À leur sortie du Midway, ils repartirent lentement vers le terminus de l'Alley L, tout au bout de la 63e Rue. Les sœurs étaient fourbues, heureuses et rassasiées, mais Harry promit de les ramener encore une fois – le 4 juillet, pour un feu d'artifice que tout le monde annonçait comme le plus grandiose que la ville ait jamais connu.

Harry semblait ravi de la présence d'Anna et l'invita à rester tout l'été. Flattée, elle écrivit chez elle pour demander à ce qu'on lui expédie sa grande malle à l'adresse de sa sœur, sur Wrightwood Avenue.

Elle avait visiblement anticipé une invitation de cet ordre, car la malle était déjà prête.

*

L'assistant de Holmes, Benjamin Pitezel, visita lui aussi l'Expo. Il y acheta un souvenir pour son fils Howard – un petit bonhomme en fer-blanc, monté sur toupie, qui devint vite le joujou favori de celui-ci.

33

Vertige

Plus les hommes de Ferris s'habituaient au maniement des énormes cabines, plus la fixation de celles-ci
s'accéléra. Le dimanche 11 juin au soir, six d'entre elles
étaient déjà en place – soit une moyenne de deux par
jour depuis le premier tour de la Grande Roue. Le
moment était venu d'effectuer un essai avec passagers,
et le temps n'aurait pas pu mieux s'y prêter. Le soleil
éclaboussait d'or un ciel dont le bleu allait déjà s'obs-
curcissant à l'est.

Mme Ferris insista pour être du voyage initial, malgré
les tentatives de Gronau pour l'en dissuader. Gronau
inspecta la roue pour s'assurer que la cabine pivoterait
sans encombre sur son axe. Le mécanicien de la fosse
alluma les moteurs et mit la roue en mouvement pour
amener la cabine d'essai au niveau d'un des quais. « Je
n'entrai pas dans cette cabine le cœur très léger, dit
Gronau. Je me sentais nauséeux ; je ne pouvais toutefois
pas refuser d'être du voyage. J'affichai donc une mine
hardie et m'embarquai dans la voiture. »

Luther Rice les rejoignit, ainsi que deux dessinateurs et l'ancien ingénieur des ponts et chaussées de la ville de Chicago, W. C. Hughes. Sa femme et sa fille montèrent avec eux.

La cabine oscilla doucement pendant que les passagers prenaient place à l'intérieur. Les vitres de ses généreuses fenêtres n'avaient pas encore été posées, et encore moins les grilles de métal censées les recouvrir. Dès que le dernier passager fut entré, Rice adressa un signe désinvolte au mécanicien, et la roue s'ébranla. D'instinct, chacun s'accrocha à un poteau ou à une barre pour garder l'équilibre.

À mesure que la roue s'élevait, la cabine pivota lentement sur les tourillons qui la reliaient à la structure tout en la gardant horizontale. « Du fait que notre voiture n'avait jamais fait le voyage, dit Gronau, les tourillons étaient légèrement coincés dans leurs paliers, et il en résulta des grincements qui, dans l'état de nos nerfs, ne furent pas agréables à entendre. »

La cabine s'éleva encore un peu avant de stopper de façon inattendue, soulevant la question de savoir comment feraient toutes les personnes à bord pour redescendre au sol si la roue ne redémarrait pas. Rice et Gronau s'approchèrent des fenêtres, intrigués. Il leur suffit de passer la tête à l'extérieur pour comprendre l'origine du problème : la foule de plus en plus importante de spectateurs, enhardie par la présence de passagers dans cette première cabine, s'était précipitée dans la suivante, au mépris de toutes les injonctions. De peur que quelqu'un ne se blesse voire ne se tue, le mécanicien avait bloqué la roue et autorisé tout ce monde à embarquer.

Gronau estima qu'une centaine de personnes avaient déjà investi cette deuxième cabine. Personne ne songea à les en déloger. La roue se remit à tourner.

*

Ferris avait créé bien plus qu'une innovation technologique. Comme les inventeurs de l'ascenseur, il avait donné naissance à une sensation physique entièrement neuve. La première réaction de Gronau – cela ne durerait pas – fut une certaine déception. Il s'attendait à éprouver quelque chose de similaire à ce qu'on éprouvait à bord d'un ascenseur rapide mais s'aperçut que s'il regardait droit devant, il ne sentait quasiment rien.

Gronau alla donc se placer sur un des flancs de la cabine pour mieux observer le comportement de celle-ci et le mouvement de la roue. Lorsqu'il regarda vers l'axe de la roue, dont on voyait défiler les rayons, la rapidité de l'ascension lui sauta soudain aux yeux : « On aurait dit que tout dégringolait sous nous et que la voiture était immobile. Se tenir sur ce côté-là de la cabine et scruter le réseau de poutres d'acier démultipliait cette singulière sensation. » Il avertit les autres passagers qu'il valait mieux avoir l'estomac bien accroché pour l'imiter.

Lorsque la cabine atteignit son point culminant, à 79 mètres au-dessus du sol, Mme Ferris se percha debout sur son siège et poussa des vivats, ce qui déclencha une vigoureuse clameur dans la cabine suivante et au sol.

Les passagers, cependant, ne tardèrent pas à faire silence. La nouveauté de leurs sensations était en train de s'estomper, et le vrai pouvoir de l'expérience de leur apparaître.

« C'est un fort beau spectacle que l'on découvre lors de la descente de la voiture, car l'ensemble du parc se déploie alors sous nos yeux, dit Gronau. Le panorama est si grandiose que toute timidité me quitta et que j'abandonnai mon observation des mouvements de la cabine. » Le soleil avait amorcé sa descente et répandait à présent un halo orangé sur le rivage. « Le port était piqueté de vaisseaux de toutes sortes, qui nous apparaissaient vus de cette hauteur comme de simples taches, et les rayons reflétés de ce magnifique couchant faisaient miroiter le paysage alentour, formant un tableau splendide à voir. » Le parc entier s'offrit alors aux regards dans un enchevêtrement complexe de couleurs, de textures et de mouvements. Lagunes bleu lapis. Navettes électriques suivies de traînes de diamants. Fleurs carmines scintillant parmi les joncs et les iris. « La vue était tellement grandiose que toute conversation cessa, chacun étant saisi d'admiration. Je n'en ai jamais revu de semblable et je doute fort d'en voir un jour. »

Cette rêverie fut vite interrompue par une nouvelle pluie de boulons et d'écrous sur le toit de la cabine.

*

De nombreux spectateurs parvenaient encore à se jouer des gardes et à s'embarquer dans les cabines suivantes, mais Gronau et Rice n'y attachaient plus d'importance. Le mécanicien de la fosse laissa tourner la roue jusqu'à ce que le manque de lumière rende la poursuite des opérations dangereuse, et même alors des visiteurs avides d'émotions fortes exigèrent d'avoir leur chance. Pour finir, Rice informa tous ceux qui avaient réussi à s'introduire dans les cabines en jouant des coudes que s'ils restaient, il les expédierait en haut de la roue et les y laisserait toute la nuit. « Ceci, dit Gronau, eut l'effet désiré. »

Sitôt redescendue, Mme Ferris envoya un télégramme à son mari pour le mettre au courant. « Dieu te bénisse, ma chérie », câbla-t-il en retour.

Le lendemain, lundi 12 juin, Rice écrivit à Ferris : « 6 autres voitures fixées aujourd'hui. Gens prêts à tout pour faire un tour de roue & besoin de renforcer la garde pour les tenir à distance. » Le mardi, le total de cabines en place atteignait 21 : il n'en restait plus que 15 à installer.

*

Burnham, toujours aussi obsédé par les détails, chercha à imposer le style et l'emplacement de la clôture à construire autour de la Grande Roue. Il voulait une clôture ouverte, à claire-voie, Ferris la voulait fermée.

Ferris en avait plus qu'assez des pressions et de l'ingérence esthétique de Burnham. « Ni Burnham ni personne d'autre n'a le droit de nous dicter si la clôture sera ouverte ou fermée, autrement que d'un point de vue artistique. »

Ferris obtint gain de cause. On fit une clôture fermée.

*

Une fois toutes les cabines en place, la roue fut enfin prête à accueillir ses premiers passagers payants. Rice souhaitait l'ouvrir au public dès le dimanche 18 juin, soit deux jours plus tôt que prévu, mais à l'approche de l'essai le plus décisif de tous – avec une pleine charge de passagers payants, dont des familles entières – les directeurs du consortium de Ferris insistèrent pour que la mise en service soit reportée d'un jour. « Imprudent d'ouvrir la roue au public avant la date prévue pour cause d'inachèvement et risque d'accident », câblèrent-ils.

Ferris se rangea à leur avis, à contrecœur. « Si le comité de direction a décidé de ne pas ouvrir avant mercredi, vous n'avez qu'à respecter leur vœu », télégraphia-t-il à Rice peu avant son départ pour Chicago.

Le comité avait vraisemblablement été influencé par l'accident survenu quelques jours plus tôt, le mercredi 14 juin, à l'Ice Railway, une piste de glace elliptique permettant de faire dévaler deux traîneaux articulés à une vitesse pouvant atteindre les 65 kilomètres-heure. L'attraction était tout juste installée et ses propriétaires avaient commencé à effectuer leurs premiers essais avec passagers – exclusivement des employés – lorsqu'un groupe de spectateurs réussit à prendre place à bord des traîneaux, huit dans le premier, six dans le second. Au nombre de ces intrus figuraient trois des Algériens de Bloom, qui s'étaient introduits sur la piste, aux dires de l'un d'eux, « parce que aucun de nous n'avait jamais vu de glace », un argument d'autant plus spécieux que les Algériens venaient justement d'endurer un des hivers les plus froids de Chicago.

Vers 18 h 45, l'opérateur libéra les traîneaux, lesquels se retrouvèrent bientôt catapultés sur la glace à vitesse maximale. « Le soleil était en train de se coucher quand j'ai entendu les traîneaux s'engager dans la courbe, dit un garde colombien qui fut témoin de la scène. On aurait dit qu'ils volaient. Le premier a réussi à passer le virage. Il a percuté l'angle près du bord ouest de la piste, puis il a repris sa trajectoire. Le second a percuté au même point, mais celui-là est sorti de la piste. Le traîneau, avec ces gens qui s'agrippaient à leur siège, a enfoncé le garde-corps et a basculé dans le vide. Pendant sa chute, il s'est renversé et les gens se sont retrouvés dessous. »

Le traîneau s'écrasa au sol 4,5 mètres plus bas. Un de ses passagers fut tué ; un autre, une femme, eut la mâchoire et les poignets fracturés. Les quatre hommes restants, dont deux des Algériens, s'en tirèrent avec des contusions.

Ce tragique accident fut un très mauvais point pour l'exposition, et chacun se rendit compte que la Grande Roue, avec ses 36 cabines d'une capacité totale supérieure à 2 000 passagers, incarnait la possibilité d'une catastrophe à une échelle quasi inimaginable.

34

Barbares demandés

En dépit de ses doutes, Olmsted laissa à Ulrich le soin de parachever le paysage de l'exposition et se plia à un exténuant programme de travaux et de voyages qui l'entraîna à travers 16 États. À la mi-juin, il regagna le domaine des Vanderbilt en Caroline du Nord. Pendant le trajet, en wagon, à la gare ou à l'hôtel, il questionna de nombreux inconnus sur l'exposition sans révéler son identité. Le manque d'affluence le chagrinait et le rendait perplexe. Il demandait aux autres voyageurs s'ils l'avaient visitée et, si oui, ce qu'ils en avaient pensé, mais il s'intéressait plus encore à l'opinion de ceux qui ne la connaissaient pas encore – qu'en avaient-ils entendu dire ? Avaient-ils l'intention d'y aller ? Qu'est-ce qui les retenait ?

« Partout se manifeste un intérêt croissant pour l'Exposition, annonça-t-il à Burnham dans une lettre du 20 juin écrite à Biltmore. Partout je trouve des indications de ce que les gens projettent de s'y rendre. » Les récits de visiteurs aiguillonnaient la curiosité générale. Des hommes d'Église ayant vu l'exposition la citaient dans leurs prêches et sermons. Olmsted était ravi de constater que les gens n'appréciaient pas tant les collections que les bâtiments eux-mêmes, les voies d'eau et le paysage, et que l'exposition les avait heureusement surpris. « Les gens qui sont allés à l'Expo y ont, dans l'ensemble, trouvé davantage que ce que les journaux (...) les avaient préparés à attendre. » Et il ajoutait en conclusion : « Une lame de fond d'enthousiasme commence à monter dans le pays. »

Cela ne l'empêchait pas de sentir que d'autres facteurs exerçaient une force contradictoire. Malgré l'enthousiasme des témoignages suscités par l'Exposition universelle, Olmsted rappelait que « son inachèvement est presque toujours mentionné, favorisant l'idée qu'il reste beaucoup à faire et que le spectacle sera meilleur plus tard ». Les fermiers préféraient attendre la fin des moissons. Une multitude de gens avaient différé leur visite en espérant que la crise économique de plus en plus grave que traversait la nation et les pressions du Congrès finiraient par contraindre les compagnies ferroviaires à réduire leurs tarifs à destination de Chicago. Il y avait aussi des considérations climatiques. Convaincus qu'il faisait trop chaud à Chicago en juillet et en août, les gens repoussaient leur visite à l'automne.

Un des facteurs les plus pernicieux, constata Olmsted, était l'idée largement répandue que toute personne s'aventurant à Chicago se faisait « impitoyablement plumer », en particulier dans les nombreux restaurants de l'exposition, qui pratiquaient des prix « exorbitants ». « Cette plainte est universelle et plus forte que vous ne le percevez à Chicago, j'en suis certain, écrivit-il à Burnham. Elle émane des riches comme des pauvres. (...) Je pense avoir moi-même payé dix fois plus cher mon déjeuner d'il y a quelques jours à l'Exposition qu'un autre tout aussi bon que j'ai pris à Knoxville, dans le Tennessee. La parcimonieuse clientèle paysanne encore à venir le ressentira cruellement. »

Olmsted avait une autre raison de s'inquiéter du prix élevé des repas. « Cela aura pour effet, écrivit-il, d'inciter les gens à apporter de plus en plus leur propre nourriture, et à répandre de plus en plus de papiers gras et de détritus dans le parc. »

Il était désormais crucial, affirmait le paysagiste, de se concentrer sur les améliorations les mieux à même d'intensifier l'éclat des récits que les visiteurs rapportaient dans leur ville d'origine. « Voici l'aspect qu'il convient de mettre le plus en avant : celui d'un enthousiasme vibrant, contagieux, dû à une authentique excellence ; la question n'étant pas de savoir si les gens seront satisfaits, mais à quel point ils seront transportés d'admiration et transmettront aux autres le plaisir inattendu procuré par ce qu'ils auront découvert. »

En vue de cet objectif, écrivit-il, certains défauts flagrants exigeaient une attention immédiate. Les allées de gravier du parc, par exemple. « Il n'y a pas 30 mètres de gravier admirable, ni peut-être même de gravier passable, sur tout le site de l'Exposition, déclarait-il. Il m'apparaît probable que ni l'entrepreneur, ni l'inspecteur, dont l'affaire est de veiller à ce que l'entrepreneur se montre à la hauteur de sa tâche, n'ont jamais vu une allée de gravier digne de ce nom et n'ont pas la moindre idée de ce que doit être une vraie bonne allée de gravier. Quels sont les défauts des vôtres ? » (Les *vôtres*, pas les *miennes* ni les *nôtres*, même si les allées relevaient de son domaine de compétence.) « À certains endroits, il y a des galets ou des cailloux qui font saillie, sur lesquels

414

aucune dame en souliers d'été ne saurait marcher sans douleur. À d'autres endroits, le revêtement est tel qu'au-delà d'un certain degré d'humidité il s'agglutine et devient visqueux, donc désagréable à fouler ; d'autant que si l'on n'y prend garde, cette boue a tôt fait de souiller les chaussures et les robes, ce qui diminue matériellement le confort des dames. » Son voyage en Europe lui avait montré qu'une vraie bonne allée de gravier « devrait toujours être aussi plane et propre que le parquet d'un salon ».

Sur le plan de la propreté aussi, le parc restait loin de l'excellence européenne, comme il l'avait craint. Il y avait partout des déchets – et trop peu d'hommes pour les nettoyer. L'exposition en aurait eu besoin du double, estimait-il, ainsi que d'une surveillance accrue de leur travail. « J'ai retrouvé des papiers qui avaient apparemment été ramassés sur les terrasses dans les massifs d'arbustes qui poussent entre celles-ci et la lagune, écrivit Olmsted. Tirer au flanc de manière aussi éhontée, pour un ouvrier chargé de maintenir la propreté des terrasses, devrait être considéré comme un crime. »

Il était également contrarié par le bruit des quelques navires à vapeur que Burnham, malgré ses objections répétées, avait autorisés à voyager sur les eaux de l'exposition en compagnie des navettes électriques. « Ces bateaux sont des engins de pacotille, lourds et disgracieux, aussi incongrus dans ce que les gens appellent la "cour d'honneur" de l'Exposition qu'une vache dans un jardin d'agrément. »

La préoccupation majeure d'Olmsted, cependant, portait sur le fait que le site principal de l'exposition, Jackson Park, n'était pas amusant. « On y ressent trop d'impatience et de fatigue, comme si c'était un devoir touristique à accomplir. Une corvée à liquider avant de rentrer chez soi. La foule montre une certaine mélancolie de ce point de vue-là, et des mesures vigoureuses devraient être prises pour y remédier. »

De la même façon qu'il avait recherché à parer ses paysages d'une aura de mystère, Olmsted plaidait à présent pour l'organisation de moments de grâce en apparence fortuits. Les concerts et défilés étaient certes utiles, mais d'une nature jugée « trop fixe et programmée ». Il envisageait plutôt des joueurs de cor français sur l'Île boisée, dont la musique résonnerait sur l'onde. Il rêvait de voir des lanternes chinoises assorties accrochées aux mâts des bateaux comme au tablier des ponts. « Et pourquoi pas des gens déguisés bondissant et dansant au son de tambourins, comme on en voit en Italie ? Même des marchands de limonade seraient utiles s'ils déambulaient dans des habits pittoresques ; ou des vendeurs de gâteaux en tenue de mitron, coiffés d'une toque plate, vêtus en blanc de pied en cap ? » Et certains soirs, quand les grands spectacles de Jackson Park vidaient le Midway de ses visiteurs, « ne serait-il pas possible que quelques-uns de ces "barbares" d'origine variée, noirs, blancs et jaunes, soient embauchés à prix modique pour se fondre, discrètement mais en costume indigène, parmi la foule de la cour d'honneur ? »

*

En lisant la lettre d'Olmsted, Burnham dut se dire que celui-ci avait perdu la tête. Il venait de consacrer les deux dernières années de sa vie à créer une impression de beauté monumentale, et voilà qu'Olmsted se piquait de faire rire les visiteurs. Burnham, lui, voulait les frapper de stupeur. Il n'y aurait ni bonds ni danses. Ni embauche de barbares.

L'exposition était une ville de rêve, mais il s'agissait du rêve de Burnham. Les tendances autoritaires de son caractère s'y reflétaient un peu partout, que ce soit dans le nombre excessif de policiers ou dans les règles très strictes qui interdisaient la cueillette des fleurs. Aucun domaine n'en témoignait avec autant d'évidence que les restrictions en matière de photographie non autorisée.

Burnham avait accordé à un seul et unique photographe, Charles Dudley Arnold, le monopole de la vente de clichés officiels de l'exposition ; cet arrangement, qui permettait incidemment à Burnham de contrôler les images distribuées dans tout le pays, explique pourquoi celles-ci sont presque toujours peuplées de fringants bourgeois tirés à quatre épingles. Un deuxième fournisseur se vit attribuer le droit exclusif de louer aux visiteurs de la foire mondiale des boîtiers Kodak n° 4 escamotables – un tout nouveau modèle d'appareil portatif éliminant la nécessité de régler l'objectif et l'obturateur. En hommage à l'exposition, Kodak baptisa d'ailleurs ce modèle dernier cri « Columbus ». Ses images étaient de plus en plus souvent appelées *snapshots*, un terme utilisé à l'origine par les chasseurs anglais pour désigner des coups de fusil tirés en succession rapide. Quiconque souhaitait arpenter l'exposition muni de son propre Kodak devait faire l'acquisition d'un permis coûtant 2 dollars, ce qui dépassait les moyens de la plupart des visiteurs ; photographier la rue du Caire, au Midway, exigeait le paiement d'une taxe supplémentaire de 1 dollar. Un photographe amateur équipé d'un gros appareil conventionnel et de son indispensable trépied devait quant à lui débourser 10 dollars, une somme correspondant peu ou prou à ce que coûtait une journée entière à l'Expo à beaucoup de visiteurs venus d'autres villes en comptant le gîte, le couvert et le ticket d'entrée.

Malgré son obsession des détails et du contrôle, un événement au moins échappa à la vigilance de Burnham. Le 17 juin, un début d'incendie éclata dans le palais de la Conservation à froid, un édifice aux allures de château fort bâti dans le coin sud-ouest du parc par la société Hercules Iron Works, et dont la fonction était premièrement de produire de la glace pour conserver les denrées périssables des exposants et des restaurants, et deuxièmement de mettre une patinoire à la disposition des visiteurs désireux d'expérimenter la sensation inédite d'une séance de patin à glace en juillet. Ce bâtiment relevait d'une initiative purement privée : Burnham n'avait rien eu à voir avec sa construction, si ce n'est pour en approuver les plans. Son architecte s'appelait curieusement Frank P. Burnham – mais n'avait aucun lien de parenté avec lui.

Le feu se déclara dans la coupole qui coiffait la tour centrale mais fut rapidement maîtrisé et ne causa qu'une centaine de dollars de dégâts. Cela n'empêcha pas les experts en assurance d'étudier de plus près le bâtiment, et ce qu'ils trouvèrent les épouvanta. Un des éléments clés du projet n'avait jamais été installé. Sept compagnies annulèrent leur contrat. Le capitaine des pompiers Edward W. Murphy, commandant par intérim de la caserne de l'Exposition universelle, déclara devant un comité d'assureurs : « Ce bâtiment nous crée plus d'ennuis que n'importe quelle autre structure du parc.

C'est une affreuse souricière en cas d'incendie et il partira en fumée avant longtemps. »

Personne ne se donna la peine de signaler l'incendie à Burnham, de l'informer du retrait des assureurs, ni de lui répéter la prédiction de Murphy.

35

Enfin

Le mercredi 21 juin à 15 h 30, avec 51 jours de retard, George Washington Gale Ferris s'assit sur l'estrade des orateurs dressée au pied de sa Grande Roue. La fanfare de l'État de l'Iowa, dont les 40 musiciens avaient pris place dans une des cabines, jouait « My Country 'Tis of Thee ». Le maire Harrison rejoignit Ferris sur l'estrade, de même que Bertha Palmer, l'ensemble du conseil municipal de Chicago et un assortiment de responsables de l'exposition. Burnham n'était semble-t-il pas présent.

Les fenêtres des cabines avaient été entièrement vitrées et grillagées afin que, selon les mots d'un journaliste, « aucun excentrique n'ait l'occasion de se suicider du haut de cette roue, ni aucune femme hystérique de se jeter d'une fenêtre ». Des receveurs en bel uniforme formés à l'art de calmer les spectateurs sujets au vertige se tenaient à la porte de chaque cabine.

La fanfare se tut, la roue stoppa. Les discours se succédèrent. Ferris fut le dernier à prendre la parole et assura joyeusement à l'assistance que l'homme condamné pour avoir « des roues dans la tête » les en avait sorties pour les installer au cœur du Midway Plaisance. Il attribua le succès du projet à son épouse Margaret, qui se tenait derrière lui sur l'estrade. Il dédia la Grande Roue aux ingénieurs d'Amérique.

Mme Ferris lui remit un sifflet en or, puis monta avec lui et les autres dignitaires dans la première cabine. Harrison portait son chapeau noir à larges bords.

Au coup de sifflet de Ferris, la fanfare de l'État de l'Iowa entonna « America », et la roue se remit en mouvement. Après avoir effectué plusieurs révolutions en sirotant du champagne et en fumant des cigares, le groupe ressortit sous les acclamations de la foule amassée au pied des quais. Les premiers passagers payants prirent place à bord.

La Grande Roue continua de tourner jusqu'à 23 heures ce soir-là, ne s'arrêtant que pour l'embarquement et le débarquement des passagers. Même chargée au maximum de sa capacité, elle fonctionna sans la moindre défaillance, sans le moindre grincement.

La Ferris Company n'y alla pas de main morte pour promouvoir l'exploit de son fondateur. Dans sa brochure illustrée *Souvenir de la Grande Roue*, l'entreprise écrivit notamment : « Construite en dépit de toutes sortes d'obstacles, c'est une prouesse dont le mérite rejaillit tellement sur son inventeur que si M. Ferris avait été sujet d'une monarchie plutôt que citoyen d'une grande République, son cœur pur palpiterait dans une poitrine bardée de royales décorations. » Ferris ne put résister au plaisir de titiller la Compagnie de l'Exposition sur le temps qu'elle avait mis à lui accorder une concession. « Cette incapacité à juger de son importance, ajoutait la brochure, a coûté à la Compagnie de l'Exposition des milliers de dollars. »

C'était un euphémisme. Si la compagnie s'en était tenue à la concession initialement accordée à Ferris en juin 1892 au lieu d'attendre près de six mois supplémentaires, la Grande Roue aurait été prête le 1er mai, pour l'ouverture de l'exposition. Celle-ci avait non seulement perdu sa part – 50 % – des recettes de l'attraction pendant ces 51 jours, mais aussi l'effet de stimulation sur la fréquentation d'ensemble que la roue de Ferris aurait sans doute produit et que Burnham recherchait si ardemment. Au lieu de quoi elle avait constitué tout au long de ce mois et demi un éclatant symbole de l'inachèvement de l'Exposition universelle.

*

Des inquiétudes persistaient quant à la sécurité de la Grande Roue, et Ferris s'efforça de les dissiper. La brochure *Souvenir* précisait qu'une pleine charge de passagers n'avait « pas plus d'effet sur son mouvement ou sa vitesse qu'un nombre équivalent de mouches » – une comparaison étrangement désobligeante. « Pendant la construction de cette immense roue, assurait la brochure, tous les dangers concevables ont été calculés et éliminés. »

Mais Ferris et Gronau avaient trop bien travaillé. Leur dessin était si élégant, si apte à exploiter la force de minces barres d'acier, que leur roue semblait incapable de supporter les charges qu'on lui imposait. Elle n'était peut-être pas dangereuse, mais elle donnait l'impression de l'être.

« En vérité, elle paraît trop légère, observa un journaliste. On craint que les fines tiges censées supporter l'ensemble de cette énorme masse ne soient trop fragiles pour remplir leur office. On ne peut éviter de penser à ce qu'il se passerait si un vent violent venait à balayer la prairie et à attaquer la structure par le flanc. Ces fines tiges seraient-elles suffisantes pour résister non seulement au poids énorme de la structure et des 2 000 passagers qui pourraient avoir la malchance d'occuper à ce moment-là ses cabines, mais aussi à la pression du vent ? »

La réponse à cette question tomberait trois semaines plus tard.

36

Vague montante

Et ils commencèrent soudain à venir. L'enthousiasme perçu par Olmsted au fil de ses déplacements, même s'il restait loin de former une lame de fond, faisait enfin affluer les visiteurs vers Jackson Park. À la fin du mois de juin, bien que les compagnies ferroviaires n'eussent toujours pas baissé leurs tarifs, le nombre de visiteurs payants de l'exposition avait déjà plus que doublé, avec une moyenne de 89 170 par jour contre 37 501 en mai. On était certes encore bien en deçà des 200 000 spectateurs quotidiens initialement rêvés par les planificateurs de l'exposition, mais la tendance était encourageante. D'Englewood au Loop, les hôtels commençaient enfin à se remplir. Le Roof Garden Café du palais de la Femme servait désormais 2 000 couverts par jour, dix fois plus qu'au moment de l'ouverture. Les montagnes d'ordures que produisit cet afflux eurent tôt fait de submerger le système d'évacuation du restaurant, dont les concierges descendaient cahin-caha sur trois étages d'énormes poubelles de déchets fétides par les mêmes escaliers que la clientèle. Ces concierges ne pouvaient pas utiliser les ascenseurs : Burnham avait ordonné que ceux-ci soient fermés à partir du crépuscule pour réserver l'électricité aux illuminations nocturnes de l'exposition. Face à l'accumulation de taches et de mauvaises odeurs, le directeur du restaurant fit aménager un vide-ordures sur le toit et menaça de déverser directement ses déchets sur les précieuses pelouses d'Olmsted.

Burnham leva son interdiction.

L'Expo était devenue assez puissamment attirante pour qu'une certaine Lucille Rodney de Galveston, au Texas, parcoure à pied plus de 2 000 kilomètres le long de voies ferrées pour la rejoindre. « Ne l'appelez plus la Ville blanche au bord du Lac, écrivit dans *Cosmopolitan* sir Walter Besant, historien et romancier britannique, c'est le Pays des Rêves. »

Olmsted lui-même en semblait satisfait, à quelques réserves près. Lui aussi aurait préféré diriger la première impression des visiteurs en créant un point d'entrée unique et central. L'abandon de cette idée, écrivit-il dans une critique publiée par *The Inland Architect*, « retranchait beaucoup » à la valeur de l'exposition, même s'il s'empressait d'ajouter qu'il formulait ce reproche « pas du tout sur le mode de la plainte », mais en tant qu'expert prodiguant ses conseils à des confrères susceptibles d'être confrontés un jour au même type de problème. Il regrettait toujours que l'Île boisée n'ait pas été laissée en paix et décriait la prolifération imprévue de bâtiments « interceptant les perspectives et dérangeant des espaces destinés à soulager l'œil des efforts quasi constants d'attention qu'exigeaient les bâtiments de l'Exposition ». L'effet, écrivit-il, « est déplorable ».

Mais dans l'ensemble, il était plutôt content, en particulier du processus de construction. « Vraiment, écrivit-il, je trouve hautement satisfaisant et encourageant qu'il ait pu s'avérer faisable de recruter tant d'hommes de formations et de compétences techniques aussi diverses, de les organiser adéquatement et de les amener à travailler ensemble aussi bien dans un délai aussi bref. Je trouve remarquable qu'il y ait eu aussi peu de frictions et aussi peu de manifestations de jalousie, d'envie ou de combativité dans le cadre de cette entreprise. »

Il en attribuait le mérite à Burnham : « On ne saurait accorder trop d'estime à l'application, au savoir-faire et au tact grâce auxquels ce résultat a été obtenu par notre maître à tous. »

*

Les visiteurs enfilaient leurs plus beaux vêtements, comme pour aller à l'église, et se conduisaient étonnamment bien. Sur les six mois que dura l'Expo, la Garde procéda à 2 229 arrestations à peine, soit environ 16 par jour, le plus souvent pour des troubles à l'ordre public et des menus larcins – le terrain de chasse favori des pickpockets étant l'aquarium, presque toujours bondé. La Garde identifia 135 anciens prisonniers et les reconduisit hors du parc. Elle infligea 30 amendes pour défaut de permis Kodak et 37 pour des photographies prises sans autorisation. Elle enquêta sur la découverte à l'intérieur du site de trois fœtus ; sur un détective de l'agence Pinkerton qui « agressait des visiteurs » au pavillon Tiffany ; et sur le « comportement indécent » d'un Zoulou. Dans son rapport final à Burnham, le colonel Rice, commandant de la Garde, écrivit : « Entre les dizaines de milliers d'employés et les millions de visiteurs, il faut reconnaître que notre succès a été phénoménal. »

Avec une telle foule qui se pressait au milieu des engins à vapeur, des roues géantes, des chariots de pompiers et des traîneaux lancés à la vitesse de l'éclair, les ambulances de l'exposition, sous la houlette d'un médecin nommé Gentles, passaient leur temps à transporter des visiteurs contusionnés, sanguinolents ou victimes d'insolation à l'hôpital construit sur place. Au total, celui-ci accueillit 11 602 patients, soit 64 par jour, en général pour des blessures et autres maux qui montrent que les peines courantes n'ont guère changé depuis. Cette liste incluait :

820 cas de diarrhée
154 cas de constipation
21 crises d'hémorroïdes
434 indigestions
365 corps étrangers dans l'œil
364 maux de tête sévères
594 épisodes d'évanouissement, syncope et épuisement
1 cas de flatulence extrême
et 169 cas de rage de dents

L'un des grands plaisirs de l'exposition était qu'on ne savait jamais sur qui on allait tomber devant la Vénus de Milo en chocolat, à l'exposition de corbillards ou sous le fût du monstre de Krupp, ni qui serait assis à la table d'à côté au Big Tree Restaurant, au Philadelphia Café ou au Great White Horse Inn, une reconstitution de l'Auberge du Grand Cheval Blanc imaginée par Dickens dans *Les Aventures de M. Pickwick* ; ni qui vous agripperait soudain le bras à bord de la Grande Roue lorsque la cabine entamerait son ascension. L'archiduc François-Ferdinand, décrit par un membre de sa suite comme « moitié goujat, moitié pingre », sillonna le site incognito – tout en lui préférant nettement les quartiers de débauche de Chicago. Des Indiens ayant jadis manié le tomahawk pour scalper des hommes blancs et aujourd'hui salariés de Buffalo Bill se promenaient parfois sur le site, tout comme Annie Oakley et une clique de cosaques, de hussards, de lanciers et de soldats du 6ᵉ de cavalerie en permission temporaire pour participer comme acteurs au spectacle du colonel Cody. Le chef sioux Ours-Debout fit un tour de Grande Roue paré d'une coiffe de cérémonie dont les 200 plumes restèrent parfaitement en place. D'autres Indiens enfourchèrent les chevaux de bois du manège du Midway.

On pouvait aussi y croiser le grand pianiste Paderewski, Houdini, Nikola Tesla, Thomas Edison, Scott Joplin, Clarence Darrow, un professeur de Princeton du nom de Woodrow Wilson, et une gentille vieille dame en robe de soie d'été noire piquetée de myosotis qui n'était autre que Susan B. Anthony, la fameuse militante des droits de la femme. Burnham y déjeuna avec Theodore Roosevelt et en garda plusieurs années la manie de s'écrier « *Bully !* » chaque fois qu'il trouvait une chose belle. L'homme d'affaires Diamond Jim Brady y dîna avec la chanteuse et actrice Lillian Russell, ce qui lui permit d'assouvir sa passion du maïs doux.

Personne, en revanche, ne vit le grand Mark Twain. Venu à Chicago pour visiter l'exposition, il tomba malade, passa onze jours dans sa chambre d'hôtel et repartit sans même avoir visité la Ville blanche.

Il avait fallu que cela tombe sur l'inventeur de l'idée selon laquelle l'Amérique vivait alors son « âge d'or ».

*

Les rencontres de hasard engendraient parfois des miracles.

Frank Haven Hall, le directeur de l'Institut pour l'éducation des aveugles de l'Illinois, présenta pendant l'Expo un procédé de planches permettant d'imprimer les livres en braille. Hall avait déjà inventé une machine à écrire en braille, dont il n'avait jamais déposé le brevet car il estimait que la notion de profit ne pouvait que nuire à la cause des aveugles. Alors qu'il se tenait à côté de sa dernière invention, une fille de 13 ans muette, aveugle et sourde vint vers lui au bras de sa guide. En apprenant que Hall était l'inventeur de la machine à écrire dont elle se servait si fréquemment, elle se jeta à son cou et le gratifia d'un énorme baiser.

Jusqu'à la fin de ses jours, Hall aurait les larmes aux yeux chaque fois qu'il raconterait cette histoire de sa rencontre avec la future écrivaine Helen Keller.

*

Un jour, pendant que le Comité des dames gestionnaires débattait pour savoir s'il fallait soutenir l'ouverture de l'exposition le dimanche ou s'y opposer, un pasteur de l'Église de Dieu, en colère, interpella Susan B. Anthony dans le palais de la Femme pour contester sa position. (Anthony était favorable à l'ouverture le dimanche mais ne faisait pas partie des dames gestionnaires et, malgré sa stature nationale, ne pouvait donc pas participer aux réunions du Comité.) Invoquant l'analogie la plus choquante qu'il put trouver, l'homme demanda à Anthony si elle préférerait que son fils aille au spectacle de Buffalo Bill le dimanche plutôt qu'à l'église.

Oui, rétorqua-t-elle, « il y apprendrait bien davantage... ».

Cet échange ne fit que confirmer aux yeux du dévot la malignité fondamentale du mouvement suffragiste d'Anthony. Cody eut vent de l'affaire ; il en fut tellement ravi qu'il envoya sur-le-champ à Anthony un mot de remerciement et l'invita à son spectacle. Il lui offrit une loge pour la représentation de son choix.

Au début de celle-ci, Cody déboula dans l'arène à cheval ; sa longue chevelure grise cascadait sous son chapeau blanc, les liserés d'argent de sa veste blanche étincelaient au soleil. Il lança sa monture au galop d'un coup d'éperons et fonça vers la loge d'Anthony. Le public se tut.

Il s'immobilisa dans un tourbillon de terre et de poussière, ôta son chapeau et, avec un grand geste du bras, s'inclina en avant jusqu'à ce que son front touche presque le pommeau de sa selle.

Anthony se leva de son siège, lui rendit sa révérence et – « aussi enthousiaste qu'une fillette », selon une amie – agita son mouchoir à l'intention de Cody.

La signification de ce moment n'échappa à personne. Un des plus grands héros de l'Amérique du passé saluait une des plus éminentes héroïnes de son avenir. Le public se leva dans un tonnerre d'applaudissements et de hourras.

La Frontière était peut-être enfin close, ainsi que le proclama Frederick Jackson Turner dans un discours historique prononcé pendant l'exposition, mais à cet instant-là elle redevint bel et bien visible, scintillant sous le soleil comme le sillage d'une larme écoulée.

*

Une tragédie survint, qui poussa les Britanniques à tendre de crêpe noir leur superbe réplique du cuirassé HMS *Victoria*. Le 22 juin 1893, pendant des manœuvres au large de Tripoli, ce bijou de technologie navale avait été heurté par le HMS *Camperdown*. Le commandant du *Victoria* décida de lancer son navire à toute vapeur vers la côte, où il comptait l'échouer conformément aux ordres de la flotte visant à faciliter le renflouement des bâtiments naufragés. Dix minutes plus tard, alors que ses moteurs tournaient à plein régime, le cuirassé donna de la gîte puis sombra. De nombreux marins étaient alors prisonniers sous les ponts. Beaucoup de ceux qui auraient pu avoir une chance de survivre en se jetant à l'eau furent hachés par les hélices du navire ou brûlés vifs lors de l'explosion de ses chaudières. « Des cris et des hurlements s'élevèrent, et dans l'écume blanche apparurent des bras et jambes rougis, des corps lacérés, déchiquetés, écrivit un journaliste. Des troncs décapités recrachés par le tourbillon s'attardaient un moment à la surface avant de couler. »

L'accident coûta près de 400 vies.

*

La Grande Roue devint vite l'attraction n° 1 de l'exposition. Des milliers de visiteurs s'y pressaient chaque jour. Sur la seule première semaine de juillet, Ferris vendit 61 395 tickets, soit une recette brute de 30 697 dollars et 50 cents. La Compagnie de l'Exposition en préleva *grosso modo* la moitié, laissant à Ferris un bénéfice d'exploitation pour cette semaine-là de 13 948 dollars (environ 420 000 dollars actuels).

La sécurité du système continuait d'être mise en question ; des rumeurs infondées de suicides et d'accidents se mirent à circuler, dont celle d'un carlin qui aurait soi-disant trouvé la mort en sautant par la fenêtre d'une cabine. Faux, rétorqua la Ferris Company : cette histoire avait été inventée par un journaliste « à court de nouvelles mais pas d'imagination ». Sans les vitres et les grilles de protection qui équipaient maintenant les fenêtres, le bilan aurait cependant pu être plus lourd. Un jour, pendant que la roue tournait, un homme par ailleurs pacifique nommé Wherritt fut pris d'une crise de vertige. Tout se passait bien pour lui jusqu'à ce que la cabine s'ébranle. Au fil de la montée, il commença à se sentir mal et manqua tourner de l'œil. Il n'y avait pas moyen de faire signe au mécanicien de stopper la roue.

Pris de panique et titubant, Wherritt se mit à arpenter la cabine en tous sens, chassant les passagers qui se trouvaient sur son chemin « comme des brebis affolées », selon un témoin. Il se rua ensuite contre les cloisons, avec une telle force qu'il réussit à en déformer la plaque de fer protectrice. Le receveur et plusieurs passagers de sexe masculin tentèrent de le maîtriser, mais il leur échappa et se précipita vers la portière. Conformément aux règles de fonctionnement de la Grande Roue, le receveur avait verrouillé celle-ci avant le départ. Wherritt la secoua rageusement ; il en brisa la vitre mais ne parvint pas à l'ouvrir.

Lorsque la cabine amorça sa descente, Wherritt retrouva un semblant de calme et se mit à rire et à pleurer de soulagement – jusqu'au moment où il comprit que la roue n'allait pas s'arrêter : elle effectuait toujours deux révolutions complètes. Wherritt se déchaîna de plus belle. Le receveur et ses alliés durent de nouveau le maîtriser, mais ils commençaient à fatiguer. Le pire était à craindre si Wherritt réussissait à se libérer. La structure de la cabine était solide, mais elle avait été conçue pour dissuader les candidats à l'autodestruction, pas pour résister à un marteau-pilon humain comme Wherritt, qui avait déjà cassé du verre et déformé du fer.

Une femme s'avança en dégrafant sa jupe. À la stupéfaction générale, elle l'enleva, en recouvrit la tête de Wherritt, puis la maintint en place en lui susurrant des paroles rassurantes. L'effet fut immédiat. Wherritt devint « aussi calme qu'une autruche ».

Une femme qui se déshabillait en public, un homme à la tête enveloppée d'une jupe – les merveilles de cette foire semblaient infinies.

*

L'Exposition universelle était la grande fierté de Chicago. Essentiellement grâce à Daniel Burnham, la ville avait prouvé sa capacité à accomplir quelque chose de prodigieux malgré des obstacles qui en tout état de cause auraient dû mener ses bâtisseurs à la déroute. On retrouvait ce sentiment partout, et pas seulement chez les quelques dizaines de milliers de citoyens ayant acheté des actions de la compagnie. Hilda Satt le constata en voyant son père changer pendant qu'il lui faisait visiter les lieux. « Il semblait en être fier, comme s'il avait personnellement contribué au projet, écrivit-elle. Si je me retourne vers cette époque-là, la plupart des Chicagoans avaient la même impression. Chicago accueillait le monde entier, et nous y participions tous. »

Mais l'exposition ne se contenta pas d'alimenter la fierté de la ville. Elle offrit à Chicago un flambeau contre les ténèbres grandissantes de la débâcle économique. La compagnie ferroviaire Erie Railroad vacilla puis s'effondra. Vint ensuite la Northern Pacific. À Denver, trois banques nationales firent faillite le même jour, entraînant dans leur chute toute une série d'entreprises. Craignant des émeutes de la faim, plusieurs municipalités rappelèrent les réservistes. À Chicago, les éditorialistes de *The Inland Architect* se voulaient rassurants : « Les conditions actuelles ne sont qu'un accident. Le capital n'est que caché. L'esprit d'entreprise n'est qu'effrayé, pas vaincu. » Ces éditorialistes se trompaient.

En juin, deux hommes d'affaires se suicidèrent le même jour dans le même hôtel de Chicago – le Metropole. L'un d'eux se trancha la gorge au moyen d'un rasoir à 10 h 30 du matin. L'autre apprit la nouvelle par le barbier de l'établissement. Ce soir-là, dans sa chambre, il noua autour de son cou une des extrémités de la large écharpe en soie qu'il portait sur sa veste de smoking, s'allongea sur le matelas puis noua l'autre extrémité de son écharpe à la tête de son lit. Il se laissa rouler au sol.

« Tout le monde est mort de peur, écrivit Henry Adams, et chaque individu se croit plus ruiné que son voisin. »

*

Bien avant la clôture de l'Expo, des gens commencèrent à se lamenter sur son inévitable fin. Ainsi de l'écrivaine Mary Hartwell Catherwood : « Que ferons-nous quand ce Pays des Merveilles aura refermé ses portes ? Quand il aura disparu ? Quand l'enchantement aura pris fin ? » Sallie Cotton, de Caroline du Nord, mère de six enfants, membre du Comité des dames gestionnaires et en visite à Chicago pour l'été, exprima dans son journal une crainte répandue : qu'après le spectacle de l'exposition « tout ait l'air petit et insignifiant ».

L'exposition était tellement parfaite que sa grâce, sa beauté mêmes semblaient garantir que, aussi longtemps qu'elle durerait, rien ne pourrait arriver de vraiment grave à qui que ce fût, où que ce fût.

37

Fête de l'Indépendance

Le 4 juillet 1893, le jour se leva gris et venteux. Le mauvais temps menaçait de ternir le somptueux spectacle pyrotechnique que Frank Millet avait planifié pour stimuler encore plus la fréquentation de la foire mondiale, qui malgré son augmentation régulière de semaine en semaine restait en deçà des espérances. Le soleil perça en fin de matinée, mais le vent continua de souffler en rafales sur Jackson Park une bonne partie de la journée. En fin d'après-midi, la cour d'honneur était baignée d'une douce lumière d'or, cependant qu'une muraille de nuages orageux barrait le ciel au nord. L'orage ne s'approcha pas davantage. La foule enflait à vue d'œil. Holmes, Minnie et Anna se retrouvèrent bientôt cernés par une multitude d'hommes et de femmes moites de sueur. Tous ceux qui avaient apporté des couvertures et des paniers à pique-nique s'aperçurent vite qu'ils n'auraient pas la place de s'installer. On voyait peu d'enfants. La totalité des gardes colombiens semblait avoir été mobilisée pour l'occasion, et leurs uniformes bleu ciel se détachaient comme des crocus sur un terreau noir. Progressivement, la lumière vira du doré au lavande. Tout le monde se mit en marche vers le lac. « Sur près d'un splendide kilomètre de rivage, des gens s'amassèrent par centaines de rangs », écrivit le *Tribune.* Cette « mer noire » humaine donnait des signes d'impatience. « Des heures durant ils restèrent assis à attendre, emplissant l'air d'un tumulte étrange, nerveux. » Un homme entonna « Plus près de toi mon Dieu », et quelques milliers de personnes se joignirent aussitôt à lui.

Au crépuscule, tout le monde se mit à scruter le ciel, cherchant les premières fusées du feu d'artifice. Des milliers de lanternes chinoises étaient accrochées aux branches et aux balustrades. Des lumières rouges liseraient les cabines de la Grande Roue. La centaine de navires, voiliers et barques à l'ancre sur le lac avaient la poupe, la proue, les mâts enguirlandés de lampions multicolores.

La foule aurait applaudi n'importe quoi. Elle applaudit quand l'orchestre de l'exposition exécuta « Home Sweet Home », un morceau qui ne manquait jamais d'arracher des larmes à certains hommes et femmes, surtout les plus récemment arrivés en ville. Elle applaudit au moment où l'éclairage de la cour d'honneur fut allumé, baignant soudain tous les palais d'or. Elle applaudit quand les faisceaux des énormes projecteurs installés sur le toit du palais des Manufactures et des Arts libéraux glissèrent au-dessus d'elle, et quand des jets d'eau multicolores – des « plumes de paon », selon l'expression du *Tribune* – jaillirent de la fontaine de MacMonnies.

À 21 heures, en revanche, la foule se tut. Une touche de couleur vive venait d'apparaître dans le ciel au nord et longeait le rivage en direction des quais. Un des projecteurs se braqua dessus : c'était un gros ballon habité. Une lumière flamboya très en dessous de sa cabine. Dans les secondes qui suivirent, l'explosion d'une kyrielle de lueurs rouges, blanches et bleues dessina un drapeau des États-Unis géant dans le ciel noir. Ballon et drapeau passèrent au-dessus des têtes. Le projecteur les suivit, révélant clairement le sillage jaune soufre du ballon. Les premières chandelles romaines s'élevèrent alors en arc de cercle au-dessus du rivage. Des hommes munis de torches couraient le long de la plage pour allumer les mortiers, pendant que d'autres enflammaient d'énormes soleils et lançaient des pétards sur le lac, créant dans l'eau d'extravagants geysers rouges, blancs et bleus. Pétards et gerbes se succédèrent en nombre croissant jusqu'au clou du spectacle : l'embrasement d'une structure complexe en fil de fer installée devant la salle des fêtes, au bord du lac, qui composa tout à coup un portrait pyrotechnique géant de George Washington.

La foule applaudit.

*

Tout le monde repartit en même temps, et une immense vague noire reflua vers les sorties du parc et les gares de l'Alley L et de l'Illinois Central. Holmes et les sœurs Williams durent patienter plusieurs heures avant de pouvoir s'embarquer dans un train à destination du nord, mais cette attente ne diminua en rien leur enthousiasme. Ce soir-là, les Oker entendirent des plaisanteries et des rires chez leurs locataires au dernier étage du 1220 Wrightwood Avenue.

Cette hilarité se justifiait pleinement. Holmes avait rendu la soirée encore plus douce en faisant à Minnie et à Anna une offre d'une ahurissante générosité.

Avant de se coucher, Anna écrivit à sa tante au Texas pour lui annoncer l'excellente nouvelle.

« Ma sœur, mon frère Harry et moi-même partons demain pour Milwaukee, d'où nous irons ensuite à Old Orchard Beach, dans le Maine, par le fleuve Saint-Laurent. Nous visiterons le Maine pendant deux semaines, après quoi nous nous rendrons à New York. Mon frère Harry trouve que j'ai du talent : il voudrait que je me forme à l'étude des beaux-arts. Nous mettrons ensuite le cap sur l'Allemagne, en passant par Londres et Paris. Si cela me plaît, je resterai là-bas pour apprendre les beaux-arts. Mon frère Harry dit que tu ne dois surtout plus t'inquiéter pour moi, financièrement ou autre ; ma sœur et lui veilleront sur moi. »

« Écris-moi sans tarder, ajoutait-elle. Adresse ta lettre à Chicago, et on la fera suivre jusqu'à moi. »

Elle ne disait pas un mot de sa malle, qui attendait toujours à Midlothian d'être expédiée à Chicago. Elle allait devoir s'en passer pour le moment. Quand cette malle arriverait, elle pourrait toujours s'arranger pour la faire suivre comme son courrier, soit dans le Maine soit à New York, ce qui lui permettrait d'avoir toutes ses affaires sous la main au moment du départ vers l'Europe.

Anna se mit au lit ce soir-là encore tout émoustillée des souvenirs de l'exposition et de la surprise de Holmes. Plus tard, l'avocat William Capp, du cabinet texan Capp & Canty, dirait à son sujet : « Anna n'avait aucun bien propre, et un changement comme celui qu'évoquait sa lettre représentait tout pour elle. »

Le lendemain promettait d'être aussi agréable, car Holmes avait annoncé qu'il emmènerait Anna – et elle seule – à Englewood pour une brève visite de son World's Fair Hotel. Il avait en effet quelques affaires de dernière minute à régler avant leur grand départ pour Milwaukee. Pendant ce temps-là, Minnie n'aurait qu'à remettre en ordre l'appartement de Wrightwood pour les locataires qui viendraient sans doute à leur succéder.

Holmes débordait de charme. Et plus elle le connaissait, plus Anna le trouvait beau. Lorsque ses sublimes yeux bleus touchaient les siens, elle avait l'impression de sentir leur chaleur irradier son corps entier. Minnie avait une chance folle.

38

Inquiétude

Ce soir-là, en faisant leurs comptes, les guichetiers de l'exposition constatèrent que pour la seule journée du 4 juillet, le nombre de tickets d'entrée vendus s'était élevé à 283 273 – largement plus que pour toute la semaine ayant suivi l'ouverture.

C'était le premier signal clair de ce que Chicago avait peut-être réussi à créer quelque chose d'extraordinaire, et il raviva les espoirs de Burnham de voir l'exposition atteindre enfin les sommets de fréquentation escomptés.

Sauf que le lendemain, 79 034 visiteurs payants à peine se déplacèrent. Trois jours plus tard, ce nombre avait dégringolé à 44 537. Les banques créancières de l'exposition s'en émurent. Un audit avait d'ores et déjà révélé que Burnham avait englouti 22 millions de dollars pour la construction (à peu près 660 millions de dollars du début du XXIe siècle), soit plus du double de la somme initialement prévue. Les banquiers firent pression sur les directeurs de l'Exposition pour que ceux-ci créent un Comité de réduction des dépenses chargé non seulement de trouver des solutions pour limiter les coûts mais aussi d'exécuter toutes les mesures d'économie qu'il jugerait nécessaires, y compris en licenciant du personnel et en fermant certains services et comités.

Confier l'avenir de l'exposition à des banquiers, Burnham le savait, c'était la condamner à un échec certain. La seule solution pour alléger la pression consistait donc à augmenter nettement le nombre total d'entrées payantes. Selon certaines estimations, pour éviter la faillite financière – une humiliation pour les orgueilleux dirigeants de Chicago, qui se considéraient comme des seigneurs du dollar –, l'exposition allait devoir vendre 100 000 tickets par jour jusqu'à sa fermeture.

Pour conserver ne fût-ce qu'une maigre chance d'atteindre cet objectif, il fallait que les compagnies ferroviaires baissent leurs tarifs et que Frank Millet redouble d'efforts pour attirer des visiteurs venus des quatre coins du pays.

Dans un contexte national de dépression économique toujours plus grave – les banques qui fermaient, les suicides qui se multipliaient –, cela semblait impossible.

39

Claustrophobie

Holmes se doutait que la majeure partie de sa clientèle, sinon la totalité, serait à l'exposition. Après avoir montré à Anna le drugstore, le restaurant et le salon du barbier, il l'emmena sur le toit pour lui faire voir une vue plus ample d'Englewood et du joli quartier ombragé qui entourait son repaire. La visite s'acheva à son cabinet, où il pria Anna de s'asseoir puis s'excusa. Il s'attabla devant une liasse de papiers et se mit à les lire.

D'un ton distrait, il demanda à la jeune femme si elle voulait bien aller lui chercher dans la pièce voisine, la chambre forte, un document qu'il y avait laissé.

Elle s'exécuta joyeusement.

Holmes la suivit sans bruit.

*

Elle crut d'abord que la porte s'était refermée par accident. Une obscurité totale venait de s'abattre sur la petite pièce. Anna frappa énergiquement contre le battant et appela Harry. Elle s'interrompit pour tendre l'oreille puis se remit à frapper. Elle n'éprouvait pas de peur, juste de l'embarras. Elle n'aimait pas ce noir, plus dense que tout ce qu'elle avait connu jusque-là – plus noir que la plus noire des nuits sans lune au Texas. Elle se remit à tambouriner contre la porte et écouta.

L'air se raréfiait.

*

Holmes écoutait, tranquillement installé dans un fauteuil près du mur qui séparait son bureau de la chambre forte. Le temps passa. Tout était paisible. Une légère brise traversait la pièce, la possibilité de créer des courants d'air faisant partie des avantages des bureaux d'angle. Cette brise encore fraîche apportait une senteur matinale d'herbes folles et de terre humide.

*

Anna ôta l'un de ses souliers et martela la porte à coups de talon. Il faisait de plus en plus chaud. Son visage et ses bras luisaient de sueur. Harry avait dû partir ailleurs dans l'immeuble, sans se rendre compte de rien. Cela expliquerait pourquoi il ne venait toujours pas malgré son tapage. Peut-être était-il descendu régler un détail dans un des commerces du rez-de-chaussée. Cette hypothèse l'effraya quelque peu. La température de la pièce avait considérablement augmenté. Il devenait difficile de respirer. Et elle avait une envie pressante.

Il se confondrait en excuses. Elle ne devrait pas lui montrer à quel point elle avait eu peur. Pour faire diversion, elle s'efforça de penser au voyage qu'ils entameraient cet après-midi même. Qu'une ex-maîtresse d'école au Texas comme elle se retrouve bientôt à arpenter les rues de Londres et de Paris lui semblait toujours relever d'un impossible rêve, mais son beau-frère Harry s'y était engagé et avait pris toutes les dispositions nécessaires. Dans quelques heures à peine, Minnie, lui et elle prendraient le train pour un bref trajet jusqu'à Milwaukee avant de rejoindre la belle et fraîche vallée du Saint-Laurent, entre New York et le Canada. Elle se voyait déjà assise dans la spacieuse véranda de quelque joli hôtel au bord du fleuve, sirotant un thé et regardant descendre le soleil.

Elle cogna de plus belle contre la porte, mais aussi contre le mur qui séparait la chambre forte du cabinet parfumé par la brise de Harry.

*

La panique arriva, comme toujours. Holmes imagina Anna prostrée dans un coin. S'il le voulait, il pouvait se précipiter sur la porte, l'ouvrir en grand, la prendre dans ses bras, et pleurer avec elle de la tragédie qui venait d'être évitée de justesse. Il pouvait le faire à la dernière minute, dans les toutes dernières secondes. Il pouvait le faire.

Ou bien il pouvait ouvrir la porte, regarder Anna avec un grand sourire – histoire de bien lui faire savoir qu'il ne s'agissait pas d'un accident – et refermer la porte, la claquer, puis regagner son fauteuil et voir ce qui arriverait après. Il pouvait aussi, dès à présent, inonder la chambre forte de gaz. Le sifflement et l'odeur lui feraient comprendre aussi clairement qu'un sourire qu'il se passait quelque chose d'anormal.

Il avait le choix entre toutes ces solutions.

Il dut se concentrer pour entendre les sanglots venus de l'intérieur. Les joints étanches, les murs en fonte et la laine de roche qui servait d'isolant étouffaient l'essentiel des sons, mais l'expérience lui avait appris qu'en collant l'oreille contre la conduite de gaz, il pouvait les entendre beaucoup plus distinctement.

C'était le moment le plus délicieux. Il lui procurait une période d'euphorie sexuelle qui lui semblait durer des heures, même si les hurlements et supplications s'estompaient en fait assez vite.

Il emplit la chambre forte de gaz, juste au cas où.

*

Holmes regagna son appartement de Wrightwood Avenue et demanda à Minnie de se préparer – Anna les attendait au château. Il la serra dans ses bras et la couvrit de baisers en murmurant qu'il avait bien de la chance et qu'il appréciait beaucoup sa sœur.

Pendant le retour en train à Englewood, sa femme lui trouva l'air détendu et serein, comme s'il venait de parcourir des kilomètres à bicyclette.

*

Deux jours plus tard, le 7 juillet, les Oker reçurent une lettre de Henry Gordon les informant qu'il n'avait plus besoin de leur appartement. Cette lettre les surprit : ils étaient persuadés que Gordon et les deux sœurs occupaient encore les lieux. Lora Oker monta vérifier. Elle frappa à la porte, n'entendit rien, entra.

« Je ne sais pas du tout comment ils ont quitté la maison, dit-elle, mais certains signes indiquaient qu'ils avaient fait leurs bagages à la hâte, en laissant traîner par terre quelques livres et menus objets. Si ces livres avaient renfermé des annotations il n'en restait plus trace, car les pages de garde étaient arrachées. »

Ce même 7 juillet, l'agent de la Wells Fargo de Midlothian, Texas, chargea une grosse malle dans le fourgon à bagages d'un train en partance vers le nord. Cette malle – la malle d'Anna – était adressée à « Mlle Nannie Williams, aux bons soins de M. H. Gordon, 1220 Wrightwood Avenue, Chicago ».

La malle mit plusieurs jours à arriver. Un postillon de la Wells Fargo tenta de la livrer à l'adresse de Wrightwood mais n'y trouva aucune Mlle Williams ni aucun M. Gordon. Il rapporta la malle à l'agence de la Wells Fargo. Personne ne vint la réclamer.

*

Holmes alla trouver un résident d'Englewood nommé Cephas Humphrey, qui possédait un fardier et gagnait sa vie à la tête d'une équipe spécialisée dans le transport de meubles, de caisses et autres objets encombrants. Holmes lui parla d'une caisse et d'une malle à déplacer. « Je voudrais que vous veniez les chercher à la tombée de la nuit, dit-il, car je ne tiens pas à ce que mes voisins voient cela. »

Humphrey se présenta à l'heure dite. Holmes l'entraîna au premier étage du château, jusqu'à une pièce aveugle fermée par une lourde porte.

« Cet endroit m'a fait froid dans le dos, dit Humphrey. Il n'y avait aucune fenêtre, rien que cette porte massive. J'ai eu la chair de poule en y entrant. J'ai senti que quelque chose n'allait pas, mais M. Holmes ne m'a pas laissé beaucoup de temps pour y réfléchir. »

La caisse était un rectangle de bois tout en longueur, à peu près aux dimensions d'un cercueil. Humphrey la descendit en premier. Sur le trottoir, il la déposa à la verticale. Holmes, qui l'observait d'une fenêtre de l'étage, toqua brusquement contre le carreau et lui lança : « Ne faites pas ça. Posez-la à plat. »

Humphrey fit ce qu'on lui disait, puis remonta au premier chercher la malle. Elle était lourde, mais son poids ne lui posa aucun problème.

Holmes lui demanda d'emporter la longue caisse à l'Union Depot en indiquant sur quel quai il faudrait la laisser. Apparemment, il s'était organisé au préalable pour qu'un agent de l'express la récupère sur place et la charge à bord d'un train. Il ne fit aucune allusion à sa destination finale.

Quant à la malle, Humphrey déclara par la suite ne plus se souvenir de ce qu'il en avait fait, mais certains indices tendent à suggérer qu'elle fut livrée au domicile de Charles Chappell, près de l'hôpital du comté de Cook.

*

Peu après, Holmes fit un don aussi surprenant que bienvenu à la famille de son assistant Benjamin Pitezel. Il offrit à l'épouse de celui-ci, Carrie, une collection de robes, plusieurs paires de souliers, ainsi que quelques chapeaux ayant appartenu à sa cousine, une certaine Mlle Minnie Williams – elle venait de se marier et de s'établir dans l'Est et n'aurait plus l'usage de ses anciennes affaires. Il conseilla à Carrie de découper les robes et d'en récupérer le tissu pour habiller ses trois filles. Carrie lui en fut extrêmement reconnaissante.

Holmes étonna aussi son concierge, Pat Quinlan, en lui faisant cadeau de deux robustes malles, toutes deux frappées des initiales MRW.

40

La tempête et le feu

Le travail de Burnham se poursuivait, et le rythme à son bureau ne faiblissait pas. Les bâtiments étaient achevés et tous les exposants en place mais, aussi sûrement que l'argent perd son éclat au fil du temps, l'exposition se retrouva peu à peu confrontée aux forces inéluctables de la dégradation, du déclin – et de la tragédie.

En ce dimanche 9 juillet, journée caniculaire et sans vent, la Grande Roue était sans doute un des lieux où l'on avait le plus envie d'être, avec la nacelle du ballon captif du Midway. Ce ballon, baptisé *Chicago*, était empli de 2 700 mètres cubes d'hydrogène et commandé par des amarres reliées à un treuil. À 15 heures ce jour-là, il était déjà monté 35 fois dans le ciel, à 300 mètres d'altitude. Du point de vue de l'aérostier allemand au service de la concession, il faisait un temps idéal, tellement calme, selon lui, qu'un fil à plomb lâché de la nacelle serait tombé droit sur le treuil.

À 15 heures, cependant, le gérant de la concession, G. F. Morgan, vérifia ses instruments et remarqua une chute soudaine de la pression barométrique, signe qu'une tempête était en formation. Il interrompit la vente de billets et ordonna à ses hommes de ramener le ballon. Les responsables de la Grande Roue, constata-t-il, n'avaient pas pris les mêmes précautions que lui : elle continuait de tourner.

Des nuages s'amoncelèrent, l'horizon se violaça, une brise se leva au nord-ouest. Le ciel parut descendre vers la terre et un petit nuage en forme d'entonnoir se forma, puis commença à glisser en tanguant le long de la côte vers le sud – c'est-à-dire vers l'exposition.

La Grande Roue était pleine de passagers, qui virent avec une inquiétude croissante cet entonnoir traverser Jackson Park en exécutant sa version personnelle de la danse du ventre et venir droit sur le Midway.

Au pied du ballon captif, Morgan ordonna à ses hommes d'empoigner les filins d'amarrage et de s'y accrocher coûte que coûte.

*

Dans Jackson Park, le brusque passage de la lumière à la pénombre attira Burnham à l'extérieur. Un vent puissant venait de se lever, soufflant de partout à la fois. Des papiers gras prenaient leur envol et tournoyaient en l'air comme des mouettes. Le ciel semblait vouloir s'abattre sur l'exposition, et un bruit de verre brisé retentit quelque part – mais pas le bruit léger d'une vitre transpercée par une pierre, plutôt des couinements stridents de chien blessé suggérant que plusieurs grands panneaux étaient en train de s'écraser au sol.

À l'intérieur du palais de l'Agriculture, un gigantesque panneau de verre venait de se décrocher du toit et de détruire la table où, quelques secondes plus tôt, une jeune femme vendait encore des bonbons. Six autres panneaux tombèrent sur le sol du palais des Manufactures et des Arts libéraux. Les exposants accoururent pour bâcher leurs collections.

Le vent arracha un morceau de 3,6 mètres carrés du dôme du palais des Machines et souleva le toit du Café hongrois. L'équipage d'une des navettes électriques d'Olmsted dut procéder à un débarquement d'urgence de tous ses passagers ; le bateau venait à peine de repartir pour se mettre à l'abri quand une rafale s'engouffra sous son auvent et le coucha sur le flanc malgré ses 5 tonnes. Pilote et receveur se sauvèrent à la nage.

Des plumes géantes voletaient dans l'air. Les 28 autruches de la ferme aux Autruches du Midway accueillirent cette perte avec leur placidité habituelle.

*

Dans la Grande Roue, les passagers s'accrochèrent du mieux qu'ils purent. Une femme tourna de l'œil. Ainsi qu'un passager l'écrirait plus tard à *Engineering News*, « il a fallu les efforts combinés de deux d'entre nous pour refermer les portières. Le vent soufflait si fort que la pluie s'abattait presque à l'horizontale ». La roue continua néanmoins de tourner comme s'il n'y avait pas un souffle de brise. Les passagers ne ressentaient que de légères vibrations. L'auteur de la lettre, apparemment ingénieur de profession, estima qu'à aucun moment la structure ne fut déportée latéralement de plus de 3 ou 4 centimètres.

Les passagers virent en revanche le vent se jeter sur le ballon captif tout proche et l'arracher aux hommes qui en tenaient les amarres, ce qui eut pour effet de soulever brièvement Morgan de terre. Les rafales pilonnèrent ensuite l'enveloppe de l'aérostat comme un sac de boxe renversé, la déchiquetèrent et projetèrent les nombreux lambeaux de ses 8 000 mètres carrés de soie jusqu'à plus de 2 kilomètres de distance.

Morgan accueillit la catastrophe avec philosophie. « J'ai pris un certain plaisir à observer la formation de la tempête, dit-il, et voir ce ballon voler en éclats a été le spectacle de ma vie, même s'il a coûté un peu cher aux personnes qui possédaient des parts de l'entreprise. »

Si cette tempête eut ou non un rapport avec les événements du lendemain, on ne le saura jamais, mais leur quasi-coïncidence est suspecte.

*

Le lundi, peu après 13 heures, pendant que Burnham supervisait les réparations et que des équipes ramassaient les débris laissés par la tempête dans le parc, une fumée s'éleva de la coupole du palais de la Conservation à froid, où un début d'incendie avait déjà éclaté le 17 juin.

La structure de la tour était en bois et contenait un gros conduit de cheminée en fonte permettant de ventiler les trois chaudières installées en dessous, dans le bâtiment principal – car il fallait paradoxalement de la chaleur pour produire du froid. Ce conduit s'interrompait 75 centimètres avant le sommet de la tour, et un assemblage en fer additionnel portant le nom de « dé » aurait dû venir le prolonger de manière à ce qu'il dépasse entièrement du toit. Ce dé était un élément crucial du plan conçu par l'architecte Frank Burnham, dans la mesure où il devait protéger les murs en bois de la tour des gaz à très haute température qui s'échappaient du conduit. Pour une raison ou pour une autre, l'entrepreneur ne l'avait pas installé. Le bâtiment était comme une maison dont la cheminée se terminerait non pas au-dessus du toit, mais dans le grenier.

Les pompiers reçurent la première alerte à 13 h 32. Plusieurs voitures pompes s'ébranlèrent en grondant vers le lieu du sinistre. Vingt pompiers emmenés par le capitaine James Fitzpatrick entrèrent dans le bâtiment principal et grimpèrent sur le toit. Ils atteignirent le pied de la tour et montèrent par un escalier les 21 mètres qui les séparaient encore de son balcon extérieur. À l'aide de cordes, ils hissèrent jusqu'à leur nouvelle position un tuyau d'arrosage et une échelle de 6 mètres. Le tuyau fut fermement arrimé à la tour.

Fitzpatrick et ses hommes ne s'en rendaient pas encore compte, mais l'incendie en cours au sommet de la tour leur tendait secrètement un piège mortel. Des flammèches étaient en train de dégringoler dans les étroits interstices qui séparaient le conduit en fonte des murs intérieurs de la tour, construits en tendre sapin blanc. Les flammèches finirent par allumer au fond de cet espace confiné un second foyer, qui ne tarda pas à épuiser la maigre quantité d'air disponible ; les flammes s'éteignirent donc, cédant la place à un plasma surchauffé qui n'attendait plus qu'un apport d'oxygène supplémentaire pour exploser.

Pendant que les pompiers du balcon se concentraient sur les flammes au-dessus d'eux, un mince panache de fumée blanche apparut à leurs pieds.

*

La caserne reçut une nouvelle alerte à 13 h 41 et fit mugir l'énorme sirène du palais des Machines. Des milliers de visiteurs coururent alors vers la fumée et s'entassèrent sur les pelouses et allées qui entouraient le bâtiment. Certains vinrent avec leur casse-croûte. Burnham aussi fit le déplacement, tout comme Davis. La Garde colombienne arriva en force pour dégager la piste et permettre à d'autres voitures pompes et chariots porte-échelles d'accéder au bâtiment. Les passagers de la Grande Roue bénéficièrent d'une vue imprenable et terrible sur ce qui se passa ensuite.

« Jamais, put-on lire dans le rapport des pompiers, une tragédie aussi effroyable ne s'est déroulée sous les yeux d'une telle mer de visages angoissés. »

*

Des flammes jaillirent soudain de la tour, à 15 mètres environ *sous* Fitzpatrick et ses hommes. L'air s'engouffra dans l'édifice. Une explosion s'ensuivit. D'après le rapport officiel de la caserne de pompiers, il semblait que « le contenu gazeux du puits d'air entourant le conduit de cheminée avait pris feu, transformant sur-le-champ l'intérieur entier de la tour en un brasier fumant ».

Le pompier John Davis se trouvait sur le balcon avec le capitaine Fitzpatrick et les autres. « J'ai vu qu'il ne restait qu'une seule chance et j'ai décidé de la tenter, dit Davis. J'ai fait un bond vers le tuyau et j'ai réussi par bonheur à l'attraper. Les autres gars semblaient pétrifiés d'horreur et incapables de bouger. »

Davis et un de ses collègues réussirent à se laisser glisser jusqu'au sol le long du tuyau. Les pompiers restés sur le balcon comprirent qu'ils allaient mourir et se firent leurs adieux. Des témoins les virent se donner l'accolade et échanger des poignées de main émues. Le capitaine Fitzpatrick attrapa une corde et se jeta à travers les flammes ; il atterrit sur le toit du bâtiment principal situé en contrebas avec une jambe cassée, des blessures internes et la moitié de son énorme moustache calcinée. D'autres hommes trouvèrent la mort en sautant dans le vide, certains en passant à travers la toiture.

Le capitaine Murphy et deux autres pompiers grimpèrent sur une échelle pour récupérer Fitzpatrick. Ils le redescendirent au bout d'une corde jusqu'à leurs collègues restés en bas. Vivant, mais de plus en plus faible.

En tout, l'incendie tua 12 pompiers et 3 ouvriers. Fitzpatrick mourut vers 21 heures.

Le lendemain, le public dépassa les 100 000 visiteurs. Les décombres encore fumants du palais de la Conservation à froid se révélèrent irrésistibles.

*

Le coroner ouvrit immédiatement une enquête, durant laquelle un jury entendit les témoignages de Daniel Burnham ; de Frank Burnham ; de plusieurs responsables de la société Hercules Iron Works ; et d'un certain nombre de pompiers. Daniel Burnham déclara qu'il n'avait été informé ni du premier incendie ni de l'absence du dé et affirma que ce bâtiment relevait d'une concession privée et qu'il n'avait exercé aucune autorité lors de sa construction, sinon pour approuver ses plans. Le mardi 18 juillet, le jury l'inculpa néanmoins de négligence criminelle avec le capitaine des pompiers Murphy et deux dirigeants de Hercules. L'affaire fut renvoyée devant un grand jury.

Burnham en resta pantois mais garda le silence. « Cette tentative de vous tenir en quelque façon que ce soit responsable ou coupable d'avoir fait perdre des vies est un scandale, écrivit Dion Geraldine, son conducteur de travaux. Les hommes qui ont rendu ce verdict doivent être soit tout à fait stupides, soit affreusement mal informés. »

Selon la procédure en vigueur, Burnham et les autres auraient dû être placés en détention en attendant le versement d'une caution, mais dans ce cas particulier le bureau du coroner lui-même parut décontenancé. Le shérif ne fit rien pour arrêter le directeur de travaux. Burnham versa sa caution le lendemain matin.

Tandis qu'une puanteur de bois calciné flottait encore dans l'air, Burnham fit fermer les allées suspendues du palais des Transports et du palais des Manufactures et des Arts libéraux, ainsi que les balcons et galeries supérieures du palais de l'Administration, de peur qu'un incendie à l'intérieur de l'un d'eux ne provoque une panique et une tragédie encore plus graves. Des centaines de personnes envahissaient chaque jour l'allée suspendue du palais des Manufactures et des Arts libéraux, dont on ne pouvait redescendre qu'en ascenseur. Burnham imagina des hommes, des femmes et des enfants terrorisés tentant de se laisser glisser sur les pentes de la verrière, passant au travers et s'écrasant au milieu des collections après une chute de plus de 60 mètres.

Comme si le tableau n'était pas encore suffisamment sombre, le 18 juillet, c'est-à-dire le jour même où le jury du coroner se prononça en faveur de l'arrestation de Burnham, les directeurs de l'Exposition cédèrent aux pressions des banques en votant l'instauration d'un Comité de réduction des dépenses doté de pouvoirs quasi illimités pour sabrer les coûts jusqu'à la fin de l'exposition, et surtout en le composant de trois hommes au regard froidement comptable. Une résolution ultérieure approuvée par les directeurs de la Compagnie de l'Exposition précisa que, à partir du 1er août, « aucune dépense liée à l'entretien des bâtiments ou à la conduite de l'Exposition ne sera plus engagée sans avoir été autorisée par ledit comité ». Clairement, la cible n° 1 de ce nouveau comité était la direction des travaux de Burnham.

Tout aussi clairement, en tout cas pour Burnham, la dernière chose dont l'exposition avait besoin en ce moment où Millet et lui-même poursuivaient leur combat pour accroître le nombre des entrées payantes – une campagne occasionnant un certain nombre de frais indispensables – était une troïka de grippe-sous décidés à passer au crible toutes les nouvelles dépenses. Millet avait quelques idées extraordinaires d'événements pour le mois d'août, dont un grand bal au Midway au cours duquel des dirigeants de l'exposition, Burnham compris, devraient danser avec des femmes dahoméennes et des danseuses du ventre algériennes. Il semblait acquis que le comité considérerait les dépenses liées à ce bal et aux autres projets conçus par Millet comme superflues. Burnham savait pourtant que les frais de cet ordre, tout comme ceux qui continuaient d'être associés à la police, au nettoyage des ordures et à l'entretien des allées et des pelouses, étaient d'une importance vitale.

Sa plus grande crainte était que le Comité de réduction des dépenses ne paralyse l'exposition une fois pour toutes.

41

Amour

Les traces de l'incendie du palais de la Conservation à froid étaient encore visibles lorsqu'un groupe de 24 enseignantes arriva de Saint Louis, accompagnées par un jeune journaliste. Ces institutrices avaient remporté un concours lancé par le *St Louis Republic* dont le prix était un séjour gratuit à l'Exposition universelle, tous les frais afférents étant pris en charge par le journal. Avec un certain nombre de parents et d'amis – soit un total de 40 voyageurs –, elles avaient fait le voyage dans un luxueux wagon-lit, le *Benares*, mis à leur disposition par la Chicago & Alton Railroad. Elles débarquèrent à l'Union Depot de Chicago le lundi 17 juillet à 8 heures du matin et se rendirent immédiatement en attelage à leur hôtel, le Varsity, assez proche du site de la foire mondiale pour que les enseignantes puissent voir des balcons du premier étage la Grande Roue de Ferris, le toit du palais des Manufactures et des Arts libéraux et la grosse tête dorée de Big Mary.

Le jeune journaliste – qui n'était autre que Theodore Dreiser – faisait montre d'une insolente assurance qui plaisait aux femmes. Il déploya des trésors de séduction avec chacune d'elles mais fut comme de juste surtout attiré par la seule qui ne semblait guère s'intéresser à lui, Sara Osborne White, un joli petit brin de femme qu'un de ses anciens soupirants avait surnommée « Pichet » à cause de sa propension à s'habiller en marron. Elle n'était pourtant pas vraiment du genre de Dreiser, qui à l'époque possédait déjà une solide expérience de l'amour et entretenait une liaison purement physique avec sa logeuse. À ses yeux, il émanait de Sara White « un intense quelque chose dissimulé sous un air de suprême innocence et de réserve virginale ».

Dreiser fit un tour de Grande Roue avec les enseignantes et les accompagna au spectacle de Buffalo Bill, où le colonel Cody vint en personne serrer la main à chacune de ces dames. Dreiser les escorta ensuite à travers le palais des Manufactures et des Arts libéraux où, selon lui, un homme « pouvait circuler de lieu en lieu pendant un an sans se lasser ». Au Midway, il persuada James J. Corbett de rencontrer les enseignantes. Corbett était le célèbre boxeur qui avait mis K-O John L. Sullivan lors du grand combat de septembre 1892, un événement auquel le *Chicago Tribune* avait consacré l'intégralité de sa une. Corbett s'exécuta de bonne grâce, mais l'une des femmes refusa de lui serrer la main : elle s'appelait Sullivan.

Chaque fois qu'il en avait l'occasion, Dreiser s'efforçait d'isoler Sara White de la délégation du *Republic*, qu'il surnommait « les Quarante et Quelques », mais Sara avait amené avec elle sa sœur Rose, ce qui lui compliquait la tâche. Une fois, au moins, Dreiser tenta de l'embrasser. Elle le pria de ne pas être « sentimental ».

Il échoua donc à séduire mais fut lui-même séduit – par l'exposition. Elle le plongea, écrivit-il, « dans un rêve dont il me fallut des mois pour me remettre ». Il trouva surtout fascinantes les soirées, « lorsque les longues ombres se sont toutes fondues en une seule et que les étoiles commencent à briller au-dessus du lac et des dômes de la Ville blanche ».

Sara White continua cependant d'occuper ses pensées bien après qu'il eut quitté Chicago et les Quarante et Quelques. De retour à Saint Louis, il lui écrivit, entreprit de lui faire une cour assidue et résolut de s'investir plus sérieusement dans sa profession d'écrivain. Il quitta Saint Louis pour s'en aller diriger une feuille de chou rurale du Michigan mais s'aperçut que la réalité du métier de rédacteur en chef dans une petite ville ne correspondait pas à ses espérances. Après quelques étapes intermédiaires, il atterrit à Pittsburgh. Il écrivait à Sara White et lui rendait visite chaque fois qu'il revenait à Saint Louis. Il la suppliait de s'asseoir sur ses genoux. Elle refusait.

Elle accepta, en revanche, sa demande en mariage. Dreiser montra sa photographie à un ami, John Maxwell, du *St Louis Globe Democrat*. Là où Dreiser voyait une jeune femme pleine d'attrait et de mystère, Maxwell ne vit qu'une maîtresse d'école d'apparence bien fade. Il tenta de mettre en garde son ami : « Si tu te maries maintenant – et qui plus est avec une femme conventionnelle, limitée, et plus âgée que toi, tu es fini. »

C'était un judicieux conseil pour quelqu'un comme Dreiser. Mais il ne le suivit pas.

*

La Grande Roue devint un vecteur amoureux. Des couples sollicitèrent la permission de se marier à son point culminant. Jamais Luther Rice ne l'accorda mais, dans deux cas où les fiancés avaient déjà envoyé leurs invitations, il consentit à ce que la cérémonie ait lieu dans son bureau.

En dépit de ce fort potentiel romantique, la roue n'attira jamais les foules de nuit. Les passagers affluaient surtout à l'heure où tout se teintait d'or, entre 5 et 6 heures du soir.

*

Holmes, depuis peu libre et riche en terres, amena une nouvelle femme à l'exposition, Georgiana Yoke, rencontrée cette année-là au grand magasin Schlesinger & Meyer où elle travaillait comme vendeuse. Elle avait grandi et vécu chez ses parents à Franklin, Indiana, jusqu'à son départ en 1891 pour Chicago, où elle espérait vivre une vie moins étroite et plus excitante. Elle avait 23 ans quand elle fit la connaissance de Holmes, mais sa petite taille et ses cheveux blondis au soleil lui donnaient un aspect beaucoup plus jeune, presque enfantin – si l'on faisait abstraction de ses traits acérés et de l'intelligence qui pétillait dans ses immenses yeux bleus.

Elle n'avait jamais rencontré d'homme dans son genre. Il était beau, s'exprimait bien, présentait des signes évidents de prospérité. Il avait même une propriété en Europe. Il lui faisait un peu de peine, toutefois. Il était terriblement seul – il avait perdu toute sa famille, à l'exception d'une tante qui vivait en Afrique. Son dernier oncle venait de mourir en lui léguant une grosse fortune sous forme de terrains dans le Sud et à Fort Worth, Texas.

Holmes la couvrit de cadeaux, parmi lesquels une bible, des diamants d'oreille et un médaillon – « un petit cœur, précisa-t-elle, avec des perles ».

À l'Expo, il l'emmena sur la Grande Roue, loua une gondole et arpenta avec elle les chemins sombres et parfumés de l'Île boisée, dans la douce lueur des lanternes chinoises.

Il lui demanda de devenir sa femme. Elle accepta.

Il l'avertit toutefois qu'il allait devoir convoler sous un autre nom, Henry Mansfield Howard. C'était celui de son défunt oncle, expliqua-t-il. Cet oncle était si fier de ses origines qu'il n'avait fait de Holmes son héritier qu'à la condition qu'il adopte son nom en totalité. Holmes y avait consenti par respect pour sa mémoire.

*

Le maire Harrison aussi se croyait amoureux, d'une femme de La Nouvelle-Orléans nommée Annie Howard. Il était âgé de 68 ans et deux fois veuf ; quant à elle, elle n'avait pas 30 ans – nul ne savait son âge exact, mais les estimations lui accordaient entre 21 et 27 ans. Elle était « très dodue », selon un témoignage, et « pleine de vie ». Venue à Chicago pour le temps de l'exposition, elle avait loué un hôtel particulier proche de celui du maire. Elle passait ses journées à s'acheter des œuvres d'art à l'Expo.

Harrison et Mlle Howard avaient une nouvelle à annoncer, mais le maire projetait de ne rien dire avant le 28 octobre, date à laquelle l'exposition accueillerait la Journée des villes américaines. *Sa* journée à lui, en fait : quarante-huit heures avant la clôture officielle, il allait prendre la parole devant plusieurs milliers d'élus locaux des quatre coins du pays et pourrait savourer pleinement son statut de maire de Chicago, la ville qui venait de construire la plus grande foire de tous les temps.

42

Phénomènes

Le 31 juillet 1893, au terme de deux audiences d'enquête, le Comité de réduction des dépenses rendit son rapport au conseil des directeurs de l'Exposition. Ce rapport concluait que la gestion financière de la manifestation « ne peut être décrite que comme honteusement extravagante ». Des coupes sombres dans les dépenses et le personnel étaient indispensables, immédiatement. « Quant au service de la construction, nous savons à peine quoi en dire, poursuivait le rapport. Sans avoir eu le temps d'entrer dans les détails, nous avons la nette impression qu'il est dirigé aujourd'hui, comme hier, d'après la théorie d'ensemble que l'argent n'est pas un objectif. »

Dans un autre communiqué, le Comité de réduction des dépenses pressait les directeurs de le rendre permanent et de lui accorder le pouvoir d'approuver ou de rejeter toutes les dépenses de l'exposition, aussi minimes fussent-elles.

C'en était trop, y compris pour les hommes d'affaires aguerris du conseil des directeurs. Le président Higinbotham affirma qu'il préférait démissionner plutôt que de céder un tel pouvoir à quiconque. Plusieurs de ses pairs eurent la même réaction. Du coup, ce furent les trois membres du Comité de réduction des dépenses qui, piqués au vif, démissionnèrent. L'un d'eux déclara à un journaliste : « Si le directoire avait jugé bon de confirmer le comité dans ses pouvoirs comme c'était le projet originel, nous aurions fait tomber assez de têtes pour emplir le bassin de la cour d'honneur... »

Les conclusions du comité avaient été trop sévères, trop critiques, à un moment où l'humeur à Chicago était plutôt à l'exultation fervente, car l'Exposition universelle avait été construite malgré tous les obstacles et s'était révélée plus belle encore que tout ce que l'on aurait pu imaginer. Même New York avait fini par présenter ses excuses – ou en tout cas un journaliste new-yorkais : Charles T. Root, le rédacteur en chef du *New York Dry Goods Reporter*, qui n'avait strictement aucun lien de parenté avec le défunt associé de Burnham, signa en effet le jeudi 10 août un éditorial dans lequel il montrait du doigt la ridicule hostilité qu'exprimaient ses confrères new-yorkais depuis que Chicago avait conquis le droit d'organiser l'Exposition universelle. « Des centaines de journaux, et parmi eux quelques dizaines de très grands quotidiens de l'Est, ont cru bon de souligner en se tenant les côtes l'humour exquis de l'idée selon laquelle cette ville grossière, peuplée d'éleveurs de porcs enrichis, pouvait concevoir et mener à bien une vraie Foire mondiale... » Si les critiques vipérines avaient fini par s'estomper, écrivait-il, peu de vipères avaient encore fait *l'amende honorable*[1] que méritait

---

1. En français dans le texte.

indéniablement Chicago. Lui-même battait sa coulpe en reconnaissant que si l'exposition avait été attribuée à New York, le résultat n'aurait pas été aussi bon. « D'après mes observations, New York ne soutient jamais aucun projet comme Chicago a soutenu celui-ci et, sans ce splendide effort commun, le prestige, la suprématie financière et tous les avantages de cette sorte n'auraient pas pesé lourd par rapport à la Ville blanche. » Il était temps, concluait-il, d'admettre la vérité : « Chicago a déçu ses ennemis et époustouflé le monde. »

Parmi les dirigeants de l'exposition, toutefois, plus personne ne se faisait d'illusions. Le nombre moyen d'entrées payantes, même s'il augmentait régulièrement, devait être encore accru – et vite. Il ne restait plus que trois mois avant la cérémonie de clôture, prévue le 30 octobre. (Celle-ci avait été fixée au dernier jour d'octobre et aurait donc dû avoir lieu le 31, mais un fonctionnaire non identifié du pouvoir législatif fédéral avait apparemment pris octobre pour un mois de trente jours.)

Les directeurs incitèrent une fois de plus les compagnies ferroviaires à réduire leurs tarifs. Le *Chicago Tribune* fit même de cette baisse une croisade et s'en prit ouvertement aux compagnies. « Elles sont antipatriotes, car il s'agit d'une manifestation nationale et non locale, accusa un éditorial du 11 août 1893. Elles sont aussi désespérément et totalement égoïstes. » Le lendemain, le quotidien épingla Chauncey Depew, le président de la New York Central, de façon particulièrement caustique. « M. Depew se présente depuis le début en grand ami de la Foire mondiale et il a été prodigue en déclarations sur le fait que ses voies allaient tout changer en amenant ici des dizaines de milliers de gens venus de plus loin que les chutes du Niagara... » Depew avait manqué à sa parole, accusait le *Tribune*. « Chauncey M. Depew est sommé de rendre son titre de fils adoptif de Chicago. Chicago ne veut plus de lui. »

Frank Millet, le directeur des fonctions, redoubla dans le même temps d'efforts pour promouvoir l'Expo et inventa une série de manifestations de plus en plus exotiques. Il organisa dans le bassin de la cour d'honneur des régates mettant aux prises les habitants des villages indigènes du Midway, qui s'affrontaient tous les mardis soir sur des embarcations de leur pays d'origine. « Nous voulons faire quelque chose pour animer les lagunes et les bassins, expliqua Millet à un journaliste. Les gens commencent à se lasser de regarder les navettes électriques. Si nous pouvons amener les Turcs, les Océaniens, les Cinghalais, les Esquimaux et les Indiens d'Amérique à circuler sur le grand bassin avec leurs bateaux traditionnels, cela ajoutera certainement de la nouveauté ainsi qu'un intérêt supplémentaire au décor. »

Millet organisa aussi des courses à la nage entre « espèces » du Midway, comme les appelait la presse. Il programma celles-ci le vendredi. La première eut lieu le 11 août dans la lagune et opposa des Zoulous à des Indiens d'Amérique du Sud. Les Dahoméens y participèrent aussi, tout comme les Turcs, « certains aussi velus que des gorilles », commenta le *Tribune* avec une désinvolture anthropologique très répandue à l'époque. « Ces courses étaient remarquables par le manque de vêtements des concurrents et par le sérieux avec lequel ils s'appliquaient à gagner des pièces de 5 dollars or. »

Millet frappa particulièrement fort avec le grand bal du Midway, qui eut lieu le soir du mercredi 16 août. Le *Tribune* le rebaptisa « Bal des Phénomènes du

Midway » et chercha à aiguiser l'appétit de la nation par un éditorial qui commençait par souligner l'indignation croissante du Comité des dames gestionnaires face aux danseuses du ventre du Midway. « Que les appréhensions de ces bonnes dames (...) soient dues à une question d'atteinte à la morale ou à la crainte que ces artistes ne s'infligent une crise de péritonite au cas où elles persisteraient dans leurs contorsions, la chose n'est pas claire, mais elles ont adopté quoi qu'il en soit la position que ce qui n'est peut-être pas considéré comme très extraordinaire au bord du Nil ou dans les marchés de Syrie devient entièrement malséant sur le Midway entre Jackson Park et Washington Park. »

Et pourtant, poursuivait le *Tribune*, les danseuses du ventre et toutes les autres créatures lascives et à demi nues qui se trémoussaient sur le Midway avaient été invitées au grand bal, où l'on s'attendait à les voir danser avec les plus hauts dignitaires de l'exposition, dont Burnham et Davis. « La situation est donc, comme nous allons le voir, "riche en effrayantes possibilités", écrivit le *Tribune*. Un frisson collectif risque de soulever la poitrine des dames gestionnaires lorsqu'elles se rendront compte du danger encouru si le directeur général Davis venait à ouvrir le grand bal au bras de quelque fascinante Fatima et que celle-ci soit atteinte de péritonite au beau milieu de sa danse ; ou si [Potter] Palmer servait de cavalier à une adepte du Temple de Louksor soudain affligée du même mal ; ou si le maire Harrison, qui appartient à l'ensemble des nations, décidait de danser avec toutes. Interrompront-ils les gigotements de leur partenaire par la protestation ou la force, ou bien, suivant la mode du pays, s'essaieront-ils eux aussi à des contorsions orientales ? Supposez que le président Higinbotham se retrouve face à une huileuse beauté fidjienne au dos nu ou à une amazone dahoméenne lancée dans les extraordinaires cabrioles d'une danse cannibale, devra-t-il l'imiter ou risquer sa tête en s'efforçant de la maîtriser ? »

L'événement fut encore rehaussé par la présence à Jackson Park de George Francis Train – que tout le monde appelait « Citizen Train » – avec son costume blanc à ceinture rouge et son fez turc, invité par Millet à animer le bal, les régates, les courses à la nage et toutes ses autres inventions. Train était un des hommes les plus célèbres de son temps, sans que personne ne sache au juste pourquoi. On disait de lui qu'il avait servi de modèle au personnage de Phileas Fogg, le héros du *Tour du monde en quatre-vingts jours*. Train affirmait pour sa part que s'il avait été convié à l'exposition, c'était en vérité pour la sauver en utilisant ses pouvoirs psychiques afin d'augmenter la fréquentation. Ces pouvoirs résidaient à l'intérieur de son corps sous la forme d'une énergie électrique. Il arpentait le parc en se frottant les paumes pour bien doser cette énergie et refusait de serrer la main à quiconque de peur d'être déchargé de son pouvoir. « Chicago a construit l'Expo, dit-il. Tous les autres ont tenté de la tuer. Chicago l'a construite. Je suis ici pour la sauver, et je veux bien être pendu si ce n'est pas le cas. »

Le bal eut lieu au Natatorium, un vaste bâtiment du Midway consacré à la natation et aux bains disposant en outre d'une salle de bal et de plusieurs salles de banquet. Des oriflammes jaunes et rouges ondulaient sous le plafond. Les galeries qui dominaient la salle de bal accueillaient un certain nombre de loges d'opéra pour les responsables de l'exposition et les familles les plus éminentes de la haute société. Burnham avait la sienne, tout comme Davis, Higinbotham et bien sûr les Palmer. Ces galeries offraient aussi des fauteuils et des places debout aux autres invités payants. À la balustrade de chaque loge étaient suspendus des triangles de soie brodés d'arabesques en fil d'or qui scintillaient dans la clarté des ampoules à incandescence. Le tout créait un effet d'opulence indescriptible. Le Comité de réduction des dépenses n'aurait pas apprécié.

À 21 h 15 ce soir-là, Citizen Train – tout de blanc vêtu comme d'habitude, mais les bras chargés pour Dieu sait quelle raison d'un énorme bouquet de pois de senteur en fleur – descendit en tête de la procession d'exotiques, dont beaucoup étaient nu-pieds, l'escalier du Natatorium. Il donnait le bras à une ballerine mexicaine de 10 ans et était suivi de dizaines d'hommes et de femmes en costume traditionnel de leur terre natale. Sol Bloom, lui, veillait au maintien de l'ordre dans la salle de bal.

Le programme officiel accordait à quelques officiels et hôtes de marque l'honneur d'ouvrir le bal. Le directeur général Davis était censé esquisser les premiers pas d'un quadrille, Burnham d'une « Berlin », le maire Harrison d'une polka. Après cette série de danses, la foule devait entonner « Home Sweet Home ».

Il faisait extrêmement chaud. Le chef sioux Pluie-sur-le-Visage, qui avait tué le frère de Custer et occupait à présent la cabane de Sitting Bull au Midway, avait le visage dégoulinant de peinture verte. Un Lapon étouffait dans sa veste en fourrure ; plusieurs Esquimaudes avaient revêtu leur plus belle tunique en peau de morse. Le maharadjah de Kapurthala, arrivé d'Inde dans la semaine, occupait un trône improvisé sur la scène de la salle de bal, éventé par trois serviteurs.

La salle débordait de couleurs et d'énergie : Japonais en soie rouge, Bédouins en rouge et noir, Roumains en bleu, jaune et rouge. Des femmes qui en temps ordinaire allaient presque nues – telles Aheze l'amazone et Zahtoobe la Dahoméenne – s'étaient vu remettre une jupe courte composée de petits drapeaux américains. Le *Tribune*, dans une parodie involontaire de sa propre tendance à décrire les robes du grand monde, nota que l'Océanienne Lola portait un « costume indigène en toile d'écorce qui lui couvrait environ la moitié du corps, avec un décolleté profond et un corset sans manches ». Plus la soirée avançait, plus le vin coulait à flots, et plus la file de candidats à une danse avec Lola s'allongea. Les danseuses du ventre vinrent malheureusement en robe longue et coiffées d'un turban. Des messieurs en smoking tournoyaient sur la piste, « en faisant virevolter de noires amazones à chevelure broussailleuse parées de colliers de dents ». Chicago – et peut-être même le monde – n'avait jamais rien vu de semblable. Le *Tribune* présenta ce bal comme « le plus étrange rassemblement depuis la destruction de la tour de Babel ».

Il y eut un dîner, bien sûr. Le menu officiel :

PLATS FROIDS

Rôti Missionnaire à la dahoméenne, Afrique de l'Ouest
Bison séché à la Village indien
Autruche farcie à la ferme aux Autruches
Bosses de chameau bouillies à la rue du Caire
Ragout de singe à la Hagenbeck

MISE EN BOUCHE
Pommes de terre bouillies à la Village irlandais
Hachis international à la Midway Plaisance

ENTRÉES
Fricassée de renne à la lapone
Boules de neige frites à la Ice Railway
Frappé cristallisé, de la collection du verrier Libby

PÂTISSERIES
Beignets au vent à la Ballon captif
Sandwichs (assortis) spécialement préparés
par la Collection des cuirs

En guise de dessert, la carte promettait « 25 % des recettes brutes ».

Le bal prit fin à 4 h 30 du matin. Les exotiques s'en retournèrent à pas lents vers leur village du Midway. Les invités rejoignirent leur voiture, dans laquelle ils piquèrent du nez ou fredonnèrent « After the Ball » – le succès du moment – pendant que leurs domestiques les ramenaient chez eux à travers les rues vides, où résonnait le claquement rythmique des sabots sur le granit.

*

Le bal et les autres inventions de Millet apportèrent à l'exposition une ambiance plus extravagante, plus festive. Si elle continuait d'arborer de jour sa chaste robe de staff blanc, elle passait une partie de ses nuits à danser pieds nus et à siffler du champagne.

La fréquentation augmenta. La moyenne journalière s'éleva pour le mois d'août à 113 403 spectateurs payants – enfin au-delà du seuil vital des 100 000. La marge restait cependant étroite. Et la dépression économique nationale continuait de s'aggraver inexorablement, créant un climat social de plus en plus volatil.

Le 3 août, une grande banque de Chicago, la Lazarus Silverman, déposa le bilan. L'agence de Burnham faisait partie de ses fidèles clients. Le soir du 10 août, Charles J. Eddy, ancien haut dirigeant de la défunte Reading Railroad, une des premières victimes de la panique boursière, entra à pied dans Washington Park près de la limite nord du Midway et se brûla la cervelle. Il séjournait bien entendu au Metropole. C'était le troisième client de l'hôtel à se suicider cet été-là. Le maire Harrison alerta l'opinion sur le fait que les rangs des chômeurs avaient atteint un niveau alarmant. « Si le Congrès ne nous donne pas d'argent, nous aurons des émeutes qui vont secouer ce pays », déclara-t-il. Deux semaines plus tard, il y eut un accrochage entre ouvriers et policiers devant la mairie. Il s'agissait d'une confrontation mineure, mais le *Tribune* parla d'émeute. Quelques jours plus tard, 25 000 ouvriers au chômage se rassemblèrent au bord du lac en plein centre-ville et entendirent le leader syndical Samuel Gompers, debout à l'arrière du chariot des orateurs n° 5, demander : « Pourquoi la fortune de ce pays devrait-elle dormir dans des banques et des ascenseurs pendant que l'ouvrier oisif erre sans domicile à travers les rues et que des flemmards oisifs qui amassent l'or à seule fin de le dépenser pour leur vie dissolue y circulent dans des attelages luxueux d'où ils aperçoivent de paisibles rassemblements et les qualifient d'émeutes ? »

Les princes de l'industrie et du commerce de la ville qui découvrirent le discours de Gompers dans les journaux du dimanche matin trouvèrent la question particulièrement dérangeante, car elle semblait porter une revendication allant bien au-delà du simple droit au travail : Gompers appelait à un changement fondamental dans les relations entre les ouvriers et leurs employeurs.

C'était un discours dangereux, à étouffer à tout prix.

43

Prendergast

C'était excitant, cette perspective de devenir un des plus hauts responsables de la ville. Prendergast allait enfin laisser derrière lui les petits matins froids, les rues infectes et les méchants crieurs de journaux qui passaient leur temps à lui désobéir et à le railler. Il commençait toutefois à s'impatienter. Sa nomination au poste de conseiller juridique de la municipalité aurait déjà dû intervenir.

Un après-midi de la première semaine d'octobre, Prendergast se rendit donc en tram à l'hôtel de ville pour voir son futur bureau. Il trouva un employé et se présenta.

Aussi incroyable que cela puisse paraître, cet employé ne connaissait pas son nom. Quand Prendergast lui expliqua que le maire Harrison projetait de faire de lui le nouveau conseiller juridique de la municipalité, l'homme rit.

Prendergast insista pour parler à l'actuel conseiller, un certain Kraus. Kraus avait forcément entendu parler de lui.

L'employé alla le chercher.

Kraus émergea de son bureau et tendit la main à Prendergast. Il le présenta aux membres de son équipe comme son « successeur ». Tout le monde eut soudain le sourire aux lèvres.

Prendergast interpréta d'abord ces sourires comme une reconnaissance de son futur statut mais sentit vite qu'il y avait autre chose.

Kraus lui demanda s'il souhaitait prendre ses fonctions sur-le-champ.

« Non, répondit Prendergast. Je ne suis pas pressé. »

Ce qui n'était pas vrai, mais la question l'avait désarçonné. Prendergast n'aimait pas le ton sur lequel Kraus l'avait posée. Pas du tout.

44

Vers le triomphe

Le lundi 9 octobre 1893, désigné « Journée de Chicago » par Frank Millet, les caissiers de l'exposition en
poste au portail de la 64ᵉ Rue se livrèrent vers 10 heures
du matin à un pointage officieux des ventes et constatèrent que leur seul point d'entrée avait déjà enregistré
60 000 entrées payantes. Ces hommes savaient d'expérience que le nombre de billets écoulés ici représentait
toujours *grosso modo* un cinquième du nombre total
d'entrées de l'exposition, ce qui leur permit d'estimer
que 300 000 visiteurs payants avaient déjà franchi les
portes de Jackson Park – un nombre supérieur au meilleur
résultat enregistré jusque-là sur une journée complète et
assez proche du record mondial de 397 000 visiteurs,
toujours détenu par l'exposition de Paris. Et pourtant la
matinée commençait à peine. Ils comprirent qu'il se passait quelque chose d'exceptionnel. Le rythme des entrées
semblait se multiplier d'heure en heure. À certains gui-
chets, leur nombre augmenta si fort et si vite que des
pièces en argent finirent par s'amonceler sur le sol et
ensevelir les pieds des caissiers.

Millet et les autres responsables de l'exposition s'attendaient à une forte affluence ce jour-là. Chicago était très fière de sa foire mondiale, et tout le monde savait qu'il ne restait plus que trois semaines avant qu'elle ferme à jamais ses portes. Pour assurer une fréquentation maximale, le maire Harrison avait signé une proclamation appelant les entreprises locales à suspendre leurs activités pour la journée. Les tribunaux étaient fermés, tout comme la chambre de commerce. Le climat se mit de la partie. Ce lundi-là fut d'une fraîcheur exemplaire, avec des températures n'excédant pas les 17 °C et un ciel résolument bleu. Tous les hôtels affichaient complets – voire au-delà, certains directeurs s'étant vus contraints d'installer des lits de camp dans les salons et les couloirs. La compagnie de restauration Wellington, qui contrôlait 8 restaurants et 40 comptoirs alimentaires dans Jackson Park, s'était préparée à cette journée particulière en commandant deux wagons entiers de pommes de terre, 4 000 fûts de 70 litres de bière, 68 000 litres de crème glacée, et plus de 18 000 kilos de viande. Ses cuisiniers confectionnèrent 200 000 sandwichs au jambon et servirent 400 000 tasses de café.

Personne, cependant, ne s'attendait à une ruée aussi massive. À midi, le responsable des entrées, Horace Tucker, câbla un message au siège de la direction. « Le record de Paris a volé en éclats et les gens continuent d'arriver. » À lui seul, le caissier L. E. Decker, un neveu de Buffalo Bill ayant travaillé huit ans au guichet du Wild West Show, écoula 17 843 tickets pendant son service, une performance record qui lui valut de recevoir un coffret de cigares offert par Horace Tucker. Des enfants perdus ne tardèrent pas à encombrer tous les sièges disponibles du quartier général de la Garde colombienne ; 19 y passèrent même la nuit avant d'être récupérés par leurs parents le lendemain. Cinq personnes trouvèrent la mort à l'intérieur ou à proximité du parc, dont un ouvrier tué pendant qu'il aidait à préparer les feux d'artifice du soir et un visiteur qui descendit de son tram pour être *illico* happé par un autre. Une femme perdit un pied suite à un mouvement de foule qui la fit chuter d'un quai de gare. Faisant un tour à bord de sa Grande Roue ce jour-là, George Ferris embrassa des yeux la multitude et s'écria : « Il doit y avoir 1 million de gens en bas ! »

La vraie apothéose eut lieu après la fermeture du parc. Dans un silence qui sentait encore fortement la poudre brûlée, des encaisseurs flanqués de gardes en armes se rendirent à chaque guichet pour y collecter les pièces d'argent accumulées – 3 tonnes au total. Ils comptèrent les sommes sous bonne escorte. À 1 h 45 du matin, le chiffre exact tomba.

Ferris n'était pas loin d'avoir vu juste. Pour cette seule journée, 713 646 personnes avaient payé pour entrer dans Jackson Park. (31 059 seulement – 4 % – étaient des enfants.) 37 380 visiteurs supplémentaires avaient accédé à l'Expo grâce à une carte d'abonnement, ce qui portait le nombre total des entrées du jour à 751 026. Chicago venait donc d'accueillir le plus grand rassemblement pacifique d'êtres humains de l'histoire mondiale. À en croire le *Tribune*, il n'était dépassé que par la concentration sur les rives du Hellespont des 5 millions d'hommes de l'armée de Xerxès le Grand, au Ve siècle avant J.-C. Le record parisien de 397 000 visiteurs était en effet pulvérisé.

Quand la nouvelle atteignit la cabane de Burnham, il y eut des hourras, du champagne et des histoires à n'en plus finir jusqu'au petit matin. Mais une nouvelle encore meilleure arriva le lendemain, lorsque les dirigeants de la Compagnie de l'Exposition universelle colombienne, dont les fanfaronnades avaient tellement été moquées, remirent à l'Illinois Trust and Savings Company un chèque de 1,5 million de dollars qui épongeait leurs toutes dernières dettes.

La Ville des vents avait gagné.

*

Burnham et Millet entreprirent alors de régler les ultimes préparatifs du vrai jour de gloire de Burnham, la grandiose cérémonie de clôture du 30 octobre, qui établirait une fois pour toutes qu'il avait remporté son pari et que sa mission était accomplie – qu'il ne lui restait cette fois plus rien à faire. À ce stade, croyait-il, rien ne pouvait plus menacer le triomphe de l'exposition ni sa place personnelle au panthéon de l'histoire architecturale.

45

Départs

Frank Millet espérait que la cérémonie de clôture attirerait encore plus de monde que la Journée de Chicago. Pendant qu'il en peaufinait le programme, beaucoup de ceux qui avaient aidé Burnham à bâtir l'exposition s'en retournèrent vers une vie ordinaire.

Charles McKim partit à regret. La foire mondiale avait été pour lui une lumière flamboyante qui avait dissipé un temps les ombres amoncelées sur sa vie. Il quitta brusquement Jackson Park le matin du 23 octobre et, plus tard le même jour, écrivit à Burnham :

« Vous connaissez mon aversion pour les adieux et deviez donc être préparé à apprendre que j'ai filé ce matin. Dire que je suis triste de vous laisser tous serait exprimer la moitié seulement de ce que je ressens.

« Vous m'avez offert de magnifiques moments et les derniers jours de l'Expo resteront à jamais dans mon esprit, comme les premiers, spécialement identifiés à vous-même. Il nous sera fort agréable de pouvoir nous repencher sur tout cela jusqu'à la fin de nos jours et d'en reparler encore et encore, et il va sans dire que vous pourrez à l'avenir compter sur moi de toutes les façons et aussi souvent que vous le souhaiterez. »

Le lendemain, McKim évoqua dans une lettre à un ami de Paris le consensus de plus en plus net entre Burnham, lui-même et une bonne partie de Chicago sur le fait que le site de l'exposition était une création trop merveilleuse pour qu'on la laisse simplement tomber en ruine à partir du 30 octobre, c'est-à-dire dès la semaine suivante : « En vérité, l'ambition de toutes les personnes concernées serait de la voir disparaître aussi magiquement qu'elle a surgi, avec une promptitude absolue. Par souci d'économie ainsi que pour des raisons évidentes, il a été proposé que la méthode la plus glorieuse consisterait à faire sauter les bâtiments à la dynamite. Un autre projet suggère de les détruire par le feu. Cette dernière méthode produirait le spectacle le plus facile et le plus grandiose s'il n'y avait le danger des brandons en cas de changement de vent venu du lac. »

Ni McKim ni Burnham ne croyaient vraiment qu'il faille mettre le feu à l'exposition. Les édifices avaient été conçus de façon à maximiser le taux de récupération de leurs composants. Ce discours de conflagration était plutôt une façon de soulager leur désespoir de voir le rêve prendre fin. Personne ne supportait l'idée d'une Ville blanche déserte et à l'abandon. Comme l'écrivit un journaliste de *Cosmopolitan* : « Mieux vaut qu'elle disparaisse soudainement, dans une explosion de gloire, plutôt que de tomber peu à peu dans la vétusté et le délabrement. Il n'est pas de spectacle plus mélancolique qu'une salle de banquet au lendemain du festin, lorsque les hôtes sont repartis et les lumières éteintes. »

Ces songeries sur le feu finiraient par revêtir un aspect prophétique.

*

Olmsted aussi coupa les ponts. Vers la fin de l'été, son emploi du temps surchargé et les températures caniculaires avaient de nouveau atteint sa santé et ravivé ses insomnies. Bien qu'ayant encore de nombreux projets en cours, en particulier Biltmore, il se sentait tout près de la fin de sa carrière. Il avait 71 ans. Le 6 septembre 1893, il écrivit à un ami, Fred Kingsbury : « Je ne puis venir à vous et je rêve souvent d'une chevauchée à travers nos anciens territoires ainsi que de vous revoir, vous et d'autres, mais je m'en suis quasiment remis au Destin. Il ne me reste plus guère qu'à tituber jusqu'au bout de mon chemin. » Olmsted s'autorisait toutefois une rare expression de satisfaction. « Je profite de mes enfants, dit-il à Kingsbury. Ils sont l'un des centres de ma vie, les autres étant l'amélioration des paysages et la mise à disposition du plaisir qu'ils suscitent. En dépit des infirmités qui m'accablent cruellement, je ne dois pas être considéré comme un vieil homme malheureux. »

Louis Sullivan, couvert de louanges et de récompenses pour son palais des Transports – et surtout la Porte dorée – reprit son partenariat avec Dankmar Adler, mais les circonstances avaient changé. Entre l'aggravation de la dépression économique et les erreurs des deux associés, leur agence manquait de commandes. Sullivan, jamais tendre avec ses confrères, entra dans une colère noire contre un des jeunes architectes de l'agence lorsqu'il découvrit que celui-ci consacrait son temps libre à créer des maisons pour ses propres clients. Sullivan le mit à la porte.

Ce jeune homme s'appelait Frank Lloyd Wright.

Dix mille ouvriers du bâtiment perdirent également leur poste à Jackson Park et furent reversés dans un monde sans travail, déjà saturé de chômeurs. Après la cérémonie de clôture, des milliers d'autres les rejoindraient dans les rues de Chicago. La menace de violence était aussi tangible que le froid croissant de l'automne. Le maire Harrison, compatissant, fit ce qu'il pouvait. Il embaucha des milliers d'hommes pour nettoyer les rues et ordonna que les postes de police restent ouverts la nuit pour les hommes ayant besoin d'un toit pour dormir. « Jamais auparavant il n'y avait eu une cessation d'activité industrielle aussi soudaine et aussi saisissante », écrivit le *Commercial and Financial Chronicle* de Chicago. La production de lingots de fonte avait été divisée par deux, la construction de nouvelles voies ferrées était quasiment réduite à néant. La demande de wagons de voyageurs destinés à transporter les visiteurs de la foire mondiale avait épargné jusque-là les ateliers de George Pullman, mais celui-ci commençait lui aussi à tailler dans les salaires et les effectifs. Sans pour autant diminuer les loyers de sa ville-usine.

La Ville blanche avait attiré et protégé des milliers d'hommes ; c'était maintenant la Ville noire qui leur tendait les bras à l'approche de l'hiver, avec sa crasse, sa faim et sa violence.

*

Holmes sentit également qu'il était temps de quitter Chicago. La pression de ses créanciers et des familles de jeunes femmes disparues devenait trop forte.

Il commença par mettre le feu au dernier étage du château. L'incendie causa des dégâts minimes, mais Holmes s'empressa de réclamer 6 000 dollars de dommages-intérêts au titre d'une police contractée par son *alter ego* fictif Hiram S. Campbell. Un expert mandaté par un des assureurs concernés, F. G. Cowie, eut des soupçons et mena une enquête approfondie. Même s'il ne découvrit aucune preuve d'incendie criminel, Cowie était persuadé que Holmes ou un complice avait mis le feu intentionnellement. Il conseilla aux assureurs de verser les dommages-intérêts, mais seulement à Hiram S. Campbell et si celui-ci se présentait en personne.

Holmes ne pouvait pas retirer la somme lui-même : Cowie le connaissait. En d'autres circonstances, il aurait simplement chargé quelqu'un d'autre de se faire passer pour Campbell, mais il se méfiait de plus en plus depuis quelque temps. L'entourage de Minnie Williams avait fait appel à un avocat, William Capp, pour retrouver celle-ci et préserver son patrimoine. Un détective au service du révérend Black, parrain d'Anna, était venu trouver Holmes au château. Et des lettres continuaient d'arriver, envoyées par les Cigrand, les Smythe, et par d'autres parents de plus en plus inquiets. Personne n'accusait encore Holmes d'avoir commis un crime, mais cette nouvelle vague de questions était plus lancinante, plus indirectement accusatrice que tout ce qu'il avait connu jusque-là. Hiram S. Campbell n'alla jamais chercher ses dommages-intérêts.

Mais Holmes s'aperçut vite que l'enquête de Cowie avait un effet secondaire encore plus dévastateur. À force de se renseigner à son sujet, le détective avait réussi à réveiller et mettre en contact ses créanciers, les marchands de meubles, les producteurs de fonte, les fabricants de bicyclettes et les entrepreneurs du bâtiment que Holmes avait floués tout au long des cinq dernières années. Ces créanciers firent appel à un juriste nommé George B. Chamberlin, de l'agence de recouvrement Lafayette, qui harcelait Holmes depuis que celui-ci restait sourd aux relances de l'entreprise qui avait perfectionné son four. Chamberlin affirmerait plus tard avoir été le premier à Chicago à le soupçonner d'être un criminel.

À l'automne 1893, Chamberlin contacta Holmes pour lui demander de passer le voir à son bureau. Holmes s'attendait à être reçu en entretien particulier mais, à son arrivée à l'agence, il se retrouva nez à nez avec une vingtaine de créanciers et d'avocats ; il y avait même un enquêteur de la police.

Quoique surpris, Holmes ne perdit pas contenance. Il distribua des poignées de main et affronta les regards noirs de ses créanciers. Leur colère redescendit immédiatement d'un cran. Il avait ce pouvoir-là.

Chamberlin, qui avait préparé ce rendez-vous comme un piège destiné à faire voler en éclats la façade imperturbable de Holmes, fut impressionné par la capacité de celui-ci à rester détendu malgré le climat de rancœur qui l'entourait. Chamberlin lui signifia qu'il devait au total plus de 50 000 dollars à ses créanciers.

Holmes prit sa mine la plus grave. Il comprenait leurs inquiétudes. Il s'expliqua sur ses défauts de paiement. Son ambition l'avait entraîné au-delà de sa capacité à rembourser ses dettes. Tout se serait bien passé et tous ses créanciers auraient reçu les sommes dues sans la panique de 1893, qui avait anéanti sa fortune et ses espoirs, comme pour d'innombrables autres à Chicago et dans tout le pays.

Chose incroyable, Chamberlin vit certains de ses créanciers hocher la tête d'un air compatissant.

Des larmes emplirent les yeux de Holmes. Il présenta ses plus profondes, ses plus sincères excuses. Et suggéra une solution. Il offrit de régler ses dettes en hypothéquant ses divers biens immobiliers au bénéfice du groupe.

Chamberlin faillit éclater de rire, mais l'un des avocats présents conseilla au groupe d'accepter la proposition. Chamberlin fut sidéré de l'effet lénifiant que la fausse bienveillance de Holmes semblait exercer sur ses créanciers. Quelques minutes plus tôt, le groupe pressait l'inspecteur de l'arrêter dès qu'il aurait franchi le seuil. Et voilà qu'ils voulaient maintenant se concerter.

Chamberlin pria Holmes de se retirer dans une pièce voisine.

Holmes s'exécuta. Il attendit tranquillement.

Pendant que les créanciers palabraient – et que les esprits s'échauffaient –, l'avocat qui avait souhaité accepter l'offre d'hypothèque de Holmes quitta le bureau de Chamberlin et se retrouva dans la pièce où attendait Holmes, soi-disant pour boire un verre d'eau. Une conversation s'engagea. Ce qui se passa exactement ensuite reste peu clair. Chamberlin affirma plus tard que cet avocat était tellement furieux de voir sa recommandation rejetée qu'il avertit Holmes que ses créanciers inclinaient de nouveau à le faire arrêter. Il se peut aussi que Holmes lui ait offert de l'argent pour lui soutirer cette information, ou qu'il ait réussi à force de fausses amabilités et de regrets larmoyants à le persuader de révéler le consensus qui se dessinait au sein du groupe.

L'avocat retourna à la réunion.

Holmes s'enfuit.

Il partit peu après pour Fort Worth, Texas, bien décidé à tirer le meilleur bénéfice possible du terrain de Minnie Williams. Il avait le projet d'en revendre une partie et de construire sur le reste un immeuble de trois étages en tout point semblable à celui d'Englewood. En attendant, il se servirait de ce terrain pour garantir des emprunts et émettre des billets à ordre. Il comptait bien mener sur place une vie prospère et satisfaisante, en tout cas jusqu'au jour où il devrait repartir vers une autre ville. Il emmena avec lui son assistant Benjamin Pitezel et sa récente fiancée, la petite et très jolie Mlle Georgiana Yoke. Juste avant de quitter Chicago, Holmes assura Pitezel sur la vie auprès de la Fidelity Mutual Life Association de Philadelphie, pour un montant de 10 000 dollars.

46

Tombée de la nuit

Au cours du mois d'octobre, le public de l'exposition s'accrut de façon spectaculaire, les gens étant de plus en plus nombreux à sentir que leur temps pour voir la Ville blanche était compté. Le 22 octobre, le nombre d'entrées payantes s'éleva à 138 011. Deux jours plus tard, il atteignait 244 127. Deux cent mille personnes s'embarquaient désormais quotidiennement sur la Grande Roue de Ferris, soit 80 % de plus qu'en début de mois. Tout le monde espérait que la fréquentation continuerait d'augmenter et qu'elle battrait pour la cérémonie de clôture du 30 octobre le record établi lors de la Journée de Chicago.

Pour attirer les visiteurs ce jour-là, Frank Millet programma une journée entière de célébrations avec de la musique, des discours, des feux d'artifice, et le débarquement de « Colomb » en personne, à la tête des répliques grandeur nature de la *Niña*, de la *Pinta* et de la *Santa María* construites en Espagne en vue de l'exposition. Millet engagea des acteurs pour incarner Colomb et ses capitaines ; quant à leurs équipages, ils seraient joués par les marins qui avaient piloté les trois caravelles jusqu'à Chicago. Millet s'organisa pour emprunter un certain nombre de plantes et d'arbres tropicaux au palais de l'Horticulture qu'il transplanta le long du rivage. Il projetait également de recouvrir la plage de chênes abattus et de feuilles d'érable pour symboliser le fait que Colomb était arrivé en automne, même si la présence de palmiers vivants n'était pas franchement compatible avec celle de feuilles caduques en train de pourrir. En touchant terre, Colomb était censé planter son épée dans le sol et déclarer le Nouveau Monde propriété de la couronne d'Espagne, tandis que ses hommes adopteraient des postures similaires à celles que décrivait un timbre à 2 cents commémorant la découverte de l'Amérique. Pendant ce temps, annonçait le *Tribune*, des Indiens recrutés au campement de Buffalo Bill et dans divers villages de l'exposition « scruteraient avec prudence » le groupe d'arrivants en poussant des cris incohérents et en courant « de long en large ». Grâce à cette mise en scène, Millet escomptait ramener les spectateurs « quatre cents ans en arrière » – et ce malgré la présence des remorqueurs à vapeur chargés de pousser les nefs espagnoles vers le rivage.

Mais il y eut avant cela le grand jour du maire Harrison, la « Journée des villes américaines », samedi 28 octobre. Cinq mille élus municipaux acceptèrent l'invitation de Chicago, dont les maires de San Francisco, La Nouvelle-Orléans et Philadelphia. L'histoire ne dit pas si le maire de New York daigna ou non se déplacer.

Ce matin-là, Harrison ravit les journalistes en annonçant non seulement que les rumeurs autour de sa relation avec la très jeune Mlle Annie Howard étaient fondées, mais aussi que tous deux avaient prévu de se marier le 16 novembre.

Son heure de gloire eut lieu dans l'après-midi, lorsqu'il se leva pour discourir devant tous les maires assemblés. Selon des témoignages d'amis, jamais il n'avait paru aussi beau ni aussi plein de vie.

Il fit l'éloge de la remarquable transformation de Jackson Park. « Regardez-le maintenant ! s'exclama-t-il. Ces palais, cette salle, ce rêve séculaire des poètes né de la furieuse aspiration d'architectes fous. » Il confia à son public : « J'ai moi-même retrouvé un second souffle » – peut-être une allusion à Mlle Howard – « et je crois bien que je verrai le jour où Chicago sera la plus grande ville d'Amérique et la troisième à la surface de ce globe. » Malgré ses 68 ans, il annonça son « intention de vivre encore plus d'un demi-siècle, et à la fin de ce demi-siècle Londres tremblera de peur que Chicago ne la surpasse... »

Avec un coup d'œil au maire d'Omaha, il offrit avec grâce d'inclure cette ville au sein de sa commune.

Puis, changeant de cap : « Cela m'écœure quand je regarde cette sublime Exposition de penser qu'on va la laisser tomber en poussière », dit-il. Il espérait que la démolition serait rapide et cita une récente déclaration de Burnham : « Finissons-en ; cela doit se finir, alors finissons-en. Mettons-y le feu et brûlons tout. » Et Harrison d'ajouter : « Je pense comme lui. Si nous ne pouvons pas la préserver un an de plus, je serais pour y mettre le feu, tout brûler et la laisser s'élever dans le ciel radieux jusqu'au paradis éternel. »

*

La coupe était pleine pour Prendergast. Sa visite au bureau du conseiller juridique de la municipalité – qui aurait dû en toute justice être *son* bureau – avait tourné à l'humiliation. Ils s'étaient payé sa tête. Avec des petits sourires narquois. Alors que Harrison lui avait promis le poste. Que fallait-il faire pour attirer l'attention du maire ? Toutes ses cartes postales étaient restées sans réponse. Personne ne lui avait écrit, personne ne le prenait au sérieux.

En cette Journée des villes américaines, Prendergast quitta le domicile maternel à 14 heures et se rendit à pied chez un marchand de Milwaukee Avenue. Il versa 4 dollars au marchand en échange d'un six-coups d'occasion. Sachant que ce modèle de revolver avait une fâcheuse tendance à tirer accidentellement en cas de choc ou de chute, il n'inséra que cinq cartouches dans le barillet, laissant vide la chambre placée sous le chien.

Plus tard, il serait fait grand cas de cette précaution.

*

À 15 heures, à peu près au moment où Harrison prononçait son discours, Prendergast arriva à l'Unity Building, dans le centre de Chicago, où le gouverneur John P. Altgeld avait un bureau.

Prendergast était pâle et singulièrement excité. Un employé de l'immeuble trouva son attitude étrange et lui dit qu'il n'avait pas le droit d'entrer.

Prendergast ressortit dans la rue.

*

Il faisait presque nuit lorsque Harrison quitta Jackson Park et repartit en voiture dans le soir brumeux pour rejoindre son hôtel particulier d'Ashland Avenue, au nord. La température avait dégringolé pendant la semaine, descendant jusqu'à 0 °C la nuit, et le ciel semblait perpétuellement bas. Harrison arriva chez lui vers 19 heures. Après avoir bricolé une des fenêtres du rez-de-chaussée, il s'assit à la table du souper avec deux de ses enfants, Sophie et Preston. Il en avait d'autres, mais ils étaient adultes et ne vivaient plus sous son toit. Le menu incluait bien entendu des tranches de pastèque.

Au milieu du repas, aux environs de 19 h 30, quelqu'un sonna à la porte d'entrée principale. Mary Hanson, la servante, alla ouvrir et découvrit un jeune homme émacié, au visage glabre et aux cheveux noirs ras. Il avait l'air souffrant. Il demanda à voir le maire.

En soi, cette requête n'avait rien d'insolite. Les visites vespérales d'inconnus au domicile du maire étaient fréquentes, car Harrison s'enorgueillissait d'être accessible à tous les citoyens de Chicago, quel que soit leur statut social. Ce visiteur-ci semblait certes plus pauvre que la moyenne, et son comportement avait quelque chose de bizarre. Mary Hanson le pria néanmoins de revenir une demi-heure plus tard.

*

La journée avait été riche en émotions et épuisante pour le maire, qui s'assoupit à table. Peu avant 8 heures du soir, son fils quitta la salle à manger et remonta s'habiller dans sa chambre en vue d'une soirée en ville. Sophie s'éclipsa elle aussi, pour écrire une lettre. La maison était douillette et bien éclairée. Mary Hanson et les autres domestiques se rassemblèrent dans la cuisine pour dîner.

À 8 heures précises, la sonnette de l'entrée tinta de nouveau, et Hanson retourna ouvrir.

Le même jeune homme se tenait sur le seuil. Hanson lui demanda de patienter dans le vestibule et alla chercher le maire.

« Il devait être à peu près 8 heures quand j'ai entendu un bruit, raconta Preston Harrison, son fils. Il m'a fait sursauter ; cela ressemblait à la chute d'un tableau. » Sophie l'entendit aussi, avant d'entendre son père crier. « Je n'en ai pas pensé grand-chose, expliqua-t-elle, parce que j'ai cru que c'était un paravent qui venait de tomber près du couloir du fond. Quant à la voix de père, je l'ai prise pour un bâillement. Il avait une façon de bâiller très bruyante. »

Preston sortit de sa chambre et vit de la fumée s'élever du vestibule d'entrée. En descendant l'escalier, il entendit deux autres détonations. « La dernière a été nette et perçante. J'ai compris que c'était un coup de revolver. » Le son lui fit penser à « une explosion dans une bouche d'égout ».

Il se précipita dans le vestibule et trouva son père gisant sur le dos, entouré de domestiques. Un voile de fumée argentait l'air. Il y avait très peu de sang. Preston s'écria : « Père n'est pas blessé, j'espère ? »

Le maire lui-même se chargea de répondre. « Si, lâcha-t-il. On m'a tiré dessus. Je vais mourir. »

Trois autres coups de feu éclatèrent dans la rue. Le cocher de Harrison avait tiré une fois en l'air pour alerter la police et une fois sur Prendergast, lequel avait riposté.

Le tapage attira un voisin, William J. Chalmers, qui plia son manteau et le cala sous la nuque de Harrison.

Harrison lui dit qu'il avait reçu une balle au-dessus du cœur, mais Chalmers ne le crut pas. Il y avait trop peu de sang.

Une dispute s'ensuivit.

Chalmers objecta à Harrison qu'il ne pouvait *pas* avoir reçu de balle au-dessus du cœur.

« Je vous dis que si, répliqua Harrison. Je me meurs. »

Son cœur cessa de battre quelques instants après.

« Il est mort en colère, dit Chalmers, parce que je ne le croyais pas. Même sur le point de mourir, il a été péremptoire et impérieux. »

*

Prendergast se rendit à pied au poste de police le plus proche, sur Desplaines Street, et lança calmement au sergent O. Z. Barber : « Enfermez-moi ; je viens d'abattre le maire. » Le sergent resta incrédule jusqu'à ce que Prendergast lui remette son revolver, encore imprégné d'une forte odeur de poudre. Barber constata que le barillet contenait quatre douilles usagées et une cartouche intacte. La sixième chambre était vide.

Barber demanda à Prendergast pourquoi il avait tiré sur Harrison.

« Parce qu'il a trahi ma confiance. Je l'ai soutenu pendant toute sa campagne et il avait promis de me nommer conseiller juridique de la municipalité. Il n'a pas tenu parole. »

*

La Compagnie de l'Exposition annula la cérémonie de clôture. Il n'y aurait ni parade du Jubilé, ni débarquement de Colomb, ni discours de Harlow Higinbotham, de George Davis ou de Bertha Palmer ; ni remise de prix ni louanges pour Burnham et Olmsted ; ni « Hail Columbia[1] » ni « Auld Lang Syne[2] » repris en chœur par la multitude. Tout cela fut remplacé par un service funèbre à la salle des fêtes de l'exposition. Pendant que l'assistance prenait place, un organiste égrena la « Marche funèbre » de Chopin sur l'orgue géant de la salle. Il y faisait un tel froid que l'officiant autorisa les hommes à garder leur chapeau.

Après une prière et une bénédiction, le révérend J. H. Barrows lut à la demande des dirigeants de l'exposition le discours que Higinbotham avait rédigé en vue de la cérémonie annulée. Ses remarques n'avaient rien perdu de leur pertinence, notamment celle-ci : « Nous tournons le dos au plus beau des rêves de civilisation et sommes sur le point de le laisser partir en poussière, lut Barrow. C'est comme la mort d'un ami cher. »

Les gens ressortirent à pas lents dans l'après-midi froid et gris.

À 16 h 45 précises, au coucher du soleil, le navire de guerre *Michigan* tira un premier coup de canon, suivi de 20 autres, pendant que 1 000 hommes allaient se poster en silence sous chacun des drapeaux de l'exposition. Au dernier coup de la salve, l'immense bannière du palais de l'Administration dégringola jusqu'au sol. Les 1 000 autres drapeaux furent amenés simultanément, et les trompettistes et bassonistes massés dans la cour d'honneur exécutèrent « The Star-Spangled Ban-

---

1. Hymne non officiel des États-Unis jusqu'en 1931.

2. Ancienne ballade écossaise, ayant donné « Ce n'est qu'un au revoir » en français.

ner » puis « America ». Deux cent mille visiteurs, dont beaucoup étaient en larmes, chantèrent en chœur.

C'en était fini de l'Exposition universelle.

*

La procession funèbre, forte de 600 voitures, s'étirait sur des kilomètres. Elle progressait lentement et en silence à travers une mer noire d'hommes et de femmes en deuil. Le catafalque supportant le cercueil de Harrison ouvrait le cortège, talonné par sa bien-aimée jument du Kentucky, les étriers en croix sur sa selle vide. Partout, les drapeaux blancs qui avaient symbolisé la Ville blanche étaient en berne. Des milliers de gens portaient à la boutonnière un badge disant « Notre Carter » ; ils assistèrent en silence, voiture après voiture, au défilé des plus puissants personnages de la ville. Armour, Pullman, Schwab, Field, McCormick, Ward.

Et Burnham.

Ce fut pour lui un trajet difficile. Il l'avait déjà effectué, pour enterrer John Root. L'exposition avait commencé par un décès et s'achevait de même.

Le cortège était si long que deux heures séparaient le passage de sa première et de sa dernière voiture. Lorsqu'il atteignit le cimetière de Graceland, au nord de la ville, la nuit était tombée et une brume légère planait au ras du sol. Deux longues files de policiers bordaient l'allée menant à la chapelle en grès brun du cimetière. Cinquante membres de l'Union des sociétés allemandes de chant s'étaient regroupés un peu plus loin.

Harrison les avait entendus lors d'un pique-nique et, par plaisanterie, leur avait demandé de venir chanter à ses funérailles.

*

Le meurtre de Harrison tomba sur la ville comme un lourd rideau. Il y eut un avant et un après. Là où les journaux de Chicago auraient dû publier une série sans fin d'articles sur les répercussions de l'exposition, il y eut surtout du silence. Le site de Jackson Park resta ouvert jusqu'au 31 octobre, et de nombreux hommes et femmes s'y rendirent ce jour-là malgré l'absence de cérémonie, comme pour saluer la mémoire d'un proche disparu. « Cet adieu est le plus triste que j'aie connu de toutes mes années de vie », confia une femme en larmes à l'éditorialiste Teresa Dean. William Stead, le journaliste britannique dont le frère Herbert avait couvert l'ouverture de l'Expo, arriva de New York le soir de la clôture officielle mais visita pour la première fois le parc le lendemain. Il affirma que rien de ce qu'il avait vu à Paris, Rome ou Londres n'était aussi parfait que la cour d'honneur.

Ce soir-là, l'exposition illumina pour la toute dernière fois le parc. « Sous les étoiles s'étalait le lac noir et morne, écrivit Stead, mais sur ses rives flamboyait et brillait d'un éclat d'or la ville d'ivoire, belle comme un rêve de poète, silencieuse comme une cité des morts. »

47

La Ville noire

L'exposition fut incapable de résister longtemps à la Ville noire. Suite à sa clôture officielle, des milliers d'ouvriers supplémentaires rejoignirent l'armée grandissante des chômeurs, et des sans-abri se réfugièrent dans les palais abandonnés de Jackson Park. « Les pauvres ressortirent amaigris et affamés du terrible hiver qui suivit la Foire mondiale, écrivit le romancier Robert Herrick dans *The Web of Life*. La ville prodigue avait engagé toutes ses forces dans cette superbe entreprise et, ayant montré au monde la fleur suprême de son énergie, elle s'était effondrée. (...) Cet énorme costume était trop grand pour elle ; des milles et des milles de boutiques, d'hôtels et d'immeubles vides attestaient sa décadence. Des dizaines de milliers d'êtres humains, attirés vers la cité festive par des salaires anormaux, se retrouvaient soudain à l'abandon, sans nourriture ni droit de s'abriter dans ses logements libres d'occupants. » Le contraste était déchirant. « Quel spectacle ! écrivit Ray Stannard Baker dans *American Chronicle*, son autobiographie. Quelle ruine humaine après la magnificence et la prodigalité de la Foire mondiale qui a si récemment fermé ses portes ! Des sommets de splendeur, de fierté et d'exaltation ; et le mois suivant des abîmes de misère, de souffrance, de faim, de froid. »

Au cours de ce brutal hiver, le photographe de Burnham, Charles Arnold, réalisa une série d'images très différentes. L'une d'elles montrait le palais des Machines maculé de suie et d'ordures. Un liquide sombre éclaboussait l'un de ses murs. Une caisse de grandes dimensions était visible au pied d'une colonne, probablement le refuge d'un chômeur à la rue. « C'est la désolation, écrivit Teresa Dean, l'éditorialiste, à propos d'une visite à Jackson Park effectuée le 2 janvier 1894. On préférerait ne pas être venu. S'il n'y avait tant de monde autour, on lèverait les bras au ciel avec sur les lèvres une prière pour que tout cela nous soit rendu. Cela semble cruel, très cruel, de nous donner une telle vision ; de nous avoir laissés rêver et déambuler six mois au paradis pour ensuite le rayer de nos vies. »

Six jours après cette visite, les premiers incendies éclatèrent et détruisirent plusieurs structures, dont le célèbre Péristyle. Le lever du jour révéla une Big Mary abîmée et salie, dominant un paysage d'acier tordu et noirâtre.

L'hiver fut un creuset pour le syndicalisme américain. Aux yeux des ouvriers, Eugene Debs et Samuel Gompers apparaissaient de plus en plus comme des sauveurs – et les princes marchands de Chicago comme des démons. George Pullman continua de réduire effectifs et salaires sans pour autant abaisser les loyers de ses employés, quand bien même la trésorerie de son entreprise détenait plus de 60 millions de dollars de liquidités. Ses amis l'avertirent qu'il faisait preuve d'entêtement et sous-estimait la colère des ouvriers. Il installa sa famille à distance de Chicago et mit à l'abri ses plus belles porcelaines. Le 11 mai 1894, 2 000 ouvriers de Pullman entrèrent en grève avec le soutien du Syndicat américain des chemins de fer de Debs. D'autres grèves éclatèrent un peu partout dans le pays, et Debs entreprit d'organiser une grève générale à l'échelle de la nation pour le mois de juillet. Le président Cleveland envoya à Chicago des troupes fédérales qu'il plaça sous le commandement du général Nelson A. Miles, ex-grand maréchal de l'Exposition universelle. Miles ne se sentait pas très à l'aise dans ses nouvelles fonctions. Il percevait dans l'agitation sociale grandissante un phénomène sans précédent, « plus menaçant et de plus grande portée que tout ce qui s'est produit à ce jour ». Il suivit néanmoins les ordres, et l'ex-grand maréchal de l'exposition se retrouva à combattre les hommes qui l'avaient construite.

Les grévistes bloquèrent des trains et brûlèrent des wagons. Le 5 juillet 1894, des incendiaires mirent le feu à cinq des sept plus grands palais de Jackson Park – parmi lesquels l'immense palais des Manufactures et des Arts libéraux de Post, le dôme de Hunt et la Porte dorée de Sullivan. Dans le Loop, des hommes et des femmes s'amassèrent sur les toits et dans les étages supérieurs du Rookery, du Temple maçonnique, du Temple de la Tempérance, et de tous les autres immeubles de grande hauteur offrant une vue sur le lointain brasier. Des flammes de 30 mètres s'élevèrent dans le ciel nocturne, et leur miroitement se refléta jusqu'au large du lac.

Le vœu de Burnham, tardivement, venait d'être exaucé. « Il n'y a point eu de regrets, écrivit le *Chicago*

Tribune, plutôt un sentiment de plaisir de voir le spectacle de la saison colombienne anéanti par les éléments et non par des démolisseurs. »

*

Certaines questions viendraient plus tard, l'année suivante :

« Il y a des centaines de gens qui sont allés à Chicago pour voir l'Expo et dont on n'a jamais plus entendu parler, écrivit par exemple le *New York World*. La liste des "disparus" était longue à la clôture de celle-ci, avec une suspicion de crime dans la plupart des cas. Ces visiteurs de l'Expo, étrangers à Chicago, ont-ils abouti au château de Holmes suite à de trompeuses réclames pour n'en plus jamais ressortir ? A-t-il édifié ce château près du parc pour se procurer des victimes en quantité ? »

Au début, la police de la ville n'eut aucune réponse à fournir, hormis la plus évidente : qu'à Chicago, pendant l'Exposition universelle, rien n'était plus facile que de disparaître.

Les secrets du château de Holmes finiraient par être révélés au grand jour, mais uniquement grâce à l'obstination d'un enquêteur solitaire venu de très loin et lui-même endeuillé par une perte tragique.

QUATRIÈME PARTIE

Cruauté révélée

1895

Le docteur H. H. Holmes.

48

« Propriété de H. H. Holmes »

L'inspecteur Frank Geyer était un homme massif au visage agréable et sérieux, dont le regard et le maintien trahissaient une gravité nouvelle. C'était l'un des meilleurs enquêteurs de la police de Philadelphie, pour laquelle il avait enquêté en vingt ans de service sur près de 200 morts violentes. Il connaissait très bien le meurtre et ses archétypes. Des hommes tuaient leur femme, des femmes tuaient leur mari, des pauvres se tuaient les uns les autres – et ce toujours pour les mêmes motifs d'argent, de jalousie, de passion ou d'amour. Peu de meurtres comportaient les éléments de mystère dont les romans à quatre sous faisaient leurs choux gras. Et pourtant, dès les premiers jours de sa nouvelle mission – on était maintenant en juin 1895 –, Geyer s'était retrouvé hors des sentiers battus. Parmi les aspects les plus inhabituels de cette affaire, il y avait le fait que le suspect, arrêté sept mois plus tôt pour une escroquerie à l'assurance, était déjà incarcéré à la prison de Moyamensing, à Philadelphie.

Ce suspect, un médecin, s'appelait Herman Webster Mudgett mais était plus connu sous le pseudonyme

« H. H. Holmes ». Il avait autrefois vécu à Chicago où, avec son complice Benjamin Pitezel, il avait tenu un hôtel pendant l'Exposition universelle colombienne de 1893. Tous deux étaient ensuite partis s'installer à Fort Worth, Texas, puis à Saint Louis et enfin à Philadelphie, commettant au passage un certain nombre de fraudes. À Philadelphie, Holmes avait escroqué la Fidelity Mutual Life Association de 10 000 dollars, apparemment en simulant la mort de Ben Pitezel. Il avait contracté une assurance-vie au nom de ce dernier auprès de l'agence chicagoane de la Fidelity juste avant la clôture de l'exposition. L'accumulation des indices de fraude avait poussé la compagnie à faire appel à l'agence nationale de détectives Pinkerton – « L'œil qui ne dort jamais » – pour localiser ce client indélicat. Les enquêteurs de l'agence avaient retrouvé la trace de Holmes à Burlington, dans le Vermont, puis l'avaient suivie jusqu'à Boston, où ils s'étaient arrangés pour le faire arrêter par la police. Holmes avait reconnu les faits et accepté d'être transféré à Philadelphie pour y être jugé. L'affaire, à ce stade, semblait close. À ceci près que, en juin 1895, il apparut assez clairement que Holmes n'avait pas *simulé* la mort de Ben Pitezel, mais qu'il avait liquidé celui-ci pour de bon avant de concocter une mise en scène destinée à faire croire à un accident. Depuis cette date, en outre, trois des cinq enfants de Pitezel – Alice, Nellie et Howard – demeuraient introuvables, après avoir été vus pour la dernière fois en compagnie de Holmes.

La mission de Geyer consistait à retrouver ces enfants. Il fut invité à travailler sur l'affaire par le procureur de district de Philadelphie, George S. Graham, lequel en était venu au fil des ans à lui confier les enquêtes les plus délicates de sa juridiction. Graham prit toutefois le temps de la réflexion avant de lui demander d'intervenir, sachant que Geyer avait perdu sa femme Martha et sa fille de 12 ans Esther quelques mois plus tôt dans l'incendie de leur maison.

*

Geyer alla interroger Holmes dans sa cellule mais n'apprit rien de nouveau. Holmes maintint que la dernière fois qu'il avait vu les enfants Pitezel, ils étaient bien vivants et s'apprêtaient à partir avec une certaine Minnie Williams vers la ville où se cachait leur père.

Geyer trouva son interlocuteur calme et désinvolte, un vrai caméléon social. « Holmes a une profonde tendance à agrémenter ses mensonges d'ornements surchargés, écrivit-il, et toutes ses histoires sont décorées de draperies flamboyantes, dans le but de renforcer la plausibilité de ses affirmations. Lorsqu'il parle, il présente l'apparence de la sincérité, devient pathétique dans les moments où le pathos le sert le mieux, prononçant alors ses mots avec des tremblements dans la voix et l'œil souvent embué, puis il repasse promptement à une façon de parler déterminée et énergique, comme si un flot d'indignation ou de résolution avait soudain jailli de tendres souvenirs gravés dans son cœur. »

Holmes prétendait s'être procuré un cadavre ressemblant à Ben Pitezel et l'avoir laissé au premier étage d'une maison spécialement louée en vue de l'escroquerie. Par coïncidence ou pour satisfaire à un sens de l'humour macabre, cette maison se situait juste derrière la morgue locale, à quelques pâtés d'immeubles au nord de l'hôtel de ville. Holmes disait avoir préparé le cadavre de façon à suggérer que Pitezel avait péri dans une explosion accidentelle. Après avoir aspergé de solvant la tête et le haut de son corps, il y avait mis le feu et l'avait ensuite traîné sous une fenêtre afin de l'exposer à la lumière directe du soleil. Au moment de sa découverte, Pitezel était trop défiguré pour être reconnaissable. Holmes s'était porté volontaire pour assister le coroner lorsqu'il avait fallu l'identifier. À la morgue, non seulement ce fut lui qui repéra une verrue au cou qui était un signe particulier du défunt, mais il se chargea de l'exciser à l'aide de son propre bistouri puis la tendit tranquillement au coroner.

Le coroner tenait à ce qu'un membre de la famille voie le corps. La femme de Pitezel, Carrie, était souffrante et ne put faire le voyage. Elle envoya à sa place la deuxième fille du couple, Alice, alors âgée de 15 ans. Les hommes du coroner enveloppèrent le corps de draps afin qu'Alice ne voie que la dentition de son père. Elle déclara le reconnaître formellement. La Fidelity versa la somme due au titre de l'assurance sur la vie. Holmes partit dans la foulée avec elle pour Saint Louis, où vivaient désormais les Pitezel. Toujours en possession d'Alice, il persuada Carrie de lui confier deux autres de ses enfants, Nellie, 11 ans, et Howard, 8 ans, en expliquant que leur père vivait désormais caché et aspirait désespérément à les revoir. Il s'embarqua donc avec les trois enfants Pitezel dans un étrange et triste périple.

Geyer savait par les lettres d'Alice que, au début, elle avait considéré ce voyage comme une sorte d'aventure. Dans un courrier à sa mère daté du 20 septembre 1894, elle écrivit : « J'aimerais que tu voies ce que j'ai vu. » Quelques lignes plus loin, elle lui confiait son dégoût des manières onctueuses de Holmes. « Je n'aime pas qu'il m'appelle ma belle, mon bébé, ma chérie et ce genre de bêtises. » Et le lendemain, dans une autre lettre : « Maman, as-tu déjà vu ou goûté une banane rouge ? J'en ai mangé trois. Elles sont tellement grosses que mon pouce et mon index se touchent à peine quand j'essaie de les entourer. » Alice était sans nouvelles de sa mère depuis le départ de Saint Louis et craignait que son état n'ait empiré. « As-tu reçu quatre lettres de moi en plus de celle-ci ? écrivit-elle. Es-tu toujours alitée ou sur pied ? J'aimerais bien avoir de tes nouvelles. »

Une des rares certitudes de l'inspecteur Geyer, c'était qu'aucune de ces lettres n'avait atteint Carrie Pitezel. Alice et Nellie avaient maintes fois écrit à leur mère pendant qu'elles étaient sous la coupe de Holmes, auquel elles remettaient naïvement leur courrier en s'imaginant qu'il le posterait. Il ne le fit jamais. Peu après son arrestation, la police découvrit une boîte en fer-blanc étiquetée « Propriété de H. H. Holmes » et renfermant entre autres documents une bonne dizaine de lettres des deux enfants. Holmes les conservait dans cette boîte comme des coquillages ramassés sur une plage.

Mme Pitezel était à présent accablée d'angoisse et de chagrin, bien que Holmes lui ait récemment assuré que Alice, Nellie et Howard se trouvaient en Angleterre, et plus précisément à Londres, entre les mains compétentes de Minnie Williams. Les recherches menées sur place par Scotland Yard n'avaient pourtant rien donné. Plus d'une demi-année s'était écoulée sans que quiconque eût la moindre nouvelle des trois enfants quand Geyer écrivit : « Cela ne semblait pas être une tâche très engageante à accomplir, car la conviction générale de toutes les personnes concernées était que ces enfants ne seraient jamais retrouvés. Le procureur estimait cependant qu'un ultime effort devait être déployé en ce sens, ne fût-ce que par égard pour leur mère éplorée. On ne m'imposa aucune restriction ; on me demanda au contraire d'agir selon mon propre jugement dans cette affaire et de suivre les pistes où qu'elles mènent. »

*

Geyer entama son voyage le soir du 26 juin 1895, au début d'un été caniculaire. Un peu plus tôt dans le mois, une zone de hautes pressions, « l'anticyclone permanent », s'était installée au-dessus de la côte Ouest, ce qui avait fait grimper les températures à Philadelphie bien au-delà des 30 °C. Le paysage était écrasé de moiteur. Toute la nuit, l'air resta figé et poisseux dans le wagon de Geyer. Les costumes des hommes exsudaient une forte odeur de cigare et, à chaque arrêt, un charivari de crapauds et de criquets emplissait le train. L'inspecteur dormit par à-coups.

Le lendemain, pendant que son train filait à l'ouest à travers les cuvettes vaporeuses de la Pennsylvanie et de l'Ohio, Geyer relut ses doubles des lettres des filles, au cas où il y découvrirait quelque détail négligé jusque-là qui puisse l'aider à orienter ses recherches. En plus d'apporter la preuve irréfutable que les enfants étaient partis avec Holmes, ces lettres contenaient des indices géographiques permettant de retracer en pointillé leur itinéraire. Apparemment, ils avaient commencé par faire étape à Cincinnati.

L'inspecteur Geyer arriva à Cincinnati le jeudi 27 juin à 7 h 30. Il prit une chambre au Palace Hotel et, le lendemain matin, se rendit au quartier général de la police locale pour informer le commissaire de sa mission. Le commissaire chargea un de ses hommes de l'assister : l'inspecteur John Schnooks, un vieil ami de Geyer.

Geyer espérait reconstituer la trajectoire exacte des enfants à partir de Cincinnati. Il n'existait aucun moyen simple d'atteindre cet objectif. Peu d'outils s'offraient à lui en dehors de son intelligence, de son calepin, de quelques photographies et des lettres des deux filles. Après avoir dressé une liste de tous les hôtels proches des gares ferroviaires de Cincinnati, l'inspecteur Schnooks et lui se mirent en devoir de les visiter un par un à pied et d'éplucher leurs registres pour retrouver la trace des enfants et de Holmes. Comme il leur semblait plus que probable que Holmes s'était inscrit sous un faux nom, Geyer effectua cette tournée muni de ses photographies, ainsi que d'une description précise de la malle des enfants. De nombreux mois s'étaient écoulés depuis la rédaction des lettres. Geyer ne s'attendait guère à ce que quelqu'un se souvienne d'un homme flanqué de trois enfants.

Sur ce point-là, il se trompait.

*

Les inspecteurs allèrent donc d'hôtel en hôtel. La chaleur était de plus en plus insoutenable. Bien qu'obligés de répéter sans cesse les mêmes présentations et la même histoire, ils restaient courtois et ne cédaient jamais à l'impatience.

Sur Central Avenue, ils poussèrent la porte d'un petit établissement bas de gamme, l'Atlantic House. Comme ils l'avaient déjà fait ailleurs, ils demandèrent au réceptionniste de leur montrer le registre des clients. Ils commencèrent par étudier la date du vendredi 28 septembre 1894, c'est-à-dire le jour où Holmes, déjà en possession d'Alice, était passé prendre Nellie et Howard chez leur mère à Saint Louis. Geyer pensait que le groupe était arrivé à Cincinnati dans la soirée. Son index courut sur la page et s'arrêta sur le nom d'un certain « Alex E. Cook », un client qui, d'après le formulaire d'inscription, s'était présenté avec trois enfants.

Ce nom provoqua un déclic dans l'esprit de Geyer. Holmes l'avait déjà utilisé pour louer une maison à Burlington, dans le Vermont. Par ailleurs, l'inspecteur commençait à bien connaître son écriture, et celle-ci lui ressemblait.

Les « Cook » n'étaient restés qu'une nuit. Pourtant, Geyer savait par les lettres des filles qu'ils avaient passé une nuit supplémentaire à Cincinnati. Il semblait étrange que Holmes se soit donné la peine de déménager vers un deuxième hôtel, mais Geyer savait d'expérience qu'il était toujours dangereux de spéculer sur le comportement des criminels. Schnooks et lui remercièrent le réceptionniste de son amabilité puis repartirent vers d'autres établissements.

Sous le soleil haut, les rues étaient chauffées à blanc. Des cigales craquetaient des messages dans chaque arbre. À l'angle de la 6e et de Vine, les inspecteurs entrèrent dans l'hôtel Bristol et découvrirent que le samedi 29 septembre 1894, une famille composée d'un homme et de trois enfants y était descendue sous le nom de « A. E. Cook ». Après avoir scruté les images de Geyer, le réceptionniste confirma qu'il s'agissait bien de Holmes, d'Alice, de Nellie et de Howard. Ils étaient repartis dès le lendemain matin. La date correspondait à la chronologie probable des faits : Geyer savait toujours grâce aux lettres des filles que le groupe avait quitté Cincinnati le dimanche matin et atteint Indianapolis dans la soirée.

Geyer n'était cependant pas encore prêt à quitter Cincinnati. Il venait d'avoir une intuition. Les agents de Pinkerton avaient découvert que Holmes louait parfois une maison dans les villes par lesquelles il passait, comme ç'avait été le cas à Burlington. Geyer et Schnooks se tournèrent donc vers les agents immobiliers de Cincinnati.

Leurs recherches finirent par les mener à l'agence de J. C. Thomas, sur la 3e Rue Est.

Il devait y avoir chez Holmes quelque chose qui attirait l'attention des gens, car Thomas et son assistante se souvenaient tous deux de lui. Holmes avait loué sous le nom de « A. C. Hayes » une maison au 305 Poplar Street et versé à ce titre une avance substantielle.

Le contrat de location, expliqua Thomas, avait été signé le vendredi 28 septembre 1894, c'est-à-dire le jour de l'arrivée de Holmes et des enfants à Cincinnati. Holmes n'avait occupé les lieux que deux jours.

Thomas n'avait aucune autre information à fournir mais aiguilla les enquêteurs sur une certaine Henrietta Hill, qui habitait la maison voisine.

Geyer et Schnooks se rendirent *illico* à l'adresse de Mlle Hill, qui s'avéra être une fine observatrice doublée d'une commère enthousiaste.

« Il y a vraiment très peu de choses à dire », commença-t-elle – avant de leur en dire long.

Elle avait aperçu pour la première fois le nouveau locataire le samedi 29 septembre, quand un chariot de déménagement s'était immobilisé devant la maison à louer. Un homme et un petit garçon en étaient descendus. L'attention de Mlle Hill fut attirée par le fait que le chariot de déménagement était vide, à l'exception d'un four en fonte qui paraissait beaucoup trop volumineux pour une résidence privée.

Mlle Hill trouva ce four suffisamment étrange pour en parler à ses voisines. Le lendemain matin, Holmes se présenta à sa porte et lui annonça que, en fin de compte, il n'allait pas rester. Si le four l'intéressait, ajouta-t-il, elle pouvait le récupérer.

L'inspecteur Geyer en tira la conclusion que Holmes avait modifié son plan après avoir perçu des regards peut-être trop insistants dans le voisinage. Mais quel était donc ce plan ? À l'époque, « je n'ai pas su apprécier la signification profonde de la location de cette maison sur Poplar Street ni de la livraison d'un four d'aussi formidables dimensions », écrivit Geyer. Il était en revanche certain d'avoir « saisi d'une main ferme l'extrémité du fil » qui le mènerait aux enfants.

Grâce aux lettres des filles, l'étape suivante s'imposait comme une évidence. Geyer remercia l'inspecteur Schnooks de sa coopération et prit un train pour Indianapolis.

*

La chaleur était encore plus écrasante à Indianapolis. Les feuilles des arbres pendouillaient dans l'air moite, flasques comme les mains d'un cadavre encore chaud.

Le dimanche matin, Geyer alla de bonne heure au poste de police et se vit attribuer cette fois encore un coéquipier du cru, l'inspecteur David Richards.

La première partie de la piste fut facile à retrouver. Dans une lettre rédigée à Indianapolis, Nellie Pitezel disait : « Nous sommes à l'English H. » L'inspecteur Richards connaissait : il s'agissait de l'English Hotel.

Le registre de l'établissement mentionnait à la date du 30 septembre l'arrivée de « trois enfants Canning ». Canning, Geyer le savait, était le nom de jeune fille de Carrie Pitezel.

La suite ne s'avéra cependant pas aussi simple. Toujours d'après le registre, les enfants Canning avaient quitté l'hôtel dès le lendemain, lundi 1er octobre. Or Geyer savait par leurs lettres qu'ils avaient séjourné à Indianapolis au moins une semaine de plus. Holmes semblait reproduire le modèle mis en place à Cincinnati.

Geyer se livra donc au même type de quadrillage méthodique qu'à Cincinnati. L'inspecteur Richards et lui passèrent au crible toute une série d'hôtels sans y trouver la moindre trace des enfants.

En revanche, ils découvrirent autre chose.

Le registre de l'hôtel Circle Park portait mention d'une « Mme Georgia Howard ». « Howard », Geyer le savait, était l'un des pseudonymes les plus fréquemment utilisés par Holmes. L'intuition lui vint que cette dame pouvait être la dernière épouse en date de Holmes, Georgiana Yoke. D'après le registre, « Mme Howard » s'était présentée le dimanche 30 septembre 1894 et avait passé quatre nuits à l'hôtel.

Geyer montra ses photographies à la propriétaire du Circle Park, Mme Rodius, qui reconnut Holmes et Yoke mais pas les enfants. Mme Rodius lui expliqua qu'elle s'était liée d'amitié avec Yoke. Pendant une de leurs conversations, Yoke lui avait confié que son mari était « un homme très riche, qui possédait des terres et des ranchs d'élevage au Texas ; il avait aussi un patrimoine immobilier considérable à Berlin, en Allemagne, où ils avaient l'intention de se rendre dès que son mari aurait mis ses affaires en ordre ».

La simultanéité de ces séjours à l'hôtel avait de quoi laisser perplexe. L'hypothèse la plus plausible, dans l'esprit de Geyer, était qu'en ce dimanche 30 septembre Holmes avait réussi à loger les trois petits Pitezel et sa femme dans des hôtels différents de la même ville, sans révéler aux premiers la présence de cette dernière – et vice versa.

Mais où étaient ensuite passés les enfants ?

Geyer et Richards épluchèrent les registres de tous les hôtels et pensions de famille d'Indianapolis, sans résultat.

Les recherches de Geyer à Indianapolis semblaient dans l'impasse lorsque Richards se souvint d'un hôtel, le Circle House, qui fonctionnait à l'automne 1894 mais avait fermé depuis. Geyer et lui consultèrent plusieurs hôteliers pour obtenir des informations sur le personnel du Circle House et finirent par apprendre de la bouche d'un ancien réceptionniste de l'établissement que les registres d'inscription étaient désormais entre les mains d'un avocat du centre-ville.

Ces registres étaient mal tenus, mais Geyer découvrit néanmoins un nom familier dans la liste de clients arrivés le lundi 1er octobre : « Trois enfants Canning ». La fiche d'inscription précisait que ces enfants étaient de Galva, Illinois – la ville où avait grandi Mme Pitezel. Geyer ressentit tout à coup un besoin urgent de parler à l'ex-gérant de l'hôtel, qui tenait maintenant un saloon à Indianapolis Ouest. Il s'appelait Herman Ackelow.

Sitôt après lui avoir expliqué l'objet de sa mission, Geyer montra à Ackelow ses photographies de Holmes et des enfants Pitezel. Entre le 6 et le 8 octobre, Alice et Nellie avaient écrit au moins trois lettres interceptées par Holmes. Quoique brèves et mal écrites, elles fournissaient des aperçus limpides du quotidien de ces enfants et de l'état de quasi-captivité où les tenait Holmes. « Nous allons tous bien ici, écrivit Nellie le samedi 6 octobre. Il fait un peu plus doux aujourd'hui. Il y a tellement de voitures qui passent qu'on ne s'entend plus penser. C'est la première fois que je t'écris avec un porte-plume en cristal. (...) Comme il est tout en verre je dois faire attention ou sinon il cassera, il n'a coûté que 5 cents. »

Alice rédigea une lettre le même jour – un samedi. Elle était séparée de sa mère depuis plus longtemps que les autres et le voyage, pour elle, était devenu fastidieux et triste. Il pleuvait à seaux. Elle était enrhumée et venait de lire tant de pages de *La Case de l'oncle Tom* que ses yeux commençaient à piquer. « Et je m'attends à ce que ce dimanche passe plus lentement que je ne sais quoi. (...) Pourquoi ne m'écris-tu pas ? Je n'ai reçu aucune lettre de toi depuis que je suis partie, et ça fera trois semaines après-demain. »

Le lundi, Holmes laissa enfin une lettre de Mme Pitezel parvenir aux enfants, ce qui poussa Alice à rédiger une réponse immédiate, où elle observait : « On dirait que ta famille te manque terriblement. » Dans ce courrier, qui ne fut jamais posté, Alice racontait à sa mère que le petit Howard posait des problèmes. « L'autre matin, M. H. m'a demandé de lui dire de ne pas sortir le lendemain matin parce qu'il avait besoin de lui et qu'il allait revenir le chercher. » Le petit garçon avait désobéi ; au retour de Holmes, il était demeuré introuvable. Holmes s'était mis en colère.

Malgré le chagrin et l'ennui, Alice trouvait encore quelques moments de gaieté à célébrer. « Hier, nous avons eu une écrasée de pommes de terre, du raisin, un verre de lait de poule chacun, une crème glacée chacun, une grande assiette pleine de sauce, terriblement bon aussi, et de la tarte au citron, tu n'imagines pas comme c'est bon. »

Savoir ses enfants aussi bien nourris aurait pu réconforter Mme Pitezel si elle avait reçu cette lettre. Le récit que l'ancien gérant de l'hôtel fit à Geyer était nettement moins rassurant.

Chaque jour, Ackelow envoyait son fils aîné dans la chambre des enfants pour les prévenir que le repas était prêt. Celui-ci lui raconta souvent qu'il les avait trouvés en pleurs, « le cœur visiblement brisé par l'absence de leurs parents et le manque de nouvelles de leur mère », écrivit Geyer. L'employée responsable de leur chambre, Caroline Klausmann, avait elle aussi observé ce type de scène déchirante. Elle était partie s'installer à Chicago, d'après Ackelow. Geyer nota son nom dans son calepin.

« Holmes disait que Howard était un vilain garnement, raconta encore Ackelow, et qu'il cherchait à le confier à une institution quelconque ou à le placer chez un fermier, car il voulait se débarrasser de la responsabilité qu'il avait de lui. »

Geyer gardait un vague espoir que les enfants étaient encore en vie, comme l'affirmait Holmes. Malgré ses vingt années de police, il avait du mal à croire que quelqu'un puisse tuer trois enfants sans la moindre raison. Pourquoi Holmes se serait-il donné la peine de les déplacer à grands frais de ville en ville et d'hôtel en hôtel si son but était seulement de les tuer ? Pourquoi avait-il offert à chacun d'eux un porte-plume en cristal ? Pourquoi les avait-il emmenés au zoo de Cincinnati ? Pourquoi les avait-il régalés de tarte au citron et de crèmes glacées ?

*

Geyer partit pour l'Illinois mais eut beaucoup de mal à quitter Indianapolis – « quelque chose semblait me dire que Howard n'était pas sorti de la ville vivant ». À Chicago, il eut la surprise de constater que la police locale ignorait tout de Holmes. Il retrouva la piste de Caroline Klausmann, qui travaillait désormais au Swiss Hotel de Clark Street. Lorsqu'il lui présenta les photographies des enfants, les yeux de la femme de chambre se gonflèrent de larmes.

Geyer prit ensuite un train pour Detroit, la ville où Alice avait écrit la toute dernière lettre de la boîte en fer-blanc.

*

Le policier commençait à s'habituer à son enquête. Il n'y avait rien de rationnel chez Holmes, et pourtant ses actes semblaient répondre à un modèle récurrent. Geyer savait où chercher à Detroit et, avec l'aide d'un enquêteur du cru, passa une nouvelle fois au peigne fin les hôtels et pensions. Cent fois contraint de répéter son histoire et de montrer ses clichés, il ne se lassa jamais, resta toujours patient et poli. C'était sa force. Sa faiblesse était de croire que le mal avait des limites.

Il retrouva de nouveau la trace des enfants et, en parallèle, celle de Holmes et de Yoke, mais fit cette fois une découverte plus singulière encore : à la même période, Carrie Pitezel, sa fille Dessie et son bébé Wharton avaient eux aussi séjourné dans un hôtel de Detroit, le Geis's. Geyer comprit à sa profonde stupeur que Holmes orchestrait à présent les mouvements de *trois* groupes distincts de voyageurs, qu'il déplaçait à travers le pays comme des pions.

Et ce n'était pas tout.

À force de démarchage, Geyer s'aperçut que Holmes ne s'était pas contenté de maintenir Carrie séparée d'Alice, de Nellie et de Howard ; il avait logé les uns et les autres dans des hôtels distants d'à peine trois blocs. Le véritable sens des actes de Holmes lui sauta soudain aux yeux.

Il relut l'ultime courrier d'Alice. Elle l'avait écrit pour ses grands-parents le dimanche 14 octobre – le jour de l'arrivée de sa mère, de Dessie et du bébé au Geis's Hotel. C'était la plus triste de toutes. Le climat était brusquement devenu hivernal, et Alice et Nellie avaient toutes deux pris froid. « Dites à maman que j'ai besoin d'un manteau, écrivit Alice. Je suis presque gelée dans cette veste légère. » Le manque de vêtements chauds obligeait les enfants à garder la chambre du matin au soir. « Tout ce qu'on peut faire, Nell et moi, c'est dessiner, et j'en ai tellement assez d'être assise que je pourrais presque m'envoler. Vous me manquez tous. J'ai tellement le mal du pays que je ne sais plus quoi faire. J'imagine que Wharton doit maintenant savoir marcher, n'est-ce pas, et j'aimerais bien qu'il soit ici avec nous, le temps passerait plus vite. »

Geyer était effaré. « Ainsi, pendant que la pauvre Alice écrivait à ses grands-parents restés à Galva, Illinois, pour se plaindre du froid, les prier de transmettre le message à sa mère qu'elle avait besoin de vêtements plus épais et plus confortables, et leur dire à quel point lui manquait le petit Wharton, le bébé qui aurait pu les aider à passer le temps – pendant que cette enfant épuisée, isolée, privée de la protection des siens écrivait cette lettre, sa mère, sa sœur et son très cher Wharton étaient à moins de dix minutes à pied d'elle, et y restèrent les cinq jours suivants. »

C'était un jeu pour Holmes, comprit Geyer. Il les possédait tous et se délectait de cette possession.

Une phrase d'Alice lui trotta longtemps dans la tête.

« Howard, écrivait-elle, n'est plus avec nous. »

49

Prison de Moyamensing

Holmes attendait dans sa cellule de la prison de Moyamensing, un gros bâtiment crénelé et flanqué de tours construit à l'angle de la 10e et de Reed Street, au sud de Philadelphie. Il ne semblait pas vraiment bouleversé par son incarcération, même s'il se disait victime d'une injustice. « L'immense humiliation que je ressens à être emprisonné m'anéantit bien davantage que tous les autres désagréments que je dois endurer », écrivit-il – bien qu'en réalité il ne ressentît aucune humiliation d'aucune sorte. S'il ressentait quelque chose, c'était plutôt la satisfaction béate de constater que personne jusqu'ici n'avait été capable d'apporter la moindre preuve concrète qu'il avait tué Ben Pitezel ou les enfants disparus.

Il occupait une cellule de 3 mètres sur 4, munie d'une étroite fenêtre à barreaux en façade et éclairée par une ampoule électrique unique que les gardiens éteignaient chaque soir à 21 heures. Les murs étaient blanchis à la chaux. Si la structure en pierre du bâtiment contribuait à amortir l'extrême chaleur qui s'était abattue sur une bonne partie du pays, rien n'aurait pu venir à bout de l'humidité proverbiale de Philadelphie. Elle enveloppait Holmes et les autres détenus comme un manteau de laine mouillée, mais cela non plus ne semblait guère le perturber. Holmes était devenu un prisonnier modèle – et même un *modèle* de prisonnier modèle. Il s'était fait un jeu de soutirer des concessions à ses gardiens. Il avait obtenu l'autorisation de porter ses propres vêtements et « de garder ma montre et autres petites affaires ». Il découvrit aussi qu'il suffisait de mettre la main à la poche pour se faire livrer de la nourriture, des journaux et des magazines. Il lut dans la presse qu'il jouissait d'une notoriété nationale grandissante. Il lut aussi que Frank Geyer, cet inspecteur de la police de Philadelphie venu l'interroger en juin, était parti dans le Midwest à la recherche des enfants Pitezel. Sa démarche ravit Holmes. Elle satisfaisait son profond besoin d'attention et lui donnait un sentiment de pouvoir sur cet inspecteur. Il savait que les recherches de Geyer resteraient vaines.

La cellule était meublée d'un lit, d'un tabouret et d'un petit bureau sur lequel il rédigeait ses mémoires. Il disait s'y être attelé l'hiver précédent – le 3 décembre 1894 pour être exact.

Son récit s'ouvrait à la façon d'une fable : « Suivez-moi, si vous le voulez, dans un paisible hameau de la Nouvelle-Angleterre, niché au sein des pittoresques collines sauvages du New Hampshire. (...) C'est ici qu'en l'an 1861 naquit l'auteur de ces pages, autrement dit moi-même, Herman W. Mudgett. Mes premières années de vie furent-elles différentes de celles de n'importe quel autre enfant ordinaire né à la campagne ? je n'ai aucune raison de le penser. » Les dates et lieux étaient exacts ; l'évocation de son enfance paysanne sous une forme idyllique relevait très certainement de la fabrication. Parmi les traits de caractère qui définissent les psychopathes, on trouve une propension marquée à mentir dès le plus jeune âge, à faire montre d'une cruauté hors du commun envers les animaux et les autres enfants et à pratiquer des actes de vandalisme, avec une préférence marquée pour l'incendie volontaire.

Holmes inséra dans ses mémoires un « journal de la prison » qu'il disait tenir depuis son arrivée à Moyamensing. Il est plus probable qu'il l'ait recréé spécifiquement pour ses mémoires parce qu'il y voyait un véhicule capable de renforcer ses protestations d'innocence en alimentant l'impression qu'il était un homme bon et pieux. Il y affirma s'être imposé un programme quotidien en vue de son perfectionnement personnel. Il se réveillait à 6 h 30 chaque matin, prenait son « bain à l'éponge habituel » puis nettoyait sa cellule. Il prenait son petit déjeuner à 7 heures. « Je ne mangerai plus de viande d'aucune sorte tant que je serai aussi étroitement confiné. » Il prévoyait de faire ensuite de l'exercice et de lire les journaux du matin jusqu'à 10 heures. « De 10 à 12 et de 14 à 16, six jours par semaine, je me replongerai dans mes vieux manuels de médecine et de sténographie, de français et d'allemand. » Le reste de la journée devait être consacré à la lecture de périodiques divers et de livres empruntés à la bibliothèque.

Dans son journal, il évoquait à un moment donné sa lecture de *Trilby*, le best-seller de George Du Maurier paru en 1894 qui relatait l'histoire d'une jeune chanteuse, Trilby O'Farrell, et de l'influence exercée sur elle par l'hypnotiseur Svengali. Holmes écrivit qu'il en lut « certaines parties avec grand plaisir ».

Il savait aussi jouer sur l'émotion.

Ainsi de ce passage daté du 16 mai 1895 : « Mon anniversaire. J'ai 34 ans. Je me demande si, comme autrefois, ma mère m'écrira... »

Ailleurs, il revenait sur une visite de sa dernière épouse, Georgiana Yoke. « Elle souffre, et ses efforts héroïques pour m'empêcher de le voir n'ont été d'aucun effet ; au bout de quelques minutes, lui dire une nouvelle fois au revoir en sachant qu'elle repartait vers le monde extérieur avec un aussi lourd fardeau à porter m'a causé plus de douleur que n'importe quelle lutte mortelle. Tant que je ne la saurai pas à l'abri des tourments et tracas, chaque jour sera pour moi une mort vivante. »

*

De sa cellule, Holmes écrivit également une longue lettre à Carrie Pitezel, dont la teneur montre bien qu'il savait que la police lisait son courrier. Il y insistait sur le fait qu'Alice, Nellie et Howard se trouvaient « avec Mlle W. » à Londres, et que si les enquêteurs se donnaient la peine de vérifier ses dires en détail, le mystère de leur disparition serait résolu. « J'ai pris autant soin des enfants que s'ils avaient été miens, et vous me connaissez assez pour me juger mieux que des étrangers ne sauraient le faire. Ben n'aurait jamais rien entrepris contre moi, ni moi contre lui, nous étions comme des frères. *Jamais* nous ne nous sommes querellés. Encore une fois, il m'était trop précieux pour que je puisse le tuer, à supposer que je n'aie eu aucune autre raison de m'en abstenir. Quant aux enfants, je ne croirai jamais, tant que vous ne me l'aurez pas dit vous-même, que vous pensez qu'ils sont morts ou que j'ai fait quoi que ce soit pour les éliminer. Me connaissant comme vous me connaissez, pouvez-vous m'imaginer tuant des petits enfants innocents, surtout sans le moindre motif ? »

Il expliquait ainsi l'absence de courrier de leur part : « Ils ont sans doute écrit des lettres que Mlle W., pour sa propre sécurité, a retenues. »

*

Holmes lisait la presse quotidienne avec attention. À l'évidence, les recherches de l'inspecteur ne portaient guère de fruits. Holmes n'avait aucun doute sur le fait que Geyer serait bientôt forcé d'y mettre fin et de revenir à Philadelphie.

Cette perspective lui était agréable à l'extrême.

50

Le locataire

Le dimanche 7 juillet 1895, les besoins de son enquête amenèrent l'inspecteur Geyer à Toronto, où le département de police chargea l'inspecteur Alf Cuddy de l'assister. Ensemble, les deux hommes écumèrent les hôtels et pensions de la ville, ce qui leur permit de constater au bout de quelques jours que, là aussi, Holmes avait logé simultanément trois groupes de voyageurs.

Holmes et Yoke étaient descendus au Walker House : « M. et Mme G. Howe, de Columbus. »

Mme Pitezel, à l'Union House : « Mme C. A. Adams et sa fille, de Columbus. »

Les filles, à l'Albion : « Alice et Nellie Canning, de Detroit. »

Personne ne se souvenait d'avoir vu Howard.

Geyer et Cuddy entreprirent alors d'éplucher les archives des agences immobilières et de contacter les propriétaires de maisons à louer, mais Toronto était beaucoup plus vaste que toutes les autres villes explorées jusque-là. La tâche relevait de l'impossible. Le matin du lundi 15 juillet, après s'être réveillé face à la perspective d'une énième journée d'abrutissante routine, Geyer se rendit au commissariat et y trouva l'inspecteur Cuddy d'une bonne humeur inhabituelle : il tenait une piste prometteuse. Un citoyen nommé Thomas Ryves avait lu le signalement de Holmes dans un des journaux de la ville et lui trouvait une certaine ressemblance avec l'homme qui avait loué en octobre 1894 la maison voisine de la sienne, au 16 St Vincent Street.

Geyer resta sceptique. L'intense couverture de presse dont ils bénéficiaient et son arrivée à Toronto avaient suscité des milliers de pistes de ce genre, toutes fausses.

Cuddy admit que celle-ci aussi risquait de ne les mener nulle part, mais du moins représentait-elle un changement de rythme.

*

Geyer était désormais l'objet d'une fascination nationale, le Sherlock Holmes de l'Amérique. La plupart des journaux du pays se faisaient l'écho de ses voyages. À cette époque, l'idée qu'un homme ait pu tuer trois enfants était encore considérée comme une monstruosité totalement hors norme. Quelque chose, dans la quête solitaire de l'inspecteur Geyer en cet été torride, captait l'imagination de tous. Il était devenu l'image vivante de la façon dont les gens aimaient à se voir eux-mêmes : un homme seul, chargé d'un devoir terrible et l'accomplissant bien, envers et contre tout. Des millions de citoyens se levaient chaque matin dans l'espoir d'apprendre en ouvrant le journal que ce tenace inspecteur avait enfin retrouvé les petits disparus.

Geyer n'accordait guère d'attention à sa célébrité toute neuve. Près d'un mois s'était écoulé depuis le début de ses recherches, et qu'avait-il obtenu ? Chaque étape ne faisait que soulever de nouvelles questions : pourquoi Holmes avait-il enlevé ces enfants ? Pourquoi avait-il manigancé ce tortueux itinéraire de ville en ville ? D'où tirait-il le pouvoir qui lui permettait d'exercer une telle emprise ?

Il y avait quelque chose en lui que l'inspecteur n'arrivait pas à cerner. Tout crime obéissait à un mobile. Or, Holmes semblait régi par une force étrangère au monde que connaissait Geyer.

Il aboutissait sans cesse à la même conclusion : Holmes se faisait plaisir. Il avait organisé sa fraude à l'assurance pour l'argent, mais tout le reste était un jeu. Holmes testait sa capacité à tordre la vie d'autrui.

Geyer restait surtout taraudé par la question centrale, toujours en suspens : où étaient maintenant les enfants ?

*

Les deux inspecteurs découvrirent en Thomas Ryves un sympathique Écossais d'âge vénérable, qui les accueillit avec enthousiasme. Ryves s'empressa de leur expliquer pourquoi le locataire de la maison voisine avait attiré son attention. Tout d'abord, il était arrivé avec très peu de meubles – un matelas, un vieux lit, et une malle exceptionnellement grande. Ensuite, un après-midi, l'homme était venu lui emprunter une pelle, expliquant qu'il souhaitait creuser un trou dans sa cave pour y entreposer des pommes de terre. La pelle fut rapportée le lendemain matin et la malle quitta la maison le jour suivant. Ryves ne revit plus jamais le locataire.

Galvanisé, l'inspecteur Geyer fixa rendez-vous à Ryves une heure plus tard devant la maison voisine ; entre-temps, Cuddy et lui se précipitèrent au domicile de l'agent immobilier qui avait établi le contrat de location, une femme. Sans préambule, Geyer lui mit sous le nez une photographie de Holmes. Elle le reconnut sur-le-champ : un fort bel homme, aux yeux incroyablement bleus.

« Cela semblait trop beau pour être vrai », écrivit Geyer. Après de brefs remerciements, Cuddy et lui repartirent en hâte vers St Vincent Street. Ryves les attendait sur le trottoir.

Ce fut au tour de Geyer de lui demander une pelle, et Ryves revint quelques instants plus tard avec celle qu'il avait déjà prêtée au locataire.

*

La maison était charmante ; avec son pignon central en forte pente et sa façade à cannelures, on aurait dit une maison en pain d'épice de conte de fées, à ceci près qu'elle ne se dressait pas toute seule au fond d'un bois mais en plein centre de Toronto, dans une jolie rue bordée d'élégantes demeures et de jardins défendus par des grilles à fleurs de lis. Des clématites en fleur escaladaient l'un des poteaux de la véranda.

La nouvelle locataire, Mme J. Armbrust, vint leur ouvrir. Ryves lui présenta les policiers. Mme Armbrust les fit entrer. Ils se retrouvèrent dans un couloir central qui scindait en deux les trois pièces de la maison. Un escalier s'élançait vers l'étage. Geyer demanda à voir la cave.

Mme Armbrust conduisit les policiers à la cuisine, où elle souleva un tapis qui couvrait le sol, révélant une trappe carrée. Dès que les inspecteurs l'eurent ouverte, une odeur de terre humide envahit la cuisine. La cave était peu profonde mais très sombre. Mme Armbrust leur apporta des lampes.

Geyer et Cuddy descendirent quelques marches abruptes, plus une échelle qu'un escalier, et découvrirent un petit réduit de 3 mètres de côté très bas de plafond, à peine 1,20 mètre. La lueur mouvante et orangée des lanternes exacerbait leurs ombres. Pliés en deux pour éviter de se cogner la tête aux poutres, Geyer et Cuddy sondèrent le sol à coups de pelle. Dans l'angle sud-ouest de la cave, Geyer découvrit une zone de terre meuble. La lame s'y enfonçait avec une facilité déconcertante.

« À peine eûmes-nous commencé à creuser, écrivit Geyer, que les gaz jaillirent en libérant une odeur épouvantable. »

À moins d'un mètre sous terre, leur pelle heurta un os humain.

*

Ils convoquèrent un entrepreneur de pompes funèbres nommé B. D. Humphrey pour les aider à exhumer les corps. Geyer et Cuddy redescendirent prudemment les marches de la cave. Humphrey s'y jeta d'un bond.

La puanteur imprégnait à présent la maison entière. Mme Armbrust semblait accablée.

Les cercueils arrivèrent.

Les croque-morts les déposèrent dans la cuisine.

*

Les filles avaient été inhumées nues. Alice gisait sur le flanc, la tête du côté ouest de la fosse. Nellie, à plat ventre, recouvrait partiellement sa sœur. Ses épais cheveux noirs, joliment nattés, serpentaient dans son dos comme si elle venait de se coiffer. Les hommes étalèrent un drap sur le sol de la cave.

Ils commencèrent par Nellie.

« Nous l'avons soulevée aussi doucement que possible, relata Geyer, mais l'état de décomposition du corps était tel que le poids des nattes suspendues dans son dos lui a détaché le cuir chevelu de la tête. »

Ils firent une découverte : Nellie avait été amputée des deux pieds. Durant la fouille de la maison qui s'ensuivit, la police ne retrouva pas trace de ceux-ci. Ce fut Geyer qui élucida le mystère en se souvenant que Nellie était pied bot. Holmes lui avait coupé les pieds pour rendre son identification impossible.

*

Mme Pitezel apprit l'exhumation de ses filles en lisant le journal du matin. Elle se trouvait alors en visite chez des amis de Chicago, et Geyer n'avait pas pu l'avertir par télégramme. Elle prit un train pour Toronto. Geyer vint la chercher à la gare et l'emmena à son hôtel, le Rossin House. Épuisée, démoralisée, elle paraissait en permanence au bord de l'évanouissement. Geyer la tira de sa torpeur en lui faisant respirer des sels.

Geyer et Cuddy la conduisirent à la morgue le lendemain après-midi. Ils s'étaient munis de cognac et de sels. « Je l'ai prévenue qu'il lui serait absolument impossible de voir autre chose que la chevelure de Nellie et que les dents et la chevelure d'Alice, écrivit Geyer. Cela a eu sur elle un effet paralysant, et elle a failli se trouver mal. »

Les hommes du coroner firent de leur mieux pour lui rendre l'épreuve aussi supportable que possible. Ils débarrassèrent le crâne d'Alice de ses restes de chair, lui vernirent soigneusement les dents et enveloppèrent son corps d'une bâche. Ils recouvrirent son visage d'une feuille de papier qu'ils découpèrent de façon à ne laisser visible que sa dentition, exactement comme l'avait fait le coroner de Philadelphie lorsqu'elle était allée identifier le cadavre de son père.

Ils lavèrent les cheveux de Nellie et les disposèrent avec soin sur le drap qui masquait le corps d'Alice.

Cuddy et Geyer se placèrent de part et d'autre de Mme Pitezel avant de l'escorter à l'intérieur de la maison des morts. Elle reconnut immédiatement les dents d'Alice. Elle se retourna vers Geyer et demanda : « Où est Nellie ? » Ce ne fut qu'alors qu'elle remarqua les longs cheveux noirs de sa fille cadette.

*

N'ayant relevé aucune trace de violence, le coroner émit la théorie que Holmes avait enfermé les enfants dans la grande malle, qu'il avait ensuite emplie de gaz en y introduisant un manchon de lampe. Et en effet, quand la malle fut retrouvée, les policiers découvrirent dans sa partie supérieure un orifice colmaté par un bouchon de fortune.

« Rien ne pourrait être plus surprenant, écrivit Geyer, que l'apparente facilité avec laquelle Holmes a assassiné ces deux fillettes en plein centre de la ville de Toronto sans éveiller les soupçons d'une seule personne. » Si le procureur Graham n'avait pas pris la décision de l'envoyer à leur recherche, « ces meurtres n'auraient jamais été révélés, et Mme Pitezel aurait rendu l'âme sans savoir si ses enfants étaient vivants ou morts ».

La découverte des filles fut pour Geyer « l'un des événements les plus satisfaisants de ma vie », mais sa satisfaction était tempérée par le fait que Howard demeurait introuvable. Mme Pitezel refusait de le croire mort ; elle « s'accrochait naïvement à l'espoir qu'on finirait par le lui ramener en vie ».

Geyer lui-même se prit à espérer que, pour une fois, Holmes s'était abstenu de mentir et avait fait exactement ce qu'il avait annoncé au gérant d'un hôtel d'Indianapolis. Howard « avait-il été placé dans une institution, ainsi que Holmes avait manifesté son intention de le faire, ou était-il caché dans quelque lieu obscur et hors d'atteinte ? Était-il vivant ou mort ? J'étais perplexe, désarçonné, réduit à tâtonner dans le noir ».

51

Un cadavre débordant de vie

À Philadelphie, le matin du mardi 16 juillet 1895 – le jour où la découverte de Geyer fut divulguée par toute la presse du pays –, les services du procureur téléphonèrent un message urgent au directeur de la prison de Moyamensing pour lui signifier que Holmes ne devait avoir accès à aucun des journaux du matin. La consigne émanait du procureur adjoint Thomas W. Barlow. Il tenait à surprendre Holmes en lui annonçant lui-même la nouvelle et espérait que celui-ci serait suffisamment ébranlé pour passer aux aveux.

Le message arriva trop tard. Le gardien chargé d'intercepter les journaux trouva Holmes assis à sa table, en train de lire un article sur la cave de Toronto avec autant de calme que s'il avait eu sous les yeux un bulletin météorologique.

Dans ses mémoires, Holmes prétendit pourtant avoir reçu un choc. Son journal lui fut apporté à 8 h 30 comme tous les matins, et, écrivit-il, « à peine l'eus-je ouvert qu'un gros titre m'annonça la découverte des petites filles à Toronto. Sur le coup, cela me parut tellement impossible que je fus enclin à y voir un de ces emballements de la presse qui avaient souvent émaillé les précédentes étapes de l'enquête ». Mais il avait soudain compris ce qui avait dû se passer. Minnie Williams les avait soit tuées, soit fait tuer. Holmes lui connaissait un acolyte fort peu recommandable, un certain « Hatch ». Williams avait dû suggérer les crimes et Hatch se charger de les commettre. C'était tellement horrible que cela dépassait son entendement : « Je renonçai à tenter de lire l'article et vis à la place leurs deux petits minois tels qu'ils m'étaient apparus quand je les avais quittées en hâte, retrouvai la saveur de leurs innocents baisers d'enfants si timidement offerts, entendis une fois de plus leurs adieux solennels, et compris que je venais de recevoir un fardeau supplémentaire à porter jusqu'à ma tombe. (...) Je crois qu'à ce moment-là j'aurais entièrement perdu l'esprit si je n'avais reçu l'ordre de me préparer en hâte pour être conduit au bureau du procureur. »

Il faisait très chaud ce matin-là. Holmes fut transporté à l'hôtel de ville en passant par Broad Street, où l'air était poisseux comme du caramel. Dans le bureau du procureur, il fut questionné par Barlow. À en croire le *Philadelphia Public Ledger*, son « génie de l'explication l'avait déserté. Pendant deux heures, il essuya une pluie de questions et refusa de parler. Sans être prostré le moins du monde, il refusait résolument de donner satisfaction ».

Holmes, lui, écrivit : « Je n'étais ni en état de supporter ses accusations, ni disposé à répondre à la plupart de ses questions. » Il déclara à Barlow que Mlle Williams et Hatch avaient vraisemblablement aussi tué Howard.

De retour à Moyamensing, Holmes se mit ardemment en quête d'un éditeur pour ses mémoires, qu'il souhaitait faire imprimer rapidement afin de retourner l'opinion publique en sa faveur. Puisqu'il ne pouvait plus exercer directement son pouvoir de persuasion, du moins pouvait-il tenter de le faire indirectement. Il conclut un accord avec un journaliste, John King, pour organiser la publication et la distribution du livre.

Ainsi qu'il l'écrivit à King : « Mon idée est que vous devriez obtenir du *New York Herald* et du *Philadelphia Press* tous les articles qu'ils ont et transmettre ceux que nous voulons à l'imprimeur, qui les reproduira par galvanotypie à ses frais. » Il tenait tout particulièrement à récupérer une photographie de lui barbu publiée dans le *Herald.* Il voulait aussi avoir « mes deux signatures (Holmes et Mudgett) gravées et galvanotypées ensemble sous ce portrait ». Il tenait à ce que cela soit fait rapidement pour que tous les éléments du livre soient prêts à imprimer dès que son manuscrit aurait été dactylographié.

Il offrit en outre à King quelques conseils commerciaux : « Sitôt le livre publié, envoyez-le aux kiosquiers de Philadelphie et de New York. Ensuite, trouvez de bons démarcheurs ici, à Philadelphie, prêts à travailler *l'après-midi.* Prenez les bonnes rues une par une, laissez-y le livre, puis revenez collecter l'argent au bout d'une demi-heure. Inutile de le faire le matin, quand les gens sont pressés. J'ai démarché de cette façon pendant mes études et j'ai trouvé la méthode efficace.

« Ensuite, si vous avez du goût pour la route, arpentez le terrain couvert par le livre, en passant quelques jours à Chicago, Detroit et Indianapolis. Distribuez aux journaux de ces villes des exemplaires à commenter, cela stimulera les ventes... »

Conscient que cette lettre aussi serait lue par les autorités, Holmes s'en servit pour alimenter par la bande ses protestations d'innocence. Il insista pour que King, quand il passerait par Chicago dans le cadre de sa campagne de vente, aille consulter les registres d'un certain hôtel et y recueille des déclarations sur l'honneur d'employés pour prouver que Minnie Williams y avait séjourné avec lui longtemps après la date de son prétendu assassinat.

« Si elle était morte à ce moment-là, écrivit Holmes à King, son cadavre débordait de vie. »

52

« Toutes ces harassantes journées »

Ce fut un étrange moment pour Geyer. Il avait suivi toutes les pistes, contrôlé tous les hôtels, passé au tamis les pensions de famille et les agences immobilières, et voilà qu'il devait maintenant reprendre ses recherches à zéro. Mais où ? Quels chemins lui restait-il à explorer ? Comme pour le narguer, la chaleur restait suffocante.

Son instinct continuait de lui souffler que Holmes avait assassiné Howard à Indianapolis. Il y retourna le 24 juillet et reçut de nouveau le soutien de l'inspecteur David Richards, mais choisit cette fois-ci de faire aussi appel à la presse. Dès le lendemain, tous les journaux de la ville annoncèrent son retour. Des dizaines de gens vinrent le trouver à son hôtel pour lui suggérer des pistes. « Le nombre de mystérieux individus ayant loué des maisons à Indianapolis ou dans ses environs se multipliait de jour en jour », écrivit Geyer. Richards et lui se traînèrent d'agence en agence dans la fournaise ambiante, en vain. « Les jours passaient mais j'étais toujours autant dans le noir, et tout cela commençait à donner l'impression que l'effronté criminel allait réussir à mystifier les enquêteurs (...) et que la disparition de Howard Pitezel resterait dans l'histoire comme un mystère irrésolu. »

Parallèlement, le mystère de Holmes lui-même n'en finissait pas de s'épaissir.

*

L'exhumation des filles Pitezel poussa la police de Chicago à fouiller enfin l'immeuble d'Englewood. Chaque jour les entraînait un peu plus profondément dans les secrets du « château » et apportait de nouvelles preuves que Holmes était quelque chose d'encore bien pire que ce que laissaient supposer les lugubres découvertes de Geyer. L'hypothèse fut avancée qu'il avait tué des dizaines de personnes pendant l'Exposition universelle, dont une majorité de jeunes femmes. Une autre estimation, certainement exagérée, fit état de 200 victimes. Pour la plupart des gens, il semblait impossible que Holmes ait pu tuer tant de monde sans se faire remarquer. Geyer aurait été de leur avis si ses recherches ne lui avaient maintes fois prouvé le talent de Holmes pour détourner les soupçons.

Les enquêteurs de Chicago entamèrent leur exploration du château le vendredi 19 juillet au soir. Ils procédèrent d'abord à un relevé d'ensemble. Le deuxième étage se composait de petites chambres d'hôtel. Le premier, de 35 pièces plus difficilement classables. Certaines ressemblaient à des chambres ordinaires ; d'autres étaient aveugles et munies d'une porte étanche. L'une de ces pièces contenait une chambre forte cloisonnée de fonte. Les policiers y découvrirent un brûleur qui n'avait apparemment pas d'autre fonction que d'injecter du gaz dans la pièce. Son robinet d'arrêt était situé dans l'appartement personnel de Holmes. Dans le cabinet de celui-ci, ils trouvèrent un livret bancaire au nom d'une certaine Lucy Burbank. Le solde était de 23 000 dollars. Personne ne put localiser cette femme.

La phase la plus sinistre de la perquisition commença quand les policiers, brandissant haut leurs lanternes, s'aventurèrent dans le sous-sol du château, sorte de caverne tout en briques et en poutres de 50 mètres sur 15. Les découvertes ne tardèrent pas : une cuve d'acide au fond de laquelle reposaient huit côtes et un morceau de crâne ; des montagnes de chaux vive ; un énorme four ; une table de dissection maculée de ce qui ressemblait à du sang croûté. Ils trouvèrent aussi des instruments de chirurgie, des chaussures à talons calcinées.

Et encore des ossements :

18 côtes provenant du thorax d'un enfant.

Plusieurs vertèbres.

1 os de pied.

1 omoplate.

1 morceau de hanche.

Des vêtements avaient été dissimulés dans les interstices des murs et dans des trous emplis de cendre et de chaux, dont une robe de petite fille et un bleu de travail ensanglanté. Un tuyau était bouché par des mèches de cheveux. Les enquêteurs déblayèrent deux fosses pleines de chaux vive et de restes humains. Ils émirent l'hypothèse que ces restes étaient ceux de deux sœurs venues du Texas, Minnie et Anna Williams, dont la police de Chicago n'avait appris que tout récemment la disparition. Parmi les cendres du four, ils trouvèrent un morceau de chaînette dont le bijoutier du drugstore de

Holmes déclara qu'elle venait d'une montre offerte par son patron à Minnie. Une lettre que Holmes avait écrite à son pharmacien fut également saisie. « Vous arrive-t-il d'entrapercevoir le fantôme des sœurs Williams ? Vous dérangent-elles encore beaucoup ? »

Le lendemain, les policiers découvrirent une nouvelle pièce cachée, celle-là dans l'angle sud-ouest de la cave. Ils y furent conduits par le dénommé Charles Chappell, soupçonné d'avoir aidé Holmes à transformer un certain nombre de cadavres en squelettes. L'homme se montra très coopératif, et trois squelettes pleinement articulés ne tardèrent pas à être récupérés chez leur nouveau propriétaire. Un quatrième serait bientôt restitué par le Hahneman Medical College de Chicago.

Une des trouvailles les plus marquantes eut lieu au premier étage, dans la chambre forte. L'intérieur de la porte portait l'empreinte reconnaissable entre mille d'un pied nu féminin. Les enquêteurs supposèrent qu'elle avait été laissée là par une femme à l'agonie. Il s'agissait selon eux d'Emeline Cigrand.

*

La police de Chicago télégraphia au procureur Graham que la fouille de l'immeuble de Holmes avait permis de découvrir un squelette d'enfant. Graham dépêcha Geyer sur place pour voir si ce squelette pouvait être celui de Howard Pitezel.

Geyer trouva la ville glacée d'horreur par les révélations sorties du château. L'affaire était couverte de façon exhaustive par la presse et faisait la une des quotidiens. « VICTIMES D'UN DÉMON », s'écria une manchette du *Tribune* pour annoncer que les restes de Howard

Pitezel avaient été retrouvés dans l'immeuble. L'article occupait six des sept colonnes de la une.

Geyer rencontra l'inspecteur principal de la police locale et apprit que le médecin qui venait d'examiner le squelette avait conclu qu'il appartenait à une petite fille. L'inspecteur principal avait son idée sur l'identité de l'enfant : il s'agissait selon lui de Pearl Conner. Ce nom ne disait rien à Geyer.

Geyer télégraphia à Graham pour lui faire part de sa déception ; le procureur lui ordonna de rentrer à Philadelphie pour faire le point et prendre un peu de repos.

*

Le soir du mercredi 7 août, par une température frôlant les 35 °C, Geyer monta à bord d'un wagon chauffé comme un four pour un nouveau voyage, flanqué cette fois du meilleur enquêteur de la Fidelity Mutual, le contrôleur W. E. Gary – un soutien bienvenu pour le policier.

Les deux hommes repassèrent d'abord par Chicago avant de se rendre à Logansport et à Peru, Indiana, puis à Montpelier Junction, Ohio, et à Adrian, Michigan. Ils passèrent des journées entières à éplucher les registres de tous les hôtels, pensions et agences immobilières qu'ils purent trouver, « tout cela en vain », selon Geyer.

Même si son bref repos à Philadelphie avait ravivé ses espoirs, le policier sentit que ceux-ci « s'amenuisaient vite ». Toujours persuadé que sa première intuition était juste – que Howard était à Indianapolis ou quelque part aux environs –, il décida d'y retourner pour la troisième fois de l'été.

« Je dois avouer que je revins à Indianapolis d'humeur fort peu joyeuse », écrivit Geyer. L'inspecteur

Gary et lui prirent une chambre à l'hôtel où était déjà descendu Geyer, le Spencer House. Que Howard puisse rester introuvable après un tel déploiement d'efforts était aussi frustrant qu'incompréhensible. « Le mystère, écrivit Geyer, semblait impénétrable. »

*

Le jeudi 19 août, Geyer apprit que le château de Holmes à Englewood, son noir pays des rêves, était parti en cendres pendant la nuit. « Incendie de l'antre de Holmes : le lieu des crimes et du mystère détruit par les flammes », proclamait la une du *Tribune*. Les pompiers suspectaient un incendie volontaire ; la police avança l'hypothèse que celui qui avait mis le feu à l'immeuble avait voulu détruire les secrets encore enfouis à l'intérieur. Personne ne fut arrêté.

*

Ensemble, Geyer et l'inspecteur Gary explorèrent 900 pistes possibles. Ils étendirent leurs recherches aux petites localités proches d'Indianapolis. « D'ici lundi, expliqua Geyer dans un rapport adressé à sa hiérarchie, nous aurons exploré toutes les villes de la grande banlieue sauf Irvington, et une journée supplémentaire nous permettra de tout conclure. Après Irvington, je ne sais guère où nous irons. »

Ils se rendirent à Irvington le matin du mardi 27 août 1895 à bord d'un trolley électrique, un nouveau type de tram qui tirait son énergie motrice d'un chariot fixé sur le toit en contact permanent avec un câble conducteur. Juste avant le terminus, Geyer repéra l'enseigne d'une agence immobilière. Gary et lui décidèrent de commencer leurs recherches par là.

Le propriétaire était un certain M. Brown. Il offrit un siège aux deux enquêteurs, qui préférèrent rester debout. Ils ne s'attendaient pas à ce que l'entretien dure longtemps et ils avaient un grand nombre d'autres adresses à contrôler avant la tombée de la nuit. Geyer lui présenta son jeu de photographies salies.

Brown ajusta ses lunettes et scruta le portrait de Holmes. Après un long silence, il déclara : « Ce n'est pas moi qui ai loué la maison, mais j'en avais les clés. Un jour de l'automne dernier, cet homme est entré dans mon bureau et m'a dit sur un ton très brusque : "Je veux les clés de cette maison." » Geyer et Gary restèrent de marbre. Brown ajouta : « Je me souviens très bien de lui car ses manières m'ont déplu, et j'ai trouvé qu'il aurait dû avoir un peu plus de respect pour mes cheveux gris. »

Les inspecteurs échangèrent un regard. Tous deux s'assirent en même temps. « Tous ces efforts, écrivit Geyer, toutes ces harassantes journées et semaines de voyage – efforts et voyages accomplis pendant les mois les plus torrides de l'année, en alternant entre espoir et découragement –, furent récompensés en ce seul instant, quand je sentis le voile tout près de se lever. »

*

Durant l'enquête judiciaire qui suivit, un jeune témoin nommé Elvet Moorman déclara avoir aidé Holmes à installer un gros four à bois dans la maison en question. Il se souvenait d'avoir demandé à celui-ci pourquoi il n'avait pas choisi un four à gaz. Holmes lui avait répondu « qu'il ne pensait pas que le gaz soit sain pour les enfants ».

Le propriétaire d'une quincaillerie d'Indianapolis témoigna que Holmes était entré dans sa boutique le 3 octobre 1894 avec deux trousses d'instruments chirurgicaux qu'il avait demandé à faire aiguiser. Il était passé les reprendre trois jours plus tard.

L'inspecteur Geyer relata plus tard la façon dont, lors de la fouille de la maison, il avait ouvert la base d'un conduit de cheminée qui s'étirait de la cave au toit. En passant les cendres au crible d'une moustiquaire, il y avait découvert des dents humaines et un fragment de mâchoire. Il en retira aussi « une grosse masse carbonisée, qui une fois tranchée s'avéra être un morceau d'estomac, de foie et de rate durci par la cuisson ». Les organes avaient été trop comprimés dans la cheminée pour pouvoir brûler.

Comme de bien entendu, Mme Pitezel fut convoquée. Elle identifia le manteau de Howard, son épingle d'écharpe, ainsi qu'une aiguille de crochet ayant appartenu à Alice.

Pour finir, le coroner lui montra un jouet retrouvé dans la maison par Geyer en personne, un bonhomme en fer-blanc monté sur toupie. Carrie Pitezel le reconnut sur-le-champ. Comment aurait-il pu en être autrement ? C'était le bien le plus précieux du petit Howard. Mme Pitezel l'avait placé elle-même dans la malle de ses enfants juste avant de les confier à Holmes. Son père l'avait acheté pour lui à l'Exposition universelle de Chicago.

53

Préméditation

Le 12 septembre 1895, un grand jury de Philadelphie inculpa Holmes du meurtre de Benjamin Pitezel. Seuls deux témoins déposèrent, L. G. Fouse, président de la Fidelity Mutual Life, et l'inspecteur Frank Geyer. Holmes s'en tint à sa version selon laquelle les enfants avaient été tués par Minnie Williams et le mystérieux Hatch. Il ne convainquit pas les grands jurys d'Indianapolis et de Toronto : Indianapolis l'inculpa du meurtre de Howard Pitezel, Toronto de ceux d'Alice et de Nellie. S'il n'était pas condamné à Philadelphie, il resterait deux possibilités de le faire ailleurs ; s'il l'était, la nature même du meurtre de Pitezel suffirait à lui valoir la peine de mort.

Les mémoires de Holmes arrivèrent en kiosque. Dans une des dernières pages, il déclarait : « En conclusion, je souhaiterais dire que je ne suis qu'un homme très ordinaire, voire en dessous de la moyenne sur le plan de la force physique et des aptitudes mentales, et que j'aurais été bien incapable de planifier puis d'exécuter la prodigieuse quantité de méfaits que l'on me prête... »

Il suppliait l'opinion de suspendre son jugement pendant qu'il travaillait à réfuter les accusations portées contre lui, « une tâche que je me sens capable d'accomplir de manière satisfaisante et rapide. Et je n'écrirai pas ici le mot fin – ce n'est pas la fin – car il y a en plus de cela le devoir d'amener devant la justice ceux dont les méfaits me valent aujourd'hui ces souffrances, et ce non pas pour prolonger ou sauver ma vie, car depuis le jour où j'ai appris l'horreur de Toronto je n'ai plus le goût de vivre ; mais pour qu'au nom de tous ceux qui m'ont admiré et respecté par le passé il ne soit pas dit à l'avenir que j'ai subi la mort ignominieuse d'un meurtrier ».

Ce que les journalistes parvenaient le moins à comprendre, c'était comment Holmes avait pu échapper à une enquête sérieuse de la police de Chicago. Comme l'écrivit le *Chicago Inter Ocean*, « il est humiliant de penser que sans les pressions des compagnies d'assurances que Holmes a flouées, ou tenté de flouer, il courrait peut-être encore, continuant à faire des victimes dans la société, tant il dissimulait bien les traces de ses crimes ». Le « sentiment d'humiliation » de Chicago n'avait rien de surprenant, à en croire le *New York Times* : toutes les personnes au fait de cette sinistre épopée « doivent être stupéfaites de l'incapacité de la police municipale et des officiers de la justice locale non seulement à prévenir des crimes aussi abjects, mais même à connaître leur existence ».

Une des révélations les plus étonnantes et les plus consternantes fut peut-être que le chef de la police de Chicago, durant sa carrière antérieure d'avocat, avait défendu Holmes au tribunal de commerce lors d'une dizaine de menus procès.

Le *Chicago Times-Herald* tenta de prendre du recul en disant de Holmes : « C'est un prodige de cruauté, un démon humain, un être si impensable qu'aucun romancier n'oserait inventer un tel personnage. Son histoire tend, en outre, à illustrer la fin de ce siècle. »

ÉPILOGUE

La dernière traversée

La statue de la République après l'incendie du Péristyle, 1894.

54

L'Expo

L'Exposition universelle eut un impact puissant et durable sur la psyché de la nation, à toutes sortes de niveaux. Le père de Walt Disney, Elias, participa à la construction de la Ville blanche ; les « royaumes enchantés » pourraient bien en descendre. Ce qui est certain, c'est que la foire mondiale eut un fort impact sur la famille Disney. Elle représenta une telle aubaine financière que quand le troisième fils de la famille vint au monde cette année-là, Elias voulut le prénommer Columbus par gratitude. Sa femme Flora y mit le holà : le nouveau-né fut appelé Roy. Il fut suivi par Walt le 5 décembre 1901. Le romancier L. Frank Baum et son complice l'illustrateur William Wallace Denslow visitèrent la Ville blanche, dont la splendeur les inspira pour la création du pays d'Oz. Le temple japonais de l'Île boisée séduisit Frank Lloyd Wright et l'influença peut-être dans la conception de ses « maisons de la Prairie ». L'exposition incita le président Harrison à créer le 12 octobre un jour férié en hommage à Christophe Colomb, le Columbus Day, qui aujourd'hui encore donne lieu chaque année à quelques milliers de défilés et à un week-end de trois jours. Toutes les fêtes foraines des États-Unis depuis 1893 ont leur « midway » et leur grande roue, et toutes les épiceries proposent encore à la vente des produits lancés durant l'Expo – y compris le Shredded Wheat. Toutes les maisons sont équipées de dizaines d'ampoules à incandescence alimentées par du courant alternatif, deux procédés ayant prouvé pour la première fois leur utilité à grande échelle pendant la foire mondiale ; et presque toutes les villes américaines, quelle que soit leur taille, possèdent leur petit morceau de Rome antique sous la forme d'un édifice à colonnade hébergeant une banque, une bibliothèque ou un bureau de poste. Barbouillé de graffitis, peut-être, voire d'une peinture inopportune, mais il subsiste néanmoins là-dessous un peu de l'éclat de la Ville blanche. Le Lincoln Memorial de Washington lui-même en porte l'héritage.

Le plus grand effet de l'Exposition universelle fut peut-être de transformer la perception qu'avait le peuple des États-Unis de ses villes et de ses architectes. Elle poussa l'Amérique entière – et non plus seulement quelques riches mécènes de l'architecture – à repenser la cité d'une façon entièrement nouvelle. Selon l'influent politicien Elihu Root, la foire mondiale fit passer « notre peuple du désert des lieux communs à des idées nouvelles sur la beauté et la noblesse archi-tecturales ». Henry Demarest Lloyd estima qu'elle avait révélé à la grande masse des citoyens « des possibilités de beauté, d'utilité et d'harmonie sociale qu'ils n'auraient même pas osé rêver. Aucune vision de cette sorte n'aurait sans cela pu pénétrer dans leur vie faite de prosaïques corvées, et son effet se fera sentir dans leur évolution jusqu'à la troisième ou quatrième génération ». L'Exposition universelle fit voir à des hommes et des femmes accaparés par le strict nécessaire que les villes n'avaient pas forcément à être les bastions sombres, malpropres et dangereux du pragmatisme le plus brutal. Elles pouvaient aussi être belles.

William Stead reconnut immédiatement le pouvoir de l'Expo. Sa découverte de la Ville blanche et le profond contraste qu'elle offrait avec la Ville noire lui inspirèrent l'écriture d'*If Christ Came to Chicago*, un livre souvent décrit comme à l'origine du mouvement « City Beautiful », qui visait à hausser les villes américaines au niveau des plus prestigieuses cités européennes. Comme Stead, un certain nombre de maires virent dans l'Expo un modèle vers lequel tendre et demandèrent à Burnham d'appliquer à leur commune une réflexion d'ensemble similaire à celle qu'il avait menée pour la Ville blanche. Ainsi devint-il un des pionniers de l'urbanisme moderne. Il dessina les plans urbains de Cleveland, San Francisco, Manille, et prit la tête de l'effort mené au tournant du siècle pour ressusciter et développer la vision de Washington de son prédécesseur Pierre Charles L'Enfant. Dans tous ces cas, il travailla bénévolement.

Pendant qu'il participait à l'élaboration du nouveau plan de Washington, Burnham persuada le patron de la Pennsylvania Railroad, Alexander Cassatt, de retirer ses voies et sa gare de fret de la partie centrale du Mall, créant ainsi l'espace vert ininterrompu qui court désormais du Capitole au Lincoln Memorial. D'autres villes le sollicitèrent, parmi lesquelles Fort Worth, Atlantic City et Saint Louis, mais Burnham ignora leurs demandes pour se concentrer sur son tout dernier plan urbain, celui de la ville de Chicago. Beaucoup d'éléments de ce plan ont été appliqués au fil des ans, notamment la création d'un superbe ruban de parcs urbains sur le front de lac et du « Magnificent Mile » de Michigan Avenue. L'un de ces parcs côtiers, baptisé Burnham Park en son honneur, contient le stade de Soldier Field et le Field Museum, dessiné par lui. Son étroite bande de verdure se déroule au sud jusqu'à Jackson Park, où l'ancien palais des Beaux-Arts de l'Exposition universelle, reconverti en édifice permanent, abrite aujourd'hui le musée des Sciences et de l'Industrie. Ce parc a vue sur les lagunes et l'Île boisée, devenue un lieu sauvage et broussailleux qui ferait peut-être sourire Olmsted – même si celui-ci trouverait sans doute moyen d'en critiquer certains aspects.

Au début du XXe siècle, l'exposition devint un objet de débat acharné entre architectes. Les plus critiques l'accusaient d'avoir provoqué l'extinction de l'école d'architecture de Chicago pour imposer à la place un culte obsolète du classicisme. Réitérée de thèse en thèse, cette position prit tout d'abord de l'importance par le biais d'une curieuse dynamique personnelle qui la rendit difficile et même – comme c'est souvent le cas dans les salles étouffantes et bondées où ont lieu les discussions académiques – dangereuse à combattre.

Louis Sullivan fut le premier à s'élever bruyamment contre l'influence de l'exposition sur l'architecture, mais seulement au soir de sa vie et bien après la mort de Burnham.

Les choses ne s'étaient pas bien passées pour Sullivan après l'Expo. Une année de dépression économique s'ensuivit, pendant laquelle l'agence Adler & Sullivan ne décrocha que deux commandes ; et en 1895, elle n'en obtint aucune. Adler quitta le navire en juillet de cette année-là. Sullivan, 38 ans, était incapable de cultiver les relations qui auraient pu lui permettre d'obtenir un nombre suffisant de contrats pour se maintenir à flot. C'était un solitaire et un esprit intolérant. À un confrère qui lui demandait comment améliorer un de ses plans, il répliqua : « Si je vous le disais, vous ne sauriez pas de quoi je parle. »

En pleine débâcle professionnelle, Sullivan se retrouva contraint de quitter son bureau de l'Auditorium et de vendre des possessions personnelles. Il prit l'habitude de boire et de consommer un médicament, le bromure, qui provoquait des altérations de l'humeur. Entre 1895 et 1922, Sullivan construisit à peine 25 bâtiments, moins d'un par an. De temps à autre, il passait demander de l'argent à Burnham, sans que l'on sache précisément s'il sollicitait des emprunts purs et simples ou s'il lui vendait en échange des œuvres d'art de sa collection personnelle. On peut lire dans un passage du journal de Burnham daté de 1911 : « Louis Sullivan est encore venu soutirer de l'argent à D. H. B. » La même année, Sullivan dédicaça un lot de dessins « À Daniel H. Burnham, avec les meilleurs vœux de son ami Louis H. Sullivan ».

Ce qui ne l'empêcha pas de se répandre dans son autobiographie de 1924 en charges hyperboliques contre Burnham et l'impact nocif de l'exposition sur les masses de ses visiteurs. En faisant aussi forte impression, affirmait Sullivan, l'architecture classique de la Ville blanche avait condamné l'Amérique à un demi-siècle supplémentaire d'imitation. L'exposition était selon lui une « contagion », un « virus », une forme de « méningite cérébrale progressive ». Dans son esprit, elle avait eu des conséquences fatales. « L'Architecture est morte dans la patrie des libres et des braves – dans un pays si fier de sa fervente démocratie, de son inventivité, de son ingéniosité, du caractère unique de sa hardiesse, de son esprit d'entreprise et de progrès. »

Sa piètre opinion de Burnham et de l'exposition était contrebalancée par la vision exaltée que Sullivan avait de lui-même et de ce qu'il considérait comme son apport personnel à l'effort de renouveler l'architecture en lui apportant quelque chose de distinctement américain. Frank Lloyd Wright se rangea sous sa bannière. Sullivan l'avait mis à la porte en 1893, mais ils devinrent amis par la suite. Plus l'étoile de Wright s'élevait dans le ciel, plus celle de Sullivan se mit elle aussi à briller – et plus celle de Burnham pâlit. Il était désormais de rigueur pour les critiques et historiens de l'architecture d'assener que Burnham, par manque de conviction et par dévouement servile aux aspirations classiques des architectes de l'Est, avait tué l'architecture américaine.

Mais cette vision péchait par son simplisme, comme l'ont reconnu plus récemment certains historiens de l'architecture. En éveillant l'Amérique à la beauté, l'Exposition universelle constitua un passage nécessaire et fondateur pour des créateurs tels que Frank Lloyd Wright et Ludwig Mies van der Rohe.

Sur le plan personnel, elle fut un triomphe absolu pour Burnham. Elle lui permit de tenir la promesse qu'il avait faite à ses parents de devenir le plus grand architecte d'Amérique, car il l'était sans nul doute devenu. Pendant l'Expo se produisit un événement dont seuls ses amis les plus proches perçurent l'importance : Harvard *et* Yale lui délivrèrent un diplôme honoraire en reconnaissance de son exploit. Les deux cérémonies de remise eurent lieu le même jour ; Burnham assista à celle de Harvard. Ces récompenses représentaient pour lui une forme de rédemption. Son recalage à l'entrée de ces deux universités l'avait privé du « début qu'il fallait » et le hantait depuis toujours. Bien des années après la remise de ces diplômes honoraires, tandis qu'il se démenait pour obtenir l'admission provisoire de son fils Daniel à Harvard, dont les performances aux examens n'avaient pas été franchement éblouissantes, Burnham écrivit : « Il a besoin de savoir qu'il est génial, et, dès qu'il le saura, il montrera sa vraie valeur, comme j'ai été en mesure de le faire. C'est le plus vif regret de ma vie que personne ne m'ait envoyé à Cambridge (...) ni n'ait fait savoir aux autorités ce dont j'étais capable. »

Burnham s'était chargé de le leur montrer lui-même, à Chicago, en accomplissant la plus difficile des œuvres. L'opinion persistante selon laquelle la beauté de l'exposition se devait pour l'essentiel à John Root l'exaspérait. « Nous ne disposions à l'époque de sa mort que d'une très vague ébauche de plan, déclara-t-il. La perception de son rôle a été progressivement nourrie par quelques personnes de ses amis, surtout des femmes, qui après que l'Expo eut prouvé sa beauté ont naturellement désiré associer sa mémoire à celle-ci. »

La mort de Root avait anéanti Burnham, mais elle lui avait également permis de devenir un architecte plus polyvalent et pour tout dire meilleur. « Bien des gens se sont demandé si la perte de M. Root n'était pas irréparable », écrivit James Ellsworth dans une lettre à Charles Moore, le biographe de Burnham. Ellsworth concluait que la mort de son associé avait « mis en évidence chez M. Burnham des qualités qui ne se seraient peut-être pas développées, ou du moins pas si tôt, si M. Root avait vécu ». L'impression commune avait toujours été que Burnham dirigeait les affaires de l'agence et que Root dessinait tous les plans. Si Burnham donnait bel et bien l'impression de « s'appuyer plus ou moins » sur le talent artistique de Root, Ellsworth s'empressait de préciser que, après la mort de ce dernier, « personne n'aurait jamais pu s'en rendre compte (...) ni même déduire de ses actes qu'il avait eu un associé et n'avait pas toujours commandé dans les *deux* directions ».

En 1901, Burnham bâtit à New York le Fuller Building à l'intersection triangulaire de la 23e Rue et de Broadway, mais les habitants du voisinage trouvèrent à ce gratte-ciel une telle ressemblance avec un ustensile ménager des plus courants qu'ils le rebaptisèrent Flatiron Building – le célèbre « Fer à repasser ». Burnham et son agence construisirent par la suite des dizaines d'autres bâtiments, dont les grands magasins Gimbel's à New York et Filene's à Boston ainsi que l'observatoire du mont Wilson à Pasadena, Californie. Des 27 immeubles bâtis par Root et lui dans le Loop, à Chicago, seuls 3 existent encore aujourd'hui, dont le Rookery Building, avec sa bibliothèque au dernier étage à peu près telle qu'elle était le jour de cette réunion magique de février 1891, et le Reliance Building, superbement reconverti en hôtel Burnham. Son restaurant s'appelle l'Atwood : il tient son nom de Charles Atwood, qui succéda à Root au sein de l'agence.

Burnham fut un des pionniers de l'écologie. « Jusqu'à notre temps, écrivit-il, l'utilisation des ressources naturelles n'a jamais fait l'objet de strictes économies, mais il faudra dorénavant s'y résoudre à moins que nous ne soyons assez immoraux pour détériorer les conditions dans lesquelles vivront nos enfants. » Il espérait beaucoup, peut-être à tort, de l'automobile. La disparition du cheval allait « mettre fin à un des fléaux de la barbarie, pronostiquait-il. Quand ce changement se produira, ce sera un vrai pas en avant pour la civilisation. Sans les fumées, gaz et déchets des chevaux, vos rues, votre air seront enfin propres et purs. Cela n'implique-t-il pas que la santé et le moral des gens seront meilleurs ? »

Certains soirs d'hiver, à Evanston, son épouse et lui se promenaient en traîneau avec M. et Mme Frank Lloyd Wright. Burnham devint un joueur de bridge compulsif, quoique réputé pour sa profonde incompétence. Il avait promis à sa femme que son rythme de travail diminuerait après l'exposition. Il n'en fut rien. Comme il le dit à Margaret : « J'ai cru que l'Expo était un moment de vie intense, mais je m'aperçois que la poursuite de tous ces importants intérêts emplit tout autant mes journées, mes semaines et mes ans. »

La santé de Burnham déclina au début du XXe siècle, alors qu'il avait la cinquantaine. Il commença par être atteint de colites et apprit en 1909 qu'il était diabétique. Ces deux maux le contraignirent à adopter un régime alimentaire plus sain. Le diabète endommagea son appareil circulatoire et favorisa l'apparition d'infections au pied qui le mirent à la torture jusqu'à la fin de ses jours. Au fil des ans, il développa un intérêt pour le surnaturel. Un soir à San Francisco, dans le bungalow qu'il avait fait construire sur les brumeuses hauteurs de Twin Peaks – sa « cabane » d'urbaniste –, il confia à un ami : « Si j'étais capable de m'en accorder le temps, je crois que je pourrais prouver la continuation de la vie après la tombe, en fondant mon raisonnement sur la nécessité, philosophiquement parlant, de la croyance en un pouvoir absolu et universel. »

Il savait que ses jours touchaient à leur fin. Le 4 juillet 1909, perché avec quelques amis sur le toit du Reliance Building et embrassant du regard la ville de son cœur, il déclara : « Vous la verrez splendide. Moi, jamais. Mais splendide elle sera. »

55

Procession de sortie

Les bourdonnements d'oreilles d'Olmsted, ses douleurs buccales et ses insomnies ne diminuèrent jamais, et un vide apparut bientôt dans son regard. L'amnésie le guettait. Le 10 mai 1895, deux semaines après son 75e anniversaire, il écrivit à son fils John : « Il m'est aujourd'hui devenu évident, pour la première fois, que je ne puis plus me fier à ma mémoire des événements récents. » L'été de la même année, lors de son dernier jour de travail à son bureau de Brookline, il écrivit à George Vanderbilt trois lettres disant peu ou prou la même chose.

En septembre 1895, pendant ce qu'il décrivit comme « la semaine la plus pénible de ma vie », il fit part à son ami Charles Eliot de son épouvante à l'idée que son état puisse lui valoir d'être placé dans un asile. « Vous n'imaginez pas à quel point je redoute qu'il ne soit jugé opportun de m'envoyer dans une "institution", écrivit-il le 26 septembre. Tout sauf cela. Mon père a été directeur d'un asile de fous et surtout, ayant été professionnellement employé comme paysagiste par plusieurs d'entre eux, j'éprouve vis-à-vis de ces endroits une terreur intense. »

Son amnésie empira. Devenu dépressif et paranoïaque, il accusa son fils John d'avoir orchestré un « coup d'État » pour l'écarter de l'agence. Sa femme, Mary, l'emmena dans la maison de famille qu'ils possédaient sur une île du Maine, et où l'aggravation de sa dépression l'entraîna parfois jusqu'à la violence. Il rossait le cheval familial.

Mary et ses fils finirent par comprendre qu'ils ne pouvaient plus grand-chose pour lui. Frappé de démence profonde, il était devenu ingérable. Avec une immense tristesse et sans doute aussi une bonne dose de soulagement, Rick installa son père à l'asile McLean de Waverly, dans le Massachusetts. La mémoire d'Olmsted n'était pas anéantie au point de lui faire oublier qu'il avait lui-même dessiné les jardins du McLean. Cela ne lui fut d'aucun réconfort, car il vit immédiatement que le même phénomène qui avait amoindri toutes ses autres créations – Central Park, Biltmore, Jackson Park et tant d'autres – s'était reproduit ici une fois de plus. « Ils n'ont pas exécuté mon plan, écrivit-il, que le diable les emporte ! »

Olmsted mourut le 28 août 1903 à 2 heures du matin. Ses funérailles furent modestes, strictement familiales. Sa femme, qui avait vu ce grand homme disparaître sous ses yeux, n'y assista pas.

*

La Grande Roue produisit un bénéfice net de 200 000 dollars pendant la foire mondiale et resta en place jusqu'au printemps 1894, quand George Ferris la fit démonter puis remonter dans le North Side de Chicago. Entre-temps, elle avait toutefois perdu à la fois et l'attrait de sa nouveauté et le volume de passagers que le Midway lui assurait antérieurement. La roue devint déficitaire. Ces pertes, additionnées aux 150 000 dollars qu'avait coûté son transfert et aux lourds dommages financiers infligés par la crise économique persistante à l'entreprise d'inspection des métaux de Ferris, poussèrent celui-ci à revendre la majeure partie de ses titres de propriété sur la Grande Roue.

À l'automne 1896, Ferris et sa femme se séparèrent. Elle retourna chez ses parents ; il s'installa au Duquesne Hotel, dans le centre de Pittsburgh. Le 17 novembre de la même année, il fut admis au Mercy Hospital, où il mourut au bout de cinq jours, apparemment de la typhoïde. Il avait 37 ans. Un an plus tard, ses cendres étaient toujours en possession de l'entrepreneur de pompes funèbres qui avait reçu sa dépouille. « La demande de Mme Ferris qui souhaitait les recueillir a été rejetée, expliqua le croque-mort, parce que le défunt laissait de plus proches parents. » En faisant son éloge funèbre, deux amis déclarèrent que Ferris avait « mal évalué sa capacité d'endurance et succombé en martyr à son ambition de gloire et de prestige ».

En 1903, une entreprise de démolition, la Chicago House Wrecking Company, acquit la Grande Roue aux enchères pour la somme de 8 150 dollars puis la remonta en 1904 à Saint Louis dans le cadre de l'Exposition universelle visant à célébrer l'achat de la Louisiane. Soudain redevenue rentable, elle rapporta 215 000 dollars à ses nouveaux propriétaires. Le 11 mai 1906, l'entreprise la fit dynamiter pour en récupérer la ferraille. La première charge, de 45 kilos, était censée désolidariser la roue de ses supports et la faire basculer sur le flanc. Au lieu de quoi elle se mit lentement en branle, comme si elle voulait tourner une dernière fois à travers le ciel. Puis elle s'écroula sous son propre poids, réduite à une montagne d'acier tordu.

*

Sol Bloom, le directeur du Midway, était un jeune homme riche à la clôture de l'exposition. Il investit massivement dans une entreprise spécialisée dans l'achat et l'acheminement de denrées périssables jusqu'à des villes lointaines à bord de wagons réfrigérés dernier cri. C'était une belle affaire, un business prometteur. Sauf que la grève Pullman paralysa l'ensemble du trafic ferroviaire de Chicago, et les denrées pourrirent au fond de leurs wagons. Bloom se retrouva ruiné. Cela dit, il était encore jeune – et encore Bloom. Il dépensa le peu qui lui restait de fonds pour s'offrir deux costumes de luxe, persuadé que, quoi qu'il fasse par la suite, il devrait avoir l'air convaincant. « Une chose était très claire », écrivit-il. Le fait d'être « fauché ne me dérangeait pas le moins du monde. J'étais parti de rien, et puisque je me retrouvais sans rien, je n'avais rien perdu. Bien au contraire : je m'étais amusé comme un fou ».

Bloom deviendrait député et serait même un des artisans, en 1945, de la Charte des Nations unies.

*

L'Expo rapporta 1 million de dollars (30 millions de dollars actuels) à Buffalo Bill, qu'il dépensa pour fonder la ville de Cody, dans le Wyoming, créer un cimetière et un parc à North Platte, Nebraska, éponger les dettes de cinq églises de North Platte, acheter un journal dans le Wisconsin, et contribuer au destin théâtral d'une ravissante jeune actrice, Katherine Clemmons, ce qui ne fit que creuser le fossé déjà profond qui le séparait de son épouse. Il en vint à accuser celle-ci d'avoir essayé de l'empoisonner.

La Panique de 1907 détruisit son Wild West et l'obligea à se produire dans des cirques. Il avait plus de 70 ans mais continuait de parcourir les pistes au galop sous son grand chapeau blanc liseré d'argent. Il mourut à Denver chez sa sœur le 10 janvier 1917, sans même avoir de quoi payer ses funérailles.

*

Theodore Dreiser épousa Sara Osborne White. En 1898, deux ans avant de publier *Sister Carrie*, son premier roman, il écrivit à Sara : « Je suis allé à Jackson Park et j'ai vu ce qu'il reste de cette chère vieille Foire mondiale où j'ai appris à t'aimer. »

Il la trompait effrontément.

*

Pendant sa vie avec John Root, Dora avait eu l'impression de chevaucher une comète. Leur mariage lui avait permis de découvrir un monde d'art et d'argent où tout semblait gorgé de vie et d'énergie. L'intelligence de son mari, son talent de musicien, ces doigts extraordinairement longs qui sautaient aux yeux sur n'importe quelle photographie avaient illuminé la vie de Dora d'un éclat qu'elle ne fut plus jamais capable de retrouver après sa mort. Vers la fin de la première décennie du XXe siècle, elle envoya une longue lettre à Burnham. « Il est d'une extrême importance pour moi que vous pensiez que j'ai bien agi pendant toutes ces années, écrivit-elle. Je suis tellement rongée de doutes chaque fois que je m'arrête pour réfléchir au sujet qu'un mot d'encouragement de la part de quelqu'un qui a aussi merveilleusement fait sonner sa vie suffit à me transmettre un nouvel élan. Si s'absorber dans la génération à venir et transmettre humblement le flambeau est le devoir complet des femmes, je crois avoir mérité un mot d'éloge. »

Elle se rendait cependant compte qu'avec la mort de Root les portes d'un royaume de lumière s'étaient doucement mais solidement refermées. « Si John avait vécu, écrivit-elle à Burnham, tout aurait été différent. Stimulée par sa vie exaltante, j'aurais été son épouse mais aussi la mère de ses enfants. Et cela aurait été intéressant ! »

*

Patrick Eugene Joseph Prendergast passa en jugement en décembre 1893. Le ministère public était représenté par un avocat criminel sollicité par l'État pour cette seule affaire.

Il s'appelait Alfred S. Trude.

Les défenseurs de Prendergast s'efforcèrent de plaider la folie de leur client mais le jury, composé de Chicagoans furieux et en deuil, ne l'entendit pas de cette oreille. L'un des éléments qui contribuèrent le plus à accréditer la thèse de la responsabilité mentale défendue par l'accusation fut la chambre de barillet que Prendergast avait pris soin de laisser vide sous le chien de son revolver pendant qu'il transportait celui-ci dans sa poche. Le 29 décembre à 14 h 28, après soixante-trois minutes de délibération, le jury le déclara coupable. Le juge le condamna à mort. Tout au long de son procès et de la procédure d'appel qui s'ensuivit, Prendergast envoya des cartes postales à Trude. « Aucune personne quelle qu'elle soit ne devrait être mise à mort si cela peut être évité, c'est démoralisant pour la société d'être barbare », lui écrivit-il le 21 février 1894.

Clarence Darrow s'empara du dossier et, grâce à une manœuvre inédite, obtint pour Prendergast une enquête de santé mentale. Mais le recours échoua, et Prendergast fut exécuté. Darrow le qualifia de « pauvre dément imbécile ». L'exécution ne fit qu'intensifier sa haine déjà profonde de la peine de mort. « Je plains tous les pères et toutes les mères », dirait-il trente ans plus tard en défendant Nathan Leopold et Richard Loeb, deux riches étudiants en droit de Chicago accusés d'avoir tué un garçon de 14 ans pour le seul plaisir de commettre un crime parfait. « La mère qui sonde les yeux bleus de son bébé ne peut s'empêcher de songer à la fin de cet enfant, de se demander s'il sera couronné des plus belles promesses que son esprit puisse imaginer ou s'il rencontrera la mort sur l'échafaud. »

Leopold et Loeb, comme on les appelait d'un bout à l'autre du pays, avaient déshabillé leur victime pour dissimuler son identité. Ils avaient jeté une partie de ses vêtements dans la lagune d'Olmsted, à Jackson Park.

*

Au Waldorf Astoria de New York, quatre ans avant le nouveau siècle, plusieurs dizaines de jeunes gens en tenue de soirée firent cercle autour d'une pièce montée géante. L'épaisse couche de crème fouettée qui la recouvrait bougea. Une femme en jaillit. Une femme splendide, au teint olivâtre et aux longs cheveux noirs. Elle s'appelait Farida Mazhar. Ces hommes étaient trop jeunes pour le savoir mais, quelques années plus tôt, sous le nom de « Little Egypt », elle avait dansé la *danse du ventre* pendant la plus grande Exposition universelle de l'histoire.

Il ne leur échappa pas, en revanche, qu'elle était dans le plus simple appareil[1].

---

1. Cette soirée destinée à enterrer la vie de garçon de Clinton Barnum Seeley, neveu du fondateur du cirque du même nom, fut interrompue par une descente de police et fit la une de la presse, ce qui assura à Little Egypt un regain de notoriété.

56

Holmes

Holmes fut jugé à Philadelphie pour le meurtre de Benjamin F. Pitezel à l'automne 1895. Le procureur de district George Graham cita 35 témoins venus de Cincinnati, Indianapolis, Irvington, Detroit, Toronto, Boston, Burlington et Fort Worth, mais aucun ne fut jamais appelé à la barre. En n'autorisant Graham qu'à présenter des témoignages directement liés au meurtre de Pitezel, le juge priva la recherche historique d'un riche filon d'informations sur les crimes du docteur Herman W. Mudgett.

Graham eut en revanche la permission de montrer à la cour la verrue excisée par Holmes sur le cadavre de Benjamin Pitezel, ainsi qu'un coffret en bois contenant le crâne de celui-ci. Il y eut un certain nombre de témoignages macabres sur la décomposition, les fluides corporels et les effets du chloroforme. « Un liquide rouge s'écoulait de sa bouche », témoigna le docteur William Scott, un pharmacien amené par les policiers dans la maison où le corps de Pitezel avait été découvert, « et la moindre pression sur l'estomac ou la poitrine à cet endroit accélérait son écoulement... »

Après une description particulièrement effroyable du docteur Scott, Holmes se leva et dit : « Je demande que la séance soit suspendue assez longtemps pour le déjeuner. »

Il y eut des moments tristes, surtout quand Mme Pitezel vint témoigner. Sa robe noire, son chapeau noir et sa cape noire accentuaient sa pâleur et son accablement. Elle s'interrompait souvent à mi-phrase pour porter une main à son front. Graham lui montra les lettres d'Alice et de Nellie, en lui demandant d'identifier leur écriture. Ces lettres la surprirent. Elle craqua. Holmes, lui, ne manifesta aucune émotion. « Ce fut une expression d'indifférence complète, déclara un journaliste du *Philadelphia Ledger*. Il prit des notes d'un air aussi détaché que s'il rédigeait une ordonnance dans son cabinet. »

Graham demanda à Mme Pitezel si elle avait revu ses filles depuis le jour de 1894 où Holmes les avait emmenées. Elle répondit d'une voix presque trop basse pour être audible : « Je les ai revues à la morgue de Toronto, côte à côte. »

Tant d'hommes et de femmes sortirent leurs mouchoirs que ce fut comme si une averse de neige s'abattait soudain sur le prétoire.

Graham qualifia Holmes d'« homme le plus dangereux du monde ». Le jury le déclara coupable ; le juge le condamna à la pendaison. Les avocats de Holmes firent appel de la sentence et perdirent.

En attendant son exécution, Holmes rédigea une longue confession, sa troisième, dans laquelle il avouait avoir tué 27 personnes. À l'instar des deux premières, celle-ci était un mélange de vérités et de mensonges.

Quelques-unes de ses victimes supposées reparurent bien en vie. Leur vrai nombre ne sera jamais connu. Au strict minimum, Holmes avait tué 9 personnes : Julia et Pearl Conner, Emeline Cigrand, les sœurs Williams, Benjamin Pitezel et trois de ses enfants. Nul ne doutait qu'il en avait tué beaucoup d'autres. Certaines estimations lui attribuèrent jusqu'à 200 victimes – un chiffre qui semble extravagant, même pour un homme doté d'un tel appétit. L'inspecteur Geyer était convaincu que si les agents de Pinkerton n'avaient pas retrouvé Holmes et organisé son arrestation à Boston, il aurait tué le reste de la famille Pitezel. « Qu'il ait eu pleinement l'intention d'assassiner Mme Pitezel, Dessie et le bébé, Wharton, est trop évident pour souffrir la moindre contradiction. »

Holmes, dans sa confession, mentit aussi – ou se mentit à lui-même – lorsqu'il écrivit : « Je suis convaincu que depuis mon incarcération j'ai terriblement et effroyablement changé par rapport à celui que j'étais sur le plan des traits et de la silhouette. (...) Ma tête et mon visage prennent petit à petit une forme allongée. Je crois intimement que je ressemble de plus en plus au diable – que la similitude est presque complète. »

Sa description du meurtre d'Alice et de Nellie, en revanche, sonnait juste. Il affirmait avoir placé les deux petites filles dans une grande malle et percé une ouverture dans le haut de celle-ci. « Je les y laissai en attendant de pouvoir revenir et les tuer à loisir. À 17 heures, j'empruntai la pelle d'un voisin et j'allai voir Mme Pitezel à son hôtel. Je regagnai ensuite le mien où je pris mon souper, puis à 19 heures je revins une nouvelle fois à la maison où les enfants étaient emprisonnées, et je mis fin à leurs jours en injectant du gaz dans la malle ; puis ce fut l'ouverture de la malle et la vision de ces petits visages noircis et déformés, et enfin le creusement d'un tombeau peu profond dans le sous-sol de la maison. »

Il écrivit de Pitezel : « Qu'il soit bien compris que dès la première heure de notre rencontre, avant même de savoir qu'il avait une famille susceptible de me fournir des victimes supplémentaires pour étancher ma soif de sang, je conçus l'intention de le tuer. »

De peur que quelqu'un ne vole son cadavre après l'exécution, Holmes laissa à ses avocats des instructions précises sur la manière dont il faudrait l'inhumer. Il refusa d'être autopsié. Ses avocats déclinèrent une offre de 5 000 dollars en échange de son corps. Quant au Wistar Institute de Philadelphie, il voulait avoir son cerveau. Sa requête aussi fut rejetée, au grand dam de Milton Greeman, conservateur de la prestigieuse collection d'échantillons médicaux du Wistar. « Cet homme était bien autre chose qu'un simple criminel mû par son instinct, dit Greeman. C'était un homme qui avait étudié le crime et planifié sa carrière. Son cerveau aurait fourni à la science une aide précieuse. »

Le 7 mai 1896 peu avant 10 heures du matin, après avoir déjeuné d'œufs durs, de pain grillé et de café, Holmes se laissa escorter jusqu'au gibet de la prison de Moyamensing. Ce fut un moment difficile pour ses gardiens. Ils en étaient venus à l'apprécier. C'était un tueur, bien sûr, mais un tueur charmant. Le directeur adjoint, un certain Richardson, fit montre de fébrilité en préparant le nœud coulant. Holmes se tourna vers lui et lâcha en souriant : « Prenez votre temps, mon vieux. » À 10 h 13, Richardson ouvrit la trappe et ce fut fini.

Conformément aux instructions de Holmes, des maçons embauchés par l'entrepreneur de pompes funèbres

John J. O'Rourke emplirent un cercueil de ciment frais, y déposèrent le corps de Holmes et le recouvrirent d'une nouvelle couche de ciment. Ils le chargèrent sur un chariot qui s'éloigna à travers la campagne jusqu'au Holy Cross Cemetery, un cimetière catholique situé au sud de Philadelphie, dans le comté de Delaware. Péniblement, ils transportèrent le lourd cercueil jusqu'à la chambre centrale, où deux détectives de Pinkerton le veillèrent toute la nuit, en faisant des sommes à tour de rôle dans un cercueil en sapin blanc. Le lendemain, les fossoyeurs ouvrirent un caveau double qu'ils emplirent lui aussi de ciment, avant d'y descendre le cercueil de Holmes. Ils y versèrent de nouveau du ciment puis refermèrent le caveau. « L'idée de Holmes était visiblement de prémunir par tous les moyens sa dépouille contre les menées scientifiques, le bocal à formol et le couteau », écrivit le *Public Ledger*.

D'étranges phénomènes survinrent alors, rendant presque plausibles les prétentions de Holmes au statut de démon. Le directeur de la prison de Moyamensing se suicida. Le président du jury fut électrocuté lors d'un étrange accident. Le prêtre qui avait administré les derniers sacrements à Holmes fut retrouvé mort de cause mystérieuse dans le jardin de son église. Le père d'Emeline Cigrand fut monstrueusement défiguré par l'explosion d'une chaudière. Et un incendie détruisit le bureau du procureur de district George Graham, ne laissant intacte qu'une seule photographie de Holmes.

Aucune stèle, aucune pierre tombale ne marque la sépulture de Herman Webster Mudgett, alias H. H. Holmes. Sa présence au Holy Cross Cemetery est plus ou moins secrète, tout juste mentionnée dans un registre antédiluvien qui la situe section 15, rang 10, lot 41, entre les tombes 3 et 4, à quelques pas d'une allée baptisée « Lazarus Avenue » en hommage au personnage biblique ressuscité par Jésus. « Dix pieds de ciment », précise la notice. Sur place, on ne voit qu'une pelouse ponctuée d'autres tombes anciennes. Il y a là des enfants et un pilote de la Première Guerre mondiale.

Personne n'y a jamais laissé de fleurs pour Holmes, mais il n'a pas été entièrement oublié pour autant.

En 1997, la police de Chicago arrêta un médecin, le docteur Michael Swango, à l'aéroport O'Hare. Initialement interpellé pour escroquerie, il était aussi soupçonné d'avoir assassiné un certain nombre de patients hospitalisés en leur administrant des doses mortelles de médicaments ou de poison. Le docteur Swango finit par avouer quatre meurtres, même si les enquêteurs estimaient qu'il en avait commis beaucoup d'autres. Lors de son arrestation, la police découvrit en sa possession un carnet dans lequel il avait recopié des citations de plusieurs livres, soit pour l'inspiration qu'elles lui donnaient, soit en raison de leur résonance particulière. L'un de ces extraits provenait d'un livre sur H. H. Holmes, *The Torture Doctor*, de David Franke. Dans le passage choisi par Swango, l'auteur cherchait à faire entrer son lecteur dans la peau de Holmes.

« Il n'avait qu'à se regarder dans un miroir pour se dire qu'il était l'un des hommes les plus puissants et les plus dangereux du monde, disait la citation. Il se sentait comme un dieu déguisé. »

57

À bord de l'*Olympic*

À bord de l'*Olympic*, Burnham attendait des nouvelles de Frank Millet et de son paquebot. Juste avant de s'embarquer, il lui avait écrit, à la main, une lettre de 19 pages pour le presser d'assister à la prochaine réunion de la commission Lincoln, qui s'apprêtait à désigner le créateur du futur Lincoln Memorial. Burnham et Millet avaient vigoureusement milité en faveur de l'architecte Henry Bacon, de New York, et Burnham croyait avoir été persuasif lors de son récent discours devant la commission. « Mais je sais comme vous, mon cher Frank, que (...) les rats reviennent toujours en masse grignoter au même endroit dès l'instant où le chien tourne le dos. » Il soulignait à quel point la participation de Millet était importante. « Soyez présent et répétez l'argument véritable, qui est qu'ils feraient mieux de choisir un homme ayant notre confiance. Je m'en remets entièrement à vous là-dessus. » Il avait noté sur l'enveloppe l'adresse suivante, certain que la poste des États-Unis saurait s'en débrouiller :

Monsieur F. D. Millet
Devant arriver sur le paquebot *Titanic*
New York

*

Burnham espérait bien, une fois l'*Olympic* parvenu sur les lieux du naufrage du *Titanic*, retrouver Millet vivant et l'entendre faire un récit extravagant de sa traversée, mais l'*Olympic* reprit pendant la nuit son cap initial vers l'Angleterre. Un autre navire avait déjà rejoint le *Titanic*.

Ce n'était pas la seule raison de ce nouveau changement de direction. Le constructeur des deux paquebots, J. Bruce Ismay – un des rares passagers masculins du *Titanic* à avoir échappé à la mort –, refusa catégoriquement que les rescapés puissent s'embarquer sur un navire jumeau de celui qui venait de sombrer sous leurs yeux. Le traumatisme serait trop fort, craignait-il, et trop humiliant pour la White Star.

L'ampleur du désastre apparut vite. Burnham perdit son ami, le steward perdit son fils. William Stead, qui lui aussi était à bord, fut englouti par les flots. En 1886, dans la *Pall Mall Gazette*, il avait alerté son lectorat sur les catastrophes qui ne manqueraient pas d'arriver si les compagnies maritimes persistaient à faire naviguer des paquebots munis d'un nombre insuffisant de chaloupes. Un rescapé du *Titanic* affirma l'avoir entendu dire : « Je pense que ce n'est rien de grave, je retourne me coucher. »

Cette nuit-là, dans le silence de sa suite, tandis que quelque part au nord le corps glacé de son dernier ami proche dérivait dans les flots étrangement paisibles de l'Atlantique, Burnham ouvrit son journal personnel et se mit à écrire. Il ressentait une solitude profonde. « Frank Millet, que j'aimais tant, était à son bord (...) voici rompus mes liens avec un des meilleurs hommes de l'Expo. »

Burnham ne survécut que quarante-sept jours à Millet. Pendant que les siens et lui visitaient Heidelberg, il tomba dans le coma, semble-t-il à cause d'un assaut combiné de son diabète, d'une colite et d'une infection au pied, le tout encore aggravé par une intoxication alimentaire. Il mourut le 1er juin 1912. Margaret partit s'installer à Pasadena, Californie, d'où elle assista à une guerre mondiale, à une épidémie de grippe, à une effroyable dépression économique et de nouveau à une guerre mondiale. Elle rendit l'âme le 23 décembre 1945. Son époux et elle reposent à Chicago, au cimetière de Graceland, sur un îlot de l'unique bassin. John Root est enterré non loin de là, tout comme les Palmer, Louis Sullivan, le maire Harrison, Marshall Field, Philip Armour et tant d'autres, dans des tombeaux et mausolées allant du modeste au grandiose. Potter et Bertha dominent toujours leur monde, comme si la stature sociale continuait de compter même dans la mort. Ils occupent une acropole massive flanquée de quinze colonnes géantes au sommet de la seule éminence du cimetière, avec vue sur le bassin. Les autres se pressent autour d'eux. Par une journée limpide d'automne, on croirait presque entendre les tintements du cristal et le frou-frou des soieries et de la laine, presque sentir l'odeur des cigares de luxe.

Notes et sources

La Ville blanche vue du lac Michigan.

Ce qui m'a fasciné dans le Chicago de l'âge d'or, c'est la détermination de la ville à entreprendre l'impossible pour défendre son honneur local, un concept tellement éloigné de la psyché moderne que deux sagaces lecteurs d'une des premières versions de ce livre n'ont pas compris pourquoi, fondamentalement, Chicago avait pu aussi ardemment souhaiter accueillir l'Exposition universelle. La juxtaposition de ce déploiement de fierté et du mal le plus insondable m'a frappé par sa capacité à fournir de puissants éclairages sur la nature et les ambitions humaines. Ma fascination n'a fait qu'augmenter au fil de mes lectures sur l'Expo. Que George Ferris ait pu tenter de construire une structure aussi énorme et aussi originale – et qu'il y soit parvenu du premier coup – paraît, en notre temps où les procès en responsabilité civile font florès, presque au-delà de l'entendement.

Il existe de riches sources de renseignements sur l'Exposition universelle et Daniel Burnham dans les archives superbement tenues de la Chicago Historical

Society et des bibliothèques Ryerson et Burnham, de l'Art Institute of Chicago. J'ai aussi trouvé une excellente base d'informations à la bibliothèque Suzallo de l'université de Washington, une des meilleures et des plus efficaces que je connaisse. Je me suis aussi rendu à la bibliothèque du Congrès de Washington, où j'ai passé de nombreuses heures de bonheur immergé dans les papiers de Frederick Law Olmsted, même si ce bonheur a été parfois terni par mes efforts pour déchiffrer l'exécrable écriture du paysagiste.

J'ai lu – et exploité – des dizaines de livres sur Burnham, Chicago, l'exposition et l'époque victorienne. Plusieurs se sont avérés précieux de bout en bout : le *Burnham of Chicago* de Thomas Hines (1974) ; le *FLO : A Biography of Frederick Law Olmsted* de Laura Wood Roper (1973) ; et *A Clearing in the Distance* de Witold Rybczynski (1999). Un livre surtout, *City of the Century* de Donald L. Miller (1996), est devenu un inestimable compagnon de mon voyage à travers le Chicago d'antan. Quatre guides m'ont été particulièrement utiles : le *AIA Guide of Chicago* d'Alice Sinkevitch (1993) ; le *Graveyards of Chicago* de Matt Hucke et Ursula Bielski (1999) ; l'*Official Guide to the World's Columbian Exposition* de John Flinn (1893) ; et le *Rand & McNally & Co.'s Handbook to the World's Columbian Exposition* (1893). Le guide de Hucke et Bielski m'a incité à visiter le cimetière de Graceland, un lieu délicieux où, paradoxalement, l'histoire prend vie.

Holmes s'est révélé un personnage difficile à cerner, en grande partie à cause de la malencontreuse décision du juge de Philadelphie de ne pas entendre les trois douzaines de témoins cités par le procureur George Graham. Plusieurs livres ont été écrits sur lui, mais aucun ne relate tout à fait la même histoire. Deux de ces ouvrages, *Depraved* de Harold Schlechter et *The Torture Doctor* de David Franke (d'où provient la citation recopiée par le tueur en série moderne Michael Swango), semblent les plus dignes de foi. Deux autres apportent une base concrète à certains faits. Les mémoires de l'inspecteur Frank Geyer, *The Holmes-Pitezel Case*, fournissent un compte rendu détaillé des faits survenus à partir de l'arrestation de Holmes, avec des extraits de documents dont les originaux n'existent plus. J'ai eu la chance de pouvoir m'en procurer un exemplaire chez un marchand en ligne de livres anciens. Le second est *The Trial of Herman W. Mudgett, Alias, H. H. Holmes*, une transcription intégrale du procès de Holmes parue en 1897. Je l'ai découvert à la bibliothèque de droit de l'université de Washington.

Holmes a laissé des mémoires, *Holmes' Own Story*, qu'on peut trouver dans la collection de livres rares de la bibliothèque du Congrès. Il a également écrit trois confessions. Les deux premières apparaissent dans le livre de Geyer. La troisième et la plus sensationnelle a été publiée dans le *Philadelphia Inquirer*, qui lui avait versé une forte somme pour en avoir la primeur. Quoique en grande partie mensongers, ces textes sont truffés de détails qui recoupent des faits établis au procès ou exhumés par Geyer et les bataillons de reporters qui ont couvert l'épopée de Holmes après son arrestation à Boston. Je me suis fortement appuyé sur les articles parus à l'époque dans le *Chicago Tribune* et dans les deux quotidiens de Philadelphie, l'*Inquirer* et le *Public Ledger*. Beaucoup de ces articles sont truffés d'inexactitudes et, je le crains, d'embellissements. J'en ai tiré tout ce que je pouvais en termes de faits avérés et de reproductions de documents originaux tels que lettres, télégrammes, interviews, et autres témoignages recueillis par la police ou fournis par des gens qui se firent connaître après que la nature du « château des horreurs » de Holmes eut fait la une des journaux. Un des aspects remarquables – et somme toute sympathiques – de l'investigation criminelle dans les années 1890 est que la police laissait les journalistes accéder librement aux scènes de crime, y compris en pleine enquête. À un moment donné de l'affaire Holmes, le chef de la police de Chicago confia à un reporter du *Tribune* qu'il aurait aimé tout autant avoir sous ses ordres une équipe de journalistes que des inspecteurs.

Il se peut qu'on ne sache jamais exactement ce qui motivait Holmes. En mettant l'accent sur sa quête de la possession et de la domination, je ne présente ici qu'une seule possibilité, même si je reconnais que toutes sortes d'autres mobiles pourraient être avancés. Je me fonde sur les détails connus de son histoire et de son comportement et sur ce que les criminologues savent aujourd'hui des tueurs en série psychopathes et des forces qui les animent. Le docteur James O. Raney, un psychiatre de Seattle qui effectue périodiquement des expertises psychiatriques, a lu le manuscrit et m'a fait des observations sur la nature des psychopathes, aujourd'hui présentés dans les manuels de psychiatrie sous la dénomination autrement rébarbative de « personnes atteintes de troubles de la personnalité antisociaux ». Heureusement qu'Alfred Hitchcock est mort avant ce changement de nom.

Bien qu'il soit évident que personne d'autre que Holmes n'a jamais assisté à ses crimes – en dehors de ses victimes –, j'ai recréé deux scènes de meurtre dans ce livre. Je me suis beaucoup interrogé sur la meilleure façon de les aborder et j'ai passé pas mal de temps à relire *De sang-froid* pour tâcher de comprendre comment Truman Capote s'y était pris pour nous livrer un récit aussi sombre et aussi troublant à la fois. Hélas, Capote n'a pas laissé de notes de bas de page. Pour élaborer mes scènes de meurtre, j'ai donc utilisé le fil des détails connus pour tisser quelque chose de plausible, comme le ferait un procureur lors de son réquisitoire face au jury. Ma description du meurtre de Julia Conner se fonde sur un témoignage d'expert présenté au procès de Holmes à propos de la nature du chloroforme et sur ce qui se savait à l'époque de ses effets sur le corps humain.

Je n'ai pas fait appel à des documentalistes et je n'ai pas davantage mené de recherches préliminaires sur Internet. J'ai besoin de contact physique avec mes sources, et il n'y a qu'un seul moyen de l'obtenir. À mes yeux, chaque déplacement vers une bibliothèque ou un service d'archives ressemble à une petite enquête de détective. Il y a toujours des moments dans ces excursions où le passé renaît soudain à la vie, telle la flamme d'une allumette jaillie dans le noir. Lors d'une visite à la Chicago Historical Society, j'ai retrouvé les originaux des cartes postales que Prendergast envoyait à Alfred Trude. J'ai vu de mes yeux à quel point la mine de son crayon s'était enfoncée dans le papier.

Les citations de ce livre sont comme une carte. Toute personne marchant sur mes traces devrait aboutir aux mêmes conclusions que moi.

CRÉDITS DES ILLUSTRATIONS

Pages 8-9 : Rand & McNally et Art Institute of Chicago, illustration reproduite avec l'aimable autorisation de l'Art Institute of Chicago.

Page 15 : *L'Exposition universelle colombienne photographiée par C. D. Arnold*, Archives Ryerson et Burnham, Art Institute of Chicago. Photographie reproduite avec l'aimable autorisation de l'Art Institute of Chicago.

Page 25 : Chicago Historical Society. ICHi-21795.

Page 173 : *L'Exposition universelle colombienne photographiée par C. D. Arnold*, Archives Ryerson et Burnham, Art Institute of Chicago. Photographie reproduite avec l'aimable autorisation de l'Art Institute of Chicago.

Page 353 : photographie de William Henry Jackson. Chicago Historical Society. ICHi-17132.

Page 505 : © Bettman/CORBIS.

Page 553 : Chicago Historical Society. ICHi-25106.

Page 583 : Chicago Historical Society. ICHi-17124.

REMERCIEMENTS

Ceci est mon troisième livre publié chez Crown et sous l'égide de Betty Prashker, qui s'est de nouveau révélée être une des directrices littéraires suprêmes de la place de New York – sûre de ses choix, indirectement vigoureuse, toujours rassurante. Tous les auteurs ont besoin de soutien, et elle m'a accordé le sien sans réserve. Tous les livres ont aussi besoin de soutien, et Crown a une fois de plus mobilisé une équipe ultra motivée de femmes et d'hommes pour aider celui-ci à trouver un lectorat aussi large que possible. Merci à Steve Ross, éditeur ; à Andrew Martin, Joan DeMayo et Tina Constable, sorciers du marketing ; et à Penny Simon, le type même de l'attachée de presse aguerrie que la plupart des auteurs rêvent d'avoir mais ne trouvent que rarement.

J'ai aussi eu le bonheur de disposer d'un sacré agent, David Black, un homme dont l'instinct pour tout ce qui touche à l'énergie narrative – comme aux excellents vins – est sans égal. Et il se trouve que ses qualités humaines sont elles aussi excellentes.

Sur le front personnel, ma famille m'a aidé à garder la tête sur les épaules. Je n'aurais jamais pu écrire ce livre sans l'aide de ma femme, Christine Gleason, médecin de profession mais aussi éditrice naturelle parmi les plus douées que je connaisse. Sa confiance m'a servi de phare. Mes trois filles m'ont montré ce qui est vraiment important. Ma chienne, elle, m'a montré que rien n'est important à part manger.

Deux amies, l'une et l'autre écrivaines, ont généreusement consenti à lire l'intégralité du manuscrit et à me soumettre leurs critiques avisées. Robin Marantz Henig m'a fait parvenir une douzaine de pages de suggestions extrêmement précises, que j'ai adoptées pour la plupart. Carrie Dolan, l'une des auteures les meilleures et les plus drôles qu'il m'ait été donné de lire, m'a présenté ses critiques de manière à ce qu'elles ressemblent à des compliments – un don que possèdent peu de conseillers littéraires.

Je remercie aussi le docteur James Raney, psychiatre et expert en criminologie, qui a lu mon manuscrit et m'a offert un diagnostic des désordres psychiques vraisemblablement à l'origine du comportement de Holmes. Et Gunny Harboe, l'architecte de Chicago chargé de la rénovation de deux des trois bâtiments encore existants de Burnham & Root – le Reliance et le Rookery –, qui me les a fait visiter et m'a en particulier ouvert les portes de la bibliothèque de Burnham, restaurée dans sa chaleur d'origine.

Pour finir, un mot sur Chicago : je ne savais pas grand-chose de la ville avant de me mettre au travail sur ce livre. Les lieux ont toujours eu de l'importance pour moi, et s'il est une chose qui caractérise le Chicago d'aujourd'hui, comme en 1893, c'est bien le sentiment d'être un lieu unique. Je suis tombé amoureux de cette ville, des gens que j'y ai rencontrés et par-dessus tout du lac et de ses humeurs, si volontiers changeantes d'une saison à l'autre, d'un jour à l'autre, d'une heure à l'autre.

Je dois confesser un secret honteux : j'aime encore plus Chicago par temps froid.

Table

Le Livre de Poche s'engage pour
l'environnement en réduisant
l'empreinte carbone de ses livres.
Celle de cet exemplaire est de :
600 g éq. CO_2
Rendez-vous sur
www.livredepoche-durable.fr

PAPIER À BASE DE
FIBRES CERTIFIÉES

Composition réalisée par PCA

Achevé d'imprimer en février 2014 en France par
CPI BRODARD ET TAUPIN
La Flèche (Sarthe)
N° d'impression : 3004382
Dépôt légal 1re publication : août 2012
Édition 05 – février 2014
LIBRAIRIE GÉNÉRALE FRANÇAISE
31, rue de Fleurus – 75278 Paris Cedex 06

31/5722/9